SEMINARY
PASSIONIST FATHERS

PRAELECTIONES

HISTORIAE ECCLESIASTICAE AETATIS MEDIAE

ET MODERNAE

EIUSDEM AUCTORIS

L'idéalisme Franciscain spirituel au XIVe siècle. Etude sur Ubertin de Casale. L.-P., Praemio decoratum ab « Académie des Inscriptions et Belles-Lettres ». In-8, pag. XXVII-276.

Essai critique sur la vie du P. Archange Leslie appelé le Capucin Ecossais. Excerptum ex « Etudes Franciscaines ». P., 1914. In-8, pag. 36.

La Famiglia di S. S. Benedetto XV e l'Ordine dei Frati Minori Cappuccini (cum figuris). Romae, 1916, pag. 48. In-4.

La vie religieuse et familiale en Belgique au XVIIe siècle. — Etude sur le Père Charles d'Arenberg, Frère-Mineur Capucin (cum figuris). Lettre-Préface de M. J. Van den Heuvel, Ministre de Belgique près le Saint-Siège. Romae, 1919, pag. XXIII-375, In-8. Praemio decoratum ab « Académie Française ».

Il Terz'Ordine secolare di S. Francesco. Saggio storico. T., 1921, pag. VIII-136.

Le Tiers-Ordre de Saint François d'Assise. P., 1923, pag. 132, In-8. — Idem opus in lingua anglica, hispanica et neerlandica.

Art religieux Italien. Collection iconographique. Saint François d'Assise, avec introduction par le P. Frédegand d'Anvers, O. M. Cap., et 32 reproductions. Apud: Société éditrice d'art illustré, Romae, 1923, pag. 48. In-8. — Idem opusculum italice et anglice.

De arte Unionis cum Deo juxta P. Joannem a Fano (1536). In-16, pag. 72, Romae, 1924.

De aliquibus Missionibus Fr. Minorum Capuccinorum in Oriente, 1644-1647. *Relatio inedita P. Ambrosii a Rhedonibus.* In-16, pag. 70. Romae, 1927.

Historiae Franciscanae studiosis notiones utiles. In-16, p. 78. Romae, 1931.

B. Ochino fautore della Pseudo-Riforma. In-8, pag. 30. Roma, 1930.

I Messaggeri di Cristo nel Tibet, dal secolo XIV fino ai giorni nostri. In-8, pag. 30. Romae, 1932.

Praelectiones Historiae ecclesiasticae antiquae. In-8, pag. IV-404. Romae, 1944. Editio altera, cum tabula Orbis christiani antiqui.

La physionomie spirituelle de F. Chigi (Alexandre VII) d'après sa correspondance avec le P. Charles d'Arenberg Fr. Mineur Capucin (Miscellanea G. Mercati, t. V) In-8, pag. 26. Romae, 1946.

Documentazione eucaristica Liegese dal Vescovo di Liegi Roberto di Torote al Papa Urbano IV (Miscellanea P. Paschini, t. I). In-8, pag. 22. Roma, 1948.

Urbaniana Series Prima XIII

PRAELECTIONES HISTORIAE ECCLESIASTICAE AETATIS MEDIAE ET MODERNAE

auctore

P. FREDEGANDO CALLAEY O. F. M. Cap.

Historiae ecclesiasticae Magistro in Athenaeo Pontificio Urbano de Propaganda Fide

Editio altera cum tabulis

ROMAE
APUD ATHENAEUM PONTIFICIUM URBANUM
DE PROPAGANDA FIDE
1950

OMNIA JURA RESERVANTUR

IMPRIMATUR

Ex parte Ordinis, nihil obstat quominus imprimatur.

Romae, 31 maii 1950 - Fr. CLEMENS a MILWAUKEE, *Minister generalis* O.F.M. Cap.

IMPRIMATUR. E Vicariatu Urbis, die 1 junii 1950

+ Aloysius TRAGLIA, *Archiep. Caesar., Vicesgerens.*

PRAEFATIO

Praelectionibus Historiae Ecclesiasticae Antiquae adjungimus volumen in quo iterum edimus, auctas et emendatas, Quaestiones selectas ex Historia Ecclesiastica Aetatis Mediae et Modernae, usque ad Jansenismum exclusive.

Praelectiones istae, sub forma qua eduntur, revera habitae sunt, cum debita illustratione orali, in Universitate Pontificia de Propaganda Fide. Exinde nemo miretur si non constituunt librum manualem stricte dictum. Etenim, ante omnia intendebamus expositionem fusam et continuam Quaestionum majoris momenti, habito respectu ad pluralitatem nationum, ex Oriente et Occidente, quibus constat Auditorium de Propaganda Fide.

In quantum fieri poterat, singulas Quaestiones uno tractu absolvebamus, quin eas scinderemus secundum limites chronologicos Periodorum. Limites chronologici significationem, ideoque utilitatem, habent: sed est significatio relativa. Isti limites non sunt nec uniformes nec immutabiles. Medium Aevum habetur in Occidente; in Oriente non existit, nisi tanquam plus minusve odiosa importatio occidentalis. Limites chronologici non determinantur unice a factis, sed etiam ab opportunitate didactica, vel a considerationibus extraneis realitati historicae, uti in casu humanistarum et philologorum qui egerunt de Medio Aevo.

Ideae quae movent homines, institutiones religiosae, politicae et sociales quae eos regunt, non continentur intra rigidam clausuram chronologicam, sed eam multimodis evadunt. Ratione temporis, homines qui Europam habitabant saeculo XVIII, viciniores sunt suis posteris saeculi XIX quam suis majoribus Medii Aevi; sed quoad ambitum socialem, modum cogitandi et agendi, usus et consuetudines, Europaeus saeculi XVIII in pluribus regionibus vicinius vivebat Europaeo Medii Aevi quam Europaeo saeculi XIX. Quae animadversio multo magis valet pro populis proximi et extremi Orientis, qui saltem usque ad finem saeculi XIX cultum suum et mores saeculares immutatos servarunt. Sane, serius vel tardius, ambitus et momentum historicum mutantur. Sed cum istae mutationes non sequantur lineam uniformem, indicandae sunt decursu Lectionis, secundum loca et tempora in quibus vicissim evenerunt.

Nobis persuasum est, Auditoribus non parum adjumento esse, si filum expositionis historicae non abrumpitur, ut clarius monstretur nexus quo eventus conjunguntur, si rerum gestarum cursum sequimur inde a causis longinquis usque ad conclusionem finalem vel saltem usque ad processum definitivum, ut ita acquiratur visio plenior et intelligentia magis scientifica factorum. Secundum hanc methodum tractabamus argumenta praesentis voluminis.

Praemissa Introductione de Medio Aevo in relatione ad Antiquitatem et Epocham modernam, successive exponebamus actionem Ecclesiae inter Barbaros et Mahumetanos, ejus vicissitudines in Oriente, a translatione sedis capitalis Imperii in Byzantium (330) ad tempus praesens, ejusque conditiones in Occidente, a ruina Imperii Carolingii ad translationem S. Sedis in Galliam. Istam expositionem Quaestionum quae ortum habuerunt in Medio Aevo, concludebamus sequendo sortes Ecclesiae a translatione S. Sedis in Galliam usque ad Concilium Basileense (1449).

Quoad Quaestiones quae magis pertinent ad Epocham modernam, praecipue agebamus de Reformatione protestantica in triplici sua forma, lutherana, calvinistica et anglicana, et de Reformatione catholica, in renovatione vitae religiosae inde a saeculo XV, in definitione rectae doctrinae et instauratione disciplinae a Concilio Tridentino, et in nova ordinatione apostolatus in terris recens repertis, sub directione S. Sedis, opere praesertim S.C. de Propaganda Fide. Tertium paratur volumen, cum capitibus selectis Historiae Ecclesiasticae Modernae et Contemporaneae, incipiendo a Jansenismo.

Pro Quaestionibus in praesenti volumine expositis, non deest bibliographia recentior optimae notae, sive generalis sive specialis. Pro bibliographia historica generali, inter alia opera notamus: L. Cristiani, *L'Eglise à l'époque du Concile de Trente*, t. 17, coll. *Histoire de l'Eglise* dir. A. Fliche - V. Martin, 1948; Ch. Poulet, *Histoire du Christianisme*, fasc. XXVII sq.; K. Bihlmeyer, *Kirchengeschichte*, exemplar Libri Manualis magis completi et melius instructi abundanti litteratura scientifica, ed. nova a H. Tüchle, 1948; G. de Plinval-R. Pittet, *Histoire de l'Eglise*, 3 vol.; translatio neerlandica, *Geschiedenis der Kerk*, 1948-1950; L. Hertling, *Geschichte der Katholischen Kirche*, 1949, speciali habita ratione vitae internae et apostolatus, sed sine apparatu critico vel bibliographico; Ph. Hughes, *A History of the Church*, 3 vol., 1947; ejusdem auctoris, *A Popular History of the Catholic Church*, 1949, in unico vol.; R. F. Walker, *A outline History of the Catholic Church*, 1949, item in uno vol. *Enciclopedia Cattolica*, edita in Civitate Vaticana sub directione P. Paschini, amplam et selectam messem notionum praebet quae referuntur ad historiam Ecclesiae.

Quod ad litteraturam specialem attinet, pro quaque quaestione conati sumus indicare opera praestantiora, in quibus inveniri potest bibliographia magis completa quaestionis tractatae. Facile esset multiplicare citationes bibliographicas, sed credimus pro prima initiatione scientifica melius valere « non multa sed multum ». Attamen utile ducimus nonnulla opera adjungere iis quae decursu expositionis nostrae allegantur, ut e. g. pro Historia Ecclesiae in Oriente: L. Bréhier, *Le monde byzantin*, t. II, *Les Institutions de l'Empire byzantin*, 1949; F. Dvornik, *The Photian Schism, History and Legend*, 1949; A. M. Ammann, *Storia della Chiesa Russa e dei Paesi limitrofi*, 1948. Pro vita spirituali durante Medio Aevo: S. Axters, *Geschiedenis van de Vroomheid in de Nederlanden*, 1950. Pro historia religiosa Angliae a regno Henrici VIII ad tempora nostra, D. Mathew, *Catholicism in England. The Portrait of a Minority, its Culture and Tradition*, 1949. Pro Historia ecclesiastica Italiae: *Rivista di Storia della Chiesa in Italia*. In Statibus Unitis Americae Septentrionalis (New York), inde ab anno 1943 quoque anno editur volumen cui titulus: *Traditio, Studies in ancient and medieval History Thought and Religion*, sub directione S. Kuttner et A. Strittmatter, in quo plurima tractantur argumenta ad Historiam Ecclesiae vel ad Scientias auxiliares spectantia.

De caetero, pro recta et completa informatione scientifica, iterum commendamus assiduam consultationem Bibliographiae quae in Supplementum adnectitur benemeritae *Revue d'Histoire Ecclésiastique*, e. g. vol. XLV, 1950, fasc. 1-2, p. 1*-200*.

Gratum pandimus animum iis omnibus qui aliquo modo contribuerunt ad editionem praesentis voluminis. Inter quos, Canonicus Albertus De Meyer, Professor Ordinarius Historiae Ecclesiasticae in Universitate Lovaniensi, et P. Hieronymus a Parisiis, jam Praefectus Studiorum in Collegio Internationali O.F.M. Cap., copiam scientiae suae nobis fecerunt, alter quoad methodum, alter quoad expositionem doctrinalem; et P. Bonaventura a Mehr O.F.M. Cap. nobis adstitit tam in correctione plagularum quam in conficiendo Indice nominum et rerum, ac tabulas scite delineavit.

Ut paginae istae legantur eo ipso quo conscriptae sunt amore: erga Christum Ducem et Matrem Ecclesiam, unice rogat Auctor.

Romae, die festo S. Laurentii a Brundusio

23 Julii 1950

P. FREDEGANDUS CALLAEY *O. F. M. Cap.*

INDEX

Praefatio v
Abbreviationes bibliographicae . . . . . xiv-xv

INTRODUCTIO

DE MEDIO AEVO IN RELATIONE AD EPOCHAM ANTIQUAM ET MODERNAM

1. Medium Aevum quoad nomen et quoad rem . pag. 5
2. Relatio Medii Aevi ad Antiquitatem et Epocham Modernam . . . . » 6
3. Medium Aevum assumpsit omne verum, omne bonum et omne pulchrum quae invenit in Antiquitate, eaque spiritu christiano imbuta animo sincero et tono vivido transmisit ad Epocham Modernam » 8
4. Medium Aevum, praeter relationes ad Antiquitatem et ad Epocham Modernam, suas notas peculiares et sua merita propria habet . . . » 10
5. Luces et umbrae in Medio Aevo . . . » 11
6. Significatio religiosa Medii Aevi pro Epocha Moderna . . . . » 12
7. Habito respectu ad Historiam Ecclesiae, Medium Aevum non opponendum est Antiquitati vel Epochae Modernae, sed componendum cum eis, quia tres Epochae conjunguntur vinculo indissolubili spiritus et vitae Jesu Christi in suis fidelibus . » 14

CAPUT PRIMUM

ECCLESIA INTER BARBAROS ET MAHUMETANOS

I. Migrationes Barbarorum eorumque conversio in Europa centrali et occidentali: Longobardi, Franci, Angli, Hiberni et Scoti, Germani, Frisii, Saxones . . 17-49
II. Cooperatio politico-ecclesiastica inter S. Sedem et dynastiam carolingiam 49-64

III. Conversio populorum Europae septentrionalis et orientalis: Scandinavi, Sloveni, Croati, Serbi, Bulgari, Moravi, Bohemi, Poloni, Rutheni, Hungari . . . 64-79
IV. Islamismus et invasiones Mahumetanorum: Doctrina Mahumeti - Propagatio Islamismi - Defensio mundi christiani 79-95

CAPUT SECUNDUM
ECCLESIA IN ORIENTE

I. A translatione sedis capitalis Imperii in Byzantium (330) ad medium saeculum IX: 1) Actio politico-ecclesiastica pro Ecclesia Constantinopolitana. - 2) Relatio partis orientalis Ecclesiae ad partem occidentalem: causae abalienationis 96-104
II. Ecclesia graeca a tempore Photii ad consummationem schismatis - 2) Quaestio nationalis et religiosa qua Ecclesia graeca excitatur in S. Sedem - 3) Relatio Orientis ad Occidentem post Photium - 4) Conditio moralis S. Sedis saeculis IX-XI - Actio violenta Michaelis Caerularii qua consummatur scissio Ecclesiae graecae a centro unitatis Fidei 104-128
III. A consummatione schismatis ad tempora moderna: 1) usque ad expugnationem Constantinopolis a Turcis (1453); *a*) conamina S. Sedis pro defensione christianismi in Oriente et pro regressu dissidentium ad centrum unitatis Fidei; *b*) incomprehensio et injustitia in orientales ex parte latinorum; *c*) concilium Ferrariense-Florentinum. - 2) Ecclesia in Oriente a medio saeculo XV ad tempus praesens: 1) Subjectio Ecclesiae graecae dominationi Turcarum. - 2) Constitutio Ecclesiarum nationalium in Oriente: *a*) ex Ecclesia graeca; *b*) ex aliis Ecclesiis dissidentibus. - 3) Conatus pontificum romanorum et conditiones pro regressu dissidentium ad unam Fidem 129-149

CAPUT TERTIUM
ECCLESIA ET STATUS IN OCCIDENTE A RUINA IMPERII CAROLINGII AD TRANSLATIONEM S. SEDIS IN GALLIAM

I. Misera conditio externa Ecclesiae in Occidente: 1) Occasus Imperii Carolingii. - 2) Ordinatio feudalis societatis. - 3) Consequentiae ordinationis feudalis pro Ecclesia 150-156

II. Actio Ecclesiae pro pace sociali et liberatione a tutela principum: 1) Pax et Tregua Dei. - 2) Prima tentamina pro emancipatione auctoritatis pontificiae. - 3) A Nicolao II ad Gregorium VII (1059-1085): a) Decretum Nicolai II; b) Opus S. Gregorii VII pro libertate Ecclesiae. - 4) Investitura ecclesiastica a principibus saecularibus aufertur opere Concordati Wormatiensis et I Concilii oecumenici Lateranensis (1123) . . 156-178

III. De statu Ecclesiae a fine Controversiae de Investituris usque ad Translationem S. Sedis in Galliam (1123-1305): 1) S. Sedes in dissidiis a factionibus romanis excitatis, cum interventu S. Bernardi a Claravalle (1123-1155). - 2) Ecclesia et Status sub dynastia Hohenstaufica (1138-1268): a) Fredericus Barbarossa et papa Alexander III (1152-1190); b) Ecclesia sub pontificatu Innocentii III (1198-1216); c) Ultimum fatum domus Hohenstauficae. - 3) De Ecclesia et Statu in Anglia (1154-1213). - 4) De Ecclesia et Statu sub influxu politico Galliae, ab Urbano IV ad Bonifatium VIII (1261-1303): a) a II Concilio oecumenico Lugdunensi ad abdicationem S. Coelestini V (1274-1294); b) Res prosperae et adversae sub pontificatu Bonifatii VIII (1294-1303) 179-216

CAPUT QUARTUM

A TRANSLATIONE S. SEDIS IN AVENIONEM AD CONCILIUM BASILEENSE (1305-1449)

I. S. Sedes translata in Galliam (1305-1376): 1) Clemens V et concilium oecumenicum Viennense (1305-1314). - 2) Administratio Ecclesiae, controversiae religiosae et contentio inter imperium et sacerdotium sub Joanne XXII (1316-1334) - 3) Pestis nigra et misera conditio Status pontificii - 4) Instauratio S. Sedis in Roma, et consequentiae Translationis Avenionensis . . 217-233

II. Magnum Schisma in Occidente (1378-1417): 1) Circumstantiae electionis Urbani VI - 2) Electio pseudopapae Clementis VII et consequentiae schismatis - 3) Conamina pro solutione schismatis ope synodi generalis: conciliabulum Pisanum et concilium Constantiense (1409-1417) - 4) Conclusio schismatis electione Martini V 233-254

III. Instauratio auctoritatis pontificiae post disceptationem inter papam et concilium Basileense (1432-1449): 1) Rebellio concilii Basileensis adversus Eugenium IV - 2) Definitio primatus romani pontificis - 3) Vita christiana et doctrina catholica in medio certaminum et errorum 254-265

CAPUT QUINTUM
REFORMATIO PROTESTANTICA

I. Conditiones generales Ecclesiae in Occidente, praesertim in Germania, a fine saeculi XV: 1) Vita religiosa: *a*) Motus « Modernae Devotionis »; *b*) Manifestationes Fidei. - 2) Status politico-socialis Germaniae - 3) Abalienatio moralis et intellectualis ab Ecclesia - 4) Exaltatio nationalis 266-281

II. Reformatio protestantica in Germania: 1) Curriculum vitae Martini Lutheri et constitutio Ecclesiae lutheranae status - 2) Doctrina lutherana: *a*) de justificatione; *b*) de Ecclesia; *c*) de Fide 282-300

III. Calvinismus: 1) Joannes Calvinus ejusque expositio systematica theologiae propriae - 2) Constitutio theocratica Ecclesiae calvinisticae 301-308

IV. Anglicanismus: 1) Causae longinquae defectionis Angliae a Fide - 2) Schisma Henrici VIII - 3) Introductio officialis reformationis protestanticae in Angliam, post annum 1547: *a*) Constitutio liturgico-doctrinalis novi cultus; *b*) actio politico-religiosa adversus catholicismum; *c*) apostolatus catholicus in medio persecutionis - 4) Renascentia catholica in Anglia, ab initio saeculi XIX 309-333

V. Dispersio doctrinae protestanticae et aspirationes ad unionem, hodierno tempore 334-339

CAPUT SEXTUM
REFORMATIO CATHOLICA ECCLESIAE

I. Renovatio vitae religiosae, a fine saeculi XV: 1) Associationes piae, oratoria et opera caritatis - 2) Instauratio observantiae in Ordinibus religiosis antiquis et origo Ordinum novorum - 3) Curia Romana et Reformatio catholica ab Alexandro VI ad Paulum III (1492-1549) 340-367

II. Definitio doctrinae et instauratio disciplinae a concilio Tridentino (1545-1563): 1) Prima phasis concilii (1545-1549) - 2) Altera phasis concilii (1551-1552) - 3) Tertia phasis concilii (1562-1563) - 4) Applicatio decretorum concilii Tridentini, opera summorum pontificum et congregationum romanarum, a Pio IV ad Urbanum VIII (1559-1644) 367-389

III. Instauratio actionis apostolicae: 1) Inventio novarum terrarum a saeculo XIV ad saeculum XVII - 2) Sollicitudo S. Sedis pro praedicatione Evangelii in teiris recens inventis et pro indigenarum protectione - 3) S. Congregatio, Collegium et Typographia de Propaganda Fide - 4) Brevis conspectus operis evangelizationis peracti a missionariis in terris recens repertis, saeculis XVI-XVII 389-415

Series chronologica Pontificum Romanorum, Imperatorum et Regum Romanorum, Galliae, Angliae et Hispaniae 417-422

Index nominum et rerum 423-447

ABBREVIATIONES BIBLIOGRAPHICAE

AB — *Analecta Bollandiana*. Folia periodica pro studio hagiographiae, inde ab anno 1882.
AS — *Acta Sanctorum*, edita a sodalibus Societatis Bollandianae ab anno 1643 ad dies nostros.
CIC — *Codex Juris Canonici*, 1917.
DAC — *Dictionnaire d'archéologie chrétienne et de liturgie*, inceptum anno 1907.
DA — *Dictionnaire apologétique de la Foi catholique*, 4 vol. 1928.
DHE — *Dictionnaire d'histoire et de géographie ecclésiastique*, inceptum anno 1909.
DTh — *Dictionnaire de théologie catholique*, inceptum anno 1903.
EA — *Enchiridion Asceticum*, ed. M. J. Rouët de Journel et J. Dutilleul.
EC — *Enchiridion Clericorum*, ed. S. C. de Seminariis et Studiorum Universitatibus.
EHA — *Enchiridion Fontium Historiae ecclesiasticae antiquae*, ed. C. Kirch.
EP — *Enchiridion Patristicum*, ed. J. Rouët de Journel.
ES — *Enchiridion Symbolorum*, ed. H. Denzinger, C. Bannwart, J. Umberg.
EST — *Ecclesia et Status*. Fontes selecti, ed. J. Lo Grasso.
FHE — *Fontes Historiae Ecclesiae Medii Aevi*, a saec. V ad IX, ed. C. Silva-Tarouca.
FP — *Florilegium Patristicum*, inceptum anno 1904.
HC — *Konziliengeschichte* a C. Hefele, translata et aucta ab H. Leclercq, P. Richard et A. Michel: *Histoire des Conciles*. Adhibetur ed. gallica.
HE — *Historia ecclesiastica* Eusebii Caesariensis.
KL — *Kirchenlexikon* a J. Hergenröther et F. Kaulen, 12 vol. 1903.
LTK — *Lexikon für Theologie und Kirche*, dir. a M. Buchberger, 10 vol. 1929-1938.

MANSI — *Sacrorum Conciliorum nova et amplissima Collectio*, ed. 1 in 31 vol. 1759-1798; ed. 2 a J. Martin et P. Petit, cum Continuatione Conciliorum a 1439 ad tempora nostra, 1901-1927, 53 vol. Adhibetur ed. 2.

MGH — *Monumenta Germaniae historica*, Collectio documentorum ab an. 500 ad an. 1500, incepta an. 1826: Scriptores (SS); Leges, inter quas eduntur Concilia (LL); Diplomata (DD); Epistolae (EE); Auctores antiquissimi (AA).

PG — Patrologiae Cursus completus ed. J.P. Migne. *Patrologia Graeca*, usque ad Concilium Florentinum (1445), cum textu graeco et translatione latina, in 161 vol.

PL — *Patrologia Latina* ejusdem ed., usque ad an. 1216, in 221 vol.

RHE — *Revue d'Histoire ecclésiastique*, ab anno 1900.

ABBREVIATIONES NOMINUM LOCORUM IN QUIBUS PLERUMQUE EDITA SUNT OPERA CITATA

B. Berlin; Br. Bruxelles; F. Firenze; Fr. Freiburg im Breisgau; L. Louvain; Lo. London; Lu. Lyon; Lz. Leipzig; M. Milano; Mn. München; Mr. Münster in Westphalia; NY. New-York; P. Paris; OE. Innsbruck; Pdb. Paderborn; R. Roma; Reg. Regensburg (Ratisbonna); T. Torino; V. Venezia; Vi. Wien.

CORRIGENDA

Pagina 97, linea 11, legatur: βασιλεὺς καὶ ἱερεύς
Pagina 100, linea 20, legatur: οἰκουμένη
Pagina 102, linea 26, legatur: προσκύνησις
Pagina 357, linea 16, legatur: Societas.
Errata minora ipse benevolus Lector facile corriget.

PRAELECTIONES

HISTORIAE ECCLESIASTICAE AETATIS MEDIAE

ET MODERNAE

INTRODUCTIO

DE MEDIO AEVO

IN RELATIONE AD EPOCHAM ANTIQUAM ET MODERNAM

INTRODUCTIO

DE MEDIO AEVO IN RELATIONE AD ANTIQUITATEM ET AD EPOCHAM MODERNAM

1. Epocha quae Medium Aevum appellatur, *quoad nomen*, vocabulo improprio designatur et, *quoad rem*, sententia partiali saepius judicata est.

Quod ad *nomen, Medium Aevum*, attinet, est vocabulum indolis philologicae quod decursu temporis oblique transiit in terminologiam historicam. Etenim, inde a Renascentia, philologi *in evolutione litteraria linguae latinae, tres periodos* distinxerunt: *superiorem*, sive classicam, a constitutione Reipublicae Romanae ad Constantinum Magnum; *mediam*, a Constantino Magno ad Carolum Magnum; *infimam*, a Carolo Magno ad Renascentiam. Periodus *mediae* et *infimae* latinitatis complectitur tempus quo *lingua latina*, ob dissolutionem cultus Graeco-Romani et ascensionem politicam Barbarorum, a *superiore* excellentia declinaverat, donec humanistae Renascentiae eam in veterem elegantiam atque puritatem restituerunt.

Tali sensu philologus gallicus C. Du Cange praestantissimo suo vocabulario titulum imposuit: *Glossarium ad scriptores mediae et infimae latinitatis* (1678) (1). Deinde philologi unico vocabulo *mediae latinitatis* designarunt statum linguae latinae ab adventu Barbarorum saeculo IV ad Renascentiam classicam. Totum hoc tempus ab eis dictum est *aevum medium, aetas mediocris, intercalaris* inter *aetatem superiorem* in qua litterae latinae maxime floruerunt, et *Renascentiam* saeculi XVI in qua humanistae gloriantur se specimina antiqua ex abdito barbarico eruisse eaque summa diligentia coluisse.

Decurrente saeculo XVII, historici eodem vocabulo: *Aetas Media, Medium Aevum*, coeperunt indicare idem fere spatium temporis, inter lapsum Imperii Romani in Occidente (475) et expugnationem Constantinopolis a Turcis in Oriente (1453) (2). Ita fecerunt inter primos F. Dusseldorp, *Annales* (3), Rausin in opere *Leodium*

---

(1) Anno 1688 edidit *Glossarium ad scriptores mediae et infimae graecitatis*.

(2) M. De Wulf, *Histoire de la Philosophie médiévale*, t. I, p. 9 sq. ed. 6, L. P., 1934.

(3) Ed. R. Fruin, Den Haag, 1893.

(1639), Ch. Keller (Cellarius), *Historia Medii Aevi, a temporibus Constantini Magni ad Constantinopolim a Turcis captam deducta* (1688).

A saeculo XVI ad XVIII, historici plurimi, caeca admiratione Antiquitatis et Renascentiae obstricti, vel praejudicio anticatholico irretiti, Medium Aevum historicum eodem contemptu descripserunt ac philologi depinxerant Medium Aevum litterarium. Non solum fuisset epocha a pura latinitate aliena, sed epocha in qua praevalebant homines immani et intoleranda barbarie quorum indole ac moribus nihil asperius; tempus ignorantiae, miseriae et terroris, in quo Sacerdotium leges imponebat Imperio et conscientias libertatem invocantes anathemate persequebatur.

Decursu saeculi XIX, historici ampliore aspectu et aequiore animo studuerunt Medio Aevo idque exposuerunt modo magis consono veritati. Restitutioni in integrum Medii Aevi contribuerunt fautores *Motus romantici,* poëtae uti G. Byron et Victor Hugo, scriptores fabularum historicarum uti Walter Scott et Alexander Manzoni, pictores, e.g. Nazareni (Overbeck) in Urbe et Praeraphaëlitae (Dante Gabriel Rossetti) in Anglia, apologetae et philosophi uti Fridericus von Schlegel et Franciscus-Renatus de Chateaubriand, qui toto corde et vivida imaginatione coluerunt Aetatem Mediam, eamque celebrarunt ut fontem omnis nobilitatis atque pulchritudinis in magnanimis gestis patrum, in ingenuis litteris nationalibus, in exquisita arte religiosa quam contumeliose humanistae appellaverant *gothicam*.

2. Si attente consideramus Medium Aevum, patebit hoc tempus nullo modo alienum esse ab Antiquitate nec ab Epocha moderna, sed potius prosequi *illam* et incipere *istam*. Tam in actoribus quam in institutionibus, Medium Aevum triplici constat elemento: 1) elemento antiquo sive *romano;* 2) elemento novo, scilicet *barbarico;* 3) elemento perenni, seu *christiano*. Quare Medium Aevum, saltem pro Occidente, recte dici potest: *Aetas in qua praestantiores institutiones Antiquitatis paganae et christianae adhibentur a novo ordine populorum pro sua vita nationali, intellectuali et religiosa, sub magisterio Ecclesiae catholicae*. In Oriente, ubi Barbari non praevaluerunt, nihil simile habetur, sed ibi praecipue notantur: propagatio Fidei sub actione imperiali; introductio Liturgiae in linguam patriam apud populos recens conversos; principatus Ecclesiae Constantinopolitanae; ortus et progressus Islamismi cum saeculari luctatione christianorum adversus eum; initium et consummatio separatio-

nis a centro unitatis Fidei, cum consequenti erectione autonomiae ecclesiasticae sub dominatu principum apud nationes separatas.

Medium Aevum prosequitur et extendit opus Epochae antiquae doctrinis et institutionibus quas ab ea accepit, ante omnia Fide catholica, in S. Scriptura cum interpretatione allegorica Veteris Testamenti, in hierarchia et in cultu, in traditione patristica et in decretis Conciliorum. Inter alia dona transmissa ab Antiquitate, recensenda sunt: 1) Lingua, litteratura et philosophia graeca. 2) Lingua et litteratura romana. 3) Septem Artes liberales. 4) Mythologia et historia Antiquitatis. 5) Specimina romana pro compositione poëtica et narratione historica. 6) Architectura, sculptura, musica et sensus amoenae naturae. 7) Administratio oeconomica Imperii Romani. 8) Jus Romanum. 9) Factum et doctrina Monarchiae universalis atque Romae capitis mundi.

Elementis sibi traditis ab Antiquitate, populi novi usi sunt sub directione Ecclesiae, ut societatem suam componerent simul secundum patrios mores, ingenium romanum et spiritum christianum. In vita publica et privata, ante omnia considerabatur finis supremus hominis: salus aeterna animae, ad quam omnia ordinanda erant. Dignitas humana afferebatur, non ex divitiis vel muneribus, sed ex creatione divina, ex redemptione et ex fine aeterno. Exinde sequitur actio pro abolitione servitutis, elevatur conditio moralis et socialis feminei coetus, providetur educationi christianae juventutis in scholis monasticis, episcopalibus et palatinis.

Populi barbari in Medio Aevo ad Fidem catholicam conversi et ad humaniorem cultum assumpti, super ruinas Imperii romani constituerunt nationes quae vicissim rexerunt sortes Europae et in Epocha moderna potestatem suam extenderunt ad totum fere orbem terrarum. Unde Medium Aevum viam parat Aetati modernae, et in relatione ad hanc aetatem dici potest *Juventus christiana Epochae modernae*. Nationes quae oriuntur, sub inspiratione Summi Pontificatus imbuuntur conceptu christiano orbis universi: componunt familiam populorum quorum contentiones terrenae moderantur et conciliantur ab eodem judice supremo, a Vicario Christi, cooperante ipso principe, uti sub dynastia carolingia.

In Medio Aevo, non minus quam in Antiquitate et in Epocha moderna, populi recens ordinati quasi sine intermissu progrediuntur et augent facultates suas, in litteris, in artibus, in scientia divina et humana, in re politica et religiosa. Oriuntur linguae modernae, gesta heroica equitum cantantur in lingua vulgari, lingua latina reservatur curialibus et magistris; liturgia commentatur in theatro sacro; disputationes philosophicae et theologicae praeparant magnas *Summas* scholasticas saeculi XIII, schola Oxoniensis promovet scientiam experimentalem, compilantur encyclopediae scientiae sacrae et profanae; ecclesiae cathedrales novo stylo, dicto gothico exstructae, et candidis picturis ornatae, mirabiliter exprimunt altam et fortem Fidem christianorum hujus aetatis.

In eadem aetate proficiscuntur milites cruce signati pro liberatione Terrae Sanctae, eriguntur Universitates studiorum sub auctoritate S. Sedis, canonice approbantur Ordines religiosi novi, dicti Mendicantes, praecipue Fratres Minores et Praedicatores, qui exemplo et praedicatione vitae evangelicae mores renovarunt, verbo suo sive familiari sive erudito errores praesertim Catharorum et Waldensium confutarunt, cum magistris e clero saeculari cathedras Universitatum studiorum illustrarunt et apostolatum apud infideles usque ad extremum terrae tunc cognitae animose susceperunt.

Occasione bellorum crucigerorum, frequentiores fiunt relationes commerciales Occidentis ad Orientem; explorationes terrarum novarum et inventio artis typographicae, quae in Epocha moderna miro modo ampliatae sunt, inceperunt sub fine Medii Aevi. Quod ad rem politicam attinet, in Medio Aevo inauguratur forma gubernationis quae viget per totam Epocham modernam, scilicet monarchia constitutionalis cum participatione ordinum socialium ad negotia publica.

3. Aetas Media ergo nullo modo est parenthesis inter Antiquitatem et Epocham modernam, nullo modo abalienatur ab eis, sed sibi vindicavit omne verum, omne bonum, omne pulchrum quae invenit apud classicos ut nova societas christiana non esset inferior veteri societati gentilium, et aliunde, pars praestantior Renascentiae ei provenit a Medio Aevo. Saeculo XII, Abaelardus celebrabat philosophos graecos, gymnosophistas et brahmanos Indiarum tanquam praecursores et nuntios religionis Christi. Plato et Aristoteles vicissim agnoscebantur primi magistri scholae philosophicae eodem titulo ac S. Augustinus. Monachi librarii pie describebant *Epistolas* Senecae Philosophi, *Aeneidem* et *Eclogas* Virgilii, quasi divinitus inspiratae essent; saeculo XII, schola juridica Bononiensis divulgabat *Corpus Juris Civilis* imperatoris Justiniani idque substituebat juri consuetudinario germanico. Eodem saeculo, Joannes Sarisburiensis in *Po-*

lycratico et *Metalogico* eleganter exprimebat doctrinam platonicam scholae Carnotensis, et dubium academicum, scilicet scientificum, opponebat logomachiae qua philosophi velabant propriam ignorantiam vel argumenta puerilia roborare tentabant.

Scriptores medievales plurimi, uti Marbodus, Gualterus a Châtillon, Hildebertus a Lavardin et Abaelardus, specimina latinitatis classicae cum amore legerunt atque citarunt, sed plerumque ea in scriptis suis non adhibuerunt vel saltem non ad litteram imitati sunt. Medium Aevum habet linguam latinam *suam*, sive prosaicam sive poëticam, qua viri istius temporis, tam sancti quam profani, animo sincero et tono vivido cogitationes et affectus suos expresserunt. Venustati antiquae, scriptores, oratores et poëtae medioevales addiderunt subtilem speculationem philosophico-theologicam, eloquentiam familiarem et acriorem, versus teneri amoris, sublimia verba expansionis mysticae, vehementes appellationes in emendationem morum et ludos ingenuos de mysteriis sacris.

Alcuinus, Joannes Scotus Eriugena, S. Anselmus Cantuariensis, Abaelardus, S. Bonaventura, S. Albertus Magnus et S. Thomas, Rogerus Baco, Joannes Duns Scotus, Raymundus Lullus et Gulielmus Occam, ut praecipuos et singulariores tantum magistros Medii Aevi nominemus, sive in compilationibus, sive in operibus suis propriis, linguam latinam aptarunt disciplinis scholasticis eique dederunt momentum paedagogicum universale quod permanet usque ad nostra tempora. Facile esset componere *Florilegium latinum* Medii Aevi, in quo praecipua specimina scholastica una cum aliis citationibus typicis, uti sermo Urbani II ad synodum Claramontii mense novembri 1095, objurgationes S. Petri Damiani ad clerum dissolutum, flagrantes effusiones S. Bernardi Claravallensis, hymni liturgici uti *Jesus dulcis memoria*, rythmi eucharistici· *Ecce panis Angelorum*, vel *Adoro te devote, latens Deitas,* aliquod e carminibus satiricis puta *Propter Sion non tacebo, sed ruinam Romae flebo,* seu *Utar contra vitia carmine rebelli,* excerpta e *Chronica* Fr. Salimbene O.F.M. vel *De Imitatione Christi, et contemptu omnium vanitatum mundi,* atque tot alia exempla litteraria, abunde demonstrarent quanam mente cogitabant et quali animo agebant viri Aetatis mediae, quonam fervore orabant, quonam affectu ferebantur sive in odio sive in amore.

Praepotentes episcopi, abbates et principes saeculares, praestantissimi magistri, politiores artifices et humiliores operarii, uno verbo omnes incolae civitatis christianae medioevalis, eodem spiritu catholico contribuerunt aedificio sive spirituali sive materiali quo peramanter expresserunt totam suam scientiam et totam suam fidem. Mente synthetica et universali moventur Scholastici in *Summis* philosophico-theologicis, conditores Universitatum studiorum, Dante Aligherius in *Divina Comoedia,* artifices et muratores ecclesiarum cathedralium.

Sicut S. Augustinus, pater spiritualis Medii Aevi, in *De Civitate Dei* aetates humani generis exposuit sub luce Divinae Providentiae et omnes eventus retulit ad factum primarium, ad Redemptionem et beatitudinem aeternam, ita Scholastici, respondendo fini ultimo Universitatum studiorum, inquisierunt Revelationem, traditionem Patrum, philosophiam antiquam, artes liberales et scientias naturales, ut ex his componerent *Summam* methodicam omnium cognitionum de Deo et homine; Dante scrutatus est tam conscientiam humanam quam historiam sacram et profanam, ut poëtice evolveret sententiam de vera felicitate terrena in relatione ad vitam aeternam; constructores et artifices ecclesiarum cathedralium secundum opus francigenum, architectura eleganti et gracili, elata in linea verticali, arte pura et mere religiosa, speculariis, picturis et statuis aspirationem inquietam fidelium ad Deum effinxerunt, ignaris et eruditis doctrinam christianam imaginibus exposuerunt, et totum Regnum coelorum, in militia hic in terris, in dolore piaculari et in triumpho cum Christo ejusque bona Matre, simplici ac fervido amore ad templa saxea et lignea traduxerunt.

4. Haec omnia luculenter probant Medium Aevum, praeter suas relationes ad Antiquitatem et ad Epocham modernam, suas notas peculiares et sua merita propria habuisse. Societas nova tunc erecta cum transfusione exquisitioris cultus graeco-romani, sive profani, sive christiani, in populis germanicis et partim etiam in slavicis sub magisterio Ecclesiae catholicae, est societas directa ad regnum Dei hic in terris, in qua auctoritas temporalis cooperatur cum auctoritate spirituali ad ducendum cives, qui simul sunt fideles Christi, ad finem suum terrenum et aeternum. In hac cooperatione Romanus Pontifex, tanquam Vicarius Christi, summam rerum obtinet, vel saltem perseveranter sibi vindicat.

Variae fuerunt vicissitudines Aetatis mediae: a fine saec. V ad totum saec. VII, rapinae et destructiones a Barbaris peractae, arianismus quo plurimi affecti erant, intemperantia et immanitas dynastiae merovingiae, servitus qua Longobardi Italiam et ipsam Urbem opprimebant, plures partes septentrionales et centrales Ecclesiae in miseram conditionem adduxerant. Saec. VIII et IX, cooperatio inter S. Sedem et dynastiam carolingiam magna beneficia religiosa et socialia attulit societati in mundo occidentali. Post ruinam Imperii carolingii (887), sequitur periodus declinationis moralis et politicae, in qua principes saeculares suam tutelam imponere contendunt Ecclesiae. Inde a medio saec. XI, cum papa Leone IX (1048), incipit actio pontificia pro liberatione Ecclesiae ab illicita immixtione principum in negotiis ecclesiasticis, pro reformatione morum cleri in Occidente et pro incremento potentiae politico-ecclesiasticae S. Sedis, quae ad apicem pervenit primo dimidio saec. XIII, ab Innocentio III ad Innocentium IV (1198-1254).

De caetero, saeculum maximum Aetatis mediae sub omni respectu est saec. XIII. Cum translatione S. Sedis in Avinionem et Magno Schismate Occidentis (1305-1417), dividuntur animi fidelium et debilitatur auctoritas pontificia. Cum adventu Renascentiae, inde a saec. XIV, lente introducitur spiritus profanus in Ecclesiam, conceptus vitae a supranaturali fit magis naturalis, regno Dei hic in terris gradatim substituitur regnum hominis. Abusus profluentes ex opulentia, vita mundana et potestate temporali cleri, provocant rebellionem necnon tentamina pro reformatione Ecclesiae in sensu anticatholico, v.g.a. Joanne Wiclef et Joanne Hus, qui viam aperuerunt reformationi protestanticae, qua unitas Fidei in parte occidentali Ecclesiae disrupta est.

5. Nullo modo ergo Medium Aevum exaltare possumus quasi exemplar fuisset omnium aetatum. Fuit tempus in quo extrema conjungebantur: homines qui primum profitebantur generosam fidem vel teneram devotionem, deinde cesserunt impulsui immanis feritatis; alii qui vitiorum illecebris se totos dederant, postea in diuturna peregrinatione vel in bello adversus infideles aut in asperrima maceratione claustrali, delicta suae vitae praeteritae expiarunt et summa in Deum pietate ac sanctimonia obierunt.

Actio Summorum Pontificum pro constitutione Reipublicae christianae, pro pace inter principes et unione nationum Orientis et Occidentis adversus invadentes sequaces Islamismi, saepius improspere cecidit ob egoismum principum, ob mutuam alienationem populorum et ob defectum caritatis et fervoris sive in clericis sive in laicis. Nullam admittendo distinctionem potestatis ecclesiasticae a potestate laica, principes conferebant investituram episcopis et abbatibus, non solum quoad dominatum temporalem, sed etiam quoad jurisdictionem ecclesiasticam. Imperatores germanici, e.g. Otto I (962) et Otto III (1000) atque patritii romani, Crescentii (1003-1012) et Tusculani (1012-1044), proprios candidatos, non semper dignos nec capaces, ad cathedram S. Petri promoverunt. Beneficia ecclesiastica saec. X-XII saepe nimis venalia erant, et clerici non pauci vel attentabant matrimonium vel vivebant in concubinatu. Si haeretici, uti Waldenses et Albigenses sive Cathari, tam libenter excepti sunt a plebe, hoc praecipue tribuendum est vitae iniquae clericorum.

6. Sed plagae profundae Papae attulerunt aequum remedium. Opus quod Romani Pontifices, a numerosis ac fervidis cooperatoribus adjuti, plerumque cum felici successu explicarunt pro instauratione disciplinae, repressione errorum, emancipatione Ecclesiae a dominatu principum, praeter suam utilitatem immediatam, profuit etiam saeculis sequentibus, exponendo rectam vitam christianam in moribus et doctrina, et definiendo naturam et extensionem potestatis ecclesiasticae in genere atque auctoritatis pontificiae in specie.

Decretum quo Nicolaus II electionem papae reservavit S. Collegio cardinalium (1059); interdictio investiturae laicae pronuntiata a Gregorio VII (1075-1080) ejusque ordinationes adversus clericos simoniacos et concubinarios; Concordatum Wormatiense (1122) quo, instante papa Callixto II, imperator Henricus V destitit ab institutione episcoporum et abbatum baculo et annulo; affirmatio impavida et perseverans jurium Ecclesiae facta a papa Alexandro III (1159-1181) adversus Fredericum Barbarossa et Henricum II regem Angliae; magisterium spirituale quod Innocentius III (1198-1216) exercuit super reges et principes; bulla *Unam sanctam* (1302) in qua Bonifatius VIII vindicavit superioritatem potestatis ecclesiasticae adversus Philippum IV regem Galliae, astutum fautorem absolutismi regii; una cum opere doctrinali et morali Conciliorum Lateranensium (1123, 1139, 1179, 1215), Lugdunensium (1245, 1274) Viennensis (1311) et Florentini (1439), luce praeclara illuminarunt itinerarium catholicum Medii Aevi, et Ecclesiae modernae eximia praebuerunt argumenta pro confutatione errorum, e.g. in *Syllabo*, par. V, VI, IX (1864), et pro definitione in Concilio Vaticano infallibilis magisterii Romani Pontificis.

In transitione ad Epocham modernam saec. XIV-XV, laici clericis primatum contenderunt sive in re juridico-politica, sive in litteris et in scientiis, sive in constitutione totius societatis. Status regebantur magis ac magis secundum rationem mundanam et nationalem, qua instituta universalia Ecclesiae quae superant ambitum laicum et limites regionales, vel ignorabantur, vel aptabantur absolutismo regio et egoismo nationali, vel subdebantur beneplacito status. Tempora haec magis inclinabant in rationem quam in Fidem, in licentiam vitae quam in disciplinam morum, in servitium principis terreni quam in cultum Dei et in observantiam religionis.

Sed etiam in hoc ultimo momento Medii Aevi, vita catholica intensa remanet et multiplici modo mire manifestatur. Si Summus Pontifex non amplius praeest familiae christianae populorum nec arbitratur de principum saecularium rebus, attamen semper agnoscitur tanquam caput spirituale unius Ecclesiae. Jubilaeo indicto anno 1300 a Bonifatio VIII, centena millia peregrinorum convenerunt Romam ex omni parte orbis christiani. Ad conciones ferventium praedicatorum uti S. Vincentii Ferrerii et S. Bernardini Senensis, accurrebant auditores innumeri. Tempore belli et pestilentiae, processiones flagellantium circuibant usquequaque invocando misericordiam divinam. Necessitas reformationis Ecclesiae in capite et in membris tono crescenti affirmabatur in conciliis generalibus et provincialibus, in synodis dioecesanis et capitulis provincialibus. Scriptores plurimi, e.g. Petrus ab Ailly, Joannes Gersonius, Nicolaus a Clémanges, Didericus a Niem et Henricus a Langenstein, egerunt de corrupto Ecclesiae statu et de urgenti ejus instauratione.

Reapse, reformatio incepta est in sinu antiquorum Ordinum regularium S. Benedicti, S. Francisci, S. Dominici et Carmelitarum, impellentibus viris spectatae virtutis, uti B. Ludovico Barbo, S. Bernardino Senensi, S. Joanne a Capistrano, S. Jacobo a Marchia et B. Joanne Dominici. Praeterea ortae sunt Congregationes novae v.g. Fratrum Vitae communis (1382) et Canonicorum regularium S. Augustini de Windesheim (1387) quae in partibus ultramontanis optimo successu incubuerunt in institutionem christianam juventutis et reformationem spiritualem internam adjuvarunt motu qui dicitur *Moderna Devotio*, quae humilem deditionem divinae voluntati in sensu et in scientia Christi anteponebat subtili speculationi theologicae. Ad Canonicos regulares congregationis Windeshemensis pertinebat Thomas Hemerken a Kempen in Rhenania (1379-1471) qui generatim habetur auctor *Imitationis Christi*.

Extremum Medium Aevum ergo non constat solis controversiis fautorum juris civilis cum assertoribus primatus pontificii vel violentis disputationibus inter scholasticos e humanistas. Opus longe stabilius atque utilius omni tempori compleverunt, in scientia sacra, Nicolaus a Lyra ponendo fundamentum interpretationis S. Scripturae in explanatione litterali textus, promotores meditationis methodicae uti Gerardus Groote et Joannes Mauburnus, professores doctae ignorantiae et concordantiae catholicae in recta emendatione vitae, ut eruditus et actuosus cardinalis Nicolaus a Cusa, expositores theologiae mysticae practicae ut Joannes Gersonius, praedicatores sinceri doctrinae christianae ut Joannes Geiler a Kaisersberg, et numerosi artifices qui ecclesias ornarunt statuis et picturis, quas nostro XX saeculo arte periti muta miratione contemplantur, sed frustra imitari tentarent. Sufficiat recordari sculpturas confectas a Luca della Robbia (1400-1481) et Donatello (1383-1466), picturas murales B. Joannis Fesulani (1387-1455), in monasterio S. Marci Florentiae, *Virginem Annuntiatam* ab Antonello Messanensi, (1430-1479) *Adorationem Agni* ab Huberto (1370-1426) et Joanne Van Eyck (1390-1440), *Septem Sacramenta* a Rogerio Van der Weyden (1400-1464), *Vitam et Martyrium S. Ursulae* a Joanne Memling (1430-1494).

7. *Conclusio* patet: sicuti Aetas media, ob suas labes et umbras, definiri nequit epocha tenebrarum et barbariae inter crepusculum magnificae Antiquitatis et auroram fervidae Renascentiae, ita nequidem, ob sensum christianum, nobilia gesta et mirabilia opera, haec Aetas *exclusive* celebrari potest tanquam epocha *triumphi cultus christiani* inter Antiquitatem, quae immodice dicitur epocha *triumphi cultus gentilitatis,* et Tempus modernum, quod erronee praedicatur epocha triumphi unius *rationalismi* et *scientiae materialisticae.*

Etenim, *nulli epochae defuerunt triumphi christiani.* In Antiquitate, testes Fidei a persecutoribus reportarunt victoriam, et Patres Ecclesiae, Concilia et Summi Pontifices veram doctrinam luculenter vindicarunt ab erroribus haereticorum. In Epocha moderna et contemporanea, Ecclesia, inter apostasiam nationum, absolutissimum monarchicum, actionem destructivam Philosophismi et tentamina aedificandi societatem super imperialismum nationalem, vel super dictaturam unius ordinis operariorum aut super atheismum cum suppressione violenta omnium religionum, prosequitur suum iter triumphale, propagando Fidem in Terris novis Americae, Africae, Asiae et Australiae, instaurando disciplinam et declarando doctrinam in Concilio Tridentino, proclamando infallibile magisterium Romani Pontificis in Concilio Vaticano. Intercedit pro pace in justitia et caritate ubique dividuntur singuli, ordines vel populi conflictu sive sociali sive politico sive bellico, ita ut, hodie sicut tempore Barbarorum, Ecclesia habeatur ultimum asylum humanitatis dilaniatae et summus Pontificatus unica auctoritas moralis quae universa fruatur existimatione et aequo pondere populis omnibus loqui possit verba moderationis et concordiae.

Non in sola societate medioevali ergo, Ecclesia, ab origine posita in diuturno et acerrimo certamine, praeclaros obtinuit triumphos: exinde, habito respectu ad historiam Ecclesiae, *nullo modo opponendae, sed componendae sunt tres Epochae* in quas dividitur haec historia: Antiquitas, Medietas et Modernitas. Etenim praeterquam a relatione causae ad effectum, istae tres Epochae conjunguntur vinculo indissolubili spiritus et vitae Jesu Christi in suis fidelibus. Quare illa divisio in tres Epochas *non habet valorem absolutum sed mere relativum,* in quantum juvare possit expositionem magis methodicam factorum. Super hanc divisionem conventionalem, habetur alia quae nititur *in facto unico et centrali* totius historiae generis humani: in *Redemptione generis humani,* in *Fundatione et Gubernatione Ecclesiae* a Christo Deo et homine. Haec est *divisio in Epocham ante Christum et Epocham post Christum.*

Sub luce hujus facti unici et centralis, intelligimus quare ab origine sua ad nostros dies, Ecclesia sortem suam nulli devinxit populo vel regimini politico, vel factioni sociali. Sicut in Epocha antiqua religio christiana transiit ab ambitu judaico, in quo orta erat, ad ambitum graeco-romanum in quo primum diffusa est, ita cum adventu Barbarorum, Ecclesia materne sese vertit ad populos novos, eos simul elevavit ad doctrinam salutis et ad altiorem cultum humanum et cum eis atque cum populis antiquis instauravit societatem christianam. Imperatorem constituit suum protectorem supremum in temporalibus; salva libertate sui ministerii, admisit gubernationes civiles quae vicissim clavum tenuerunt et cum eis cooperata est: regimen feudale, rempublicam aristocraticam, municipia democratica et monarchiam constitutionalem; cultoribus Renascentiae modum christianum indicavit adhibendi exempla classica Antiquitatis. In Epocha moderna et contemporanea, Ecclesia prosecuta est suum colloquium saeculare cum populis, factionibus politicis et ordinibus socialibus; laete excipit omne bonum, omnem progressum peractum a societate hodierna eaque aptat suae missioni divinae, pericula tam singulis quam communitati praeannuntiat, errores et abusus damnat, et post viginti saecula populis cujusvis stirpis vel sectae aut sortis, eadem suavitate ac fortitudine, eamdem doctrinam salutis praedicat, quam Judaei audierunt primum ex ipso ore Christi, quam Apostoli et missionarii attulerunt Graeco-Romanis et Barbaris. Et hoc est vinculum primarium quo singuli et populi Antiquitatis, Medii Aevi et Epochae modernae indissolubiliter conjunguntur: *vinculum religionis Christi* (1).

---

(1) L. GAUTIER, *Comment faut-il juger le Moyen Age?* P., s. d.; G. KURTH, *Qu'est-ce que le Moyen Age?* ed. 6. P., 1905 — *Les origines de la civilisation moderne*, ed. 7, L. P., 1923; — *L'Eglise aux tournants de l'histoire*, ed. 2, P.; 1905; A. CAUCHIE, *Institutions du Moyen Age.* L., 1904 (pro manuscripto); E. GÖLLER, *Die Periodisierung der Kirchengeschichte und die epochale Stellung des Mittelalters.* Fr. 1919; E. GILSON, *La Philosophie au Moyen Age*, 2 vol. P., 1922; M. DE WULF, *Histoire de la Philosophie médiévale*, 2 vol., ed. 6. L. P., 1934; M. GRABMANN, *Die Geschichte der Katholischen Theologie seit dem Ausgang der Väterzeit.* Fr., 1933; F. FUNCK-BRENTANO, *Le Moyen Age.* P., 1922; L. THORNDIKE, *Medieval Europe, its development and civilization..* Lo. s. d.; Chr. DAWSON, *The making of Europe.* Lo., 1932; L. VARGA, *Das Schlagwort vom « finsteren Mittelalter ».* Baden, 1932; G. NIGRIS, *Il medio evo.* M., 1933; G. FALCO, *La polemica sul medio evo*, I. T., 1933; J. LORTZ, *Geschichte der Kirche in ideengeschichtlicher Betrachtung*, ed. 5-6. Mr.; 1937; W. NEUSS, *Das Problem des Mittelalters.* Kolmar, s. d.

CAPUT PRIMUM

ECCLESIA INTER BARBAROS ET MAHUMETANOS

Summarium. — I. Migrationes Barbarorum eorumque conversio in Europa centrali et occidentali (saec. IV-IX). - II. Cooperatio politico-ecclesiastica inter S. Sedem et dynastiam carolingiam pro bono regimine novae societatis occidentalis (saec. VIII-IX). - III. Conversio populorum Europae septentrionalis et orientalis (saec. IX-XII). - IV. Islamismus et invasiones Mahumetanorum in regiones christianas Orientis et Occidentis, a saeculo VII ad tempora nostra.

I.

MIGRATIONES BARBARORUM EORUMQUE CONVERSIO (1).

1. - Migrationes Barbarorum in Imperium romanum. — Regio mediterranea, una cum terris secundum flumina Danubium et Rhenum sitis, ubi religio Christi orta est et primum diffusa, fuit etiam centrum praecipuum quod, eodem tempore, excipiebat rerum humanarum cursus: commercium, artes, litteras, philosophiam. Quae in hunc ambitum Mediterraneum non admittebantur, civili cultui extranea remanebant, uti praeclara gesta imperiorum quae fuerant, Aegyptiorum, Assyriorum, Medorum et Persarum, vel opera et doctrina legislatorum et philosophorum Orientis, Hammurabi in Babylonia, Buddhae et Asokae inter Indos, Confucii apud Sinas. Pro Graeco-Romanis, summa artium et litterarum, fortunata negotia et elegantia vitae non superabant receptaculum Mediterraneum.

Sed limites ambitus Mediterranei jam cito nimis angusti fuerunt nuntiis Christi qui, vel a tempore apostolico, vel saeculis immediate sequentibus, Evangelium praedicaverant in Persia, Armenia, Geor-

---

(1) G. Kurth, *Les origines de la civilisation moderne*, ed. 7. P., 1923; H. von Schubert, *Geschichte der Christlichen Kirche im Frühmittelalter*. Tubingae, 1917-21; G. Schnürer, *Kirche und Kultur im Mittelalter*, 2 ed. Pdb., 1927-29; L. Halphen, *Les Barbares, des grandes invasions aux conquêtes turques du IXe siècle*. P., 1926; F. Lot, *La fin du monde antique et les débuts du Moyen Age* (usque ad annum 753). P., 1927; *Les invasions germaniques*, P., 1935; J. Calmette, *Le monde féodal*, « Clio », *Introduction aux études historiques*. P., s. d.

gia, Arabia felice, India et Aethiopia. Verum, mox Fides ibi, saltem in aliquibus partibus, errore obscurata fuerat. In Persiam, inde ab altero dimidio saeculi V, introductus est nestorianismus; Armenia sub fine saeculi V (491) admisit monophysismum. Sub influxu Alexandriae, Aethiopes christiani, decursu saeculi V, item monophysismi causâ, desciverunt a veritate catholica (1).

Eodem tempore quo isti populi derelinquebant rectam Fidem, tribus originis indo-europeae et turanicae sine interruptione migrabant in Imperium romanum (2). Jam dictum est de Gothis, quibus imperator Aurelianus reliquerat provinciam romanam Daciae (274) inter Danubium, Pontum Euxinum, flumen Dniester et Montes Carpathicos. Isti inter barbaros omnium primi christianismum amplexati sunt; sed jam altero dimidio saeculi IV episcopus eorum, Ulfila, eos ad arianismum traxit (3). Ab istis Gothis, arianismus transiit ad Ostrogothos Italiae, ad Vandalos, Burgundos, Suevos et Longobardos.

Inde a saeculo IV declinante et a saeculo V ineunte, barbari partem occidentalem Imperii romani ex omni latere invaserunt et in pluribus regionibus regna independentia instituerunt. Tunc temporis Imperium romanum regebatur a duobus imperatoribus, alio pro Occidente, alio pro Oriente. Post mortem Theodosii Magni (395), Arcadius (+ 408) imperator fuit Orientis et Honorius (+ 423) imperator Occidentis. Mortuo Valentiniano III imperatore Occidentis (+ 455), spatio undeviginti annorum novem imperatores thronum imperialem Occidentis occuparunt (455-474).

Pars occidentalis Imperii barbaros magis attrahebat quam pars orientalis, quia in illa minore robore repellebantur. Ipse exercitus romanus constabat barbaris mercenariis; aerarium imperiale vacuum erat, gubernium perpetuis contentionibus debilitabatur. Praeterea,

---

(1) L. Duchesne, *L'Eglise au VIe siècle*, p. 284 sq. P. 1925.

(2) Ad ramum occidentalem generis indo-europaei pertinent: Celtae, Itali, Hellenici, Illyrici, Germani et Slavi; ex stirpe turanica proveniunt: Hunni, Bulgari, Hungari et Turcae.

(3) S. Isidorus Hispalensis, *Historia de regibus Gothorum, Wandalorum et Suevorum*, ed. Th. Mommsen, MGH, AA, t. XI, 1894; J. Zeiller, *Les origines chrétiennes dans les provinces danubiennes de l'empire romain*, p. 440 sq. P., 1918.

A Graecis, hi appellabantur *barbari* qui non erant graeci, ergo etiam Romani, tempore quo belligerabant adversus eos; deinde Romani *barbarum* dixerunt omne quod nec graecum nec romanum erat.

difficile fuisset defendere a ferocibus aggressionibus extensissimos limites Imperii (1). Notentur etiam fertilitas regionum occidentalium, mite coelum, magnum nomen splendoris romani, et facile intelligetur cupido effrenata qua barbari irruerunt in ipsum centrum Imperii, quod saeculo V nonnisi umbram antiquae fortitudinis servaverat.

Primi qui occuparunt Italiam et Romam imperialem, fuerunt Visigothi ducti ab Alarico, qui anno 410 Urbem depraedati sunt, parcendo basilicis Apostolorum (2). Anno 452, Attila cum Hunnis jam minabatur totalem eversionem, tam provinciis italicis quam ipsi Romae, quando papa S. Leo Magnus unacum duobus optimatibus romanis ab eo promissionem pacis obtinuit (3). Tribus annis post Attilam (455), ecce Gensericus cum suis Vandalis, quorum barbaries proverbialis facta est: iste iterum, partim saltem, cessit precibus S. Leonis Magni, ne Urbi totalis depopulatio infligeretur. Denique, anno 476, venit Odoacer cum tribu germanica Herulorum, qui sine impedimento ultimum imperatorem Imperii romani in Occidente, Romulum Augustulum, deposuit et cum titulo regis Italiam gubernavit sub dependentia nominali ab imperatore Orientis. Anno 493, Herulis devictis ab Ostrogothis Theodorici Magni (+ 523), Roma et Italia redactae sunt in ditionem istius. Ostrogothi regnum Italiae tenuerunt usquedum, profligati a Narsete, duce exercituum imperatoris Orientis, Justiniani, peninsulam deseruerunt anno 553. Italia tunc facta est provincia Imperii romani Orientis, cum sede Ravennae: inde nomen *Exarchatus Ravennae*, quo ab isto momento appellatur administratio imperialis Italiae (4).

---

(1) Ad septentrionem, Imperium occidentale extendebatur ad Danubium et Rhenum, ad orientem, comprehendebat Istriam et Dalmatiam, ad meridiem, Africam septentrionalem, ad occasum, Hispaniam, Galliam et Britanniam.

(2) Devastatio Romae, et exprobrationes quas gentiles exinde moverunt in christianos, S. Augustino occasionem praebuerunt scribendi opus *De Civitate Dei*: Cfr. *Retractationes*, lib. II, 43, in PL, t. 32, col. 647; H. GRISAR, *Roma alla fine del mondo antico*, transl. A. Mercati, t. I, p. 73 sq. R., 1930.

(3) PROSPER AQUITANUS, *Epitoma Chronicon*, in PL, t. 51, col. 603. Pro ampliatione primae relationis Prosperi Aquitani, cfr. EHA, n. 946, 1010, 1039, 1109.

(4) H. GRISAR, op. cit. t. I, p. 84 sq.; t. II, p. 3 sq.; P. VILLARI, *Le invasioni barbariche in Italia*, 4 ed., p. 133 sq. M., 1928; T. HODGKIN, *Italy and her invaders*, 8 vol. O., 1880-99; L. M. HARTMANN, *Geschichte Italiens im Mittelalter*, 4 vol. Gotha, 1897-1915; C. DAWSON, *The making of Europe*, p. 79 sq. Lo., 1932.

Sed paucis annis postea (568), in infelicem Italiam novi irruperunt barbari: feroces Longobardi, partim adhuc pagani, partim ariani. Isti fundarunt regnum in Italia septentrionali, cum sede Papiae, et constituerunt ducatus in Thuscia, in Umbria et Beneventi. In potentia Imperii remanserunt Exarchatus Ravennae, Pentapolis (Pisaurum, Ariminum, Fanum, Senogallia et Ancona), Istria, Venetia, Liguria, Roma, cum majore parte Italiae meridionalis et Sicilia (1). Attamen, mortuo imperatore Justiniano (565), auctoritas imperialis in Italia quotidie declinabat, sive ob continuas aggressiones barbarorum, sive ob incuriam et impotentiam ipsius gubernii imperialis, sive ob desiderium libertatis quo movebantur Itali, praesertim Veneti, Romani et Neapolitani inde a secundo dimidio saec. VII, quando nihil amplius eis sperandum remanebat ab Imperio Orientis. Unica auctoritas quae tunc temporis firma remanebat in Italia et quotidie augebatur, erat auctoritatis Summi Pontificis qui fungebatur munere intercessoris populi italici apud barbaros (2).

Extra Italiam, Vandali, transeuntes per Galliam et Hispaniam, pervenerunt in Africam proconsularem, ubi regnum constituerunt quod duravit usque ad annum 534. In parte occidentali Hispaniae, scilicet in Gallaecia et in Lusitania, sedem fixerunt Suevi; in parte orientali et in Gallia meridionali, usque ad flumina Rhodanum et Ligerim, Visigothi seu Westgothi. Praeterea, Gallia divisa est inter Burgundos ad orientem, et Francos ad septentrionem: isti occuparunt etiam Belgium et Germaniam usque ad ripam sinistram Rheni. In Europa centrali et meridionali, sibi sine interruptione successerunt tribus germanicae et turanicae: regio quae nunc Germania dicitur, Noricum, Pannonia, vicissim occupatae sunt, ad septentrionem a Frisiis et Saxonibus, in centro ab Alemannis, Gepidis et

---

(1) Ab initio saeculi v ad medium saeculum vi, Italia vicissim invasa est a Visigothis, Hunnis, Vandalis, Herulis, Ostrogothis et Longobardis; P. VILLARI, op. cit., p. 261 sq.; M. BARATTA, P. FRACCARO, L. VISINTIN, *Atlante storico, Evo antico*, tabula 23; *Medio evo*, tab. 1-2. Novariae, s. d.; F. W. PUTZGER, *Historischer Schul-Atlas. Grosse Ausgabe*, tabula 46 sq. Bielefeld et Lz., 1936.

(2) G. SCHNÜRER, *L'origine dello stato della Chiesa*, transl. ital. Senis, 1899; L. DUCHESNE, *Les premiers temps de l'Etat pontifical*, 3 ed. P., 1911; NOBILI-VITELLESCHI, *Della storia civile e politica del Papato dall'imperatore Teodosio a Carlomagno*, 2 vol. Bononiae, 1902; H. MANN, *The lives of the Popes in the early middle ages*, 4 vol, ed. 2, Lo., 1925.

Bavaris, ad meridiem ab Avaris, qui pertinebant ad ramum septentrionalem gentis turanicae.

Britannia, initio saeculi V propriis viribus relicta est a legionibus romanis; nec Vallo Hadriani, nec Vallo Antonini amplius defendebatur ab incursionibus Pictorum e Caledonia. Britanni, qui tunc pro majore parte jam christiani erant, in auxilium vocarunt Anglos et Saxones e Germania, adhuc paganos (449). Confestim venerunt isti, et non tantum invasores Pictos aliosque Scotos ex Anglia pepulerunt, sed et ipsos Britannos, primitivos incolas Angliae, fugarunt versus Cornubiam, ad occidentem; alii Britanni migrarunt in Armoricam, provinciam occidentalem Galliae, quae a novis incolis nomen Britanniae minoris accepit. In Britannia occupata ab Anglis et Saxonibus, isti instituerunt septem regna, quatuor a Saxonibus: Cantuaria, Saxonia meridionalis (Sussex), Saxonia occidentalis (Wessex) et Saxonia orientalis (Essex); tria ab Anglis: Northumbria, Anglia orientalis et Mercia. Ex eorum unione, anno 827 sub rege Saxoniae occidentalis Egberto, ortus est status politicus Angliae.

Omnes isti barbari, ariani vel pagani, sunt actores temporum novorum, inde a saeculo V: sub eorum pressione, Imperium romanum Occidentis evanuit et cum eo singularis administratio qua tota societas hactenus ordinabatur. Homines novi, rudes et inculti, contemnebant vel odio prosequebantur omne quod Romani coluerant: litteraturam, scientiam et artes; etiam commercium et industriam, in principio saltem, paulum vel nihil curabant. Venari et belligerare eis videbatur unica occupatio hominibus liberis conveniens; sibi somniabant paradisum in quo vicissim summa delectatione feras consectarentur et inebriarentur hydromelite.

Fortes in bello erant, robustiores Romanis, quia dediti vitae sobriae et continuis exercitiis militaribus; puriores etiam, quia copiae romanae voluptatum ignari (1). Sed plerumque, crudelitate utebantur maxima: decursu invasionum innumeras devastationes exercuerant, parcendo nec personis nec rebus; multae civitates destructae, cum ecclesiis, monasteriis, scholis et bibliothecis; cives romani pluries omni jure spoliati (2).

---

(1) Salvianus presbyter Massiliensis, *De gubernatione Dei*, lib. VII, 15: « Gothorum gens perfida sed pudica est, Alanorum impudica sed minus perfida, Franci mendaces sed hospitales, Saxones crudelitate efferi sed castitate mirandi ». PL, t. 53, col. 142.

(2) Nihil mirum si Romani et alii populi oppressi et expulsi a barbaris, ut

Ecclesia catholica, licet in regionibus a barbaris invasis multa damna passa esset, firma remansit, dum Imperium romanum ruebat. Potentia spiritualis Ecclesiae superfuit ruinae potentiae temporalis Imperii, nam Petrus sortem suam non ligaverat fortunae Caesaris. Sed cum ruina Imperii mutatae sunt conditiones vitae et actionis Ecclesiae: Imperium unum erat, dum barbari dividebantur in plurimas tribus quae obtrectabant inter se. Si istae tribus contendebant ad autonomiam ecclesiasticam, exemptam ab auctoritate suprema S. Sedis, sicuti appetebant absolutam independentiam nationalem, tunc unitas et universalitas Ecclesiae in magnum discrimen venissent. Jam plurimae ordinatae fuerant, inter barbaros arianos, ecclesiae nationales quae totae pendebant a regio arbitrio (1).

Ecclesia periculum divisionis superavit pluribus de causis. Ante omnia, servaverat, vel, ubi destructa, cito instauraverat, elementa capitalia sui ministerii universalis: sedes episcopales cum clero paroeciali, monasteria et scholas. Praeterea, in medio barbarorum, dabatur adhuc societas romana vel romanizata tam in Italia quam in Hispania et in Gallia, quae stricte unita remansit cum episcopis et cum S. Sede: Ubique in his partibus adhuc permanebat aristocratia romana, bonis terrenis plerumque exhausta ob depraedationes, sed abundans institutione classica et doctrina christiana. Ex ista orti sunt magni pontifices hujus temporis: Gregorius Magnus in Italia, Leander et Isidorus Hispalensis in Hispania, Sidonius Apollinaris, Caesarius Arelatensis et Avitus Viennensis in Gallia, pastores docti, urbani et sancti, qui populis novis pariter obtulerunt donum unius Fidei catholicae et thesauros civilizationis antiquae, ut eos simul elevarent ad altiorem humanitatem et ad doctrinam salutis.

Fuit labor arduus et diuturnus, cujus summi pontifices, episcopi, monachi missionarii et presbyteri operarii indefessi fuerunt, inde a saeculo V. Veloci saltem conspectu sequamur istam operam qua populi barbari, pagani vel ariani, rudes et crudeles, lente facti sunt populi sincere christiani, culti et fortes, e quorum fusione cum antiqua gente romana vel romanizata, nascetur magna societas occi-

---

Britanni, ab oppressoribus aversum demonstrabant animum. In Italia, inter omnes abhorrebantur Langobardi. In ipsis documentis pontificiis saec. VIII verbum fit de « pessima Langobardorum gente », de « nefanda gente Langobardorum », de « faetentissima Langobardorum gente ». FHE, n. 256, 260, 259.

(1) Cfr. nostrae *Praelectiones Historiae ecclesiasticae antiquae*, p. 326 sq. R., 1944.

dentalis Medii Aevi, familia catholica populorum sub directione supremi pastoris.

2. - Conversio barbarorum in Italia et Hispania. — In *Italia,* Longobardi converti coeperunt inde ab initio saec. VII (603). Fides ibi promota est a regina catholica Theodelinda, cui consilium praestabat S. Gregorius Magnus (590-604) (1). Intercessione Theodelindae, uti refert Paulus Warnefridus Diaconus in *Historia Langobardorum,* lib. IV, c. V, 6, rex Agilulfus, arianus, « multas possessiones Ecclesiae largitus est atque episcopos, qui in depressione et abiectione erant, ad dignitatem et honorem reduxit ». Secundo dimidio ejusdem saec. VII, sub rege Bertarido catholicismus fit religio praedominans Longobardorum; sed usque ad ultimatum quartum saec. VII, Longobardi jam conversi ad catholicismum remanserunt praedones et inimici Italorum.

In *Africa,* Vandali fanatici ariani, qui sedem capitalem fixerant Carthagine, in haeresi perseverarunt et florentem Ecclesiam catholicam acriter persecuti sunt, praesertim sub regibus Genserico et Hunerico (442-484). Rex Trasamundus (496-523) centum circiter episcopos deportari jussit in Sardiniam. Anno 533, Vandali devicti sunt a Belisario. Sed Ecclesia catholica Africae pristinum vigorem resumere non valuit, et jam a medio saeculo VII redigebatur sub imperium mahumetanorum.

In *Hispania,* ubi dominabantur Visigothi (2), conversio incepit tempore regis Leovigildi ariani, secundo dimidio saec. VI, quando ejus filii Hermenegildus (579) et Recaredus (587) veram Fidem amplexi sunt. Duo organizatores vitae catholicae in Hispania sunt duo fratres, oriundi Romani: S. Leander († 601) et S. Isidorus (636) ambo episcopi Hispalenses; iste scripsit historiam nationalem Visigothorum. Barbari conversi societatem inierunt cum Hiberis roma-

---

(1) Theodelinda, regis Authari primum, postea Agilulfi uxor, ex stirpe catholica ducum Bavariae. FHE, n. 73, 88; PAULUS DIACONUS, *Historia Langobardorum,* PL, t. 95; ed. G. WAITZ, MGH, *Scriptores rerum Langobard*. Hannover, 1878.

(2) Excepta provincia Carthaginiensi et parte Baetiae, quae usque ad invasionem Arabum pertinuerunt ad Imperium byzantinum.

nizatis (1). Usque ad annum 694, Toleti septemdecim celebrata sunt concilia a regibus sancita. Suevi, ariani, qui habitabant Gallaeciam et Lusitaniam, secundo dimidio saeculi VI ad religionem catholicam adducti sunt opere S. Martini, archiepiscopi Bracharensis (+ 580), qui juremerito habetur institutor religiosus populi suevi (2).

3. - Conversio Francorum. — Majoris momenti fuit conversio Chlodovaei ejusque Francorum. Inde a fine saeculi III, Franci inceperant occupare ripam sinistram Rheni, Belgium et Galliam septentrionalem. Sub rege Chlodovaeo ejusque filiis, dominatio eorum primatum tenebat in Occidente. Pagani erant: si conversi fuissent ad arianismum, ut sperabat Theodoricus Magnus, rex Ostrogothorum, haeresis facile praevaluisset in Europa occidentali; sed ope uxoris Chlotildis quae catholica erat, animus Chlodovaei lente inclinabat ad catholicismum, ita ut in praelio inito adversus Alemannos prope Tolbiacum in Rhenania, Chlodovaeus invocavit Deum Chlotildis, Eique promisit se conversurum si victoriam reportaret. Revera, consecutâ victoria, a S. Remigio episcopo Rhemensi in doctrina christiana instructus est et die Nativitatis Domini anno 496 sacro fonte lustratus unacum tribus millibus militum Francorum (3).

Conversio Francorum eo majoris ponderis fuit apud populos vicinos quod eorum potentia politica crescebat in dies. Vicissim a Chlo-

---

(1) Isidorus Hispalensis. *Historia Gothorum*, ed. cit.; FHE, n. 114 sq.; P. Séjourné, *Le dernier Père de l'Eglise, Saint Isidore de Séville, son rôle dans l'histoire du droit canonique.* P., 1929. De Collectione canonum Hispana, cfr. FHE, XXXIII.

(2) Plurima conscripsit opuscula pro formatione morali istius populi: *Formula vitae honestae, De ira, Pro repellenda jactantia, De superbia, Exhortatio humilitatis, Epistola de trina mersione* (contra usum hispanicum immergendi baptizatum una tantum vice), in PL, t. 72; Caspari, *Martin von Bracaras Schrift « De correctione rusticorum ».* Christianiae, 1883.

(3) L. Duchesne, *L'Eglise au VIe siècle*, op. cit., p. 486 sq.; H. Pirenne, *Histoire de Belgique*, t. I, p. 8 sq. Br., 1902; G. Kurth, *Clovis*, ed. 2. P., 1901; *Ste Clotilde*, P., 1900; Ch. Poullet, *Histoire du Christianisme*, t. I, p. 524 sq. P., 1933; A. M. Jacquin, *Histoire de l'Eglise*, t. II, p. 318 sq. P., 1936. Pro conversione et baptismo Chlodovaei, praecipue notanda sunt documenta sequentia: Epistolae S. Remigii, papae Anastasii II et S. Aviti Viennensis ad Chlodovaeum, in FHE, n. 37, 22, 28; *Historia ecclesiastica Francorum* S. Gregorii Turonensis, lib. II, 30, in MGH. Script. Rer. Merov., t. I, p. 91 sq.; FHE, n. 63; F. Baix, *Les sources liturgiques de la Vita Remigii de Hincmar. Miscellanea historica A. De Meyer*, vol. I, p. 211 sq. L. 1946.

dovaeo ejusque quatuor filiis Diderico, Chlodomiro, Childeberto et Clotario, regno Francorum adnexi sunt Visigothi Galliae meridionalis, Burgundi, Thuringi et fractio Bavarorum: anno 532, Franci in ditione habebant Galliam, Belgium, Provinciam Rhenanam, Thuringiam et partem Bavariae. Isto providentiali incremento politico, Occidentem christianum efficaciter defendere potuerunt, primum adversus arianos, deinde adversus mahumetanos.

Ecclesia catholica sapienter proprium ministerium accommodavit conditionibus specialibus vitae socialis Francorum. Societas Francorum non erat organizata sicut societas romana: Romani essentialiter urbani erant, vita eorum versabatur in civitatibus, dum Franci, quando non belligerabant, se totum agris colendis dabant. Plerumque non vivebant in civitatibus, sed secundum fertilitatem camporum, centra agriculturae constituebant, cum pascuis et armentis.

Ordinationi rurali Francorum, Ecclesia aptavit suum ministerium, suasque institutiones, aedificando oratoria et paroecias ruri et erigendo dioeceses in praecipuis villis Francorum. Dum initio saec. IV sedes episcopales adhuc rarae erant in Gallia, raptim multiplicatae sunt inde ab occupatione Francorum, ita ut, saeculo VI declinante, in regno Francorum dabantur centum viginti quinque episcopi sub jurisdictione undecim metropolitanorum (1).

Concilia, vel provincialia vel nationalia, intervallo regulari celebrabantur: erant majora comitia regni, quibus intererant etiam domini saeculares, sed sine jure suffragii (2). Convocata a rege, eorum decreta saepe saepius confirmabantur ab eo et sic vim legis civilis obtinebant. In istis decretis plurimum agitur de assistentia spirituali fidelium qui in *agris* versantur. Concilium Vasense anni 529, ordinat, can. 2: « Hoc etiam pro aedificatione omnium ecclesiarum et pro utilitate totius populi nobis placuit, ut *non solum in civitatibus,* sed etiam *in omnibus parrociis* verbum faciendi daremus presbyteris potestatem ». Concilium Aurelianense anni 541, providet

---

(1) L. DUCHESNE, *Fastes épiscopaux de l'ancienne Gaule*, 3 vol. P., 1894-1915; P. IMBART DE LA TOUR, *Les paroisses rurales dans l'ancienne France du IV au XI siècle*, P., 1900; H. BRUDERS, *Die geschichtliche Kirchenverfassung in Gallien und am Rhein in Gegensatz zu den apostolischen Legenden*, in *Bonner Zeitschrift für Theologie und Seelsorge*, t. IV, 1927, p. 197 sq.; C. PIEPER. *Atlas Orbis christiani antiqui*, tabula 13 et p. 44 sq. Dusseldorfii, 1931.

(2) Spatio unius saeculi (511-614), numerantur plus quam triginta concilia habita in regno Francorum.

can. 33: « Si quis in agro suo aut habet aut postulat habere dioecesim, primum et terras ei deputet sufficienter et clericos, qui ibidem sua officia impleant, ut sacratis locis reverentia condigna tribuatur ». In can. 14 concilii Cabilonensis (circa 650) verbum fit de oratoriis jam a lungo tempore per villas potentum constructis, et ordinatur ut clerici et presbyteri qui istis oratoriis deserviunt, dependeant ab archidiacono et ab episcopo (1).

Certe non brevi tempore Franci plene conversi sunt ad charitatem et fidem christianam. Ipse Chlodovaeus ejusque successores generatim remanserunt semibarbari, saepe crudeles et perfidi, et aliquoties omnis honestatis expertes: nemo ignorat crimina Chilperici et Fredegondae, regum Neustriae (2). Etiam in ecclesia Francorum dantur umbrae et maculae tempore Merovingorum (3). Ecclesia ista nimis constricta erat inter limites nationales, nimis pendebat a rege qui sibi semper magis jus nominationis episcoporum arrogabat, sine interventu metropolitanorum vel S. Sedis. Idem faciebant domini saeculares quoad parochos in villis. In nominatione praeferebantur, non candidati meliores, sed magis offerentes et magis politici: ordinationes conferebantur pretio pecuniae. Inter episcopos et clericos hujus temporis in Gallia habebantur viri crudeles, ebrietati et luxuriae dediti (4). Dabantur etiam abusus profluentes ex abundantia bonorum temporalium: praeoccupationes terrenae et oblectamenta

---

(1) MGH, *Concilia*, I, 55, 86, 209; FHE, n. 41, 43, 109.

(2) Post mortem Clotarii I (561), regnum Francorum divisum est inter tres ejus filios, Gontranum, Sigebertum et Chilpericum: Gontranus habuit Burgundiam ad orientem versus Italiam, Sigebertus Austrasiam, versus Thuringiam et Alemanniam, et Chilpericus regnavit in Neustria, quae erat pars septentrionalis versus occidentem. In Aquitania, quisque extendebat proprium dominatum prout poterat.

(3) Scilicet a medio saeculo v ad medium saeculum viii, sub dynastia quae ortum sumpsit a duce Merovaeo.

(4) Cfr. epistola S. Gregorii Magni ad Brunehildam reginam Austrasiae, 22 jun. anno 601: « Multorum igitur ad nos relatione pervenit, quod dicere sine afflictione cordis nimia non valemus, ita quosdam sacerdotes in illis partibus impudice ac nequiter conversari, ut et audire nobis opprobrium et lamentabile sit referre. Ne ergo, postquam hujus nequitiae huc usque se tetendit opinio, aliena pravitas aut nostram animam aut regnum vestrum peccati sui jaculo feriat, ardenter ad haec debemus ulciscenda consurgere, ne paucorum facinus multorum possit esse perditio. Nam causa sunt ruinae populi sacerdotes mali », FHE, n. 83.

profana. Non deerant praelati et presbyteri qui magis curabant de venatione quam de cura animarum.

Relationes inter S. Sedem et regnum Francorum a saec. VI usque ad initium saec. VIII, potius difficiles et insolitae erant (1), ita ut summi pontifices plurimum modica valerent auctoritate apud reges merovingios. Papa qui magis operatus est ut haberet rationem cum eis pro bono Ecclesiae, est S. Gregorius Magnus. Egit apud Childebertum III regem Austrasiae et apud Brunehildam ejus matrem, ne laici amplius presbyteri vel episcopi ordinarentur praecipiti saltu, scilicet quin accepissent prius S. Ordines anteriores. Exprobravit etiam collationem S. Ordinum pretio pecuniae, et institit ut adunaretur magnum concilium nationale, quod reapse celebratum est Parisiis anno 614 (2).

Sed dabantur etiam, in omni coetu, viri et feminae singularis sanctitatis, qui Francis exemplo fuerunt vitae vere christianae: apud populum Parisiensem, S. Genoveva (+ 502) virgo poenitens et operum caritatis promotrix, quae concives suos consolata est durante invasione Hunnorum (451) et pro eis intercessit apud Childericum patrem Chlodovaei; S. Radegundis uxor Clotarii I (+ 587) et S. Bathildis, uxor Clotarii II (+ 680) (3).

Inter episcopos, plurimi habebantur sanctitate et doctrinâ praeclari. Praeter Remigium Rhemensem, Caesarium Arelatensem et Gregorium Turonensem, allegari posset elenchus copiosus et mirabilis cum Germano Antissiodorensi, Venantio Fortunato Pictaviensi, Eligio Noviodunensi, Nicetio Trevirensi, Lamberto Tungrensi et multis aliis (4). De plurimis servantur scripta, eorumque actio ecclesiastica praesertim patet e conciliis quae eorum tempore celebrata sunt et in quibus providetur bonae institutioni clericorum et suppressioni abu-

---

(1) Excepta Provincia, ad meridiem Galliae, quae jam consuetudine antiqua obsequebatur Romae.

(2) S. Gregorius Magnus Brunehildae reginae Austrasiae, annis 599, mense junio, et 601, 22 junii. MGH, EE, t. II, p. 198; 318; FHE, n. 81, 83; A. M. JACQUIN, *Histoire de l'Eglise*, op. cit., t. II, p. 334 sq.; RHE, t. VI, 1905, p. 590 sq.

(3) Cfr. relatio exquisitae caritatis quam S. Radegundis demonstrabat egenis, infirmis, leprosis, omnibusque miseris, in *Vita S. Radegundis* a S. VENANTIO FORTUNATO, in MGH, AA, t. IV, p. 42 sq.; FHE, n. 67; R. AIGRAIN, *Ste Radegonde*. P., 1918.

(4) L. VAN DER ESSEN, *Etude critique et littéraire sur les Vitae des saints mérovingiens*. L., 1907.

suum tam apud clericos quam apud laicos. De praeparatione juvenum candidatorum ad Ordines sacros curat concilium Vasense, anno 529. Alia decreta spectant dignitatem vitae sacerdotum: ne episcopi, presbyteri et diaconi ad venandum canes aut accipitres habeant (concil. Agathense, 506); ne cuiquam episcopatum praemiis aut comparatione liceat adipisci (concil. Aurelianense, 549); ne clerici induant vestimenta nisi quae deceant religionem (concil. Matisconense, 584); ut tam clerici quam laici abstineant a familiaritate cum Judaeis (concil. Agathense, 506, concil. Aurelianense, 538); ne divinationis scientiam sub nomine fictae religionis profiteantur (concil. Agathense, 506); ut egenis, captivis, infirmis et praesertim leprosis cum misericordia ministretur (concil. Aurelianense, 549); ut laici die dominica abstineant ab omni opere rurali, nec ante benedictionem sacerdotis ex ecclesia egredi praesumant. Uno verbo, decreta conciliorum quae in regno Francorum celebrata sunt ab initio saec. VI usque ad finem saec. VII, plane demonstrant zelum indefessum quo melior pars episcopatus incubuit in opus arduum evangelizationis proprii gregis (1).

Isti operi etiam valide auxilium dederunt monachi. Ultimum tempus antiquitatis christianae et principium medii aevi vere dici possunt aetas monachorum. Nomina illustriora hujus aetatis sunt nomina monachorum: in Occidente, S. Benedictus, S. Augustinus et S. Gregorius Magnus; Columbani ambo, junior et senior, S. Beda et S. Bonifatius, Alcuinus et Rabanus Maurus; in Oriente, S. Joannes Climacus et S. Maximus Confessor, S. Joannes Damascenus, S. Theodorus Studita et S. Cyrillus, frater S. Methodii. Dediti, ex professione, paenitentiae, labori manuali et studio, monachi exemplum dabant vitae plene christianae; praeterea, intime uniti cum S. Sede, primi erant in defensione orthodoxiae, in conversione barbarorum et in constitutione hierarchiae apud populos novos.

Inter monachos qui Francos evangelizarunt, eminuit S. Columbanus junior, ex monasterio hibernico Bangor, in Ultonia. Tanquam verus missionarius « peregrinans pro Christo », Columbanus, una cum duodecim sociis, inter quos erat S. Gallus, circa annum 590 transiit in Galliam et magno fervore ministerium exercuit in Austrasia et in Burgundia. Coenobia quae instituit apud Anagrates, Fontanas, Luxo-

---

(1) FHE, n. XVII-XVIII, n. XXX, 105-111. De ecclesia Francorum tempore S. Gregorii Magni, cfr. RHE, 1905, t. VI, p. 590 sq.

vium et aliunde, facta sunt foci ardentes vitae asceticae et apostolatus. Ex istis monasteriis profecti sunt missionarii qui usque in Bavariam Fidem praedicarunt.

Quod ad industriam apostolicam attinet, S. Columbanus junior exemplar authenticum exhibet missionarii hibernici istius temporis: nullum timens periculum, reliquit familiam et patriam ut paganis, extraneis et longinquis, doctrinam salutis nuntiaret. Audax, austerus, semper paratus itineri, S. Sedi devotissimus erat, sed etiam usibus ecclesiasticis patriae suae stricte addictus (1). Cum mores depravatos magnatum et maxime Diderici regis Burgundiae acerrime reprehendisset, Luxovio expulsus, in Alemannorum regionem recessit et tetendit usque Brigantium ad latus orientale lacus Constantiae; deinde in Italiam abiit, ubi Agilulfo, Longobardorum rege, adiuvante, celeberrimum monasterium Bobbiense instituit, in quo anno 615 obiit. S. Columbanus ejusque monachi opus suum perfecerunt in spiritu catholico romano, cum vera anxietate servandi rectam doctrinam. Barbaris, qui hactenus nullum aliud caput admiserant nisi proprium ducem militarem, cum amore manifestarunt auctoritatem spiritualem supremam extra et supra propriam tribum sitam, scilicet vicarii Christi hic in terris (2). Contribuit etiam meliori ordinationi vitae socialis Barbarorum, praescribendo in *Libro poenitentiali* expiationes a sacerdote poenitentibus pro gravitate delictorum imponendas.

In Belgio, inter missionarios saec. VII eminuerunt S. Amandus ejusque socius S. Bavo. Amandus Romae episcopus consecratus (c. 625), in Belgio monasterium Elnonense prope Tornacum aedificavit (636); etiam Gandavi et Nivellis constituit centra evangelizationis. Sed paucum vel nullum auxilium habuit a parte cleri. Ut S. Martinus I ei scribebat: sacerdotes aliique clerici vitiorum foederibus ingravabantur, post ordinationes in lapsum inquinabantur, ita ut Amandus, animo fractus, onus pastorale deposuit, et tanquam simplex mis-

---

(1) E. gr. pro celebratione Paschae die 14 lunae mensis martii.

(2) Cfr. epistola S. Columbani ad papam Bonifatium IV, anno 613 : « Nos enim, ut ante dixi, devincti sumus cathedrae sancti Petri; licet enim Roma magna est et vulgata, per istam cathedram tantum apud nos est magna et clara ». FHE, n. 102. E. MARTIN, *S. Colomban*. P., 1905; J. LAUX, *Der hl. Columban*. Fr., 1919; W. LEVINSON, *Die Iren und die fränkische Kirche*, in *Historische Zeitschrift*, t. CIV, 1912; L. GOUGAUD, *Sur les routes de Rome et sur le Rhin avec les « peregrini » insulaires*, in *Revue d'histoire ecclés.*, t. XXIX, 1933, p. 253 sq.; C. H. BEESON, *The Palimpsests of Bobbio, Miscellanea G. Mercati*, vol. VI, p. 162 sq. R., 1946.

sionarius Fidem portavit Frisiis et forsitan etiam Vasconibus, ad pedes montium Pyrenaeorum. Obiit in abbatia Elnonensi anno 676 (1).

Saeculis sequentibus, sub dynastia carolingica, opere praesertim Caroli Magni, corroboratio Francorum in Fide perducta est ad finem.

4. - Praedicatio Fidei in Anglia, Hibernia et Scotia.

— Religio christiana in Britanniam introducta est prima vice decursu saec. II, si credere possumus Tertulliano (2). Conciliis Arelatensi (314) et Ariminensi (359) adfuerunt episcopi britannici. Post invasionem Britanniae ab Anglo-Saxonibus, Britanni christiani recesserunt in Cornubiam, in Terram Galliensem et Armóricam, ad occidentem Britanniae et Franciae. Ibi constituerunt communitates clausas, quae usque ad initium saeculi VII nullam relationem inierunt cum Anglo-Saxonibus. Medio saeculo VI, monachus Gildas fatum Britannorum descripsit in *De excidio et conquestu Britanniae* (3).

Anglo-Saxonum, invasorum crudelium, Britanni seclusi et exulcerati noluerunt assumere conversionem (4). Opus istud arripuit papa S. Gregorius Magnus, cujus caritas universalis omnes amplectebatur animas, praeter quamcumque rationem politicam. Jam ab initio pontificatus (590-604), nuntius ei pervenerat ex Britannia quod Anglo-Saxones desiderabant converti ad christianismum. Forsitan iste nuntius ei missus fuerat a principissa christiana Bertha, oriunda franca, quae uxor erat Ethelberti, regis Cantii adhuc pagani, et quae penes se habebat episcopum Liudhardum. Primo Gregorius Magnus propositum conceperat praeparandi ad apostolatum in Anglia, hic Romae in monasteriis, juvenes Anglo-Saxones a servitute redemptos Massiliae. Sed cum istud propositum exsequi non potuisset, verno tempore anni 596 ad Angliam destinavit monachum Augustinum cum

---

(1) E. DE MOREAU, *S. Amand apôtre de la Belgique et du nord de la France*. L., 1927; *Histoire de l'Eglise en Belgique*, t. I. Br., 1940; FHE, n. 138.

(2) *Adversus Judaeos*, PL, t. 2, 610; EHA, ii. 207.

(3) PL, t. 69.

(4) L. GOUGAUD, *Les chrétientés celtiques*, ed. 2. P., 1911; transl. anglica: *Christianity in Celtic Lands*. Lo., 1932; N. F. ABERG, *The Anglo-Saxons in England during the early centuries after the Invasion*. Upsalae, 1926; G. SHELDON, *The transition from Roman Britain to Christian England*. Lo., 1932; TH. HODGKIN, *A History of Anglo-Saxons*. O., 1935.

quadraginta circiter sodalibus e suo monasterio praedilecto « ad clivum Scauri ». Primo tempore, Augustinus ejusque socii, perterriti malis vocibus de labore itineris aliisque periculis, cum jam in Galliam meridionalem pervenissent, iter abruperunt et in Italiam reversi sunt. Tunc papa eos paterne hortatus est ut inceptum opus perficerent eisque tamquam abbatem praefecit Augustinum. Novo animo iterum profecti, Augustinus ejusque monachi, cum aliquibus presbyteris e Gallia septentrionali, qui officio fungerentur interpretum, circa Pascha anni 597 appulerunt ad insulam Thanet prope Ramsgate ad extremitatem orientalem Angliae. Ibi rex Ethelbertus eos excepit eisque plenam libertatem praedicandi Evangelium concessit (1).

Augustinus confestim incepit una cum monachis suis, evangelizare Anglo-Saxones, in regno Cantii, cujus sedes erat Cantuaria. Praedicatio eorum cito uberrimos fructus salutis dedit: die 1 junii 597, rex Ethelbertus baptizatus est; in festo Nativitatis Domini ejusdem anni, 10.000 Saxonum ejus exemplum secuti sunt. Quando laetum istum nuntium accepit, Gregorius Magnus jure merito exultavit, ut patet ex ejus litteris Augustino, reginae Berthae quam comparat Helenae matri Constantini Magni, Eulogio patriarchae Alexandriae, imperatori byzantino, et regibus Franciae missis. Ad Augustinum novos missionarios misit, eique ope abbatis Melliti sapientes instructiones dedit, et illico praeparavit constitutionem hierarchiae ecclesiasticae in Anglia cum duabus sedibus metropolitanis, Londinii et Eboraci, quae haberent quaeque duodecim sedes suffraganeas. S. Augustinus accepit pallium et sedem tenuit Cantuariae, quae remansit metropolitana; antequam moreretur (604), duas creavit sedes Londiniensem et Roffensem, quibus praefecit Mellitum et Justum. Ipse Augustinus anno 597 episcopus consecratus fuerat in Gallia a Virgilio, archiepiscopo Arelatensi et legato pontificio.

Instructiones de modo agendi cum Anglo-Saxonibus, quas S. Gregorius Magnus transmisit S. Augustino, anno 601, valorem universalem habent pro evangelizatione omnium gentilium, qui non ex

---

(1) F. H. Dudden, *Gregory the Great, his place in History and Thought*. Lo., 1905; P. Batiffol, *S. Grégoire le Grand*. P., 1928; E. Fleury, *Hellénisme et Christianisme. S. Grégoire et son temps*. P., 1931.

Cfr. relatio adventus S. Augustini ejusque sociorum, apud S. Bedam Venerabilem, *Historia ecclesiastica Anglorum*, lib. I, cap. 25: FHE. n. 178; transl. anglica ab A. M. Sellar, *Ecclesiastical History of the English People*. Lo., 1907.

abrupto, sed gradatim et servatis, in quantum potest, propriis usibus, ad plenam comprehensionem vitae christianae adducendi sunt: « Fana idolorum destrui... minime debeant, sed ipsa quae in eis sunt, idola destruantur... Nec diabolo jam animalia immolent, sed et ad laudem Dei in esu suo animalia occidant... Is qui summum locum ascendere nititur, gradibus vel passibus, non autem saltibus elevatur ». Quoad liturgiam in Anglia adhibendam: « Sive in Romana, sive in Galliarum, sive in qualibet ecclesia aliquid invenisti, quod plus omnipotenti Deo possit placere, sollicite eligas et in Anglorum ecclesia... infundas » (1).

A regno Cantii, Fides propagata est ad alia regna anglo-saxonica, primum ad regnum Saxoniae orientalis (Essex). Alibi, uti in Anglia orientali, Northumbria et Saxonia occidentali (Wessex), evangelizatio passu lentiore progressa est. Sed digni successores S. Augustini, ut Paulinus et Wilfridus, episcopi Eboraci, Aidanus monachus Ionae, principes ferventes ut rex Oswaldus, omnia superarunt obstacula, ita ut decursu saec. VII praedicatio christianismi extensa est ad totam multitudinem anglo-saxonicam; regnum quod eam ultimo loco accepit fuit Saxonia meridionalis (Sussex, 680) (2).

Incepta a monachis, conversio Anglo-Saxonum a monachis perfecta est. Numerosa monasteria aedificata sunt, centra apostolatus, pietatis et scientiae, uti abbatia S. Petri Cantuariae, cujus praecipui magistri fuerunt Hadrianus et Albinus, monasterium urbis Maildufi (Malmesbury), ubi claruit Aldhelmus, auctor tractatus *De virginitate* dicati abbatissae Hildelithae (3), famosa monasteria erecta a Benedicto Biscop in Wearmouth et Jarrow, in Northumbria. Utrumque illustravit S. Beda Venerabilis, scriptor *Historiae ecclesiasticae gentis Anglorum*, in qua de semetipso testabatur: « Inter observantiam disciplinae regularis, et cotidianam cantandi in ecclesia curam, semper aut discere, aut docere, aut scribere dulce habui » (4).

---

(1) FHE, n. 84-85; M. MÜLLER, *Zur Frage nach der Echtheit und Abfassungszeit des Responsum B. Gregorii ad Augustinum episcopum*, Theologische Quartalschrift, 1932, p. 94 sq.

(2) Cfr. *Vita S. Wilfridi* ab EDDIO STEPHANO: FHE, n. 175 sq.; W. STEPHENS-W. HUNT, *A history of the English Church*. Lo., 1899; F. CABROL, *L'Angleterre chrétienne avant les Normands*, ed. 2. P., 1909; A. M. JACQUIN, op. cit. t. II, p. 448 sq.

(3) PL, t. 89; L. BOENHOFF, *Aldhelm von Malmesbury*. Dresdae, 1894.

(4) *Historia eccles. gentis Anglorum*, lib. V, cap. 24, ed. A. HOLDER. Fr., 1882; C. PLUMMER. O., 1896; CUTHBERTUS, *Epistola de morbo et obitu Bedae*

Inde a principio, Anglo-Saxones inter alios populos neo-conversos eminuerunt filiali devotione erga S. Sedem, opere episcoporum et monachorum, e. g. Wilfridi, Benedicti Biscop et Theodori Cantuariensis (+ 690), qui Ecclesiam anglo-saxonicam organizarunt in stricta unione cum S. Sede et more romano. Ex propria indole Anglo-Saxones viatores erant, sed ex affectu catholico jam ab isto tempore coeperunt peregrinari versus Romam. Scribebat Paulus Diaconus (+ 799) in *Historia Langobardorum*: « His temporibus multi Anglorum gentis nobiles et ignobiles, viri et faeminae, duces et privati, divini amoris instinctu de Britannia Romam venire consueverunt » (1). Sunt Angli qui Romae primum diversorium pro peregrinis propriae nationis erexerunt: hospitium anglo-saxonicum S. Mariae in Sassia, ubi anno 715, Ini, rex Saxoniae occidentalis, recessit; etiam Coinred, rex Merciae, ibi requiem quaesivit et anno 817, Offa rex Saxoniae orientalis, hospitium ampliavit et dotavit (2). Hic Romae ante omnia venerabantur sepulchra apostolorum et vicarium Christi; sed etiam sibi procurabant libros et reliquias, pro ecclesiis et monasteriis patriae. Spiritum devotionis romanae, missionarii anglo-saxonici, ut Willibrordus et Bonifatius, ubique deinde diffuderunt per vias suas apostolicas.

In *Hibernia*, Evangelium primo praedicatum est sane saec. IV, a Britannis vel etiam a Gallis, cum quibus Hiberni mercaturam faciebant. Initio saec. V, ante adventum S. Patricii, christianos adfuisse in Hibernia, probatur ab ipso papa S. Coelestino I qui anno 431 in Hiberniam mittebat « ad *Scotos in Christum credentes* » S. Palladium ab eo Romae episcopum consecratum (3). Sed isti christiani pauci erant et ministerium S. Palladii brevissimum fuit, nequidem uno anno duravit: ergo non potuit habere exitum stabilem. Quare non Palladius, sed Patricius habetur verus apostolus Hiberniae.

---

in PL, t. 90, 35 sq.; P. GUILDAY, *Church Historians, Critical Studies*. NY. 1926; G. F. BROWNE, *The Venerable Bede*. Lo., 1919.

(1) Lib. VI, cap. 36: PL, t. 95, 119 seq.; MGH, *Scriptores Rerum Lang.* 45 sq.; L. GOUGAUD, *Sur les routes de Rome et sur le Rhin avec les peregrini insulaires*, RHE, t. XXIX, 1933, p. 253; W. J. MOORE, *The Saxon Pilgrims to Rome and the Schola Saxonum*. Fribourg, 1937.

(2) BEDA, *Histor. eccles. gentis Anglorum*, lib. V, 7, 19. Sub fine saec XII, Innocentius III hospitium anglo-saxonicum S. Mariae in Sassia mutavit in valetudinarium romanum sub vocabulo S. Spiritus.

(3) L. GOUGAUD, *Les chrétientés celtiques*, op. cit., p. 36 sq.

Ortum habuit Patricius circa annum 385, probabilius in loco nunc appellato Killpatrick, prope Dumbarton in Scotia occidentali. Filius diaconi Calpornii, sexdecim annos natus raptus est a piratis et ductus in Hiberniam una cum numerosis Scotis. Deum verum ignorabat, sed conversus est ad Fidem Christi dum in servitute pecora pascebat. Circa annum 407 aufugit in Galliam, ubi diuturnam fecit moram, deditus orationi et studio, primum in monasterio Lerinensi, deinde Antissiodori sub directione sanctorum antistitum Amatoris et Germani. Iter quod iste anno 429 instituit, cum Lupo Trecensi, pro Fide instauranda in Britannia, procul dubio vim aliquam exercuit super propositum Patricii propagandi Fidem in Hibernia. Ut futurae suae missioni plene pararetur, Antissiodori ordines sacros, et probabilius consecrationem episcopalem, ex ipsis manibus S. Germani suscepit (1).

Mortuo Palladio (431), Patricius partem septentrionalem Hiberniae petiit cum aliquibus sociis (432), et confestim praedicare coepit, ante omnia ducibus tribuum. Etenim si isti convertebantur, eorum subditi facile sequerentur. Ei acerrime adversati sunt druidae, qui artibus magicis multum valebant apud Hibernos. Omnem arripuit occasionem Patricius ut eorum maleficam auctoritatem destrueret: cum eis collationes contradictorias habuit, eosque confudit prodigiis quae operatus est (2). Vix Patricius nonnullos paganos ad Fidem converterat, et jam tractabat de fundo acquirendo ubi erigeretur sacellum. Ad ordines sacros promovebat unum e suis discipulis, eique committebat communitatem nascentem. Ipse Patricius pastori novae communitatis tradebat *summarium* doctrinae christianae et canonum, quod ipse propria manu conscripserat; refertur Patricium conscripsisse 365 summaria hujus modi (3). Ex suis neophytis, meliores incitabat ad vitam monasticam. In sua *Confessione* excelso scribebat

---

(1) *Confessio* Patritii, ed. a Newport White, *Libri s. Patricii*, in *Proceedings of the R. Irish Academy*. Dublinii, 1905. Cfr. P. Grosjean, in AB, 1925, p. 241 sq., 1932, p. 346 sq.; Meissner, *History of the Church of Ireland* (), 1933; J. Kenney, *The sources for the early History of Ireland*. NY., 1929.

(2) Prodigia operata a S. Patricio referuntur ab ejus biographo Tirechano, saec. vii. Cfr. J. Gwynn, *Book of Armagh*. Dublinii, 1913; J. B. Bury, *The Life of Saint Patrick and his place in History*. Lo., 1905; Newell, *Saint Patrick, his life and teaching*. Lo., 1907.

(3) L. Gougaud, op. cit., p. 51.

animo: « Filii Scottorum et filiae regulorum monachi et virgines Christi esse videntur » (1).

S. Patricius fuit missionarius simul forti et tenero animo dotatus, abnegatione, candore et humilitate plenus, qui tribulationes sibi ab inimicis et amicis illatas, aequo tulit animo. Triginta annorum spatio Hiberniam evangelizavit, et sedem episcopalem fixit Armachii, quae facta est metropolis Hiberniae. Quando mortuus est (circa annum 461), non tota Hibernia conversa erat, sed Fides jam quasi in tota Hibernia praedicata fuerat, praesertim in provinciis Leinster, Ulster, Meath et Connaught. Ecclesiae Hiberniae primam organizationem dedit, eamque univit cum Occidente christiano. Nemo inter sanctos nationales tanto affectu colitur ac S. Patricius, non solum in patria, sed ubique terrarum adsint Hiberni, qui ejus nomine et cultu uniuntur fidelitate religioni catholicae et amore patrio (2).

Discipuli ejus, sancti Benignus, Finnianus, Brendanus, Enda, Kevinus, Comgall, prosecuti sunt ejus operam, aptando ordinationem ecclesiasticam Hibernorum propriae organizationi sociali. Hiberni divisi erant in parvas tribus (clans), quae regebantur a regulis independentibus (thans). Patricius ejusque continuatores istam divisionem nullo modo supprimere conati sunt; sed in omni tribu, crearunt centrum vitae religiosae, sub forma monasterii, cujus abbas, qui saltem presbyter erat, et aliquando episcopus, non erat tantum caput monachorum, sed superior totius familiae christianae istius tribus. In monasterio erigebatur schola tribus; tribus providebat sustentationi oeconomicae monasterii, eique procurabat sodales, dum monasterium complebat opus poenitentiae, orationis et instructionis pro tribu. Eodem modo, pro institutione puellarum, fundata sunt monasteria monialium. Monachi et moniales tanto vigore vitam socialem Hibernorum spiritu catholico imbuerunt, ut decursu temporis pertinere ad tribum hibernicam et profiteri religionem catholicam unum et idem significaret (3).

In *Scotia,* Fides praedicata est prima vice in parte meridionali, apud Pictos, a S. Niniano, episcopo britannico Romae educato

---

(1) FHE. n. 8.

(2) Quoad legendam Purgatorii Patricii, cfr. S. LESLIE, *St. Patrick's Purgatory.* Lo., 1932.

(3) J. RYAN, *Irish Monasticism.* Dublin, 1931; J. P. FUHRMANN, *Irish medieval Monasteries on the continent.* Washington, 1927; A. M. TOMMASINI, *I santi Irlandesi in Italia.* M., 1932.

(412) (1). Saec. VI in Scotia opus evangelizationis suscepit monachus hibernicus, S. Columbanus senior, e tribu hibernica O' Neill, discipulus S. Finniani in monasterio Clonard ad fluvium Boyne. Ipse Columbanus, antequam Scotiam peteret (563), duo monasteria fundaverat in Hibernia: Dair-Mag (Durrow) et Daire-Calgaich (Derry) (2).

A rege Pictorum, Conall, Columbanus accepit, anno 563, parvam insulam Ionam (Hy), ad latus occidentale Scotiae, prope insulam majorem Mull. Ibi confestim coepit vitam monasticam ducere cum 121 sociis hibernicis, et jam cito accurrerunt Picti et Scoti, ut viderent et audirent Columbanum ejusque monachos. Duobus annis post eorum adventum, rex paganus Pictorum, Bridius, conversus est (565). Ex insula Iona, S. Columbanus ejusque discipuli, transierunt ad alias insulas Hebridas et ad ipsam Scotiam. Plurima monasteria et ecclesiae in insulis adjacentibus et in ipsa Scotia erectae sunt, sub impulsu S. Columbani, qui tanquam fortis miles Christi ibi 34 annorum spatio in salutem animarum incubuit (3). Sicut in Hibernia, etiam in Scotia Ecclesia organizata est sub regimine monastico, cui praesidebat S. Columbanus. Tantum valebat iste apud Scotos ut anno 579, non obstante oppositione druidarum, Aidanum regem coronaret in monasterio Ionae. Usque ad initium saeculi IX, abbas Ionae fuit caput hierarchicum Scotiae; tunc hierarchia episcopalis constituta est independenter a « paruchia Columbae », scil. a jurisdictione monastica inaugurata a S. Columbano (4).

5. - Conversio incolarum Germaniae.
— In Europa centrali, missionariis adhuc patebat regio sita praesertim inter ripam dexteram Rheni et ripam sinistram Danubii, cum Frisia et Saxonia ad sep-

---

(1) *Vita Niniani* ab AELRED A RIEVAULX, ed. ab A. P. FORBES, *Historians of Scotland*, t. V. Edimburgi, 1874; W. M. METCALFE, *Legends of saints Ninian and Machor*. Lo., 1905; A. B. SCOTT, *St. Ninian*. Lo., 1917; W. A. PHILLIPS, *History of the Church of Ireland*, t. I, p. 61 sq. O., 1933.

(2) Circa motivum quo S. Columbanus Hiberniam reliquit, cfr. ADAMNANUS, *Vita Columbani*, in AS, junii t. II, cap. 3; L. DUCHESNE, *Histoire de l'Eglise au VIe siècle*, p. 595; ADAMNANUS, *Vita S. Columbae*, ed. J. T. FOWLER. O., 1920.

(3) A biographo Adamnano appellatur *miles insulanus*.

(4) AB, t. XLV, 1927, p. 75 sq.; FHE, n. XLV et 182; T. H. WALKER, *S. Columba*. Lo., 1923; W. D. SIMPSON, *The historical Saint Columba*, ed. 2. Aberdeen, 1927.

tentrionem et populis slavis ad orientem. Regiones ad ripam sinistram Rheni et ad ripam dexteram Danubii, dictae Germania inferior et superior, Rhaetia, Noricum, Pannonia, quae pertinebant ad Imperium romanum, jam antea evangelizatae fuerant, ibique plures habebantur sedes episcopales, uti Coloniae Agrippinae, Treviris, Curiae, Augustae Vindelicorum. Decursu invasionum, provinciae istae multa damna passae sunt. Postea, cum occupatae fuissent a Chlodovaeo ejusque successoribus in Austrasia, provinciae istae secutae sunt sortem Ecclesiae Francorum. Ultra Rhenum, praecipuae tribus Germanorum erant: Alemanni, inter Rhenum, Moenum et Danubium, Thuringi ad meridiem Saxoniae et Bavari ad orientem Germaniae. Etiam istae paulatim redactae sunt sub ditionem regis Austrasiae.

Evangelizatio istorum barbarorum incepta est ab ipso momento quo, decurrente saec. VI, relationes, coactas vel voluntarias, contraxerunt cum Francis. Attamen non Franci tantum, plerumque invisi ob motivum politicum, sed multo magis Anglo-Saxones, Celtae Hiberniae et Scotiae, Gothi ex Hispania, facti sunt ministri Evangelii apud barbaros Europae centralis (1).

Vicissim agemus: *a*) de praedicatione Evangelii apud Alemannos, Bavaros et Thuringos; *b*) de conversione Frisiorum, opere praesertim S. Willibrordi; *c*) de apostolatu S. Bonifatii; *d*) de conversione Saxonum.

a) *Praedicatio Evangelii apud Thuringos, Alemannos et Bavaros*. Apud Thuringos, christianismus primum penetravit saec. VI, post expugnationem Thuringiae a Francis (531). Kilianus Hibernus missionarius fuit in Thuringia et Franconia, unacum 11 sociis; martyr occubuit Herbipoli, anno 689 (2). Pro apostolatu apud Alemannos vel Suevos, referendi sunt sancti Columbanus junior, Gallus et Pirminus. Columbanus duobus annis Fidem praedicavit Brigantii, ad lacum Constantiae. Ejus biographus, Jonas a Susa, qui scribebat primo dimidio saec. VII, prodigium narrat quo Suevos, vel paganos ad baptismum, vel christianos ad fidelitatem induxit (3). S. Gallus

---

(1) DESCAMPS, *Histoire générale comparée des Missions*, p. 184 sq. P., 1932; A. HAUCK, *Kirchengeschichte Deutschlands*, t. I, Lz., 1922.

(2) AS jul., t. II, ed. 1721, p. 599 sq.; AB, 1897, p. 197 sq.; *Passio S. Kiliani*, ed. W. LEVISON, MGH, SS rerum Merovingicarum, t. V, p. 711 sq.

(3) *Vita Columbani*, I, 27: « Quo cum moraretur et inter habitatores loci illius progrederetur, reperit eos sacrificium profanum litare velle, vasque magnum... cervisa plenum in medio positum... Ille pestiferum opus audiens vas

(† 645), e loco Steinach, ubi vitam asceticam ducebat, evangelizabat populum vicinum; abbatia benedictina, ibi postea erecta (720), ab eo nomen accepit.

S. Pirminus Alemannos evangelizavit primo dimidio saec. VIII († 753). Non erat Hibernus, sed probabilius Gothus ex Hispania. Plurima monasteria sub regula S. Benedicti instituit vel ordinavit, ut modo stabili provideretur ministerio spirituali et materiali neoconversorum. Ita fecit in Augia divite (Reichenau) ad lacum Constantiae, et in pluribus locis Alsatiae. Servatur liber manualis quo utebatur in missionibus: *Dicta abbatis Pirmini, de singulis libris canonicis Scarapsus* (Extractum). Est exhortatio catechetica, in qua enumerantur etiam superstitiones quibus Alemanni dediti erant, quarum aliae proveniebant a Romanis, aliae originem germanicam habebant (1).

Apud Bavaros, inter primos missionarios notantur Eustasius Luxoviensis et S. Rupertus, episcopus Wormatiensis. Iste praedicavit in regione Salisburgensi, ubi fundavit monasterium; idem fecerunt S. Emmeramus Ratisbonae et S. Corbinianus Frisingae. Rogante duce bavaro Theodone, papa Gregorius II anno 716 decernebat erectionem trium dioecesium in Bavaria, sub auctoritate unius metropolitani. Ista prima organizatio ecclesiastica deinde confirmata est a S. Bonifatio (2).

b) *Conversio Frisiorum, opere praesertim S. Willibrordi*. Frisii occupabant regionem inter fluvium Wiseram et extremum fluvium Scaldim. Evangelizati sunt prima vice sub fine saec. VI, cum partim in ditionem venerant Francorum; primo dimidio saec. VII, S. Amandus et S. Eligius apud eos praedicarunt, sed sine exitu ob aversionem Frisiorum a Francis. Post istos, venerunt Anglo-Saxones, primum Wilfridus, episcopus Eboracensis (678), deinde Wigbertus (687) et demum S. Willibrordus, verus apostolus Frisiorum. In-

---

insufflat, miroque modo vas cum fragore dissolvitur... Videntes barbari, stupefacti aiunt magnum virum Dei habere anhelitum ». MGH, SS *rer. Meroving.* t. IV, p. 102 sq.; FHE, n. 145.

(1) S. Pirmini *Vita* editur in AS novembris t. II; MGH, SS, t. XV. p. 17 sq. *Dicta Pirmini* in PL, t. 89, 1029 sq. et apud G. Jecker, *Die Heimat des hl. Pirmin.* Mr., 1927.

(2) *Vita S. Hrodberti*, ed. W. Lewison MGH, SS *rerum Meroving.*, t. VI, p. 140 sq.; *Vita S. Haimrhammi et Corbiniani*, ed. B. Krusch, ibidem, t. IV, p. 452 sq., t. VI, p. 497 sq.; DHE, art. *Bavière*, fasc. 6.

stitutione accepta in monasterio Ripon in Northumbria, Willibrordus deinde duodecim annos transegerat in Hibernia, ubi cognoverat Wigbertum praedictum, cujus conversatione sane ad apostolatum apud Frisios commotus est. Profectus anno 690, cum duodecim sociis, Willibrordus, antequam initium daret suo operi, Romam petiit ubi a papa Sergio (687-701) obtinuit simul missionem apostolicam et reliquias pro ecclesiis construendis in Frisia (1).

Non totam Frisiam peragravit in primis annis, sed tantum partem meridionalem, quae subjiciebatur potestati Francorum et cujus centrum erat Ultrajectum. Jam anno 695, Willibrordus secunda vice iter romanum faciebat, ut papam Sergium certiorem redderet de progressu suae missionis et cum eo ageret de constitutione hierarchiae ecclesiasticae in Frisia. Hac occasione, Sergius Willibrordum episcopum consecravit eique concessit pallium, ejusque nomini germanico Willibrordo adjunxit nomen latinum: Clemens (2).

In Frisiam reversus, Willibrordus instauravit Ultrajecti ecclesiam S. Martini, antea a Francis erectam; praeterea construxit monasterium cum schola et ecclesia dicata S. Salvatori. In locis circumjacentibus plurima aedificavit oratoria et operam dedit formationi cleri indigenae. Ex sociis suis, aliquos episcopos consecravit, quin eis sedem fixam assignaret. Ut extra Frisiam missioni adjutorium stabile procuraret, anno 698 Epternaci in Luxemburgo abbatiam fundavit. Sed opus ejus primis annis saec. VIII quasi a fundamentis eversum est: anno 715 Radbodus, dux Frisiorum, adhuc paganus, rebellabat adversus Francos eosque ex Frisia pellebat: exinde ecclesiae destructae sunt, clerici expulsi, et templa idolorum instaurata; ipse Willibrordus refugium quaerere debuit in abbatiam Epternaci.

Pace reversa in Frisiam, post mortem Radbodi (719), Willibrordus iterum petiit campum sui ministerii cum novis operariis, inter

---

(1) *Vita Willibrordi*, ed. W. Levison, in MGH, SS *rer. Merov.* t. VII; F. Flaskamp, *Die Anfänge des friesischen und sächsischen Christentums*. Hildesheim, 1929; J. Jung-Diefenbach, *Die Friesenbekehrung bis zum Martertode des hl. Bonifatius*. V., 1931; W. Lampen, *S. Willibrord*. Ultrajecti, 1916; *Willibrordiana*, in *Historisch Tijdschrift*, t. X, 1931, p. 126 sq.; F: Callaey, *S. Clemente Willibrordo, apostolo dei Paesi Bassi, I grandi Missionari*, 2 serie, p. 39 sq. R., 1940.

(2) Cfr. *Kalendarium S. Willibrordi*: L. Poncelet, *Le « Testament » de St. Willibrord*, in AB, t. XXV, 1906, p. 163 sq.; H. A. Wilson, *The Calendar of St. Willibrord*, in Henry Bradshaw Society, vol. 55. Lo., 1918; FHE, n. 197.

quos erat Bonifatius, qui tunc tribus annis in Frisia remansit. Willibrordus usque ad mortem (739) in conversionem Frisiorum incubuit. Ejus opere religio Christi solide radicata est in Frisia meridionali, dum successores ejus Theutbertus, Bonifatius et missionarii temporis Caroli Magni Fidem nuntiarunt in Frisia septentrionali et orientali (1).

c) *Apostolatus S. Bonifatii* (675-754). Est iste vir major missionarius medii aevi, cujus operis multiplicia supersunt documenta: plus quam centum epistolae ab eo scriptae vel ad eum directae; sex Vitae, quarum prima et praecipua est ea confecta a coetaneo Willibaldo Moguntinae ecclesiae presbytero. Etiam ejus collaboratores, e. g. S. Sturmius et S. Lioba, bene noti sunt. Ita ejus temporis servantur decreta conciliorum, monumenta regni Francorum, acta diplomatica abbatiarum, et tali modo vita et gesta Bonifatii copiose illustrantur fontibus (2).

Genere anglo-saxonico, natus est circa annum 675 in loco Kirton regni Wessex, e familia nobili quae ei imposuit nomen patrium Wynfrith. Primam educationem accepit in monasterio Adescancastri (Exeter); deinde intravit in monasterium prope Nursling, ubi stetit sub directione abbatis Winberti, qui studium litterarum et Scripturae Sacrae valde promoverat; ibi, per aliquot annos, Bonifatius functus est officio magistri scholae abbatialis. Sed desiderio convertendi paganos ardebat, et jam anno 716 prima vice appulit in Frisiam una cum tribus sociis monachis: ob ipsum situm geographicum et ob similitudinem linguae, Frisia offerebatur apostolatui monachorum Angliae. Cum Frisii tunc temporis rebellassent adversus Francos, Bonifatius paucum vel nihil operari potuit inter illos, et eodem anno cum sociis reversus est ad propriam abbatiam in Nursling. Anno 718 iterum profectus est, et directe petiit Romam, ubi a papa Gregorio II mandatum obtinuit eundi « ad gentes quascumque infidelitatis errore detentas », quas baptizare debebat secundum ritum roma-

---

(1) Cfr. testimonium S. Bonifatii de S. Willibrordo, in epistola 109 · MGH, *Epistolae selectae*, t. I, 234 sq.; FHE, n. 214; A. GRIEVE, *S. Willibrord*. Glasgow, 1923; J. HOLWERDA, R. POST, *Geschiedenis van Nederland*. Amsterdam, 1935.

(2) *Vitae S. Bonifatii*, ed. W. LEVISON in MGH, SS. *rer. Germanicarum in usum scholarum*, 1905; *Bonifatii et Lulli epistolae*, ed. M. TANGL, in MGH, *Epist. Selectae*, t. I; *Concilia aevi carolini*, ed. A. WERMINGHOFF, MGH, LL, Sectio III, *Concilia*.

num (1). In documento pontificio (15 maii 719), in quo monachus Wynfrith prima vice appellabatur Bonifatius, papa eum jubebat ut in omnibus difficultatibus suis recurreret ad S. Sedem.

Isto primo itinere romano, S. Bonifatius apostolatum suum ponebat sub patrocinio directo romani pontificis et incipiebat intimam unionem cum S. Sede, quae duravit usque ad mortem ejus, cum quatuor pontificibus Gregorio II, Gregorio III, Zacharia et Stephano II. Postquam mandatum apostolicum a Gregorio II acceperat, plus minusve tribus annis (719-21) laboravit in Frisia cum S. Willibrordo et deinde ab anno 721 ad annum 754, opus suum apostolicum per se direxit. Ista periodus 33 annorum dividi potest in duas phases: prima phasis, ab anno 721 ad 737, in qua Bonifatius praecipue egit partes missionarii, convertendo et confirmando in Fide; altera phasis, ab anno 737 ad annum 754, in qua organizavit Ecclesiam Germaniae et reformavit Ecclesiam Francorum.

In prima phasi, ab anno 721 ad 737, Bonifatius initio Evangelium praedicavit in Hassia ubi in valle fluvii Ohm, apud Amanaburgum (Amöneburg), monasterium erexit cum ecclesia dicata S. Michaeli. Magna sua caritate et eloquentia persuasit paganos, et jam in Pentecoste anni 722 plura millia hominum baptizare potuit. Felicem eventum Bonifatius confestim nuntiavit Gregorio II, qui Bonifatium Romam accersitum episcopum consecravit, eumque in proposito roboravit evangelizandi etiam Thuringiam. Reversus in Hassiam, ibi facinore inauditae audaciae animos paganorum vehementer commovit. In loco Geismar saecularis extabat quercus, arbor sacra regionis ubi Germani sacrificia offerebant diis: quadam solemni occasione, Bonifatius propria manu istam quercum evertit et cum ejus ligno construxit oratorium in honorem S. Petri. Paulo post, non longe a Geismar, monasterium aedificavit in loco Fritzlar (2).

Post Hassiam, Bonifatius petiit Thuringiam. Ibi Fides jam prae-

---

(1) Non secundum usum celticum antiquae Ecclesiae britannicae, qui, uti credebatur, aliquantum differebat a ritu romano. BEDA, *Historia eccles. Anglorum*, lib. II, cap. 2; L. GOUGAUD, *Les chrétientés celtiques*, op. cit., p. 200 sq.

(2) De modo agendi cum paganis, legantur provida consilia quae Daniel, episcopus Wintoniae (Winchester), subministrabat Bonifatio, *Epistola* 23, MGH, *Epistolae selectae*, t. I, 38 sq.; FHE, n. 204; G. KURTH, *S. Boniface*, in coll. *Les Saints*, ed. 4, P., 1913; G. SCHNÜRER, *Die Bekehrung der Deutschen. Bonifatius*. Mn., 1909; J. LAUX, *Der hl. Bonifatius*. Fr., 1922; E. FLASKAMP, *Die Missionsmethode des hl. Bonifatius*, ed. 2, Hildesheim, 1929.

dicata a S. Kiliano, delapsa erat, ob culpam praesertim ipsius cleri qui ritum christianum miscebat superstitione pagana: dabantur presbyteri qui simul missam celebrabant, sacramenta conferebant et victimas immolabant in honorem deorum. In epistola 22 nov. 726, Gregorius II ei indicabat quomodo clericos et laicos in viam rectam observantiae christianae reducere debebat (1). In molesto labore ei aderant plures missionarii, uti Bavarus Sturmius, Anglo-Saxones Lullus, Denehardus, Willibaldus, Burchardus et Wigbertus. Eorum ope, Bonifatius numerosas operatus est conversiones et construxit aedes sacras, inter quas notatur monasterium in Ohrdruff. Anno 735 visitavit etiam Ecclesiam Bavariae ubi dux Hubertus eum libenter adjuvit. Circa annum 737, Bonifatius tertia vice venit ad limina Apostolorum; Gregorius III, qui ei anno 732 pallium cum auctoritate metropolitana contulerat, eum tunc tamquam legatum pontificium praefecit toti Germaniae.

Ab ista legatione incipit phasis altera apostolatus Bonifatii (737-754), in qua incubuit in constitutionem hierarchicam Ecclesiae Germaniae et in reformationem Ecclesiae Francorum. Quod ad constitutionem hierarchicam Ecclesiae Germaniae attinet: in Bavaria, ubi unus tantum supererat episcopus, Vivilo Passaviensis, Bonifatius tres novos consecravit episcopos: Gaubaldum, Joannem et Erimbertum, quibus respective commissae sunt dioeceses Ratisbonensis, Salisburgensis et Frisingensis (2). In Hassia sedem episcopalem constituit in oppido Büraburg, inter Fritzlar et Amöneburg; in Thuringia duas creavit sedes, Erfordiensem ad septentrionem et Herbipolensem ad meridiem (3). Ipse Bonifatius sedem suam fixit Moguntiaci, in situ centrali e quo facilius poterat dirigere opus ordinationis ecclesiasticae. Magnum propositum conceperat conjungendi Francos, Alemannos, Thuringos et Bavaros in unam solam provinciam ecclesiasticam, ad fovendam familiaritatem christianam istorum populorum inter se, eorumque majorem unionem cum Roma. Sed ratione politica propositum istud ad executionem duci non potuit. Denique bonae ordinationi ecclesiasticae in Germania valide contribuit abbatia Fuldensis quam, instigante Bonifatio, anno 744 fundavit ejus alumnus

---

(1) MGH, *Epist. sel.* t. I, 49 sq. FHE.; n. 205.
(2) Ibidem, *Epist. sel.*, t. I, 71 sq.; FHE, n. 206
(3) Ibidem, *Epist. sel.*, t. I, 80 sq.; FHE, n. 208; F. FLASKAMP, *Das hessische Missionswerk des hl. Bonifatius*. Duderstadt, 1926.

Sturmius e Bavaria. Brevi ista abbatia facta est seminarium missionariorum Germaniae et centrum ejus vitae religiosae ac intellectualis (1).

Ut relevaret Ecclesiam Francorum in Austrasia, Bonifatius, rogante Carolomanno principe Austrasiae, de mandato papae Zachariae promovit celebrationem synodorum, quibus disciplinam ecclesiasticam inculcavit; sedes metropolitanas Rhemensem, Senonensem et Rothomagensem instauravit; vindicavit Ecclesiae jus conferendi beneficia ecciesiastica, administrandi bona Ecclesiae; regulam S. Benedicti monasteriis imposuit; denique, Fidem ab injuria superstitionis et erroris fortiter servavit (2).

Spatio quinque annorum, sub directione S. Bonifatii, quinque synodi celebratae sunt (742-747), prima synodus anno 742 loco ignoto, altera Leptinis in Belgio, anno sequenti. In synodo anno 747 habita, tredecim episcopi a S. Bonifatio inspirati subsignarunt Chartam verae atque orthodoxae professionis et catholicae unitatis, in qua profitebantur plenam submissionem Vicario Christi.

In alia synodo, Bonifatius damnavit tanquam haereticos Aldebertum et Clementem, quorum primus se aequiparabat apostolis Christi, oratoria in proprio honore dedicando, dum alter affirmabat Christum descendentem ad inferos etiam incredulos inde liberasse (3).

Zelus S. Bonifatii extendebatur ad omnes populos neo-conversos, non tantum ad Germanos et Francos, sed etiam ad proprium populum Angliae. Anno 746, una cum septem episcopis Germaniae in synodo congregatis, gravissimam epistolam misit ad Ethelbaldum, regem Merciae, qua ejus luxuriam et violentiam in monasteria reprehendit; eodem anno, in epistola ad Cuthbertum archiepiscopum Cantuariae, vitia quae in Ecclesiam Angliae irrepserant, carpsit. Ita, synodus quae anno sequenti 747, in Anglia apud Cloveshoe celebrata

---

(1) *Vita Sturmii* in MGH, SS t. II, 365 sq., LTK, t. IV, col. 225 sq.

(2) De misero statu Ecclesiae Francorum, cfr. epistola 50, directa a Bonifatio ad papam Zachariam, sub fine 741 vel initio 742: « Franci enim, ut seniores dicunt, plus quam per tempus octoginta annorum synodum non fecerunt nec archiepiscopum habuerunt nec ecclesiae canonica jura alicubi fundabant vel renovabant. Modo autem maxima ex parte per civitates episcopales sedes tradite sunt laicis cupidis ad possidendum vel adulteratis clericis scortatoribus et publicanis seculariter ad perfruendum ». MGH, *Epist. sel.*, t. I, 80 sq.; FHE, n. 208; A. LESNE, *La hiérarchie épiscopale en Gaule et en Germanie* 742-882. P., 1905.

(3) FHE, n. 212.

est ad emendandam vitam ecclesiasticorum et laicorum, reapse inspirabatur verbo et exemplo S. Bonifatii (1).

En quadruplex opus istius magni missionarii: conversio paganorum, praesertim in Hassia et in Frisia, confirmatio Fidei catholicae in Bavaria, Thuringia et Alemania, organizatio hierarchiae ecclesiasticae in Germania, et reformatio Ecclesiae in Francia. Haec omnia perfecit semper in unione stricta cum S. Sede, in plena dependentia a summo pontifice, ad quem recurrebat in omni dubio (2). Praeter approbationem S. Sedis, petiit et obtinuit etiam, pro opere suo, protectionem principum, praesertim Austrasiae et Bavariae.

Quod ad methodum suam apostolicam attinet, videtur eum ante omnia procuravisse, ope velocis instructionis praeparatoriae, conversionem collectivam majoris turbae possibilis hominum. Isti turbae conferebatur baptismus cum magno concursu et apparatu, ut tali spectaculo animi omnium, etiam paganorum, afficerentur. Instructio praeparatoria, quae plurimum constabat brevi commentario litterali Evangelii, deinde a monachis perficiebatur expositione systematica doctrinae christianae (3). Monachi praecipui cooperatores Bonifatii erant, et plerumque proveniebant e patria sua anglica: Lullus, Denehardus, Willibaldus, Wynehaldus, Burchardus, Wigbertus, ejus socii, Anglo-Saxones erant. Numquam, inde ab anno 718, Bonifatius reversus est in patriam suam, sed commercio epistolari semper cum ea conjunctus remansit, pro majore progressu evangelizationis in Germania. Amici ejus anglici quaerebant participes esse ejus apostolatus: adjuvabant eum suis consiliis, ut Daniel a Wintonia, orationibus et donis omnis generis, uti libris, vestibus, ornamentis sacris.

Manifestatio magis exquisita et peculiaris adjumenti quod Boni-

---

(1) A. W. HADDAN et W. STUBBS, *Councils and ecclesiastical documents relating to Great Britain and Ireland*, t. III, p. 362 sq. O., 1871; MANSI, t. XII, p. 395 sq.; FHE, n. 218.

(2) Anno 752, scribebat ad papam Stephanum II: « Nam si quid in ista legatione Romana, qua per XXX et sex annos fungebar, utilitatis Ecclesiae praefatae peregi, adhuc implere et augere desidero. Si autem minus perite aliquid aut injuste a me factum vel dictum reperitur, judicio Romanae Ecclesiae prompta voluntate et humilitate emendare me velle spondeo ». MGH, *Epist. sel.*, t. I, p. 233 sq.; FHE, n. 213.

(3) Interrogationes et responsiones baptismales et Indiculus superstitionum et paganiarum, MGH, *Capitularia regum Francorum*, ed. A. Boretius, I, n. 107 sq.

fatius accepit e patria sua, habetur in cooperatione missionaria personali quam ei praestiterunt ipsae moniales propriae patriae. Scripto et exemplo, sanctus verum fervorem apostolicum suscitaverat apud juvenes moniales anglo-saxonicas inter quas eminebant Lioba, monialis in monasterio Wymburn in Wessex, et Waldtruda, consanguineae magni missionarii. Petitioni istius pro monasteriis monialium in Germania erigendis, plurimae permeant mare et ad eum accurrunt: Lioba, Thecla, Cynehildis, Berthgith, Chunitrudis. Moniales istae anglicae praefectae sunt monasteriis monialium a Bonifatio fundatis: Tauberbischofsheim, cujus prima abbatissa fuit Lioba, Kitzingen et Ochsenfurt quae direxit Thecla. Ibi institutae sunt scholae pro puellis germanicis, inter quas vita religiosa brevi florere coepit, opere monialium anglicarum. Ita, multiplici modo quo explicavit suum apostolatum, Bonifatius jure merito dici potest exemplar missionariorum medii aevi.

In extrema senectute, iterum tractus est primo suo desiderio apostolico, scilicet conversionis Frisiorum. Quare, iter direxit versus Frisiam septentrionalem, ubi multi adhuc erant pagani. Ibi in loco Dokkum prope Leeuwarden martyr occubuit, una cum quinquaginta duobus sociis, die Pentecostes 5 junii anni 754, dum baptismum administraturus erat neo-conversis (1). Sepultus in abbatia Fuldae, inde a saeculo IX Germania tota magno suo apostolo tribuit cultum sanctorum.

Discipuli ejus prosecuti sunt evangelizationem Frisiorum: Franci ut Gregorius ab Ultrajecto, Anglo-Saxones, ut Lebuinus, Willehadus et Albertus, et ipsi Frisii, ut Ludgerus. Omnes isti cum periculo vitae Fidem praedicarunt in parte occidentali et septentrionali Frisiae, cum protectione Caroli Magni qui totam Frisiam sub propriam dominationem redegit. Initio saeculi IX, conversio Frisiorum ad disciplinam Christi completa erat.

d) *Conversio Saxonum.* Saxones inter Germanos ultimi paganismo remanserunt addicti. Constabant pluribus tribubus, Westphalis, Ancrariis, Ostphalis et Nordalbingis: ad occidentem, vicinos habebant Frisios, quos saepe saepius ad rebellionem adversus Francos instigabant; ad meridiem finitimi erant provinciarum Austrasiae,

---

(1) M. TANGL, *Das Todesjahr des Bonifatius,* in *Zeitschrift des Vereins für Hessische Geschichte und Landeskunde,* t. XXXVII, 1903, p. 223 sq.; F. FLASKAMP in *Hist. Jahrbuch der Görresgesellschaft,* t. 47, 1927, p. 473 sq.

scilicet Rhenaniae, Hassiae et Thuringiae, quas frequenter scopo rapinae invadebant. Inde bella continua inter Francos et Saxones: ipse apostolatus inter istos nimis implicatur expeditionibus armatis.

Revera, evangelizatio Saxonum simul fuit opus *politicum* a parte principum Francorum, praesertim Caroli Magni, et opus *religiosum* a parte missionarorum. Jam a fine saec VII, et decursu saec. VIII, aliqui missionarii petebant Saxoniam, uti Ewaldus et Lebuinus, Anglo-Saxones, Gregorius Ultrajectensis, Francus, qui vel occisi, vel expulsi sunt (1). Ultimo quarto saec. VIII (772), quando Carolus M. incepit bellum contra Saxones, bellum quod duravit plus quam triginta annos (804), pauci vel nulli christiani in Saxonia erant. Una cum bello, inde ab anno 772 incepit conversio obligatoria Saxonum sub directione status. Initio, Carolus M. liberaliter cum Saxonibus egit, sperando eos tali modo libentius venturos esse ad obedientiam et veram Fidem. Sed Saxones, in suis relationibus cum Carolo M., nulla sinceritate usi sunt: fingebant submissionem et conversionem, et postea, de improviso rebellabant, et sine misericordia occidebant adversarios inermes, etiam missionarios, uti Fulchardum, Gerwaldum et socios. Spatio 33 annorum, duodeviginti vicibus rebellionem fecerunt; unus ex praecipuis eorum ducibus erat Widukind, e tribu Westphalica.

Inde ab anno 780, Carolus Saxones extremo rigore tractare coepit (2). Sub respectu politico, cum omni jure bellum declaraverat Saxonibus, qui continuis invasionibus magno periculo erant Austrasiae. Sed cum simul eorum injungeret conversionem, manu militari et sine sufficienti instructione religiosa, odium potius quam consensum Saxonum in religionem christianam concitabat. Missionarii quos Carolus ad Saxones mittebat ex dioecesibus Coloniae, Moguntiaci,

---

(1) *Vita S. Lebuini*, ed. A. Hofmeister, MGH, SS, t. XXX, 2, p. 789 sq.; Alfridi, *Vita S. Ludgeri*, in AS, t. V, martii; Krimphove, *Der hl. Ludgerus, Apostel des Münsterlandes*. Mr. 1885; Descamps, *Histoire générale des Missions*, op. cit., p. 207 sq.

(2) Post rebellionem excitatam a Widukind anno 782, Carolus Magnus in una die 4500 Saxonum prope Verden trucidare fecisset. Ch. Ritter, *Karl der Grosse und die Sachsen*. Dessau, 1884; L. Halphen, *Etudes critiques sur l'histoire de Charlemagne*. P., 1921; K. Bauer, in *Westfälische Zeitschrift*, t. 92, 1936, p. 40 sq.; E. Rundnagel, in *Historische Zeitschrift*, t. 157, 1937, p. 457 sq.; W. Ehrenfried, *Nochmals der Sachsenschlächter*, in *Schönere Zukunft*, t. XIII, 1938, p. 474 sq.; J. Calmette, *Charlemagne*, p. 75 sq. P., 1945.

Ultrajecti, Leodii, ex abbatiis Fuldae et Corbeiae, praedicabant et baptizabant sub protectione armata victoris.

Anno 785, Carolus Magnus, postquam insignem victoriam super Saxones reportaverat, famosum capitulare promulgavit quo Saxones jubebantur amplecti christianam doctrinam sub poena mortis. Virtute articuli 8, omnis Saxo qui persevereraret in paganismo et recusaret accipere baptismum, capite damnaretur; similiter hi qui ex contemptu praecepti christiani carnem manducarent in quadragesima. Infantes baptizari debebant infra annum. Saxones omnes decimam partem suae substantiae et laboris reddere tenebantur ecclesiis et sacerdotibus (1).

Durae istae leges novam provocarunt rebellionem quae duravit quinque annos (792-797). Tunc tres partes Saxoniae, scilicet Westphalia, Ostphalia et Ancraria, modo definitivo regno Francorum incorporatae sunt. Quarta pars, Nordalbingia, sita ad septentrionem fluvii Albis, versus Daniam, submissa est tantum anno 804. Multi Saxones deportati sunt in regiones christianas Germaniae, eorumque bona vel distributa inter clerum et duces militares, vel adscripta colonis Francis.

Inde ab anno 787, Carolus Magnus hierarchiam in Saxonia stabilire coepit: prima sedes episcopalis, Bremensis, commissa est Willehado; brevi secutae sunt aliae dioeceses, Verdensis, Mindensis, Paderbornensis, Monasteriensis et Halberstadensis. Successor ejus, Ludovicus Pius (815-840), erexit sedes Hildeshemensem et Osnabruckensem. Tempore istius (822), etiam aedificatum est in Saxonia, prope Höxter ad Wiseram, monasterium appellatum Corbeia nova, quia primos tirones accepit ex abbatia Corbeiae in Picardia. Pro institutione christiana Saxonum, Corbeia nova idem opus perfecit ac Fulda in Germania centrali.

Sub Carolo Magno, evangelizatio Saxonum potius ense quam cruce peracta est, contradicentibus papa Hadriano I et monacho Al-

---

(1) C. MIRBT, *Quellen zur Geschichte des Papsttums und des Römischen Katholizismus*, ed. 5, n. 237. Tubingae, 1934: « IV. Si quis sanctum quadragesimale jejunium pro despectu christianitatis contempserit et carnem comederit, morte moriatur; sed tamen consideretur a sacerdote, ne forte causa necessitatis hoc cuilibet proveniat, ut carnem comedat. VIII. Si quis deinceps in gente Saxonorum inter eos latens non baptizatus se abscondere voluerit et ad baptismum venire contempserit paganusque permanere voluerit, morte moriatur ».

cuino. Vi et metu non obtinentur conversiones verae, scribebat pontifex imperatori (1). Alcuinus pluries violentiam commissam improbavit, sive apud ipsum Carolum Magnum, sive in epistolis ad amicum Arnonem, et ad alios. Scribebat ad quemdam ministrum imperialem: « Mittantur praedicatores et non praedatores » (2). Ad Arnonem archiepiscopum: « Decimae Saxonum subverterunt fidem »... « Misera Saxonum gens toties baptismi perdidit sacramentum, quia nunquam habuit in corde fidei fundamentum... Impelli potest homo ad baptismum, sed non ad fidem » (3). Ad ipsum imperatorem: « Vestra sanctissima pietas sapienti consilio praevideat, si melius sit rudibus populis in principio fidei jugum imponere decimarum, ut plena fiat per singulas domos exactio illarum... Scimus, quia decimatio substantiae nostrae valde bona est, sed melius est illam amittere quam fidem perdere... Ordinate fiat praedicationis officium et baptismi sacramentum ne nihil prosit sacri ablutio baptismi in corpore, si in anima ratione utenti catholicae fidei agnitio non praecesserit » (4).

Sententia Alcuini, quae consonabat toti traditioni ecclesiasticae, praevaluit etiam in evangelizatione Saxonum inde a Ludovico Pio. Sub isto principe, vita christiana jam plene florebat in Saxonia, uti demonstrat « Heliand », poema epicum ibi tunc compositum, in quo, secundum Novum Testamentum, 6000 circiter versibus cantatur vita, passio et triumphus Christi Redemptoris (5).

Finem imponendo praesenti expositioni historicae conversionis populorum ex stirpe indo-germanica, juvat notare tam universalitatem missionis Ecclesiae catholicae quam vigorem ejus indestructibilem. Eadem Ecclesia cujus sors, humane loquendo, ligata videbatur existentiae Imperii graeco-romani, in cujus sinu nata et diffusa erat, cum Imperium in extremo esset, ipsa libera, fortis et materna sese vertit ad populos barbaros, eosque paganos, rudes et crudeles, lenta et perseveranti evangelizatione, Christi jugo subjecit, et tunc, cum populis antiquis et populis novis, cum romanis, romanizatis et barbaris, novam societatem promovit, fundatam super unam Fidem Christi. Una cum Fide, Ecclesia tradidit barbaris con-

---

(1) PL t. 98, 591.
(2) MGH, EE, t. IV, 61.
(3) Ibid., t. IV, p. 163 sq.
(4) Ibid., t. IV, p. 157 sq. FHE, n. 268 sq.
(5) LTK, t. IV, 946; A. MULOT, *Frühdeutsches Christentum im Spiegel der ältesten deutschen Dichtung*. 1935.

versis thesauros culturae antiquae, tam paganae quam christianae, et ope linguae latinae eis procuravit vehiculum litterarium unicum quo, usque ad epocham modernam, institutio religiosa, scientia humana et doctrina catholica propositae sunt populis Christo simul et urbanitati adjunctis.

II.

COOPERATIO POLITICO-ECCLESIASTICA INTER S. SEDEM ET DYNASTIAM CAROLINGIAM

Relationes indolis religiosae inter populos novos et S. Sedem jam cito initae sunt ope missionariorum et episcoporum, e. g. S. Augustini in Anglia, S. Willibrordi apud Frisios, S. Bonifatii apud Germanos et Francos. Praeterea, summi pontifices quaesierunt adhibere auctoritatem temporalem principum istorum populorum, sive in protectionem ipsius S. Sedis, sive in corroborationem nascentis Ecclesiae apud barbaros. Inter istos, Franci formabant inde a medio saeculo VI nationem majorem Occidentis. Reges Francorum e dynastia merovingia in ditione habebant Galliam, Belgium, Rhenaniam, Thuringiam et partem occidentalem Bavariae. Sed debilitabantur otio et contentione. Plurimi paulum vel nihil curabant negotia status et gubernium relinquebant *majoribus domus,* scilicet ministris qui initio praeponebantur rei domesticae regum. Sed ob incuriam istorum, majores domus paulatim usurparunt totam administrationem civilem et militarem regnorum Austrasiae et Neustriae; et cum a regibus obtinuissent haereditatem proprii muneris, juxta dynastiam regiam constituta est dynastia majorum domus, cui in Austrasia principium dedit Pepinus a Landen († 640), pater potentis familiae carolingiae (1).

Brevi exorta est aemulatio inter Pepinum dictum ab Heristallo, filium Pepini a Landen, majorem domus Austrasiae, et Bertharium, majorem domus Neustriae. Anno 687, Pepinus victoriam reportavit super Bertharium in loco Tertry prope oppidum S. Quintini. Exinde Pepinus dictus ab Heristallo rerum potitus est tam in Neustria quam

---

(1) M. Prou, *La Gaule mérovingienne.* P., s. d.; E. Amann, *L'époque carolingienne* (*Histoire de l'Eglise,* dir. ab A. Fliche et V. Martin, t. VI). P., 1937.

4.

in Austrasia. Ab eo incepit actio politica pro unione omnium Francorum sub eodem gubernio, et pro extensione dominii dynastiae carolingiae in triplici directione Galliae meridionalis, Germaniae centralis et Italiae. Ab isto momento, in regno Francorum praevaluit Austrasia, magis germanizata quam Neustria (1).

S. Sedes continuo eo tetendit ut dynastia carolingia validum sibi praestaret adjutorium, ante omnia adversus insolentes Longobardos, qui crescenti sua ambitione damnum minabantur ipsi independentiae spirituali summi pontificis. Anno 739 prima vice papa auxilium a majore domus petiit: Gregorius III invocavit protectionem Caroli Martelli adversus Liutprandum regem Longobardorum, qui ducatum romanum devastaverat et ipsum thesaurum basilicae S. Petri diripuerat. Sed non obstantibus iteratis instantiis papae, Carolus Martellus se non interposuit, quia foedus inierat cum Liutprando pro expeditione adversus Saracenos (2).

Relationes stabiles inter S. Sedem et dynastiam carolingiam inceperunt cum filio Caroli Martelli, Pepino dicto Brevi. Assumptioni istius majoris domus in regem Francorum contribuit responsio papae Zachariae (751). Cum Pepinus auctoritate suprema regnum administraret sub ignavo rege Childerico III, ope Burchardi episcopi Herbipolensis et Fulradi abbatis S. Dionysii papam interrogavit Pepinus, an is qui solum titulum et dignitatem habet sine officio, dignus est regno, vel potius ille qui reapse officio fungitur quin titulum vel dignitatem habeat. Papa Zacharias respondit melius esse ut ille habeat titulum regis qui reapse officium regis adimplet. Audita responsione pontificia, magnates Franci Pepinum regem proclamarunt et imbellem Childericum III ejusque filium Didericum in monasteriis relegarunt. Novo regi unctionem sacram contulit S. Bonifatius legatus pontificius, qui tunc occupabatur opere reformationis Ecclesiae Francorum et Pepinum impellebat ut cooperaretur cum S. Sede (3).

---

(1) A. M. JACQUIN, *Histoire de l'Eglise*, op. cit., t. II, p. 501 sq.

(2) P. VILLARI, *Le invasioni barbariche in Italia*, op. cit., p. 350 sq.; G. ROMANO, *Le dominazioni barbariche in Italia* (395-1024). M., 1909; TH. HODGKIN, *Italy and her invaders*, op. cit., t. VII-VIII, O., 1931.

(3) *Liber Pontificalis*, ed. L. DUCHESNE, t. I, p. 444 sq. 1886-1892: C. BAYET, *Remarques sur le caractère et les conséquences du voyage d'Etienne II en France*, in *Revue historique*, t. XX, 1882, p. 88 sq.; L. DUCHESNE, *Les premiers temps de l'état pontifical*, ed. 3, p. 52 sq. P., 1911; J. HALLER, *Das Papsttum, Idee und Wirklichkeit*, ed. 2, t. I, p. 385 sq. (in sensu anticatholico). Stuttgart, 1936.

Interim Longobardi, ducti a feroce rege Aistulfo, iterum Patrimonium S. Petri invaserant (1). Cum papa Stephanus II (752-57) frustra adjutorium imperatoris byzantini Constantini V implorasset, a nullo alio protectionem sperare poterat nisi a potenti rege Francorum Pepino. Quare, ab ipso rege invitatus, mense octobri anno 753, versus Franciam gressus direxit, et in loco Pontis Hugonis prope Vitriacum convenit cum rege Pepino. Iste Stephanum II omni honore excepit: papa regem « lacrimabiliter deprecatus est, ut per pacis foedera causam beati Petri et reipublicae Romanorum disponeret ». Pepinus promisit se papam defensurum adversus Longobardos qui Exarchatum Ravennae expugnaverant et bonis S. Sedis totalem ruinam minati erant; et papa Pepinum titulo patricii Romanorum decoravit. Paulo post, in abbatia S. Dionysii Parisiis, Stephanus II Pepino ejusque duobus filiis, Carolo et Carlomanno, unctionem regalem dedit. Secundum *Librum Pontificalem,* comitia magnatum Franciae habita fuissent die 14 aprilis anni 754 Carisiaci et ibi foedus initum inter papam et Pepinum sancitum fuisset ab optimatibus Francis, et bellum statutum adversus Aistulfum regem Longobardorum. Non habetur textus solemnis istius sanctionis quae appellatur *Promissio Carisiaca,* sed commemoratur in *Libro Pontificali* (2).

Cum initio anni 756 Aistulfus rex Longobardorum Romam obsidione premeret, Stephanus II, ipso S. Petri adhibito nomine, litteris obsecravit Pepinum ejusque filios, ut promissionem adimplerent et Romam a Longobardis defenderent (3). Sine mora, exercitus Francorum ductus ab ipso Pepino, intravit in Italiam et Papiam praesidiis obsedit, ita ut Aistulfo nihil remaneret nisi implorare pacem. Ut pacem haberet, regi Francorum relinquere debuit omnes regiones quas occupaverat: Exarchatum Ravennae, Pentapolim, Comaclum et Narniam. Legatus regis Pepini, Fulradus abbas S. Dio-

---

(1) P. BERTOLINI, *Il primo « perjurium » di Astolfo verso la Chiesa di Roma* (752-753), *Miscellanea G. Mercati,* vol. V, 160 sq. R., 1946.

(2) *Liber Pontificalis,* ed. cit.; FHE, n. 219. Refertur etiam in Codice Carolino, scilicet in collectione epistolarum romanorum pontificum ad principes Francorum Carolum Martellum, Pepinum et Carolum Magnum. FHE, n. 253 sq.; L. SALTET, *La lecture d'un texte et la critique contemporaine.* La prétendue *promesse de Quierzy* dans le *Liber pontificalis* (754), in *Bulletin de littérature ecclésiastique,* t. XLI, 1940, p. 176 sq., t. XLII, 1941, p. 61 sq.

(3) FHE, n. 255 sq.

nysii, claves civitatum quas nomine Pepini obtinuerat, deposuit Romae super Confessionem S. Petri, aestate anni 756. Tali modo constituebatur Dominium temporale S. Sedis: res publica Romanorum, quae non amplius regi poterat ab imperatore byzantino, liberabatur a tyrannide longobardica et fiebat principatus pontificius sub protectione regis Francorum (1).

Post mortem Pepini (768), thronum ascenderunt ejus filii Carolus et Carlomannus. Jam anno 771 vita functus est Carlomannus, qui regnabat in parte meridionali Franciae. Ut regnum solus haberet, Carolus spoliavit filios fratris sui hereditate paterna: ab anno 771 ad annum 814, quibus summae rerum apud Francos praefuit, dominatum extendit a fluvio Ibero in Hispania ad Nordalbingiam, ab Italia centrali ad Mare germanicum, ita ut complecteretur majorem partem Occidentis (2).

Sub ejus regno glorioso cooperatio politico-ecclesiastica culmen attigit. Primo tempore, scilicet anno 770, cum Carolus uxorem duxisset Ermengardam filiam Desiderii regis Longobardorum, relatio amica S. Sedis ad eum aliquantum attenuata est. Sed post annum, Carolus Ermengardam repudiabat (dicitur ob impotentiam generandi), et exinde cito evanescebat nubes quae obscuraverat necessitudinem pontificis cum rege (3). Hadrianus I (772-795) et Leo III (795-816), ad hoc intenderunt animum ut Carolus Magnus, princeps potentior Occidentis, fieret defensor Fidei et protector Ecclesiae.

In omni angustia sua ad eum recursum habuerunt. Hadrianus I anno 773 ejus auxilium invocavit adversus Desiderium qui minabatur obsidionem Romae. Carolus venit cum exercitu, vicit Desiderium, eum de throno deposuit, et semetipsum ei substituit. Durante obsidione Papiae, Carolus Romam petiit, ubi magnifice exceptus est

---

(1) *Fonti per la storia delle origini del dominio temporale della Chiesa di Roma*, Testi medievali per uso delle scuole universitarie, a cura di P. FEDELE, n. 2. R., 1939.

(2) EINHARDI, *Vita Caroli M.*, ed. O. HOLDER-EGGER in MGH, SS. *rerum germanicarum in usum scholarum*, 1911. L. HALPEN, *Eginhard, Vie de Charlemagne*. P., 1923; NOTGERUS, *De gestis Caroli M.*, in MGH, SS, t. II, 731 sq.; ALCUINI, *Epistolae*, ed. E. DÜMMLER, MGH, EE, t. III; F. KAMPERS, *Karl der Grosse*. Mn., 1910; F. LOT, *La fin du monde antique*. P., 1927.

(3) Ista occasione, papa Stephanus III ad Carolum ejusque fratrem Carlomannum objurgationem misit quae partim peccat, quia erronee affirmat tam Carolum quam Carlomannum jam matrimonio legitimo copulatos esse. FHE, n. 259.

a papa Hadriano I, sabbato sancto 774; erat primus rex Francorum qui visitabat limina Apostolorum. In ista visitatione, Carolus confirmavit haec quae inter patrem ejus Pepinum Brevem et papam Stephanum II anno 754 pacta fuerant, eaque inde ab anno 781 adhuc ampliavit (1).

Leo III, cum, initio pontificatus sui, in processione S. Marci anno 799, impugnatus fuisset a suis aemulis sub praetextu perjurii ante electionem commissi, refugium quaesivit apud Carolum Magnum Paderbornae in Saxonia. Confestim rex protectionem pontificis suscepit, eum a forti custodia militari muniri fecit in reditu Romam, et, mense novembri anni 800 ipse in Urbem adveniens, praesedit justificationi papae Leonis in basilica S. Petri, die 23 decembris anni 800 (2).

Tunc Carolus Magnus, rex Francorum et Longobardorum atque patricius Romanorum, ad fastigium potentiae et splendoris pervenerat, non tantum ob frequentes victorias quas reportaverat, sed magis adhuc ob vastum opus instaurationis religiosae et civilis quod ubique in suo extensissimo regno instituerat. Imperium romanum Occidentis, anno 476 lapsum, certe non ab imperatore Orientis restitui potuisset, cum et ipse tam ob dissidia interna quam ob aggressiones mahumetanorum nimis debilitatus esset. Ubique Carolus habebatur tanquam primus princeps, cujus auctoritas longe superabat limites nationis Francorum, cujusque famâ totus mundus personabat: eo ipso tempore quo Carolus Romae morabatur, Haroun-al-Raschid, kalifus de Bagdad, princeps mahumetanorum, ei offerebat claves S. Sepulcri et vexillum Hierosolymorum (3). A quinquaginta annis domus carolingia, et praesertim ipse Carolus Magnus, magna beneficia procuraverat S. Sedi et Fidem christianam fortiter promoverat. Fidelibus et infidelibus, Carolus videbatur verus et potentissimus protector Religionis catholicae, novus Constantinus Magnus (4).

---

(1) *Liber Pontificalis*, ed. cit., t. I, p. 496 sq.; FHE, n. 248.

(2) Nullus ausus est accusare papam; praesentes unanimiter dixerunt: « Nos sedem apostolicam, quae est caput omnium Dei ecclesiarum, judicare non audemus. Nam ab ipsa nos omnes et vicario suo judicamur; ipsa autem a nemine judicatur, quemadmodum et antiquitus mos fuit ». Papa semetipsum purificavit declarando se nunquam commisisse crimina sibi imputata. *Liber Pontificalis*, op. cit., t. II, p. 6 sq.

(3) H. Pirenne, *Mahomet et Charlemagne*. P., 1937.

(4) Alcuinus scribebat Carolo Magno sub fine anni 799 vel initio anni se-

Nihil mirum inde si Leo III et populus romanus, anno 800, dum Carolus esset Romae, ei honorem supremum dignitatis imperialis tribuere voluerunt, quo simul secundum merita praemiaretur et strictiore vinculo cum S. Sede conjungeretur. Revera, in festo Nativitatis Domini anni praedicti, sub fine missae, Leo III ei imposuit pretiosum diadema, dum populus romanus, curia pontificia et magnates Franci eum imperatorem acclamabant. Deinde papa eum unxit oleo sancto, et Carolus, ablato patricii nomine, posthac imperator et Augustus appellatus est. Proculdubio, cerimonia ista deliberata est, ante factum, inter papam et Carolum, licet iste forsitan existimasset quod magnum propositum nimia festinatione perficiebatur et voluisset ut corona imperialis ei imponeretur de consensu Irenae, imperatricis Orientis (1).

Quidquid sit, ipso facto quod Carolus coronam imperialem accipiebat a papa Leone III, sicut ejus pater acceperat titulum patricii Romanorum a papa Stephano II, sacrosanctum concludebatur foedus inter S. Sedem et novum imperium: modo officiali Carolus constituebatur protector in temporalibus Ecclesiae in Occidente, cum jure vigilandi, ut intra Ecclesiam omnia negotia et ipsa electio summi pontificis, secundum ordinem fierent et ut Fides apud paganos propagaretur. Sed cum coronam imperialem habuisset a papa, hic sibi tribuebat jus paternitatis spiritualis super imperatorem qua talem, cujus virtute in posterum summi pontifices judicium de idoneitate candidati ad imperium sibi reservarunt.

Coronatione imperiali Caroli Magni, facta a papa Leone III, impleri coepit magnum propositum quo inspiratur tota vita politico-ecclesiastica medii aevi: congregatio populorum christianorum Occidentis in unam familiam, cujus papa est caput spirituale et imperator caput temporale. Conceptui antiquo Romani Imperii quo, jam tempore Augusti, imperium considerabatur tanquam fons unitatis, pacis et prosperitatis, summi pontifices addiderunt conceptum christianum, quo imperator fieret protector supremus Ecclesiae catholicae. Coronam imperialem imponendo, papae non appetebant confer-

---

quentis: « Ecce in te solo tota salus ecclesiarum Christi inclinata recumbit. Tu vindex scelerum, tu rector errantium, tu consolator maerentium, tu exaltatio bonorum ». MGH, EE, t. IV, p. 287; FHE, n. 174.

(1) Testimonia contemporanea de coronatione imperiali habentur in FHE, n. 294, n. 316; C. Mirbt, *Quellen*, op. cit. n. 240-243.

re gubernium politicum, quod erat hereditarium, sed mandatum adjuvandi Ecclesiam in sua missione divina. Talis collatio a nullo alio fieri poterat, nisi a capite supremo Ecclesiae qui libere ad tantum officium eligebat digniorem inter principes saeculares. Quare imperium necessario debebat esse munus electivum, non hereditarium (1).

Quod ad Carolum Magnum attinet, voluit esse et revera fuit, uti semetipsum appellabat: « *Devotus S. Ecclesiae defensor atque adjutor in omnibus* » (2). De *omnibus* rebus ecclesiasticis decrevit tanquam supremus dominus, sane in plena unione cum S. Sede et de consilio virorum ecclesiasticorum, inter quos eminebat Alcuinus (3). *Capitularia* Caroli Magni agunt tam de vita clericali quam de moribus fidelium. Intermixtio ejus in disciplina ecclesiastica, explanatur simul stricto foedere quo conjungebatur cum summo pontifice, et universa auctoritate qua ipse solus tunc poterat procurare observantiam legis. Ex interventu tam absoluto facile poterant oriri abusus: imperator non satis distinguebat inter bona ecclesiastica et bona status; ipse papae indicabat praelatos pallio decorandos; ab episcopatu excludebat omnem candidatum sibi non bene visum; episcopis committebat munera saecularia, diplomatica et militaria, quibus ab officio pastorali impediebantur. In comitiis imperialibus, ubi episcopi

---

(1) Theoriae *pontificiae* de imperio obstiterunt fautores theoriae *imperialis* et theoriae *senatorialis* romanae. Fautores theoriae *imperialis* solum agnoscebant imperatorem, ita ut in attributione et in exercitio imperii nullum admitterent interventum papae. Secundum fautores theoriae *senatorialis*, investitura romani imperii competebat senatui romano, juxta antiquam consuetudinem. Inde decursu saeculorum saepe saepius contentiones ortae sunt inter sacerdotium, imperium, et aristocratiam romanam. Cfr. H. X. ARQUILLIÈRE, *Sur la formation de la* « *Théocratie pontificale* », in *Mélanges Ferdinand Lot.* P., 1925; A. DEMPF, *Sacrum Imperium, Geschichts-und Staatsphilosophie des Mittelalters und der politischen Renaissance*, 1929. Translatio italica a C. ANTONI. Messina - M., 1933; J. HOLLNSTEINER, in *Historisches Jahrbuch der Görresgesellschaft*, 1929, p. 575 sq.

Ultimus imperator S. Romani Imperii coronatus a summo pontifice est Carolus V, cui Clemens VII imposuit coronam Bononiae anno 1530. S. Imperium Romanum duravit usque ad initium saec. XIX (1806) quo Franciscus II de Habsburgo titulum imperatoris S. Romani Imperii abdicavit et assumpsit titulum imperatoris Austriae.

(2) FHE, n. 275.

(3) C. GASKOIN, *Alcuin, his life and his work*. Cantabrigiae, 1904; DHE et LTK, ad nomen Alcuini.

praecedebant dominos laicos, sacra miscebantur profanis. Sed longe majora erant bona quae proveniebant ex interventu absoluto Caroli Magni, ob utilitatem decretorum quae ferebat et ad executionem ducebat ope *missorum dominicorum,* scilicet episcoporum et dominorum saecularium quos tanquam inspectores per totum imperium mittebat (1).

In exemplum valeant pauca excerpta ex Capitularibus ejus: anno 769, praescribebat episcopis ut singulis annis visitarent propriam dioecesim et presbyteros ignorantes removerent. In *Admonitione generali* anni 789, exponebat quid praedicandum erat omnibus fidelibus generaliter et omnem clerum jubebat ut cantum romanum plene addisceret, relicto cantu gallicano. *Synodus* Francofurtensis anno 794 statuebat ut hi tantum in Ecclesia colerentur tanquam sancti qui ex auctoritate passionum aut vitae merito electi essent. Per epistolam circa annum 800 missam, Carolus Magnus edicebat ut prope episcopia et monasteria erigerentur studia litteraria, quia expertus erat saepe saepius clericos et monachos lingua inerudita et inculta scribere. Eodem tempore reprehendebat dominos saeculares in Italia, qui episcopis et sacerdotibus obedientiam et reverentiam denegabant, vel ab ecclesiis nonas vel decimas aliosque census abstrahebant. Anno 802 iterum mandabat ut ecclesiastici omnes, episcopi, abbates, presbyteri aliique clerici examinarentur de doctrina, castitate et obedientia. Virtute *Capitularis* anni 806, missis dominicis praescribebatur visitatio accurata monasteriorum, episcopis atque abbatibus vigilantia super thesauros ecclesiae, ne caderent in manus Judaeorum. Anno 811, Carolus insistebat ut juvenes monachi et clerici ante omnia educarentur ad vitam religiosam, quia eos magis juvabat ut juste et beate viverent quam ut bene cantarent et legerent. Aliis documentis a metropolitanis requirebat ut eum certiorem redderent de modo quo in propriis circumscriptionibus ecclesiasticis administrabatur baptisma; decernebat quaenam festa liturgica

---

(1) E. LESNE, *La hiérarchie épiscopale. Provinces, métropolitains, primats en Gaule et en Germanie, depuis la réforme de S. Boniface jusqu'à la mort d'Hincmar,* 742-882. P. 1905; *Histoire de la propriété ecclésiastique en France,* t. I-II. Insulis, 1910-1922; A. KLEINCLAUSZ, *L'empire carolingien: ses origines et ses transformations.* P. 1902; F. KAMPERS, *Karl der Grosse.* Mn., 1910; K. HELDMANN, *Das Kaisertum Karls des Grossen.* 1928; CH. POULLET, *Histoire du christianisme,* fasc. VII, p. 63 sq. P., 1934.

celebranda erant durante anno, et enumerabat quaenam addiscenda erant a candidatis ad ordines sacros, a presbyteris et abbatibus (1).

Sollicitudo continua qua Carolus Magnus providit omni necessitati spirituali et temporali sui regni, optimos fructus dedit pro recta institutione cleri, gubernio bonorum Ecclesiae, ministerio animarum et vita christiana fidelium. Sed nimia permixtione sacri cum profano et absorptione Ecclesiae a statu, ipsa Ecclesia non potuit explicare sufficienter actionem religiosam propriam. Ex tutela quam imperium exercebat in Ecclesiam, duae secutae sunt consequentiae: primo, cum Ecclesia nimis incumberet in imperium, ipsa magnam jacturam passa est, quando imperium carolingium ad ruinam pervenit; secundo, immixtio exaggerata Caroli Magni ejusque successorum in nominatione praesulum, viam paravit investiturae ecclesiasticae, quam postea sibi vindicarunt principes saeculares et quae, saeculo XI, acerrimam peperit contentionem eorum cum S. Sede.

Quod ad Carolum Magnum attinet, cum esset princeps magni ingenii et optimae intentionis, circumdatus viris melioribus et cultioribus ejus temporis, qui quasi omnes ecclesiastici erant, paucis exceptis ut Eginhardus ejus biographus, ipsa ejus superioritas intellectualis, vera pietas et assistentia consiliariorum eum deterruerunt a despotismo in damnum Ecclesiae (2). Ejus successores vero, qui erant vel minoris ingenii vel minoris virtutis, cooperationem politico-ecclesiasticam saepe nimis conceperunt in sensu submissionis Ecclesiae statui.

Post mortem Caroli Magni (814), principium unitatis gubernii imperialis attenuatum est sub influxu juris privati Francorum et ipsum imperium in pluribus partibus invaserunt Normanni, Hungari et Saraceni. Sedes episcopales et abbatiae, ob auctoritatem et opulentiam, excitarunt cupidinem dominorum saecularium (3). Potentes

---

(1) MGH, Capitularia, t. I, p. 44 sq.; FHE, n. 275 sq.; J. B. MULLINGER, *The Schools of Charles the Great*. Lo., 1877; F. R. DRANE, *Christian Schools and scholars*. Lo. 1924; J. DE LA SERVIÈRE, *Charlemagne et l'Eglise*. P., 1904; C. DE CLERCQ, *La législation religieuse franque*, 507-814. P., 1936.

(2) De vita christiana Caroli Magni refert Eginhardus ejus biographus : « Religionem christianam, qua ab infantia fuerat imbutus, sanctissime et cum summa pietate coluit... Ecclesiam et mane et vespere, item nocturnis horis et sacrificii tempore, quoad eum valetudo permiserat, impigre frequentabat... Colebat prae ceteris sacris et venerabilibus locis apud Romam ecclesiam beati Petri apostoli... » FHE, n. 316.

(3) A monasterio S. Martini Turonensis pendebant 20.000 hominum, tan-

metropolitani contenderunt jurisdictionem supremam exercere independenter a S. Sede. Inde ab anno 843, imperium non amplius amplectebatur totum regnum Francorum: praeter imperatorem, habebantur reges Franciae, Germaniae, Lotharingiae et Italiae. In medio divisionum et contentionum, sive a parte principum, sive a parte metropolitanorum, summi pontifices sibi vindicabant summam rerum spiritualium et simul asserebant imperium esse tantum ratione Ecclesiae. Virtute istius principii ipsi eligebant imperatores eisque coronam imponebant (1).

Ludovicus Pius, filius Caroli Magni (814-840), erga S. Sedem bene affectus, debili praeditus erat animo. Plurima edidit capitula de scholis instituendis, e. g. anno 825, quando plura indicabat loca in Italia, ubi erigi debebant studia provincialia (2). Cum papa Paschali I anno 817 pactum iniit quo confirmabat omnes possessiones S. Sedis et decernebat ut electio summi pontificis libere fieret, a clero romano, sine ullo interventu extraneo (3). Sed paulo postea (824), Lotharius, filius Ludovici Pii, qui nomine istius regnabat in Italia, papae Eugenio II (824-827) imposuit Constitutionem, quae dicitur *Constitutio Lotharii* vel *Constitutio Romana,* qua *practice,* S. Sedes submittebatur auctoritati imperiali: Romae constituebatur, praeter missum apostolicum, *missus imperialis* qui imperatori deferre debebat appellationes Romanorum a jurisdictione papae; papa eligeretur a clero et laicatu romano, sed pontifex consecrari non poterat, nisi postquam juramentum obedientiae praestitisset imperatori (4).

---

quam servi, villici et vassi; abbatia Fuldensis possidebat 800 mansos; monasterio Luxoviensi adscribebantur 15.000 mansi, agri et campi in tota Gallia siti. B. GUÉRARD, *Polyptique de l'abbaye de Saint-Remy de Reims.* P., 1853.

(1) Post Carolum Magnum, e dynastia carolingia imperatores fuerunt: Ludovicus Pius (814-840); Lotharius I (840-855); Ludovicus II, dictus Germanicus (850-875); Carolus II, dictus Calvus (875-877); Carolus III, dictus Crassus (881-887).

(2) MGH, *Capitularia,* t. I, p. 327; FHE, n. 308 sq.: « In Papia conveniant ad Dungalum de Mediolano, de Brixia, de Laude, de Bergamo, de Novaria, de Vercellis, de Tertona, de Aquis, de Janua, de Aste, de Cuma;... in Taurinis conveniant de Vintimilio, de Albingano, de Vadis, de Alba; in Cremona discant de Regia, de Placentia, etc. ».

(3) Uti decretum fuerat anno 769 a synodo romana: FHE, n. 247 et 304.

(4) FHE, n. 305, ex MGH, *Capitularia,* t. I, p. 323 sq.:... « Et ille qui electus fuerit me consentiente, consecratus pontifex non fiat, priusquam tale

Sed imperium carolingium, divisum in quatuor regna virtute tractatus Verdunensis (843), quotidie debilitabatur ob certamina inter principes ejusdem dynastiae; dum S. Sedes, quae magis experiebatur damnum nimiae immixtionis imperii in negotiis ecclesiasticis quam beneficium ejus cooperationis, licet in magno discrimine posita, jam a medio saeculo IX coepit se in libertatem vindicare. Papa Sergius II (844-47) in sua electione *Constitutionem Lotharii* non servavit. Post eum, inter pontifices qui primatum Sedis romanae fortius affirmarunt et religionem catholicam majore zelo promoverunt, etiam adversus principes et metropolitanos, eminuerunt Leo IV, Nicolaus I et Joannes VIII.

Leo IV (847-55), electus a clero romano, et consecratus quin obtinuisset confirmationem imperialem, octo annos sui pontificatus occupavit in defensione Romae ab invasionibus Saracenorum, in resistentia immixtioni indebitae imperatoris in rebus ecclesiasticis, et in restitutione disciplinae ecclesiasticae. Anno 846, Saraceni sequendo cursum Tiberis, depraedati erant basilicas SS. Petri et Pauli. Ut regionem Vaticanam ab eorum incursionibus tueretur, eam cinxit muris et turribus, quae hodie adhuc partim existunt (1). Nec Lothario I, nec Ludovico II, regi Longobardorum, quem anno 850 imperatorem unxerat, Leo IV ullum permisit intercursum in negotiis S. Sedis, sed eos ad pactionem induxit ut electio pontificia secundum canones fieret (2). Quatuor vicibus Romae synodum celebravit. Extra Urbem plures resolvit quaestiones et edidit decreta pro bono regimine Ecclesiae: in epistola ad episcopos Britanniae, statuit sub quanam conditione damnari poterat episcopus, salvo semper jure appellationis ad summum pontificem; cum judice Sardiniae egit de presbyteris et aliis clericis inordinate ad ordines promotis, et decrevit

---

sacramentum faciat in praesentia missi domini imperatoris et populi, cum juramento, quale dominus Eugenius papa sponte pro conservatione omnium factum habet per scriptum ». L. Duchesne, *Les premiers temps de l'état pontifical,* op. cit., p. 184 sq.; P. Villari, *L'Italia da Carlo Magno alla morte di Arrigo VII,* ed. 2. p. 13 sq. M., 1937; H. Lilienfein, *Die Anschauungen von Staat und Kirche im Reiche der Karolinger.* Heidelberg, 1912.

(1) Est Civitas Leoniana incepta anno 848, perfecta anno 852, in cujus inauguratione Leo IV tres orationes recitavit. Cfr. *Liber Pontificalis,* ed. L. Duchesne, t. II, p. 124; MGH, EE, t. V, p. 96; FHE, n. LXXXII.

(2) W. Sickel, *Die Verträge der Päpste mit den Karolingern,* in *Deutsche Zeitschrift für Geschichtswissenschaft,* t. XI-XII, 1894-1895.

ut proprio munere fungerentur intuitu salutis fidelium, allegando responsionem papae Anastasii II ad imperatorem Anastasium, anno 496: « Mali bona ministrando sibi tantum non aliis nocent ». Romanos pontifices eos esse « per quos judicant episcopi et per quos episcopi et clerici simul judicantur », strenue affirmavit. Reprobavit etiam laicos qui retinebant possessiones ad ecclesias pertinentes. Denique traditionem romanam cantus liturgici fortiter servavit adversus novatores, ut patet ex ejus epistola ad Honoratum abbatem qui « dulcedinem Gregoriani carminis » perosam habebat. Scripsit ei papa: « Sub excommunicationis interpositione precipimus ut nequaquam aliter, quam et sanctus papa Gregorius tradidit et nos tenemus, in modulatione et lectione in ecclesiis peragatis ». Fragmenta quae supersunt Registri Leonis IV, satis demonstrant quanta cura gubernaverit Ecclesiam: prudens sicut serpens et simplex ut columba, refert *Liber Pontificalis* (1).

Maiora adhuc peregit isto luctuoso tempore papa S. Nicolaus I (858-67) (2). Romanus, praeclarus tam doctrina quam fortitudine, Nicolaus I omnem reprimebat injustitiam, a quocumque commissam. Licet favore imperatoris Ludovici II electus esset, renovavit decretum concilii Romani anni 769, quo omni extraneo negabatur jus sese immiscendi in electionem pontificiam. Joannem archiepiscopum Ravennatensem, amicum Ludovici II, excommunicavit quia opprimebat subditos papae in Aemilia. Adversus majorem antistitem saeculi IX, Hincmarum archiepiscopum Rhemensem (+ 882), vindicavit primatum auctoritatis pontificiae. Hincmarus, praetenso jure metropolitano, proprio marte deposuerat duos episcopos Galliae, Rothadum episcopum Suessionensem et Wulfadum episcopum Bituricensem. Nicolaus I sine mora duos episcopos, qui ad eum appellaverant, in episcopatu restituit, exprobrando Hincmaro ejusque fautoribus

---

(1) *Liber Pontificalis*, ed. cit., t. II, p. 106-139; AS Julii, t. IV, 1725, p. 302-308; MGH, EE, t. V, p. 593 sq.; FHE, n. 325 sq.; A. Thiel, *Epistolae Romanorum Pontificum*, t. I, ab an. 461 ad an. 523, p. 621 sq. Brunsbergae, 1868.

(2) Epistolae Nicolai I ed. in MGH, EE, t. VI, p. 257-668; etiam in PL, t. 119, p. 769-1212; vita ejus, probabilius ab Anastasio Bibliothecario conscripta, in *Libro Pontificali*, ed. cit., t. II, p. 151 sq.; A. Roy, *S. Nicolas I*, ed. 3. P., 1899; E. Perels, *Papst Nikolaus I und Anastasius Bibliothecarius*. B., 1920.

quod, inconsulto summo pontifice, episcopum a propria sede removere attentassent (1).

Excepto isto conflictu jurisdictionis, Hincmarus valide adjuvit Nicolaum I in defensione doctrinae catholicae (2), et repressione luxuriae ac immixtionis illicitae principum in re ecclesiastica. Papae fideliter adstitit, verbo et scripto, in schismate Photii et in quaestione divortii Lotharii II, regis Lotharingiae. Iste, ut concubinam Waldradam matrimonio ducere posset, uxorem legitimam Theutbergam repudiaverat, allegando Theutbergam incestum commisisse cum proprio fratre. Guntharius archiepiscopus Coloniensis et Theutgaudus episcopus Trevirensis, Lotharium II approbaverant; Theutberga vero appellaverat ad papam Nicolaum. Anno 860, Hincmarus Rhemensis tractatum conscripsit *De divortio Lotharii regis et Theutbergae reginae*, quo demonstravit processum reginae Theutbergae intentatum plane invalidum esse. Tunc Nicolaus I sententiam edidit qua matrimonium inter Lotharium et Theutbergam declarabatur legitimum et proinde Lotharium non posse aliam uxorem ducere.

Sententiam suam papa animo fortissimo tuitus est, etiam quando imperator Ludovicus II, frater Lotharii, Romam invasit et papam duobus diebus obsidione pressit in basilica S. Petri. Nicolaus I duos dies transegit in continua oratione ad sepulchrum S. Petri, donec Ludovicus II, morbo afflictus, ab Urbe recessit, et papae permisit ut libere fungeretur proprio ministero apostolico. Sub poena excommunicationis, Lotharius II Theutbergam recipere debuit in uxorem, licet eam post mortem Nicolai I iterum dimisisset. Sed cum rex morte repentina percussus fuisset, oculis fidelium ipse Deus confirmavit sententiam papae, qui in circumstantia gravissima sese exhibuit defensorem invictum indissolubilitatis matrimonii.

Ultimus pontifex nota dignus saeculo IX, fuit Joannes VIII (872-

---

(1) « ... Etsi sedem apostolicam nullatenus appellasset [Rothadus], contra tot tamen et tanta vos decretalia efferri statuta et episcopum inconsultis nobis deponere nullo modo debuistis ». MGH, EE, t. VI, p. 392; FHE, n. 334; H. SCHRÖRS, *Hinkmar, Erzbischof von Rheims*, p. 237 sq. Fr., 1884; E. PERELS, *Eine Denkschrift Hinkmars im Prozess Rothads von Soissons*, in *Neues Archiv*, t. XLIV, 1922, p. 43 sq. Hincmarus Rhemensis est praecipuus praesul regni Francorum saec. IX; canonista et theologus, a consiliis fuit Carolo Calvo. Opera ejus eduntur in PL, t. 125-126.

(2) Quoad praedestinationem adversus Gotescalcum monachum: Dth. t. VI, vocabulo *Hincmar*.

882). Cum felici successu debellavit Saracenos initio sui pontificatus: anno 875 eis cepit naves duodeviginti, et, occisis in praelio multis Saracenis, a servitute liberavit fere sexcentos christianos (1). Sed quasi nullo fulciebatur adjutorio: imperatoris Caroli Calvi frustra implorabat auxilium (2); Romae circumdabatur aemulis, e. g. Formoso episcopo Portuensi quem Joannes VIII deposuerat. Mortuo Carolo Calvo (878), ex metu adversariorum refugium quaesivit in Franciam, ubi tentavit promovere unionem omnium principum dynastiae carolingiae; sed magnum propositum ad executionem ducere non valuit.

Pro salute Italiae et conservatione Imperii paucum vel nihil facere potuit, licet usque ad ultimum suspirium isto scopo operatus esset, ut probat epistola quam paulo ante mortem, martio anni 882, scripsit ad imperatricem Richardim, uxorem Caroli III, dicti Crassi (3). Major consolatio qua laetatus est in pontificatu suo omni tumultu turbato, ei provenit a S. Methodio qui tunc Pannoniam et Moraviam evangelizabat: in epistola anno 880 ad Svatopluchum principem Moraviae directa, papa testabatur orthodoxiam apostoli Slavorum eumque in archiepiscopatu Pannoniae confirmabat, litteras a fratre ejus S. Cyrillo in lingua slavonica conscriptas laudabat et celebrationem liturgiae in lingua ista permittebat. Joannes VIII, pastor intrepidus et indefessus, die 15 decembris anni 882 « a propinquo suo » interfectus obiit (4).

Quinque annis postea (887), sub pontificatu Stephani V (885-91), imperium carolingium finem habuit cum depositione Caroli III (Crassi) in conventu magnatum habito Triburii prope Moguntiacum. Tunc imperium divisum est in quinque regna: Germania, Francia,

---

(1) Epistolae eius eduntur in PL, t. 126, 651 sq.; MGH, EE, t. VII, p. 1-272; FHE, n. 340 sq. A. LAPÔTRE, *L'Europe et le S. Siège à l'époque carolingienne*, t. I, *Le pape Jean VIII*. P., 1895; P. BALAN, *Il pontificato di Giovanni VIII*. R., 1880.

(2) Ei scribebat die 15 nov. anni 876: « ... Sed cum undique angustati clamamus, non est qui audiat, non est qui salvum faciat, nisi tu, fili karissime et imperator clementissime, qui post Deum datus es nobis in refugium et solacium et auxilium ». FHE, n. 344.

(3) MGH, EE, t. VII, p. 267 sq.; FHE, n. 347; A. DUFOURQ. *Histoire ancienne de l'Eglise*, t. V, *Le christianisme et les barbares*, 395-1049, ed. 3, p. 236 sq. P., 1931.

(4) *Annales Fuldenses*, ad annum 883, in MGH, SS. t. I, p. 398.

Burgundia superior, Burgundia inferior et Italia. Principes e domo spoletana, romani qui partem tenebant Theophylacti, et Otto I imperator Germaniae ejusque successores, vicissim quaesierunt S. Sedem tutelae suae subjicere. Est *aetas ferrea* pontificatus, in qua plures papae electi sunt qui fuerunt servi vel propriae cupidinis vel propriae familiae seu factionis politicae. A fine saeculi IX usque ad medium saeculum X, vita religiosa et moralis semper magis declinavit dum scandala et luctamina creverunt (1).

Sed ne isto quidem tempore teterrimo defuerunt viri egregii virtute et doctrina. Inter scriptores ecclesiasticos eminuit Rabanus Maurus, abbas Fuldensis (+ 856) qui cultum litterarum ab Alcuino Turonibus acceptum in Germaniae regionibus divulgavit. Quare appellatur « praeceptor Germaniae ». Pendet etiam a S. Beda Venerabili et a S. Isidoro Hispalensi. Conscripsit *Commentarios* in omnes fere S. Scripturae libros; *De institutione clericorum; De rerum naturis,* encyclopaediam ex S. Isidori *Etymologiis,* et *Homilias* (2). Ejus alumnus Walafridus Strabo (+ 849), abbas Augiae, exegeta et poeta, primum opus scripsit de historia institutionum ecclesiasticarum, de ecclesiis earumque ornamentis, de oratione, missae sacrificio, vasis et vestibus sacris, sacramentis et sacramentalibus (3). Romae, Anastasius Bibliothecarius (+ 880), litteris graecis et latinis optime instructus, compilavit *Chronographiam tripartitam* et *Passionem Dionysii Areopagitae* (4).

Pastores diligentes dantur plurimi, uti Agobardus, archiepiscopus Lugdunensis (+ 840); S. Eulogius episcopus Toletanus, a Saracenis martyrio affectus (859); S. Rimbertus, archiepiscopus Ham-

---

(1) L. Duchesne, *Les premiers temps de l'état pontifical,* op. cit., p. 285 sq.; P. Villari, *L'Italia da Carlo Magno alla morte di Arrigo VII,* op. cit., p. 43 sq.

(2) Opera edita in PL, t 107-112; MGH, EE, t. V; FHE, n. LXXXIII; W. Wattenbach, *Deutschlands Geschichtsquellen im Mittelalter bis zur Mitte des 13. Jahrhunderts,* ed. 7, p. 256 sq. B., 1904; *Histoire littéraire de la France,* t. V, pp. 151-203.

(3) PL, t. 114, p. 919 sq.: *Liber de exordiis et incrementis quarumdam in observationibus ecclesiasticis rerum;* ed. A. Knoepfler, Mn 1899.

(4) *Chronographia* secundum opera graeca Theophanis, Nicephori a Constantinopoli et Georgii Synchelli; *Passio Dionysii* secundum textum graecum Methodii Confessoris. Cfr. *Theophanis Chronographia* II, ed. C. de Boor, Lz., 1885; MGH, EE, t. VII, p. 395 sq.; PL, t. 129, 27 sq., 205 sq.; de Anastasio Bibliothecario agit G. Laehr in *Neues Archiv,* t. XLVII, 1928, p. 416 sq.

maburgensis, discipulus S. Anscharii (+ 888). Quibus addendus est S. Benedictus Witiza Anianensis, oriundus e Germania, qui regulae S. Benedicti strictissimam observantiam omnibus imperii monasteriis injunxit (+ 821) (1). Synodi frequenter celebratae sunt: numerantur 130 in Francia et in Italia ab anno 843 ad annum 918.

Initio saeculi X, incipiebat in loco Cluny in Burgundia institutio monastica nova, quae praecipue intendebat apostolatum exempli et splendorem cultus divini; in Italia, S. Romualdus sodales suos hortabatur ad austeritatem extremam et silentium perpetuum in solitudine (2). Denique, a medio saeculo XI, quando Leo IX ascendit cathedram S. Petri (1049-1054), motus pro reformatione religiosa directus est ab ipso pontifice. Ab hoc momento, S. Sedes iterum fit centrum actionis pro liberatione Ecclesiae a tutela saeculari, et pro instauratione disciplinae ecclesiasticae; quam actionem fortes et perspicaces pontifices Nicolaus II, Gregorius VII, Urbanus II, Paschalis II, aliique ad triumphalem exitum duxerunt, cujus effectus fuit celebratio primi concilii oecumenici in Occidente, Romae anno 1123.

In mirabili expansione vitae catholicae, scientiâ, litteris et artibus, quam exhibet Ecclesia medii aevi inde a secundo dimidio saec. XII, massa germanica populorum, quorum assumptionem ad civilizationem christianam secuti sumus, locum insignem occupat, praesertim in tribus suis elementis majoribus, franco, anglo-saxonico et germanico proprie dicto.

III.

CONVERSIO POPULORUM EUROPAE SEPTENTRIONALIS ET ORIENTALIS

1. - Conversio populorum Scandinaviae. — Zelus pro Fide dilatanda nunquam defuit in Ecclesia, ne temporibus quidem tristioris occasus, uti saeculo IX et X. Sane isto tempore monachi Franci non eodem gradu demonstrarunt animum missionarium ac Hiberni et Anglo saxones; attamen etiam inter eos adfuerunt apostoli invictae vir-

---

(1) MGH, Capitularia, t. I, p. 343 sq.; J. NARBERHAUS, *Benedikt von Aniane.* Mr., 1930.

(2) G. DE VALOUS, *Le monachisme clunisien des origines au XVe siècle*, 3 vol. P., 1935; *Vita S. Romualdi* a S. PETRO DAMIANI in PL, t. 144, p. 953 sq.; A. PAGNANI, *Vita di S. Romualdo.* Fabriano, 1927.

tutis, quorum opere indefesso gentes barbarae extremae Europae septentrionalis ad Christum adductae sunt (1).

Ex istis, omnium primi conversi sunt incolae Daniae. Apud eos jam decurrente saeculo VIII brevem moram fecerunt Willibrordus et Ludgerus (2). Anno 823, Ebo archiepiscopus Rhemensis ibi missionem complevit nomine imperatoris Ludovici Pii et papae Paschalis I. Sed saeculo IX, praecipuus apostolus Danorum, et etiam Suecorum, fuit S. Anscharius. Iste monachus, qui scholam regebat monasterii Novae Corbeiae in Saxonia, a Ludovico Pio addictus fuerat, tanquam praeceptor religionis christianae, regi dano Haraldo II, recens baptizato. Cum isto ejusque rudi comitatu, et cum socio monacho Autberto, Anscharius anno 826 primum iter ad Danos suscepit, circa duos annos eorum regionem peragravit, praesertim in puerorum institutionem incumbendo, pro quibus scholam erexit. A Ludovico Pio rogatus, partes Sueciae petiit anno 829, cum duobus confratribus Witmaro et Gislemaro, ibique duodeviginti mensium spatio Evangelium praedicavit, praesertim in insula Björkö in lacu Mälar, ubi ante eum nullus missionarius penetraverat (3).

Anno 831, ex regionibus sitis ad septentrionem fluminis Albis, a Ludovico Pio constituta est nova dioecesis Hammaburgensis, cui praefectus est Anscharius. Anno sequenti, papa Gregorius IV hanc erectionem confirmavit, Anschario Romae degenti pallium contulit, eumque suum nominavit legatum apud Suecos, Danos, Slavos, aliasque gentes regionum septentrionalium. Apostolatus Anscharii ejusque cooperatorum magnis praepeditus est obstaculis. Ei deerant adjumenta materialia, praesertim ab anno 843, quando ei ablati sunt fructus monasterii Thurolti in Flandria, quos Ludovicus Pius ei tribuerat; anno 845, piratae dani, dicti Normanni, vastabant civitatem Hammaburgensem, et ecclesiam cathedralem cum thesauro sa-

---

(1) E. DE MOREAU, *Les origines chrétiennes en Scandinavie* (IX-XII siècles) apud DESCAMPS, *Histoire générale comparée des Missions*, p. 214 sq. P., 1932.

(2) *Vita Willibrordi*, ab ALCUINO, in MGH, *Scriptores rerum merovingicarum*, t. VII, p. 124 sq.

(3) *Vita S. Anskarii*, a RIMBERTO archiepiscopo Hammaburgensi, ed. G. WAITZ, in MGH, *Scriptores Germanicarum in usum scholarum*, Hanovriae, 1884; W. LEVISON, *Die echte und die verfälschte Gestalt von Rimberts Vita Anskarii*, in *Zeitschift des Vereins für Hamburgische Geschichte*, t. XXIII, 1919, p. 89 sq.; FHE, n. 357 sq.; E. DE MOREAU, *S. Anschaire, missionnaire en Scandinavie*, in *Museum Lessianum*, L., 1930; Ph. OPPENHEIM, *Der heilige Ansgar und die Anfänge des Christentums in den nordischen Ländern*, Mn., 1931.

cro, bibliotheca et domo clericorum, incendio destruebant. Exinde dioecesis Hammaburgensis, ne omni ope destitueretur, in synodo Moguntina anno 848 cum dioecesi Bremensi unita est; conjunctio ista a papa Nicolao I sancita est anno 864.

Quod ad Anscharium attinet, omni zelo ministerium apostolicum usque ad obitum anno 865 exercuit, sive in parte germanica suae dioecesis, ubi adhuc erant pagani, ut in Nordalbingia, sive in parte scandinavica. In ista, tam Anscharius quam ejus sacerdotes potuerunt, generatim loquendo et praesertim ab anno 851, sine prohibitione aedificare ecclesias et proprio officio fungi. Sed nec ipse, nec ejus cooperatores Gauzbertus, Ansfridus et Rimbertus, Fidem catholicam modo decisivo in partibus Scandinaviae firmare valuerunt, sane quia apostolatum in circumstantiis nimis ingratis absolvere debuerunt. Ab episcopis imperii Francorum, primis apostolis Scandinaviae pauca vel nulla demonstrabatur benevolentia; inter principes Daniae et Sueciae, nemo, praeter Haraldum II, saeculo IX religionem catholicam amplexatus est, ideoque nec subditi multum curarunt propriam conversionem. Nihilominus, isti primi missionarii Scandinaviae, qui opus suum apostolicum compleverunt apud barbaros congeneribus ferociores, plerumque omni humano adjutorio destituti, jure merito celebrandi sunt, praesertim Anscharius, qui a juventute usque ad extremam diem, quadraginta annorum spatio (826-865), ad conversionem Scandinavorum constanti tetendit animo (1).

Opus ab eo inceptum repetiit Unni, monachus abbatiae Novae Corbeiae, anno 934, postquam Henricus I, rex Germaniae, principem danum Gorm, christianorum persecutorem, devicerat. Ab hoc tempore religio christiana rapide progressa est in Dania, actione efficaci trium regum qui proprio exemplo subditos ad baptismum adduxerunt: Haraldus Blaatand (950-986), Sueno sive Svend Gadelbaart (986-1014) et Canutus Magnus (1014-1035). Jam anno 947 in Dania erectae sunt tres dioeceses, suffraganeae sedis Hammaburgensis: Slesvici, Ripae et Remorum domo (Aarhus). Sub rege Canuto Magno, qui unico sceptro tenuit Daniam, Norvegiam et Angliam, monachi

---

(1) J. HOLMQUIST, *De äldsta urkunderna rörande ärkestiftet Hamburg-Bremen och der nordiska Missionem*, in *Kyrkohistorisk Aarsskrift*, 1908, t. IX, p. 241 sq.; P. CURSCHMANN, *Die älteren Papsturkunden des Erzbistums Hamburg*. Hammaburgi, 1909; L. BRIL, *Les sources historiques de la Scandinavie*, in *Rapport du Séminaire historique de l'Université catholique de Louvain*, p. 42 sq. L., 1909.

Cluniacenses ex Gallia monasteria aedificarunt Lundini Gothorum (Lund) et Slesvici. Sed non semper necessaria prudentia actum est cum Danis recens conversis: sic impositio intempestiva decimae eos ad rebellionem excitavit, in qua, ultimis annis saeculi XI (1086), rex, S. Canutus martyr, occisus est (1).

Decursu temporis, dioeceses in Dania et in aliis partibus Scandinaviae erectae, factae sunt independentes a sede primaria Hammaburgensi. Anno 1104, sedes Lundini Gothorum constituta est archidioecesis et septem habuit ecclesias suffraganeas. Sedes Lundini usque ad annum 1151 remansit metropolitana etiam pro Norvegia, et usque ad annum 1163 pro Suecia.

Monachus Unni voluit item praedicare Fidem Suecis, ideoque petiit insulam Björkö in lacu Mälar, ubi mense septembri anno 936 mortuus est. Ei successerunt missionarii plurimi, Germani, Anglo-Saxones et Dani. Sed nonnisi post conversionem regis Olavi Schoszkönig (1008), Fides christiana ibi radices firmas misit. Rex iste primam instituit dioecesim in suo regno, Skarae in Gothia occidentali prope Daniam. Reges Sueciae quasi omnes, saeculo XI et XII, zelo singulari operam dederunt propagationi Fidei. Anno 1163, papa Alexander III provinciam ecclesiasticam erexit in Suecia, cum sede metropolitana Upsalae et quinque sedibus suffraganeis (2).

In Norvegia, Evangelium prima vice praedicatum est sub rege Haakon Bono (936-961), qui in Anglia institutus et baptizatus fuerat. Sed populus restitit evangelizationi et Haakon Bonus, externe saltem, ad cultum idolorum rediit. Primus rex qui plene et fervide religioni christianae adhaesit, fuit Olavus Trygvason (995-1000), qui, missionariis ex Anglia adjuvantibus, omni modo, etiam vi, subditis suis baptismum imposuit. Ab eo erecta est prima dioecesis in Norvegia, Nidrosiae (Drontheim), quae anno 1151 facta est sedes metropolitana Norvegiae. Olavus Trygvason promovit etiam propagationem Fidei in insulis Faer-Oeer, Hebridis, Orcadis, Islandia et Groenlandia. Ejus

---

(1) L. LARSON, *Canute the great*. Lo., 1912; D. STEIDE, *Knud den Hellige, Danmarks Vaernehelgen*. Kopenhagen, 1928; M. Cl. GERTZ, *Vitae sanctorum Danorum*. Kopenhagen, 1908, 1912.

(2) L. BRIL, *Les premiers temps du christianisme en Suède*, in *Revue d'histoire ecclésiastique*, t. XII, 1911, p. 17 sq., 231 sq.; C. OPPERMAN, *The English Missionaries in Sweden and Finland*. Lo., 1937.

successores, Olavus II Haraldson (1015-1030), inter sanctos relatus, et Magnus Bonus (1035-1047) opus suum compleverunt (1).

Ex Dania et aliis partibus Scandinaviae proveniunt Normanni, qui inde a saeculo VII suas expeditiones piraticas inceperunt, easque gradatim extenderunt ad totum litus Maris germanici et Freti britannici, invadendo Angliam, Hiberniam, Belgium, Franciam et exinde Italiam. Anno 911, rex Galliae, Ludovicus Simplex, foedus iniit cum Rollone, duce Normannorum, quo istum constituit caput partis regni sui, quae proinde a novis incolis appellata est Normannia. Ista occasione, Rollo ejusque Normanni ad christianismum conversi sunt (2).

Wendi, populus genere slavico, qui habitabat inter flumina Albim et Oderam in Germania orientali, prima vice evangelizati sunt medio saeculo X, postquam imperator Otto Magnus (936-973) eos in ditionem suam redegerat. Iste princeps ibi primas dioeceses erexit Havelbergae, Brandeburgi et Stargard-Oldenburgi; postea sedes metropolitana pro ista regione stabilita est Magdeburgi (962-968), quae habuit quinque sedes suffraganeas. Sed aversio innata Slavorum a Germanis, et modus politico-militaris quo isti imponebant conversionem, provocarunt rebellionem (1066), in qua opera christiana funditus eversa sunt. Primo dimidio saeculi XII, propagatio Fidei apud Wendos repetita est cum feliciore successu, praecipue a S. Vicelino Bremensi in Mecklemburgo et a S. Ottone Bambergensi in Pomerania (3).

2. - Conversio populorum Europae orientalis.

Primo agimus de his qui dicuntur *Slavi meridionales*: Sloveni, Croati, Serbi et Bul-

---

(1) K. MAURER, *Die Bekehrung des Norwegischen Stammes zum Christentum*. Mn., 1855-1856; TH. B. WILSON, *History of the Church and State in Norway*. Westmonasterii, 1903; N. O. KOLSRUD, *Norvegia sacra*. Christiania, 1921; G. RAUSCHEN - A. OTTO, *Den Katholske Kirkes Historie*. Kopenhagen, 1937; N. DE BAUMGARTEN, *Olaf Trygwison, roi de Norvège, et ses relations avec S. Vladimir de Russie*, in *Orientalia Christiana*, 1931.

(2) J. STEENSTRUP, *Normannerne*, 4 vol., Kopenhagen, 1876-1882; CH. H. HASKINS, *The Normans in European history*. NY., 1915

(3) G. A. VON MÜLVERSTEDT, *Regesta Archiepiscopatus Magdeburgensis*, 4 vol., 1876-1899; H. GRÖSSLER, *Die Begründung der christlichen Kirche in dem Lande zwischen Saale und Elbe*, in *Zeitschrift des Vereins für Kirchengeschichte in der Provinz Sachsen*, 1907, p. 94-145.

gari. Isti ultimi, licet oriundi e gente turanica, cito fusi sunt cum Slavis.

In conversione Slavorum, triplex intervenit actio: S. Sedis; episcopatus et Imperii in Occidente; Imperii byzantini et patriarchatus constantinopolitani.

Imperator Constantinus Porphyrogenetes refert, circa 950, praedecessorem suum Heraclium (610-641) a papa Honorio I petiisse missionarios qui Fidem praedicarent Croatis et Serbis (1). Narratur etiam de S. Amando apostolo Belgarum, quod Danuvium transiit et aliquo tempore Verbum Dei nuntiavit Slavis, medio saeculo VII. Sed istae primae notitiae de evangelizatione Slavorum in obscuro relinquuntur (2).

Quod ad Slovenos Carinthiae attinet, documentis fide dignis probatur eos ad Christum conversos esse altero dimidio saeculi VIII, sub salutari actione episcoporum Salisburgi, Passaviae et Aquileiae, uti Virgilius et Arno, episcopi Salisburgi, Paulinus patriarcha Aquileiae. Praesules isti nullo modo baptismum vi imposuerunt vel populo inconscio catervatim administrarunt, sed ante sacramentum instructionem catecheticam octo vel quindecim dierum impertierunt. Tali methodo quae, in quantum possibile erat, respondebat primaevae traditioni Ecclesiae, christianismus altissimas radices misit in terra Slovenorum. Anno 1027 a S. Gebhardo episcopo Salisburgensi ibi erecta est dioecesis Gurcensis (3).

Conversio Croatorum brevi secuta est, sub fine saeculi VIII vel initio saeculi IX. Isto tempore jam dabantur principes christiani apud Croatos, uti Viszelaus in Dalmatia et Vojnomir in Pannonia. Prima dioecesis pro Croatis erecta est anno 879 Nonae (Nin), quae immediate subjecta erat S. Sedi. Etiam Serbi decursu saeculi IX conversi sunt, sub influxu Imperii byzantini a quo pendebant (4).

---

(1) F. DVORNIK, *Les Slaves, Byzance et Rome au IX siècle*, p. 71 sq. P., 1926.

(2) E. DE MOREAU, *S. Amand, apôtre de la Belgique et du Nord de la France*, in *Museum Lessianum*. L., 1927.

(3) In Carinthia jam ante adventum Slovenorum erecta fuerat dioecesis Tiburniae saec. IV-VI. LTK, t. IV, *Gurk;* HELMOLD, *Chronica Slavorum*, MGH, SS *rerum germanicarum*, ed. B. SCHMEIDLER, t. XXI, 1909, ubi Sloveni describuntur tanquam « homines divino cultui dediti, nec est ulla gens honestior et in cultu Dei et sacerdotum veneratione devotior ». F. GRIVEC, *Slovenski knez Kocelj*. Ljubljana, 1938.

(4) L. JELIC, *Thesaurus ecclesiae cathedralis Nonensis in Dalmatia*. Fr.,

Bulgari primam notionem christianismi acceperunt in provinciis romanis, Moesia et Macedonia, quas decursu saeculi VII occuparunt. Inter numerosos captivos graecos, quos famosus dux Bulgarorum Krum (802-814) secum duxit, dabantur etiam presbyteri et episcopi qui Bulgaros Fidem Christi docuerunt. Conversio principis Boris, baptizati anno 865, multum valuit super totum populum. Jam anno sequenti, Boris legatos mittebat ad papam Nicolaum I, ut ei pro opportuna solutione submitterent quaestiones de re dogmatica et disciplinari, et etiam ut ab eo obtinerent constitutionem hierarchicam Bulgariae cum patriarcha proprio (1).

Nicolaus I illico duos episcopos, Formosum a Portu et Paulum a Populonia, ad principem Boris delegavit. Ei obtulerunt *Responsa ad consulta Bulgarorum*, quibus papa solvebat dubia sibi exposita de administratione sacramentorum, de ritu et de jure canonico (nov. 866). Sed papa distulit acquiescere voto principis quoad creationem patriarchatus, et nequidem in Bulgaria relinquere voluit episcopum Formosum a Portu, quem Boris sperabat futurum patriarcham vel saltem archiepiscopum Bulgariae. Hoc moleste ferens, princeps Boris sese iterum in Orientem vertit et anno 869, occasione VIII concilii oecumenici Constantinopoli celebrati, nascentem Ecclesiam Bulgarorum posuit sub jurisdictione cleri graeci. Papa Joannes VIII (872-882) postea frustra tentavit unionem instaurare cum Bulgaris. Circa annum 980, patriarchatus Bulgariae erectus est in Achrida; sed postquam imperator Basilius II Bulgarochtonos (976-1025) Bulgariam potestati suae subjecit (1018), patriarchatus Achridae adscriptus est, tanquam archiepiscopatus, Ecclesiae Constantinopolitanae (2).

Ad *Slavos occidentales* pertinent Moravi, Bohemi et Poloni. Moravi appellantur incolae qui saeculo IX occupabant vallem fluminis Moravae usque Danuvium: primos missionarios habuerunt,

---

1898; J. MARKOVIC, *Gli Slavi ed i Papi*, 2 vol., Zagabriae, 1897; S. Cong. Orientale, *Statistica con cenni storici della Gerarchia e dei fedeli di Rito orientale*, p. 125 sq. R., 1932.

(1) F. DVORNIK, *Les Slaves, Byzance et Rome*, op. cit. p. 32 sq ; C. VAN DE VORST, in AB, 1914, t. XXXIII, p. 31 sq.; A. A. VASILIEV, *Histoire de l'Empire byzantin*, transl. a lingua russica a P. BRODIN et A. BOURGUINA, t. I, p. 288 sq. P., 1932; ES, n. 334 sq.; MANSI, t. XV, p. 408 sq.

(2) *Responsa ad consulta Bulgarorum*, in MGH, EE, t. VI, p. 568 sq.; S. VAILHÉ, *Echos d'Orient*, 1911, p. 80 sq.; A. LAPÔTRE, *L'Europe et le S. Siège à l'époque carolingienne*, op. cit. p. 50 sq.; ST. RUNCIMAN, *A history of the first Bulgarian empire*. Lo., 1930.

inde ab annis 830-840, ex dioecesibus Ratisbonae, Passaviae et Salisburgi. Sed cum isti ignorassent linguam slavonicam, princeps Rastislavus, vix ad Christum conversus, vicissim a papa Nicolao I (860) et ab imperatore byzantino Michaele III (862), ministros sacros petiit qui linguam maternam Moravorum callerent. Papa probabilius non potuit satisfacere petitioni principis; imperator Michael vero tunc penes se habebat duos viros magni ingenii et fortis animi, vinculo fraternitatis conjunctos, qui expedite loquebantur linguam slavicam meridionalem sive slovenicam: Constantinum (postea Cyrillum) et Methodium ex Thessalonica; istos misit ad Moravos (1).

Jam anno 863, Constantinus et Methodius apud gregem sibi commissum se contulerunt, una cum nonnullis presbyteris et monachis linguae slavicae peritis. Novi missionarii non solum praedicarunt in hac lingua, sed etiam eam adhibuerunt in celebratione cultus. Exinde, duobus fratribus Constantino (Cyrillo) et Methodio oppositio vehemens facta est a parte cleri germanici. Romam invitati (868), a papa Hadriano II paterne excepti sunt; pontifex probavit liturgiam slavonicam ab eis introductam, eisque permisit ut in proprio ritu sacrum haberent in basilicis S. Petri et S. Pauli. Constantinus, tunc monachus factus, hac occasione nomen Cyrilli assumpsit, sub quo jampridem colitur; obiit Romae 4 februarii anno 869, et sepultus est in basilica S. Clementis, ubi paulo ante reliquias istius sancti, ex Chersonesu reportatas, cum plausu Romanorum deposuerat (2).

Anno 870, Hadrianus II instauravit antiquam dioecesim Sirmii in Pannonia, eique praefecit Methodium, cum titulo archiepiscopi Pannoniae et legati S. Sedis apud Slavos. Sub directione immediata summi pontificis, et independenter ab archiepiscopo Salisburgensi, ejus curae committebantur, praeter Moravos, Slavi meridionales, Slo-

---

(1) *Vitae* Cyrilli et Methodii, mox post eorum obitum in lingua palaeoslavica conscriptae, et cito in linguam latinam translatae, ed. a F. PASTRNEK, *Dejiny slovanskych apostolu Cyrilla a Methoda,* Pragae, 1902; FHE, n. 362 sq.; F. DVORNIK, op. cit., p. 147 sq.; F. GRIVEC, *De hl. Slavenapostel Cyrillus und Methodius.* Olmütz, 1928.

(2) Ex *Vitis Pannonicis S. Cyrilli et S. Methodii*, ed. cit. F. PASTRNEK, cap. XVII, p. 210 sq.: « Acceptis vero libris Slovenicis papa [Hadrianus II] consecravit et deposuit eos in ecclesia S. Mariae, quae dicitur Phatne [S. Maria ad Praesepe], et cecinerunt super eos sanctam liturgiam ». FHE, n. 364; M. POPRUZENKO et ST. ROMANSKI, *Revue bibliographique des sources slaves de la vie et de l'oeuvre des SS. Cyrille et Méthode.* Sofia, 1935.

veni, Croati, Serbi, cum facultate utendi lingua slavonica tam in ritu quam in praedicatione (1).

Sed post depositionem principis Rastislavi et accessionem ad thronum ejus nepotis Svatopluchi, Pannonia-Moravia iterum cecidit sub influxum imperatoris Ludovici Germanici. Sine mora, episcopi Passaviae, Salisburgi et Frisingae principatu politico Germaniae in partibus slavicis usi sunt ut Methodium in carcerem detruderent ejusque dioecesim sub propriam potestatem redigerent. Methodius injuriam aequo animo tulit, accusationes adversariorum confutavit et usum linguae slavonicae in liturgia fortiter propugnavit, tanquam medium efficax quo Slavi facilius religioni catholicae initiarentur (2).

Ea de causa, anno 879 altera vice Romam petiit et opus suum apud papam Joannem VIII, successorem Hadriani II, plene justificavit. Papa, qui anno 873 Methodio interdixerat liturgiam slavonicam, eo audito, eam iterum permisit. Etenim, anno 880 scribebat ad principem Svatopluchum: « Nec sane fidei vel doctrine aliquid obstat sive missas in eadem Sclavinica lingua canere sive sacrum evangelium vel lectiones divinas Novi et Veteris Testamenti bene translatas et interpretatas legere aut alia horarum officia omnia psallere... Jubemus tamen, ut in omnibus ecclesiis terre vestre propter maiorem honorificentiam evangelium Latine legatur et postmodum Sclavinica lingua translatum in auribus populi Latina verba non intelligentis adnuntietur, sicut in quibusdam ecclesiis fieri videtur » (3).

Post mortem S. Methodii (6 aprilis 885), unus ex ejus cooperatoribus, Wichingus, episcopus Nitriae, oriundus ex Germania, iterum apud S. Sedem institit ut liturgia in lingua slavonica supprimeretur. Jam eodem anno 885, papa Stephanus V desideriis episcopi Wichingi et principis Svatopluchi annuit: in *Commonitorio* quod anno isto dedit legatis suis in Moraviam missis, usum linguae slavonicae in celebratione liturgiae penitus interdixit (4). Discipuli S. Metodii, uti Clemens, Naum, Angelar et alii, e Pannonia pulsi, in Bul-

---

(1) MGH, t. VI, p. 763 sq.; FHE, n. 339: epistola Hadriani II ad Rastislavum principem Moravorum, Svatopluchum ejus nepotem et Kocel principem Pannoniae inferioris. De authentia hujus epistolae disputatur.

(2) *Vitae Pannonicae S. Cyrilli et S. Methodii*, ed. F. PASTRNEK, cap. IX; FHE, n. 365.

(3) MGH, EE, t. VII, p. 222 sq.; FHE, n. 346. F. DVORNIK, *Les légendes de Constantin et de Méthode vues de Byzance*. Pragae, 1933.

(4) *Commonitorium* Stephani V ad legatos suos in Moraviam ed. in MGH, EE, t. VII, p. 352 sq.; excerpta in FHE, n. 361.

gariam se contulerunt, ubi introduxerunt liturgiam slavonicam, quae exinde transmissa est in Russiam (1). Anno 905, regnum autonomum Moravorum, impugnatum ab Hungaris, corruit. Sub respectu ecclesiastico, Moravia successive posita est sub jurisdictione episcopi Ratisbonae, anno 950, et episcopi Pragae, anno 973. Tali modo Moravi praeservati sunt a schismate graeco, quo Slavi ex pluribus aliis regionibus, uti Russi, Bulgari et Serbi, a centro unitatis separati sunt. Anno 1063, Moravia obtinuit dioecesim propriam, cum sede Olomutii.

In Bohemia, christianismus prima vice praedicatus est a presbyteris dioecesis Ratisbonensis, circa annum 840. Anno 845, quatuordecim duces Bohemorum Ratisbonae baptizati sunt. Videtur etiam e vicina Moravia, ipsum Methodium vel discipulos ejus penetrasse in Bohemiam. Anno 880, princeps Boriwoj ejusque uxor Ludmila ad Fidem Christi se addixerunt, forsitan opere S. Methodii. Ab isto momento, Bohemia, adhuc plurimum pagana, habuit principes christianos: Spitignief I, Vratislaus I et praesertim S. Wenceslaus. Cum iste adhuc infans esset, asperrima habita est contentio de educatione ejus inter matrem ejus Drahomiram, idolatram, et aviam S. Ludmilam. Ob strenuum interventum hujus, Wenceslaus in vera Fide institutus est, primum a presbyteris slavicis, deinde a presbyteris latinis e Germania (2).

Sed praedominium Germaniae in Bohemia, inde ab anno 895, obstaculum fuit introductioni cultus christiani: Bohemis, nova religio videbatur religio praeponderantis populi germanici, ideoque una cum eis in odio erat. Bohemis christianis a concivibus paganis non tantum exprobrabatur desertio aviti cultus, sed etiam proditio patriae. De caetero, principes christiani Bohemiae initio saeculi X necessario confugere debebant ad Germanos, tam pro auxilio politico quam pro ministerio sacerdotali, cum ex nulla alia parte catholica sufficiens adjutorium obtinere potuissent. In conflictu sic orto inter prin-

---

(1) *Vita* S. Clementis, discipuli S. Methodii, in PG, t. 126, 1194 et sq.; M. Jugie, *Echos d'Orient*, 1924, p. 5 sq.; L. N. Tunickij, *Sv. Kliment, episcop Slovenskij.* Sergijew-Posad, 1913. Sacramentarii Romani versio slavica antiquissima servatur in manuscripto Kioviae (Kiev). Cfr. C. Mohlberg, *Il Messale glagolitico di Kiew* (*sec. IX*) *ed il suo prototipo del sec. VI-VII*, in *Memorie della Pontificia Accademia Romana di Archeologia*, II, 1928 p. 310 sq.

(2) F. Dvornik, *S. Wenceslas, duc de Bohème*, Pragae, 1929.

cipes christianos et factionem paganam, nationalem et antigermanicam, Ludmila occisa est inspirante Drahomira et Wenceslaus a proprio fratre Boleslao I trucidatus (29 sept. 929) (1).

Sanguis S. Wenceslai fratricidae procuravit gratiam conversionis, sequendo exemplum fratris, Boleslaus I anno 950 foedus iniit cum Ottone I, imperatore Germaniae. A medio saeculo X, evangelizatio Bohemiae velocius progressa est, praesertim sub Boleslao II (967-999), qui viginti erexit ecclesias. Eo regnante, constituta est dioecesis Pragae, tanquam suffraganea Moguntiaci (973). Secundus episcopus Pragae fuit S. Adalbertus (bohemice Voitech, ex genere Slavnik), qui postquam plures annos omni zelo incubuisset in apostolatum apud Bohemos (982-996), Fidei praedicandi causa Borussiam petiit, ubi martyr occubuit (23 apr. 997) (2). Anno 1344, papa Clemens VI sedem Pragensem independentem reddidit ab archiepiscopo Moguntino, eamque promovit metropolim cum duobus sedibus suffraganeis Olomutii et Luthomuslae.

Ad latus orientale Germaniae, inter flumina Warta et Bug, jam ab antiquo habitabant tribus Slavorum, quae circa finem saeculi X in unum coactae sunt, et a tribu potentiore, *Polaniẹ* (scil. *incolae campestres*) Poloni appellantur. Fides eis prima vice praedicata est a missionariis bohemis quos secum duxit principissa bohema Dobrowa, quae anno 965 nupsit duci polono Mieszko I. Anno sequenti, sub influxu salutari uxoris christianae, dux Mieszko Christo adjunctus est. Conversioni Polonorum operam dederunt simul presbyteri ex Bohemia et ex Germania, sub directione episcopi Jordani qui praefuit primae dioecesi in Polonia erectae, Posnaniae anno 968. Sub fine vitae suae, Mieszko I (+ 992) ducatum suum commisit patrocinio S. Sedis, ut constitutio ecclesiastica ibi ordinaretur sub immediata jurisdictione summi pontificis, et etiam, ut tutela istius impediret nimium interventum imperatoris Germaniae (3).

---

(1) *Chronicon Bohemorum*, a Cosma Pragensi, ed. a B. Bretholz in MGH, SS *rerum germanicarum, Nova series*. B., 1923; A. Naegle, *Die Anfänge des Christentums in Böhmen*, in *Historisches Jahrbuch*, t. XXXII, 1911, p. 239 sq.; B. Bretholz, *Geschichte Böhmens und Mährens*. Mn., 1912.

(2) De *Vitis* S. Adalberti, cfr. Perlbach, in *Neues Archiv*. t. XXVII, 1901, p. 35 sq.; H. G. Voigt, *Der Verfasser der römische Vita des hl. Adalberts*. Pragae, 1904; *Vita et passio Brunonis a Querfurt*, MGH, SS, t. XXX p. 2, 1934, p. 1350 sq.; H. Oldekopp, *Die Anfänge der katholischen Kirche bei den Ostseefinnen*. Reval, 1912; G. Sentzke, *Die Kirche Finlands*. 1935.

(3) *Annales Poloniae*, in MGH, SS, t. XIX; *Chronicae Polonorum*, ibid.

Successor ducis Mieszko I, Boleslaus I Chobry (992-1025), proprium dominium extendit et titulum regis assumpsit. Sub ejus regno, anno 999, de consensu papae Silvestri II et cooperante imperatore Ottone III, Gnesnae constituta est sedes metropolitana Poloniae, cum tribus sedibus suffraganeis, Kolberg in Pomerania, Breslavia in Silesia et Cracovia in Galitia. Sed evangelizatio Poloniae non progressa est pari passu cum ordinatione hierarchica. Post mortem Boleslai Chobry, a paganis plures excitatae sunt rebelliones quae quindecim annorum spatio regnum turbarunt (1025-1040). Cum auxilio Germaniae, Casimirus I potuit instaurare pacem et prosequi opus conversionis (1040) (1).

Principes polonici, incipiendo a Boleslao I Chobry, promoverunt etiam evangelizationem Borussiae et Pomeraniae saec. XI-XII, et sub fine saeculi XIV partem habuerunt, e. g. opere reginae Hedwigis, in conversione Lithuaniae et Samogitiae (2).

Slavi orientales dicuntur hi qui occupant Europam orientalem, inter Mare Balticum et Pontum Euxinum. Ex istis, multi in uno statu uniti sunt a Normannis qui saeculo IX, ducti a principe Rurik, sedem fixerant in civitate Kiovia ad ripas fluminis Dnieper. Nomen *Rus, Ρως, Rusyny*, quod eis datum est, provenit a Slavis qui occupabant Podoliam, Galitiam septentrionalem, Volhyniam et regionem circa Kioviam (3). Iis Fides christiana primum praedicata est a Bulgaris: quod comprobatur ab antiquioribus libris sacris, conscriptis non in lingua graeca sed in lingua palaeoslavica, conjuncta cum lingua bulgarica. Refertur a Photio in epistola anni 866, hoc tempore circiter primum episcopum byzantinum apud eos pervenisse, et ab eis amice exceptum fuisse. Sub principe Igor (912-945), jam dabatur

---

t. IX, *Chronica* Martini Poloni Oppaviensis (sine valore historico), in MGH, SS, t. XXII; F. X. Seppelt, *Die Einführung des Christentums in Polen*, in *Zeitschrift für Missionswissenschaft*, t. X, 1920, p. 86 sq.; M. K. Völker, *Kirchengeschichte Polens*. B., 1930; P. David, *Les sources de l'histoire de Pologne*. P., 1934.

(1) S. M. Jedlicki, *La création du premier archevêché polonais de Gniezno*, in *Revue historique de droit français et étranger*, 1933, p. 645 sq.; L. Kulczycki, *L'organisation de l'Eglise de Pologne avant le XIIIe siècle*. Strasbourg, 1928.

(2) E. Metzner, *Beitrage zur Geschichte der Einführung des Christentums in Preussen*. Herbipoli, 1907.

(3) Decursu temporis varia nomina eis data sunt; in Occidente plurimum appellantur Rutheni, hodie vocantur potius Ucraini.

communitas christiana Kioviae, probabilius Vareghorum cum ecclesia dedicata prophetae Eliae. Anno 954, Olga, vidua principis Igor, baptismo regenerata est et exinde promovit evangelizationem Russorum.

Cognoscuntur tentamina aliquorum missionariorum ex Germania, uti Adalgag Bremensis et Adalberti, monachi monasterii S. Maximi Trevirensis; alii venerunt ex Bulgaria et ex imperio byzantino. Sed nonnisi sub fine saeculi X opus conversionis Russorum modo ordinato et continuo effectum est, merito principis Vladimiri (980-1015) ejusque filii Jaroslai (1015-1054). Vladimirus, baptismo ablutus circa annum 988, paulo post uxorem duxit Annam, sororem imperatoris byzantini Basilii II, idola evertit, ecclesias fundavit, et subditos suos ad flumen convocatos omnes simul aqua baptismali lustrari jussit (1).

Ejus filius Jaroslaus curavit organizationem ecclesiasticam Russiae, ratione hierarchiae, ejusque institutionem, ope scholarum. Sedes metropolitana erecta est Kioviae, probabilius anno 1037; eodem tempore creabantur plures sedes suffraganeae. Usque ad saeculum XIII, Russia plurimum subiit influxum religiosum Ecclesiae byzantinae quoad cultum, disciplinam, mores et artes. Primi episcopi quasi omnes Graeci fuerunt. Attamen libros liturgicos non habuerunt a Graecis sed a Bulgaris, qui eis tradiderunt liturgiam confectam in lingua slavonica a Cyrillo et Methodio. Nec deerant relationes inter S. Sedem et Russiam, uti testantur legationes missae a papis, e. g. a Gregorio VII, Kioviam (2). Vita monastica in Russiam introducta est a S. Antonio, oriundo e Ljubec, qui monachus Montis Athos erat. Anno 1062, S. Theodosius coepit aedificare famosum monasterium Cryptarum, prope Kioviam, quod factum est centrum vitae religiosae et nationalis Russorum, tam formatione monachorum secundum morem patrium, quam compositione scriptorum in lingua slavonica

---

(1) N. DE BAUMGARTEN, *S. Vladimir et la conversion de la Russie*, in *Orientalia Christiana*, 1932; S. PLATONOV, *Istorija Rossii* (historia Russiae ab origine ad an. 1918), P., 1929; Idem, *La Russie chrétienne*, in *Histoire du monde* directa ab E. CAVAIGNAC, t. VII, p. 469-588; *Statistica della Gerarchia e dei fedeli di Rito orientale*, op. cit., p. 175 sq. Quoad testimonium Photii, cfr. PG, t. 102, 736; etiam PG, t. 109, 359; A. VASILIEV, *Histore de l'empire byzantin*, t. I, p. 424 sq.; G. FEDOTOV, *Les saints de la Russie ancienne*. P., 1931; G. WELTER, *Histoire de Russie*, P., 1946.

(2) PL, t. 148, 425.

orientali. Exinde vita monastica in Russia valuit auctoritate in dies crescenti (1).

Ob invasiones Mongolorum, qui anno 1239 incenderunt Kioviam, metropolita Maximus sedem suam transtulit in civitatem Vladimir (1299), ejusque successor Petrus residentiam fixit Moscae (1328), ubi deinde primas Russiae resedit, cum titulo metropolitae Kioviae totiusque Russiae.

Hungari, e stirpe turanica, ex Asia centrali in Europam migrarunt saeculo IX. Primis annis istius saeculi, inveniuntur circa Paludem Maeotidis; sub fine ejusdem saeculi, Hungari superarunt montes Carpathicos et Alpes Transylvaniae, et in Norico sese substituerunt Avaris jam antea devictis ab Erico Forojuliensi et Pepino filio Caroli Magni (795-796), et exinde absorptis a Bulgaris, Slavis et Germanis. Ex Norico, Hungari penetrarunt in Pannoniam, ubi Moravos suae potestati subjecerunt. Usque ad medium saeculum X, plures regiones Europae devastarunt, in Germania usque ad Lotharingiam, in Italia septentrionali et in Gallia meridionali, donec anno 955 rex Germaniae Otto I eis tremendam cladem inflixit, prope fluvium Leccam, ad portas Augustae Vindelicorum. Tunc Hungari, animo et corpore fracti, praecipite fuga recesserunt in partes Pannoniae et Norici, quas primo adventu occupaverant, ibique se agris colendis dederunt (2).

A praedonibus agricolae facti, praedicatio Fidei inter Hungaros cum fructu promoveri potuit. Circa annum 971, episcopus Passaviae, Pilgrim, primos missionarios ad eos legavit. Brevi tempore quinque millia Hungarorum baptismum acceperunt. Sed, sicuti plerumque eveniebat apud barbaros, Hungari praesertim conversi sunt exemplo et actione propriorum principum, a duce Geisa ad Belam I (972-1061). Geisa, adhuc paganus, uxorem duxit Saroltam catholicam, filiam Gylae principis Transylvaniae, a qua habuit filium Vajk, cui in baptismo nomen Stephani impositum est. Videtur Geisam una

---

(1) B. LEIB, *Rome, Kiev et Byzance à la fin du XIe siècle: rapports religieux des Latins et des Gréco-Russes sous le pontificat d'Urbain II* (1088-1099). P., 1924; L. K. GÖTZ, *Das Kiewer Höhlenkloster,* 1904; J. MORGILEVSKI, *Die Kiever Sofia.* Kioviae, 1924; G. K. LOUKOMSKI, *La ville sainte de Russie, Kiev.* P., 1929.

(2) LÜTTICH, *Ungarnzüge in Europa im 10. Jahrhundert.* B., 1910; L. DANIELS, *De invallen der Hongaren.* Antuerpiae, 1926; C. A. MACARTNEY, *The Magyars in the ninth century.* Cambridge, 1931.

cum filio sacro fonte ablutos esse vel circa annum 975 a Pilgrim episcopo Passaviensi, vel circa annum 986 ab Adalberto episcopo Pragensi. Geisa sedem principatus stabilivit Strigoniae; Pannonhalmae fundavit monasterium S. Martino dicatum, cujus monachi, ex ordine S. Benedicti, omni zelo incubuerunt in evangelizationem Hungarorum (1).

Anno 997, ei successit ejus filius Stephanus, fundator regni catholici et apostolici Hungariae. Coronam regiam, quam papa Silvester II ei miserat, anno 1001 assumpsit. Numerosas ecclesias et monasteria aedificavit et hierarchiam episcopalem constituit independentem ab episcopatu germanico, cum sede metropolitana Strigoniae et decem sedibus suffraganeis. Filium S. Emericum disciplina christiana imbuit, eique *Admonitiones* reliquit sapientia et pietate plenas. Sed forsitan nimia festinatione proprios subditos ad conversionem coegit: jam ipso vivente a parte pagana rebellio facta est sub directione ducis Koppony. Post mortem S. Stephani (1038), odium in christianismum adhuc crevit, donec Bela I (1061-1063) victoriam finalem super paganos reportavit (2),

Saeculo XIII, rex Hungariae Bela IV (1235-1270), operam dedit conversioni Cumanorum, qui annis 1238-1239, a Mongolis ex proprio territorio Moldaviae et Valachiae pulsi, refugium quaesierunt in Hungariam, ibique a Fratribus Minoribus et Praedicatoribus evangelizati sunt.

Finem imponendo isti brevi conspectui evangelizationis populorum Scandinaviae et Europae orientalis, notetur ante omnia magna pars quam in ea habuerunt principes conversi, qui non semper necessaria discretione usi sunt. Praeterea habetur actio aemula Germaniae et Imperii byzantini, quae ambo cupiunt sub propriam auctoritatem politico-religiosam redigere populos Christo adjunctos. Ubi agitur de Slavis, S. Sedes quaerit plerumque unire eos cum Ecclesia

---

(1) A. THEINER, *Monumenta historica Hungariae*, 2 vol. R., 1859; F. KNAUZ-DEDEK, *Monumenta Ecclesiae Strigoniensis*, 3 vol. Strigoniae (Gran), 1874-1924; P. BOD, *Historia Hungarorum ecclesiastica*, ed. RAUWENHOFF, 3 vol. Leiden, 1888-1890.

(2) E. HORN, *S. Etienne, roi apostolique de Hongrie*, in collectione *Les Saints*. P., 1899; J. DÉER, *Heidnisches und Christliches in der altungarischen Monarchie*, in *Acta litt. ac scient. Reg. Univ. Hungariae*, 1934, p. 33 sq., Szegedi; V. ELEMÉR, *Legendae S. Regis Stephani*. Budapest, 1928; G. SCHREIBER, *Stephan I der Heilige*, 1938.

romana potiusquam cum Ecclesia orientali, ob animum in S. Sedem adversum quo Ecclesia graeca, jam ante schisma, saepe saepius ducebatur. Ex populis recens conversis, Serbi, Bulgari et Russi secuti sunt Byzantium; omnes alii, Croati, Sloveni, Moravi, Bohemi, Poloni et Hungari, sese commiserunt jurisdictioni romanae. Denique, S. Sedes plurimum curavit vel saltem permisit ut organizatio ecclesiastica Slavorum autonoma esset, immunis ab immixtione germanica, invisa Slavis.

IV.

ISLAMISMUS ET INVASIONES MAHUMETANORUM

Eodem tempore quo Ecclesia augebatur in Europa conversione populorum originis indo-europeae et mongolicae, damna ingentia accipiebat, primum in Oriente, postea etiam in Occidente, a diffusione doctrinae Mahumeti et a bello quod sequaces ejus moverunt tam adversus christianos quam adversus gentiles, a saeculo VII ad epocham modernam.

Islamismus ortum habuit in Arabia, peninsula inter Sinum Persicum et Mare Rubrum. In media Arabia, habetur terra deserta; ad latus orientale versus Sinum Persicum, ad fertile litus quod ab antiquis appellabatur Arabia Petraea, erant colles uberes ubi numerosi habitabant incolae; parti versus meridiem sitae erat nomen Arabia Felix. Mecoraba (La Mecca) et Medina, quae futurae erant civitates sanctae religionis islamiticae, sunt in Arabia media, ad latus occidentale, in hodierno regno Hedjaz.

Saeculo VI, Arabes, e stirpe semitica, sub respectu politico-sociali dividebantur in duas classes: *nomades,* pastores et praedones, qui cum gregibus suis in interioribus vagabantur; *sedentarii,* agricolae vel mercatores, qui occupabant litus et negotiationis causa rationem habebant cum Palaestinensibus, Syris et Romanis. Arabes carebant unione nationali, sed constituebantur in tribubus distinctis sub regimine patriarchali, inter quas frequentes habebantur discordiae et pugnae.

Quod ad religionem attinet, Arabes, initio monotheistae, decursu temporis in multiformem declinarunt polytheismum. Mecorabae in templo Kaaba, primitus uni Deo dedicato secundum antiquam traditionem, quaeque tribus colebat propria idola, inter quae peculiari veneratione circumdabatur Petra nigra, quam secundum legendam ipse archangelus Gabriel e coelo portasset Mecorabam.

Judaei jam cito advenerunt in Arabiam ratione commercii. Frequentes erant in civitate Yatreb, futura Medina, et in civitate Taif, prope Mecorabam. Initio saeculi VI, Judaei potentes facti sunt in Arabia meridionali, ita ut anno 530 caput eorum Joseph Dhu Nuwas thronum ascenderit regni Sabae.

Christiani dispersi erant in pluribus partibus Arabiae. In Hedjaz centrali et meridionali habebatur tribus Banu Godham, cujus sodales plurimum militabant sub signis Imperii byzantini. In Yemen erant tribus christianae quae incolebant vallem Nagran et constituerunt praecipuum mercatum Arabiae centralis et Yemen orientalis. In regno suo Saba, praedictus rex judaicus Joseph Dhu Nuwas, persecutus est christianos et plura centena eorum praecipitari jussit in fossam incensam, in qua igne perierunt. Regi persecutori ejusque complicibus alluditur in Corano, LXXXV, 4. In Corano, LVII, 27, referuntur etiam discipuli Jesu filii Mariae, qui excogitarunt vitam monasticam. Praeter Christum ejusque Matrem, Arabes christiani inter sanctos peculiari cultu venerabantur Sergium et Bacchum, necnon et Simeonem Stylitam. Quoad doctrinam, fluctuabant inter arianismum, monophysismum et nestorianismum, prout praevalebat auctoritas sive Alexandrinorum, sive Aethiopum, sive Byzantinorum (1).

Denique notandi sunt Hanifitae, qui jam ante Mahumetum aspirabant ad vitam religiosam novam in Arabia. In religione sua miscebant monotheismum judaicum cum aliquibus elementis doctrinae christianae, speculationes gnosticas et antiquas traditiones arabicas. Patrem invocabant Abraham, a quo se ortos asserebant per Ismaelem filium ancillae Agar, quos Abraham dimiserat in desertum arabicum postquam filium Isaac habuerat ex uxore Sara. Secundum Hanifitas, Abraham uni Deo templum Kaaba aedificasset Mecorabae:

---

(1) RUDOLF, *Die Abhängigkeit des Korans von Judentum und Christentum*. Stutgart, 1922; R. BELL, *The origin of Islam in its christian environment*. L., 1926; F. NAU, *Les Arabes chrétiens de Mésopotamie et de Syrie* P. 1933; H. CHARLES, *Le christianisme des Arabes nomades sur le Limes et dans le désert Syro-Mésopotamien aux alentours de l'Hégire*. P., 1936.

quapropter vehementer desiderabant ut hoc templum idolis profanatum restitueretur cultui unius Dei.

Mahumetus (Mohammed = glorificatus) 29 augusti 570 natus est Mecorabae e tribu Hashimitorum qui, cum cito genitoribus orbatus esset, curam educationis ejus susceperunt. Ob famam honestatis, Mahumetus sibi meruit fiduciam divitis viduae Hadisha, quae non solum ei administrationem suorum bonorum commisit, sed cum eo novum matrimonium iniit, et ita Mahumetus locum sumpsit inter conspicuos cives Mecorabae.

Circa quadragesimum annum aetatis suae, in solitudine et jejunio, meditari coepit de statu politico-religioso Arabiae, asserens se esse missum a Deo, tramite Gabrielis archangeli, ut concives suos redderet *mouslim*, scilicet submissos voluntati unius Dei. Invocabat exemplum patris Abrahae, et antiquam traditionem monotheisticam Arabum. Omnes Arabes uniri deberent in uno cultu et in una natione. Ut jam antea fecerant Hanifitae, ita etiam Mahumetus plurima documenta desumpsit e judaismo, e christianismo et praesertim e sectis gnosticis, quae miro modo cum moribus et memoriis arabicis elaboravit in corpus doctrinale optime aptatum indoli Arabum, ita ut ab eis adoptari posset tanquam religio nationalis. Inter eos qui primum ei crediderunt, referuntur ejus uxor Hadisha, ejus consobrinus Ali, ejus servus Seid, et opulentus mercator Abu Bekr (1).

Quando Mahumetus publice doctrinam de uno Deo colendo proposuit concivibus polytheistis Mecorabae, eum deriserunt et molestiis affecerunt, timendo ne ex impositione monotheismi eis provenirent damnum oeconomicum et minutio auctoritatis politicae. Ob contradictionem concivium, emigravit in civitatem vicinam Yatreb, quae deinde appellata est Medinath-al-Nabi = civitas prophetae. Arabice haec migratio vocatur *Hijra*, ex quo habetur vocabulum *Hegira*, quo indicatur initium aerae musulmanicae. Ista non computatur a die quo Mahumetus pervenit in Medinam, sed ab initio anni lunaris in quo ejus migratio evenit, scilicet a die 16 julii anni 622.

In Medina et in regione vicina, Mahumetus acquisivit numero-

---

(1) G. Power, *L'Islam*, apud J. Huby, *Christus, Manuel d'histoire des Religions*, 3 ed., p. 751 sq. P., 1921; W. Marçais, *L'Islam*, apud P. D. Chantepie de la Saussaye, *Manuel d'histoire des Religions*, p. 252 seq. P., 1921; H. Grimme, *Mohammed*. Mn., 1904; C. Snouck Hurgronje. *Mohammedanism*. NY., 1916; H. Lammens, *Le berceau de l'Islam*. R., 1914; M. Guidi, *Storia della religione dell'Islam, Storia delle Religioni*, dir. P. Tacchi-Venturi, t. II, p. 229 sq. T., 1936.

sus fautores, quorum auxilio bellum sacrum iniit adversus Judaeos et Arabes polytheistas. Mecoraba expugnata anno 630, templum nationale = *Kaaba,* purgavit a cultu idolatrico, et opus suum politico-religiosum coronavit praescribendo annuam peregrinationem ad hoc sanctuarium uni Deo iterum dicatum, symbolum unitatis nationalis Arabum. Tempore quo obiit medio anno 632, majores tribus Arabiae submissae erant potestati Mahumeti et saltem externe profitebantur monotheisticam religionem ab eo praedicatam.

Dogmata capitalia religionis Mahumeti sunt sequentia: 1) existentia unius Dei invisibilis, sine Trinitate personarum. Disputatur an Mahumetus intendebat Trinitatem in sensu haeretico aliquarum sectarum orientalium, secundum quas Trinitas constabat Deo, Jesu et Maria; 2) missio divina Mahumeti, qui est major propheta unius Dei; 3) ultimum judicium, in quo Deus secundum suum beneplacitum remunerabit omnes homines. Gaudia paradisi, quae Mahumetus promittebat sequacibus suis, plane aptabantur ardenti indoli et arido ambitui filiorum deserti: omnibus peccatis remissis, beati fruerentur umbra salutari in hortu pulcherrimo, comederent fructus delectabiles, et sitim sedarent rivis aquae semper frigidae, lactis inalterabilis, vini deliciosi et mellis purissimi, dum affluentius haurirent voluptates e commercio sponsarum virginalium semper juvenum (1).

Praeterea Mahumetus sequacibus suis plurima praecepta dedit, inter quae notanda sunt: oratio quinquies in die cum facie versus Mecorabam, quando nuntius, *muezzin,* ab altitudine turris fideles Allah ad orandum invitat; jejunium durante mense Ramadan, nono mense lunari, in quo liber sacer, Coranus, traditus est sequacibus Mahumeti: jejunium istud obligat omnes mahumetanos ab aetate quatuordecim annorum, et prohibet omnem cibum et potum ab aurora ad crepusculum; licet eos manducare et bibere durante nocte usquedum distinguere poterunt filum album a filo nigro (2); peregrinatio ad Mecorabam saltem una vice in vita; eleemosyna distribuenda fidelibus; bellum sacrum declarandum infidelibus; sanctificatio diei Veneris; frequentes ablutiones; lectio Corani; prohibitio potus inebriantis et cibi impuri, uti carnis suillae (3).

---

(1) M. KASIMIRSKI, *Le Koran, traduction nouvelle faite sur le texte arabe,* cap. II, 23; cap. III, 13; cap XLVII, et multis aliis locis. P., 1891; L. BONELLI, *Il Corano, nuova versione letterale italiana.* M. 1940.

(2) *Le Koran,* ed. cit. M. KASIMIRSKI, cap. II, 183.

(3) *Ibidem,* cap. XLVII., 4 sq. Nomine infidelium veniunt polytheistae,

Verum sacerdotium non datur in religione Mahumeti, licet in ea non desint ministri: *ulema* appellantur doctores, interpretes Corani, quorum caput est scheik; *mufti* sunt jurisconsulti; *imani* ordinant orationem in mesquita; *muezzin,* de quo supra, jam ab hora quinta matutina officium suum incipit. Habentur ergo in islamismo doctores et theologi, sed non sacerdotes proprie dicti, veri ministri cultus, ordinati ut sacrificium compleant vel ut fidem islamiticam promoveant. Califus est summa auctoritas politica, cui competit protegere religionem islamiticam brachio saeculari, dirigere ejus expansionem et proclamare bellum sacrum.

Liber sanctus islamismi est *Coranus* = recitatio, miscellanea, sine ordine logico vel chronologico, revelationum, sententiarum, orationum et legendarum Mahumeti. Ipse pseudo-propheta non conscripsit Coranum, sed oretenus communicavit suas revelationes, quae inter 610 - 631 in libro compositae sunt. Compositio magis accepta ea est quam confecit Zaid-Ibn-Thabit, olim secretarius Mahumeti, quam admisit califus Abu-Bekr, et quam in altera, definitiva redactione modo officiali adaptavit califus Otman. Coranus divisus in 114 capitula, est codex religiosus, socialis et juridicus musulmanorum, in quo continetur omne quod fidelis Mahumeti scire et facere debet (1). Ex Vetere Testamento, allegantur patriarchae et prophetae: Abraham, Jacob, Joseph, Moyses, Aaron, Elisaeus, David; citantur praecipua facta: creatio hominis, peccatum Adae, historia Abelis et Cain, vicissitudines populi Israelis, missio angelorum apud homines. Narratio fit secundum Pentateuchum, sed multum errat. Pentateuchus, Evangelium et Coranus, sunt tres libri quos Deus e coelo descendere fecit, ut inservirent directioni hominum: ita Mamumetus, cap. III, vers. 2 Corani.

De Jesu et Maria pluries verbum fit in Corano. Jesus, secundum Mahumetum, praedictus est a prophetis; natus est e Maria speciali interventu Dei, sine concursu alicujus viri, et quin nec Jesus, nec Maria steterint sub jugo Satanae in nativitate. Jesus est Verbum

---

sed in aliquibus locis, uti cap. IX, 30, cap. LVII, 27, christiani et judaei describuntur tanquam infideles legi divinae, et proinde impugnandi.

(1) Th. NÖLDEKE, SCHWALLY BERGSTRÄSSER, *Geschichte des Qorans*. Lz., 1909-1938; BUHL, *Al-Korán,* in *Encyclopédie de l'Islam,* t. II. Leiden, 1927; M. GUIDI, *Corano,* in *Enciclopedia italiana,* t. XI; C. GASBARRI, *La via di Allah.* M., 1942. Meritum litterarium Corani contribuit propagationi islamismi et diffusioni linguae arabicae.

Dei et Messias, sed ipse non est Deus, est magnus servus Dei (1). Mortem non est passus: homo ei similis, ejus loco crucifixus est (2); assumptus in coelo, Jesus morietur et resurget ante ultimum judicium sicut alii homines. Loquendo de Maria, Mahumetus ponit sequentia verba in ore Dei: « Memento etiam illius quae virginitatem suam conservaverat, et in quam insufflavimus partem spiritus nostri; eam constituimus, una cum filio suo, signum pro universo mundo » (3).

Islamismus superat idolatriam, eo quod strenue propugnat monotheismum strictum. Sed Deus musulmanorum non amat nec amatur; non semetipsum dat in praemium, sed fidelibus suis in remunerationem promittit delectationes indolis sensibilis et sensualis. Iste Deus servos suos justificat unice quia sic vult, quia sic dirigit eorum voluntates et omnes eventus; inde caecus fatalismus quo ducuntur mahumetani: omnes eventus jam ab aeterno irrevocabiliter a Deo determinantur. Praeterea, doctrina moralis islamismi, generatim loquendo, significat potius regressum quam progressum relate ad doctrinam moralem populorum paganorum, eo sensu quod nomine *unius Dei*, Mahumetus sensualitatem et egoismum ad gradum virtutis vel saltem rei licitae elevat: permittit (4) polygamiam, feminas inferiores habet viris, agere praedicat ob delectationem, ob commodum, spem praedae vel gaudia sensualia paradisi. Ipsa anima non est nisi substantia materialis, quae moritur et resurgit cum corpore, et in paradiso unice fruitur deliciis sensuum. Valor actuum interiorum deest islamismo, qui parum curat intentionem vel vitam spiritus, et praecipue promovet observantiam externam praeceptorum et ordinationem societatis secundum Coranum.

Doctrina Mahumeti, fatalismus quo in omnibus eventibus propriae vitae et propriae nationis, sequacibus suis monstrabat directum interventum Dei (5), sensualismus quo proprio egoismo plene indul-

---

(1) *Coranus*, III, 40; XIX, 30; cap. IX, 30, Mahumetus infidelibus comparat christianos asserentes Christum Dei esse Filium.

(2) *Coranus*, IV, 156.

(3) *Coranus*, XXI, 91. Mysteria sanctiora et puriora christianismi, de Christo et Spiritu Sancto, Mahumetus deformat et contaminat, forsitan ex ignorantia, quia plenitudinem veritatis christianae nunquam cognovit, sed tantum fragmenta mutila; I. Di Matteo, *La divinità di Cristo e la dottrina della Trinità in Maometto e nei polemisti musulmani*. R., 1938.

(4) *Coranus*, IV, 3; *Ibidem*, XLVII, 4 sq.

(5) *Ibidem*, VIII, 17, XLII 6.

gere permittebat, fortissime allexerunt Arabes, qui hactenus aures paucum aperuerant praedicationi christianae. Praeterea, contemptus et injuriae quibus infideles afficiuntur in Corano, hortationes Mahumeti ad debellandos illos, Arabibus persuaserunt se longe praestare paganis, judaeis et christianis, eosque roborarunt in ambitione ad quam temperamento bellicoso jam excitabantur, scilicet submittendi proprio dominio hos omnes qui nolebant agnoscere Allah ejusque prophetam (1).

Mundus, secundum eorum mentem, dividebatur in duas partes: territorium islamiticum ubi regnat califus, successor Mahumeti; territorium infidelium, quod est vel erit necessario *territorium belli* usquedum subjectum erit califo. Proinde bellum, quod immediate post mortem Mahumeti indixerunt Arabes, ante omnia inspirabatur motivo politico-oeconomico; sacrum non erat nisi quia ducebatur adversus hostes quos Arabes declarabant infideles, et istud vocabulum applicabant tam christianis et judaeis quam paganis.

Duces Arabum, Abu Bekr, Omar, Otman, Ali, deinde califi ex dynastia Ommiadum (660-750), qui regnabant Damasci (2), post istos plurimi califi e dynastia Abbassidun (762-1258) (3), ut e.g. magnificus Haroun-al-Raschid, in suo incepto politico-militari adversus populos christianos quibus circumdabantur, rationem habuerunt cum duplici elemento: 1) cum elemento religioso, scilicet cum Fide christiana; 2) cum elemento politico, quod erat potestas imperatoris Orientis, regis Persiae, principum Hispaniae, etc. Expeditionibus suis, califi ante omnia intendebant debilitare et, si possibile fuisset, ad nihilum redigere potestatem politicam principum christianorum, sub-

---

(1) *Ibidem*, XLVII, 4-8. Cfr. H. LAMMENS, *L'Islam: Croyances et institutions*. Beyrouth, 1926; translatio anglica a E. DENISON ROSS, *Islam: Beliefs and Institutions*. Lo., 1929, J. SACCO, *Le credenze religiose di Maometto. Loro origine e rapporto con la tradizione giudaico-cristiana*. R., 1922; R. A. NICHOLSON, *Studies in islamic Misticism*. Cambridge, 1921; L. MASSIGNON, *Essai sur les origines du lexique technique de la Mystique musulmane*. P., 1922; *Les trois Prières d'Abraham, seconde Prière*. Tours, 1935; LOUIS DE GONZAGUE, *Une réfutation inédite du Coran au XVII siècle*, Collectanea franciscana, t. VII-VIII, 1937-1938; T. ANDRAE, *Mohammed, sein Leben und Glauben*. Göttingen, 1932; J. C. RUTGERS, *Islam en Christendom*. Den Haag, 1921; B. CARRA DE VAUX, *La doctrine de l'Islam*. P., 1909; articuli *Coran, Mahomet et mahométisme* in Dth, a B. CARRA DE VAUX, PALMIERI et P. CASANOVA.

(2) H. LAMMENS, *Le « triumvirat » Aboû Bakr, Omar et Abou Obaida, Mélanges de la Faculté orientale de Beyrouth*, t. IV.

(3) Quorum sedes erat in Bagdad.

stituendo ei dominatum proprium. Sed quod ad elementum religiosum attinet, populis christianis in ditionem suam redactis, nullo modo injunxerunt mutationem religionis, apostasiam (1). E contrario, tolerarunt ut christiani religionem suam profiterentur sub vigilanti custodia islamitica.

Vix uno elapso anno a morte Mahumeti, anno 633, Arabes transgressi sunt limites Syriae, et ab isto tempore inceperunt iter triumphale quod uno saeculo duravit et in quo percurrerunt spatium inter flumen Indum in Asia et flumen Garumnam in Francia. Anno 637, califus Omar intrabat in Jerusalem et plateam ante templum Salomonis propriis manibus convertit in locum orationis (2). Medio saec. VII, Arabes expugnarunt Syriam, Aegyptum, Palaestinam, partem Persiae et Mesopotamiae. Excepta Persia, istae regiones pertinebant ad imperium Orientis, sed motivo politico-religioso, et etiam discrimine ethnico, incolae dissidebant a Graecis qui formabant elementum praevalens et despotice agebant in alios orientales. Sub respectu doctrinali, divisio crevit ipsis erroribus theologicis: Syri et Copti repellebant monothelismum, non tantum zelo orthodoxiae, sed etiam quia istam haeresim potius profitebantur Graeci; sed eo majore obstinatione adhaerebant monophysismo quod impugnabatur a Graecis.

Proinde, in odium Graecorun, tam in Mesopotamia, quam in Syria, et in Aegypto, pauca vel nulla resistentia facta est Arabibus a parte gentis indigenae, quae eos non semel excepit tanquam liberatores. Chronista Mesopotamiae, Gregorius Bar-Hebraeus in *Chronicon Ecclesiasticum* cum gaudio refert cladem ab Arabibus imperatori Heraclio I inflictam (3). Christiani Emesae eumdem imperatorem habebant inimicum Fidei, quia favebat monothelismo (4). Graeci e contrario, in Graecia, in Asia Minore, ad septen-

---

(1) Quoad Arabiam, territorium islamiticum, ibi non tolerabantur christiani, qui coacti sunt vel apostatare, vel emigrare.

(2) Mesquita cui nomen Omar, post ejus mortem aedificata est inter 688-692, ejusque verum nomen est *Qoubbet-es-Sakhra* = tholus rupis. Basilica S. Mariae Novae, peracta ab imperatore Justiniano, cum saec. X in ruinam iret, ab Arabibus adhibita est pro mesquita quae adhuc existit.

(3) Ed. ABBELOOS et LAMY. L., 1872-1877. P. CHARLES, *L'Islam*, apud DESCAMPS, *Histoire générale comparée des Missions*, p. 651.

(4) PG, t. III, col. 1088: EUTYCHII, Alexandrini patriarchae, *Annales*. A. A. VASILIEV, *Histoire de l'empire byzantin*, op. cit., t. I, p. 277.

trionem montium Tauri, inter Ciliciam et Cappadociam, fortiter restiterunt per plura saecula invasionibus Saracenorum. Duabus vicibus, isto primo tempore, annis 668-75 et 713, Arabes obsederunt Constantinopolim, sed repulsi sunt ope inventionis bellicae factae a Graeco Callinico, scilicet *ignis graeci,* qui urebat super aquam et quo incensae sunt naves Arabum.

Africa septentrionalis tota occupata erat anno 707, licet hinc inde tribus berbericae Arabum impetum valide propulsaverant. Continuo mahumetani transierunt in Hispaniam, quam, exceptis Asturiis, expugnarunt anno 711. Inde invaserunt Franciam, et pervenerunt ad Pictavium, in centro istius regionis. Ibi, anno 732, Franci, duce Carolo Martello, eorum agmina fregerunt. In Hispania, plura constituerunt regna, Toleti, Hispali, Granatae, cum califo in Corduba. Expulsio completa Maurorum ex Hispania, requisivit certamen quatuor saeculorum (1085-1492) (1).

In Mari mediterraneo, Arabes vicissim expugnarunt insulas Cyprum (649), Rhodum (654) et Siciliam, ubi prima vice apparuerunt anno 652 et quam totam occuparunt anno 828 (2). Pedem fixerunt etiam in Italia meridionali; anno 846, ipsam Urbem devastarunt et thesauros basilicarum S. Petri et S. Pauli depraedati sunt. Saeculis IX et X, Mare mediterraneum pro majore parte erat sub imperio Arabum: isti observabant ibi commercium europaeum, ipso facto quod tenebant potiorem partem litoris, sive a latere africano, sive a latere Europae et Asiae Minoris (3).

Quod isti Arabes cum gladio in manu christianis devictis, sub poena mortis, apostasiam injunxissent, minime consonat veritati historicae. Reapse, primo tempore, saltem usque ad totum saeculum X, Arabes excepto casu belli, vel rebellionis, aut contumeliae in Mahumetum, nulla violentia usi sunt in christianos qui eorum ac-

---

(1) Z. García Villada, *Historia eclesiastica de España,* t. III. Madrid, 1936.

(2) M. Amari, *Storia dei Musulmani di Sicilia,* ed. C. A. Nallino, 3 vol. Catania, 1938-1940.

(3) C. Becker, *The expansion of the Saracens, the East,* t. II. Cantabrigiae, 1913; Idem, *Vom Werden und Wesen der Islamischen Welt,* t. I. Lz., 1924; C. Diehl, *L'Afrique byzantine.* P., 1896; Butler, *The Arab Conquest of Egypt.* O., 1902; De Goeje, *Mémoire sur la conquête de la Syrie,* 2 ed. Leyden, 1900; M. Canard, *Les expéditions des Arabes contre Constantinople dans l'histoire et dans la légende,* in *Journal asiatique,* t. 208, 1926, p. 83 sq.; H. Pirenne, *Mahomet et Charlemagne.* P., 1937; O. Eck, *Seeräuberei im Mittelmeer, dunkle Blätter europäischer Geschichte.* Mn. 1943.

ceperant ditionem. Isti positi sunt sub statuto protectionis, quo libertas proprii cultus, proprietas bonorum, securitas et justitia concedebantur christianis. Servatur adhuc statutum istius generis stabilitum a magno califo Omar (634-44). En praecipuae clausulae istius statuti: christiani debent solvere tributum arabibus, celebrare cultum sine rumore; non aedificare ecclesias novas nec novos conventus; non instaurare ecclesias quae in ruinam eunt; non convenire in ecclesiis sitis in vicis ubi habitant musulmani; non addiscere Coranum, nec illum docere pueros; non mutare religionem, sed si aliquis christianus transire cupit ad islamismum, eum non impedire; non vestire sicut mahumetani, nec arma portare, nec vendere vinum (1).

Concessio hujusmodi unice inspirabatur consideratione oeconomica, scilicet desiderio obtinendi a christianis majora commoda materialia. Etenim, sub regimine islamitico, victi, praeter tributum ordinarium, solvere debebant tributum extraordinarium. Sed si christiani convertebantur ad islamismum, ipso facto liberabantur ab isto tributo extraordinario. Cum istud altissimum esset, attingebat saltem dimidiam partem fructuum terrae, occisio vel apostasia christianorum oeconomiam Arabum privasset uberrimo fonte lucri et prosperitatis. Proinde Arabes curarunt ut servarentur communitates christianae, quae eis procurabant artifices omnis generis, agricolas expertos et dociles stipendiarios.

Ita, in medio dominationis arabicae, christiani Syriae, Mesopotamiae, Aegypti et aliarum regionum, compositi sunt in corpus distinctum, cum facultate exercendi suam religionem, et administrandi propriam communitatem (2). Status iste de jure per plura saecula

---

(1) P. CHARLES, *L'Islam*, in op. cit., p. 655 sq.; J. GOLDZIHER, *Vorlesungen über den Islam*, ed. 2. Heidelberg, 1925.

(2) Damasci, Sergius Mansour, pater S. Joannis Damasceni ejusque avus probabilius praepositi erant, decursu saeculi VII, collectioni census quem christiani solvere debebant califo. Ipse Joannes Damascenus addictus erat servitio califi, usque ad annum circiter 715.

Peregrinationes in Terram Sanctam fiebant sub custodia Arabum, cum salvo-conductu ab eis tradito. Anno 869, Theodosius patriarcha Hierosolymorum referebat ad Ignatium patriarcham Constantinopolitanum quod Saraceni in pace relinquebant christianos, eosque sinebant aedificare ecclesias. CH. POULLET. *Histoire du christianisme*, op. cit., fasc. VIII, p. 203. Notetur Coranum aliquoties nullam admittere violentiam in materia religionis. Legitur enim II, 257: « Nulla sit coactio in religione. Via vera satis discernitur ab erronea ». Cfr. etiam XI, 120.

duravit. Tempore bellorum crucigerorum, christiani adhuc erant major pars multitudinis habitantium in regnis musulmanorum. Scribit anno 1283, geographus O. P. Burchardus de Monte Sion in *Descriptione Terrae Sanctae*: « In omni loco et regno, praeterquam in Aegypto et Arabia... pro uno Sarraceno triginta et amplius invenies christianos ». Dabantur regiones, asserit iste auctor, e.g. Cilicia et Asia Minor, ubi omnes incolae erant christiani, praeter ipsos balivos et exactores et aliquos de familia ipsorum (1).

Nihilominus, sine violentia, islamismus decursu temporis numerosos sequaces lucratus est inter christianos. Hoc explanatur influxu politico victoris super victum, attractione sensuali islamismi et ambitione sociali. Hi quibus lex moralis christiana nimio oneri erat, se liberabant transeundo ad islamismum. Apud ipsum clerum dabantur apostatae, ut e.g. saec. x, episcopus Samuel Eliberitanus in Hispania. Effectum nefastum generarunt matrimonia mixta: musulmanus jus habebat ducendi uxorem vel concubinam christianam, quae ipso facto fiebat musulmana; christianus non poterat musulmanam ducere nisi apostatando.

Fidem christianam repudiando, plurimi quaerebant evadere conditionem probrosam subditorum. Aliis, islamismus videbatur, non nova religio, sed forma incompleta christianismi, nova editio arianismi (2). Praeterea, oportet recordari in nonnullis partibus, uti in Syria, indigenas, ex eodem genere semitico oriundos ac Arabes, facile ad istos familiaritate usos esse. Ergo, non mandato inhumano: « Credas vel pereas », sed lenta assimilatione morali et sociali, spe lucri, ambitione et voluptate, subditi christiani decursu temporis partim saltem attracti et absorpti sunt a classe privilegiata victorum.

Exinde magnum damnum imminebat parti mundi christiani quae in ditione Arabum erat. Praeterea, toti Ecclesiae extremae ignominiae erat occupatio, a sequacibus Mahumeti, Terrae quae, inter omnes, a christianis sancta habebatur ob reliquias et memorias Redemptionis. Periculum pro Ecclesia crevit adhuc, saec. XI,

---

(1) P. Charles, op. cit., p. 659.

(2) A Dante Mahometus appellatur seminator scandali et schismatis: *La Divina Commedia, Inferno,* XXVIII, 35. Quoad influxum litteraturae islamicae in *Divina Commedia* Dantis, cfr. M. Asín Palacios, *La escatologia musulmana en la « Divina Commedia ». Seguida de la historia y critica de una polemica.* Madrid, 1943.

quando cum Arabibus se conjunxerunt Turcae Seldschukitae, ex Asia centrali, e stirpe turanica. Turcae pagani facile islamismum adoptarunt inde a medio saeculo XI, quando obtinuerunt califatum de Bagdad. Cum apparitione Turcarum e gente Seldschukita, concurrit, apud Arabes et Mauros, renovatio spiritus bellici adversus christianos. Anno 1071, Turcae Graecis infligebant gravissimam cladem in loco Mantzikiert (1); paulo post, Arabes cum Mauris reportabant victoriam prope Zalacam in Hispania (1086). Insuper Turcae Seldschukitae, crudeliores Arabibus, persequebantur christianos et profanabant sanctuaria Terrae Sanctae, cui dominabantur ab anno 1071.

Proinde, sub fine saeculi XI, impellentibus Turcis fanaticis, Ecclesia in gravi ponebatur discrimine. Ut populi christiani liberarentur a dominatione mahumetanorum, summi pontifices, inde ab Urbano II (1088-1099) bellum sacrum indixerunt adversus istos. Bella crucigerorum ab eis promota sunt ante omnia ut agmina mahumetanorum rejicerentur ultra confines christianarum gentium: recuperatio Terrae Sanctae symbolum et praemium erat liberationis universae Ecclesiae a periculo islamitico (2).

Bella crucigerorum, durante medio aevo, pro parte tantum attigerunt scopum liberandi populos christianos a dominatione islamitica. In Oriente, occupant duo saecula (1099-1291), cum vicissitudi-

---

(1) Hodie Melazgherd in Armenia, ad septentrionem lacus Van. J. LAURENT, *Byzance et les Turcs Seldjoucides dans l'Asie occidentale jusqu'en 1081*. P., 1913.

(2) Cfr. orationes habitae ab Urbano II in concilio Claramontano, anno 1095; ibi clare evocatur periculum quod toti Europae imminebat: « Vos, Galli... Hispanorum Aquitanorumque, ab ea gente [Saracenorum] oppressorum, dum in servitute rapiuntur, in Africam abducuntur, clamores ejulatusque singulos per dies audire debetis. Sed numquid vos, Germani, Saxones, Poloni, Bohemi, Hungari, etsi Turcas et Sarracenos intra viscera saevire vestra nondum sentitis, quam a vobis distent, vel fretis, vel fluminibus, ignoratis? Italiam nunc alloquor, quam multos ante annos Sarraceni dimidiam pene occuparunt... Venetos hic video, Dalmatas et alios sinus Adriatici accolas qui, dum perpetua cum Sarracenis praelia, ut se tueantur, exercent, quod est Italiae reliquum defensant. Quid multis? Fuit hactenus in extremis ad septentrionem partibus Europae Constantinopolitanum imperium obex et tanquam murus... Pulsus vero ante paucos annos Asia imperator, de retinendis Constantinopolitanis Europae regionibus laborat ». PL., t. 151, 580 sq. Jam ante Urbanum II, S. Gregorius VII non una vice litteras ad totum orbem christianum direxerat, ut fideles omnes Imperio byzantino auxilium praestarent adversus Turcas. Cfr. ejus epistolae, PL., t. 148, col. 300 sq.

nibus diversis, sed cum exitu finali negativo, dum in Occidente protrahuntur per totum medium aevum et magnam partem epochae modernae. Liberatio Hispaniae cum felici successu prosecuta est, duce S. Ferdinando rege Castellae, qui primo dimidio saec XIII regnum musulmanorum Hispalense expugnavit; belligerando per triginta annos (1220-1250), liberavit magnam partem Baeticae. In Oriente, eodem tempore, Arabibus et Turcis Seldschukitis se adjunxerunt Turcae Kharezmi, ex Khariezm in Asia centrali, qui, fugati a Mongolis, venerunt in Syriam et Aegyptum. Una cum musulmanis Aegypti, isti, anno 1244 expugnarunt Jerusalem, quae quasi uno saeculo cum dimidio (1099-1244) occupata fuerat a christianis. Sub fine saec. XIII, omnes possessiones crucigerorum in Oriente, scilicet in Syria et in Palestrina, iterum sub ditione mahumetanorum redactae erant (1).

Bella crucigerorum, in medio aevo, *pro tempore* tantum cohibuerunt invasiones musulmanorum in Europa orientali et fregerunt principatum eorum in Mari mediterraneo. Etenim, jam saeculo XIV, iterum aggrediebantur Europam orientalem, expugnabant Philippopolim et Andrinopolim, et perveniebant usque ad Hungariam. Serbia subjugabatur sub fine saec. XIV (1389) et remansit sub dominatione turca usque ad alterum dimidium saeculi proxime elapsi; eadem fuit sors Bulgariae. Anno 1396, sultanus Bajazet magnam victoriam reportabat super Hungaros et Gallos prope Nicopolim.

Tunc iterum summi pontifices, Eugenius IV et Calixtus III, providerunt defensioni Europae constituendo foedus principum christianorum, cui nomen dederunt Ladislaus Jagello, rex Poloniae et Hungariae, Joannes Hunyadi, dux Transylvaniae, Georgius Brankovitch, princeps Servionum et Georgius Castriota dux Albanensium. Anno 1456, ope praesertim Joannis Hunyadi et franciscani

---

(1) A. von Ruville, *Die Kreuzzüge*, Bonn, 1920; N. Jorga, *Brève histoire des croisades*. P., 1924; W. B. Stefenson, *The crusaders in the East. A brief history of the Wars of Islam with Latins in Syria during the twelfth and thirteenth Centuries*, Cambridge 1907; J. Walsh, *The Thirteenth, greatest of Centuries*, p. 289 sq. NY., 1929; G. Jacob, *Der Einfluss des Morgenlandes auf das Abendland vornehmlich während des Mittelalters*. Hannover, 1924; L. Bréhier, *L'Eglise et l'Orient au moyen âge. Les croisades*. P., 1928; G. Soranzo, *Il Papato, l'Europa cristiana e i Tartari*. M., 1930; Funk-Brentano, *Les Croisades*. P., 1934; M. Villey, *La Croisade. Essai sur la formation d'une théorie juridique*. P., 1942.

S. Joannis a Capistrano qui animum et Fidem militum christianorum excitabat, Turcae profligati sunt prope Belgradum. Minime fracti, ab initio saeculi sequentis, ducti a Solimano Magnifico (1520-1566), mahumetani impetum generalem fecerunt in Occidentem, in triplici directione: versus Danuvium, Mare mediterraneum et Africam septentrionalem. In Africa septentrionali, ubi organizabant suas incursiones in Siciliam, Italiam et Hispaniam, cladem acceperunt: anno 1535, imperator Carolus V expugnavit civitatem Tunetum et liberavit viginti millia christianorum quos Turcae in servitute tenebant; etiam alii nidi piratarum ad litus africanum destructi sunt, uti Mahdia in Tunisia (1550).

Sed in Europa centrali, versus Danuvium, et in Mari mediterraneo, Turcae impune progressi sunt usque ad annum 1570: equites S. Joannis expulsi sunt ex insula Rhodo anno 1521: eodem anno, civitas Belgradum expugnabatur; paulo postea exercitus Hungarorum destruebatur apud Mohacs (1526); anno 1529, Vindobona obsidione premebatur; impetu irresistibili, Turcae tendebant ad Hungariam, et anno 1566 occupabant locum strategicum Szissek, quo eis patebat accessus ad totam regionem. In Mari mediterraneo, expugnabant quasi omnes possessiones christianas, quae praecipue pertinebant ad rempublicam Venetam: Corcyram, Peloponesum, insulam Eubeam in Archipelago graeco, denique, anno 1570, Cyprum, ultimum propugnaculum christianorum in fronte Syriae.

Jam novas meditabantur incursiones, in Mari sive mediterraneo sive adriatico, quando papa S. Pius V ad arma conclamavit principes christianos. Foedere inito cum Philippo II rege Hispaniae, ducibus Venetiarum et Januae, aliisque principibus, comparata est classis quae, die 8 octobris anni 1571 magnificam victoriam reportavit super Turcas prope Naupactum (Lepanto) in Mari Ionico. Istâ victoriâ, potentia navalis Turcarum coercebatur modo irreparabili (1). Sed in Europa orientali Turcae conservabant omnes suas possessiones: Serbiam, Bulgariam, Romaniam, Albaniam. Quin animum demitterent, usque ad finem saeculi XVII omnem vim explicabunt ut propositum suum saeculare ad felicem exitum du-

---

(1) L. Pastor, *Geschichte der Päpste*, t. VIII, p. 555. Fr. 1920; L. Serrano, *La Liga de Lepanto*, 2 vol. Madrid, 1918-1920; G. Grente, *S. Pie V*, in coll. *Les Saints*, 3 ed. P., 1914.

cerent, scilicet expugnationem Hungariae, quae erat ultima protectio Europae centralis et meridionalis ab eorum invasionibus (1).

Sed frustra. A fine saeculi XVI, potestas politico-militaris Turchiae in Europa orientali ivit declinando, sub continua pressione crescentis auctoritatis Russiae et Austriae. Communitas islamitica autem, large diffusa in Asia et Africa, et etiam, minore gradu, in Europa orientali, nullo modo secuta est sortem Turchiae, sed crevit assidue operâ concordi suorum sodalium ubique terrarum.

Postquam anno 1601, in loco Szèkes-Fejervar, et anno 1664, ad flumen Raab apud S. Gothardum iterum devicti fuissent, Turcae anno 1683 ducti a Kara Mustafa irruerunt in Hungariam. Cum exercitu trecentorum millium hominum, iste dux viâ rectâ tetendit ad Vindobonam, quam arcta obsidione strinxit, dum viginti milia Tartarorum, in variis partibus Hungariae et Austriae, ferro flammaque omnia vastabant. Vindobona animo heroico defensa est ab obsessis, quibus praeerat comes Ernestus de Stahremberg. Sed proculdubio in manus Turcarum cecidisset, nisi, mense septembri 1683, exercitus christianus ductus a rege Poloniae, Joanne Sobieski, in adjutorium civitatis capitalis venisset; cum exercitu christiano erat praedicator magnae famae qui milites fervide hortabatur: Marcus ab Aviano capuccinus. Die 12 sept. 1683, exercitus Joannis Sobieski insignem victoriam reportavit, in qua Turcae quartam partem suorum militum perdiderunt (2). Primum meritum hujus victoriae tribuendum est fortissimo pontifici Innocentio XI, qui promoverat unionem principum christianorum adversus Turcas.

Duces christiani operam suam illico prosecuti sunt et paulo post liberarunt Strigoniam sedem primatialem Hungariae, quae jam a 140 annis in ditione Turcarum erat. Tunc tota Hungaria et regiones vicinae, uti Podolia, liberatae sunt. Ex omni parte pressa et devicta, Turchia pacem concludere debuit cum suis adversariis Austro-Hungaris, Polonis, Venetis et Russis, in loco Carlowitz die 26 jan. anni 1699. Virtute istius tractatus, Hungaria cum Transylvania addebantur S. Romano Imperio, scil. Austriae, Ucraina et Podolia conjungebantur cum Polonia, reipublicae Venetae concede-

---

(1) A. Lefaivre, *Les Magyars et la domination ottomane en Hongrie*. 2 vol. 1905.

(2) L. Pastor, op. cit., t. XIV, p. 669 sq.; O. Klopp, *Das Jahr 1683 und der folgende grosse Türkenkrieg bis zum Frieden von Carlowitz* 1699. Graz, 1882; M Heyret, *P. Marcus von Aviano O. M. Cap.* Mn., 1931.

bantur Dalmatia et Peloponesus, Russia extendebatur usque ad Maeotim paludem, et imperium Turcarum retroducebatur ultra flumina Una in Bosnia et Dniester in Bessarabia. Ab isto tempore, Turcae nullum amplius progressum fecerunt in Europa.

Exinde, sub respectu politico-militari, Turchia sine interruptione declinavit in Europa orientali, dum e contrario crevit potentia Russiae et Austriae, quae omni occasione assumebant protectionem populorum qui adhuc subdebantur Turcis in Romania, Valachia, Bulgaria, Albania, Serbia, Bosnia Herzegovina et Graecia. Ab initio saeculi elapsi, populi isti propriam independentiam vindicare coeperunt, favente opinione publica Europae occidentalis: anno 1830, Graecia erigitur in statu libero; post cladem a Russis Turchiae inflictam anno 1877, Romania, Serbia, Bulgaria et Montenegro status independentes declarati sunt Tractatu Berolinensi anni 1878. Quod ad Syriam et Palaestinam attinet, quae usque ad annum 1918 adscribebantur Turchiae, anno sequenti, a Tractatu Versaliensi positae sunt sub mandato duarum nationum quae eas nomine Societatis Nationum administrabant: Syria a Gallia et Palaestina a Britannia. Post bellum mundiale 1939-1945, Syria obtinuit duplicem administrationem propriam: Syriacam proprie dictam cum sede Damasci; Libanensem cum sede in civitate Beyrout. Quoad Palaestinam, ibi hactenus nondum stabiliri potuit modus vivendi pacificus inter Arabes et Judaeos.

Sub respectu politico-militari ergo, Turcae non amplius in discrimen adducere possunt Europam christianam: pro majore parte relegantur in Asia Minore, et a suis rectoribus incitantur ad desertionem paternarum traditionum potiusquam ad fervorem religiosum et ad incepta bellica (1). Sed praeter rempublicam Turcarum, existit semper islamismus, qui hodie adhuc est magna potentia religiosa tam numero quam diffusione. In toto mundo dantur circiter 250.000.000 mahumetanorum, ex quibus 9.000.000 in Europa, 174.000.000 in Asia et 50.000.000 in Africa (2). Super tribus inferioris culturae, uti in aliquibus partibus Africae, islamismus attractoriam exercet virtutem facilis elevationis socialis et religiosae. In religionem catholicam candidati non admittuntur nisi post **diutur-**

---

(1) Ex 14.500.000 hominum qui habitant in Turchia, 13.400.000 resident in parte asiatica Turchiae.

(2 G. DECLERCQ, *Islamismo*, in *Guida delle Missioni Cattoliche*, p. 605. sq. R., 1935; H. A. KROSE, *Religionsstatistik* in LTK, t. VIII, col. 791,

num et difficilem catechumenatum; e contrario, in islamismum commode ingreditur, sine interventu sacerdotis, sine sacramentis, simplici initiatione Corani quam unusquisque musulmanus conferre potest. In Africa centrali, e.g. mercatores musulmani sunt propagatores actuosi islamismi apud indigenas. In Africa septentrionali, musulmani ab antiquo constituuntur in confraternitatibus (*Senoussiya*), in quarum sinu antiquae traditiones stricte servantur.

Nec credendum est diffusionem hodiernam islamismi unice adscribi debere morum relaxationi cui indulget. Hoc valet tantum pro hisce partibus ubi jam existit polygamia, et ubi proinde islamismus nullam requirit abnegationem a polygamo, dum e contrario religio catholica ei imponit obligationem vivendi monogamice. Sed polygamia nullo modo factum generale est, nec in Africa nec in aliis partibus infidelium: reservatur tantum divitibus. Et praeterea, religio qualiscumque, quae nullam aliam vim persuasivam haberet nisi illecebras voluptatis, non potuisset superare tanta discrimina, clades et adversitates, uti fecit islamismus. Nec homines singuli, nec nationes vel religiones, crescunt et roborantur voluptate, sed debilitantur et praecipites eunt.

Historia probat ergo in islamismo aliquid dari fortius et majus vi armorum vel relaxatione voluptuaria. In eo habetur valor spiritualis, qui ei plurimum provenit ex saeculari, licet imperfecta, infiltratione christiana, sive doctrinae, sive exempli. Motus hodiernus qui notatur in islamismo pro majore elevatione spirituali vitae et pro revisione juris matrimonialis in sensu monogamico, referri potest ad influxum societatis christianae circumstantis. Praeter superbiam ob magna gesta majorum et fiduciam propriae superioritatis religiosae, quas islamismus inculcat sequacibus suis, habentur aliae notae magni pretii: disciplina sobrietatis, jejunium stricte servatum, mutuum adjutorium in hospitalitate et eleemosyna fraterna, preces quotidianae cum tentamine recollectionis in uno Deo, quae contribuunt fervori communitatis islamiticae et explanant quomodo musulmani, ubicumque sparsi, addicti remanent codici totius suae vitae, Corano, et arcte uniti operantur pro fide Mahumeti defendenda et propaganda.

Exinde islamismus, ob cohaesionem suam religiosam et socialem, ob vim suam expansivam, saltem externam, apud tribus inferiores, inter omnes alias religiones non christianas, hactenus fortius obstat evangelizationi paganorum.

CAPUT SECUNDUM

ECCLESIA IN ORIENTE

Summarium. — I. A translatione sedis capitalis Imperii in Byzantium (330) ad medium saeculum IX: 1) Actio politico-ecclesiastica pro Ecclesia Constantinopolitana. 2) Relatio partis orientalis Ecclesiae ad partem occidentalem,: causae abalienationis. - II. Ecclesia graeca a tempore Photii ad consummationem schismatis sub Michaele Caerulario (866-1054): 1) Quaestio personalis Photii. 2) Quaestio nationalis et religiosa qua Ecclesia graeca excitatur in S. Sedem. 3) Relatio Orientis ad Occidentem post Photium. 4) Conditio moralis S. Sedis saeculis IX-XI. 5) Actio violenta Michaelis Caerularii qua consummatur scissio Ecclesiae graecae a centro unitatis Fidei. - III. 1) Ecclesia in Oriente a consummatione scissionis (1054) usque ad expugnationem Constantinopolis a Turcis (1453); *a*) conamina S. Sedis pro defensione christianismi in Oriente et pro regressu dissidentium ad centrum unitatis Fidei; *b*) incomprehensio et injustitia in orientales a parte latinorum; *c*) concilium Ferrariense-Florentinum. 2) Ecclesia in Oriente a medio saeculo XV ad tempus praesens. I) Subjectio Ecclesiae graecae dominationi Turcarum. 2) Constitutio Ecclesiarum nationalium in Oriente: *a*) ex Ecclesia graeca; *b*) ex aliis Ecclesiis dissidentibus. 3) Conatus pontificum romanorum et conditiones pro regressu dissidentium ad unam Fidem.

I.

A TRANSLATIONE SEDIS CAPITALIS IMPERII AD MEDIUM SAECULUM IX

1. - Actio politico-ecclesiastica pro Ecclesiae Constantinopolitanae gratia. — Actio ista incipit a regno Constantini Magni (+ 337). Duobus factis imperator ille contribuit praestantiae Constantinopolis: *a*) immixtione in negotiis Ecclesiae, cum recta intentione procurandi pacem simul in Ecclesia et in Imperio; *b*) translatione, anno 330, sedis capitalis Imperii romani ab urbe Roma ad Byzantium, quae exinde nominata est Constantinopolis (1).

Constantinus functus est officio protectoris et conservatoris religionis christianae; uti declaravit papae Miltiadi, anno 313, nullum toleravit schisma vel divisionem. Pacem religiosam considerabat tan-

---

(1) *Histoire de l'Eglise,* directa ab A. FLICHE et V. MARTIN, t. III, p. 58 sq. P., 1936.

quam elementum essentiale pacis Imperii. Quare in Ecclesia sicut in Imperio, egit tanquam Pontifex Maximus et Imperator Augustus, non pro definitione dogmatum, sed pro pace et unitate religiosa servanda. Non obstante ejus optima intentione, interventus ejus in quaestionibus ecclesiasticis non semper fuit in bonum Ecclesiae, uti e.g. in quaestione arianismi, quando, post concilium Nicaenum, partem sumpsit pro Ario adversus S. Athanasium (1).

Exemplum ejus imitati sunt ejus successores, qui modo systematico se immiscuerunt in re doctrinali et disciplinari Ecclesiae, et simul voluerunt esse principes temporales et summi sacerdotes: Βασιλεὺς καὶ ἱερεὺς. Ita fecit Constantius, filius Constantini M. Post illum, immixtio imperialis crescit eundo, e.g. sub imperatore Justiniano (+565), sub Leone III Isaurico, qui Ecclesiam habebat servam Imperii (+ 741). Exinde nascitur, apud altum clerum Constantinopolitanum, servilismus religiosus, quo decreta imperatorum in materia religiosa obsequenter ad executionem ducuntur.

Praeterea, Constantinus Magnus sedem capitalem Imperii transtulit ab Urbe in Byzantium, quod circa 330 in magnificam civitatem, imperiali splendore dignam, transfiguratum est. Hactenus Byzantium, sub respectu ecclesiastico, sedes suffraganea erat sedis metropolitanae Heracleae in Thracia. Sed a tempore quo fiebat sedes capitalis Imperii, aucta est etiam ejus praestantia ecclesiastica ex relationibus frequentioribus inter episcopum Constantinopolitanum et imperatorem, et ex recursu christianorum, presbyterorum et episcoporum partis orientalis Imperii ad eum, ut intercederet pro eis apud imperatorem. Quin hoc praevideret, Constantinus, fundando Constantinopolim, creabat centrum ecclesiasticum quod decursu temporis fieret aemulus religiosus Romae (2).

Incremento politico Byzantii, simul crevit, apud aliquos episcopos istius civitatis, desiderium obtinendi primatum in spiritualibus pro Ecclesia byzantina. Jam a primo episcopo Constantinopolitano Eusebio Nicomediensi (+ 341), incepit actio lenta ut Constantinopolis elevaretur super alias sedes Orientis et locum aequalem una cum Roma haberet.

---

(1) *Praelectiones Historiae ecclesiasticae antiquae*, p. 308 sq.
(2) L. Bréhier, *Constantin et la fondation de Constantinople*, in *Revue historique*, t. CXIX, 1915, p. 248; A. Vasiliev, *Histoire de l'empire byzantin*, op. cit. t. I, p. 71 sq.

7.

Isto scopo, Eusebius Nicomediensis ejusque imitatores sedes antiquiores in Oriente, uti Antiochia, quae jurisdictionem habebat super Syriam, Phoeniciam ac Palaestinam, et Alexandria, quae erat Ecclesia primaria totius Aegypti, quaesierunt minuere, dividere et debilitare. Insuper, in suis disceptationibus cum his Ecclesiis, approbationem papae invocarunt. Ei obsequium praestiterunt in quantum eis indulsit; sed quando repudiavit eorum postulata, tunc auctoritatem ejus rejecerunt, eique denegarunt omne jus interveniendi in negotiis ecclesiasticis Orientis. Ita e.g., Eusebius a Nicomedia, protector Arii adversus S. Athanasium, isti, qui erat episcopus legitimus Alexandriae, suscitavit competitorem et petiit a papa Julio I ut Athanasius deponeretur. Cum Julius I noluisset sequi consilium tam iniquum, tunc Eusebius papae exprobravit quod decreta conciliorum orientalium violaverat, scilicet canonem concili Tyri anni 335, quo S. Athanasius injuste a sede sua depulsus fuerat.

Eodem modo egerunt plures successores Eusebii Nicomediensis: Eudoxius, Acacius, Sergius, Anastasius, serviles erga imperatores, cum eis catholici vel haeretici; insolentes in praesules antiquiorum sedium; erga S. Sedem, si approbantur, obsequiosi, si exprobrantur, rebelles. Conciliis Constantinopoli celebratis, usi sunt ut dignitas et auctoritas sedis Constantinopolitanae ampliarentur. In primo concilio oecumenico habito Constantinopoli, anno 381, centum quinquaginta patres episcopo Constantinopolitano concesserunt primatum honoris post Romanum episcopum, eo quod Constantinopolis est nova Roma. In Ecclesia latina, pars dogmatica tantum concilii istius admissa est, scilicet damnatio haeresis Macedonii episcopi Constantinopolis qui asserebat Spiritum Sanctum non esse Deum (1).

Saeculo sequenti, anno 451, in concilio oecumenico Chalcedonensi, sexcenti circiter patres orientales in can. 9 et 17 *sedi regiae* urbis Constantinopolitanae largiti sunt jurisdictionem appellationis, et in can. 28, adjuncto post factum, decreverunt Constantinopoli, novae Romae, eadem privilegia tribuenda essa quae antea acceperat Roma antiqua quando erat urbs capitalis Imperii: exinde Constantinopolitanae sedi deferebantur jura patriarchalia super metropolitanos et episcopos Asiae Proconsularis, Ponti et Thraciae (2). Sessioni

---

(1) Mansi, t. III, 557 sq.; HC, t. II, prima pars, p. 21 sq.; EHA, n. 648; ES, n. 85 sq.

(2) EHA, n. 943: « Sanctorum Patrum decreta ubique sequentes et canonem, qui nuper lectus est, centum et quinquaginta amantissimorum episco-

diei 31 octobris 451, in qua canon 28 promulgatus est, nec legati pontificii, nec legati imperiales interfuerunt; tres legati pontificii, Paschasinus, Lucentius et Bonifatius, nomine papae Leonis adversus hunc canonem protestati sunt, invocando can. 6 concilii Nicoeni, quo definiebantur privilegia praecipuarum sedium.

Canon 28 non contradicebat primatui doctrinali Sedis romanae, quem patres concili Chalcedonensis expresse agnoscebant. Etenim, admiserant episcopum Paschasinum, et duos alios legatos, tanquam praesides concilii nomine Leonis Magni. Concilio peracto, patres scripserunt ad papam, illum ope legatorum, patribus concilii praepositum fuisse tanquam caput membris (2). Sedi Constantinopolitanae tribuere volebant, non primatum doctrinalem, sed primatum honorificum, ut elevaretur super alias sedes episcopales in Oriente, etiam super Antiochiam et Alexandriam. Nihilominus, Leo Magnus noluit agnoscere primatum honorificum Constantinopolis, sed eum aperte rejecit, in epistola ad imperatorem Marcianum (22 maii anni 452); canon 28 nocebat juri priorum Ecclesiarum et viam aperiebat transitioni a primatu honorifico ad primatum doctrinalem, uti deinde revera factum est. Praeterea, concilium Chalcedonense erronee asserebat praecedentiam honorificam aliaque privilegia Romae tributa fuisse ratione politica, tanquam sedi capitali Imperii: honor praecedentiae Sedi romanae unice proveniebat ratione ecclesiastica, quia primatus Petri transiit in ejus successores (1).

Praecedentia Ecclesiae Constantinopolitanae super alias Ec-

---

porum [conc. oec. Constantin. an. 381] agnoscentes, eadem quoque et nos decernimus ac statuimus de privilegiis sanctissimae Ecclesiae Constantinopolis, novae Romae. Etenim antiquae Romae throno quod urbs illa imperaret, jure Patres privilegia tribuerunt ». Quoad definitionem de duabus naturis Christi quae in isto concilio data est adversus monophysitas, cfr. ES, n. 148.

(1) ES, n. 149. (2) Ex epist. S. Leonis M. ad imperatorem Marcianum: « Habeat, sicut optamus, Constantinopolitana civitas gloriam suam, ac protegente dextera Dei diuturno Clementiae Vestrae fruatur imperio. Alia tamen ratio est rerum saecularium, alia divinarum, nec praeter illam petram quam Dominus in fundamento posuit, stabilis erit ulla constructio. Propria perdit, qui indebita concupiscit. Satis sit praedicto [Anatolio episcopo Constantinopolitano] quod Vestrae Pietatis auxilio et mei favoris assensu episcopatum tantae urbis obtinuit. Non dedignetur regiam civitatem, quam apostolicam non potest facere sedem, nec ullo speret modo quod per aliorum possit offensiones augeri ». PL, t. 54, 993; EHA, n. 898.

clesias Orientis sancita est lege imperiali a Justiniano, anno 545 (1). In concilio Quinisexto, vel Trullano II (692), non tantum confirmabatur praerogativa Ecclesiae Constantinopolitanae, sed disciplina Ecclesiae graecae, e.g. quoad vitam conjugalem presbyterorum et diaconorum, exaltabatur super disciplinam Ecclesiae romanae (2). Papa Sergius noluit subscribere canonibus istius concilii, licet apocrisiarii ejus, decepti subscripsissent. Ab eodem studio augendi propriam auctoritatem, repetenda est origo tituli *patriarchae oecumenici* (universalis), quem episcopi Constantinopolitani assumpserunt, probabilius jam tempore Acacii sub fine saeculi V (3). Tempore S. Gregorii Magni (590-604), episcopus Constantinopolitanus Joannes IV Jejunator, titulo patriarchae oecumenici vana ostentatione utebatur. Hunc titulum papa probare noluit, nec pro episcopo Constantinopolitano, nec pro quocumque alio episcopo et nequidem pro semetipso, quia « si unus patriarcha universalis dicitur, patriarcharum nomen caeteris derogatur » (*Epist.* lib. V, 43). Ipse Gregorius Magnus utebatur titulo *Servus Servorum Dei*, quem successores ejus servarunt (*Epist.* lib. XIII, 1). Sane, plurimi praesules Constantinopolitani titulum patriarchae oecumenici adhibuerunt non in sensu *universali*, sed in sensu *imperiali*, intelligendo vocabulo οἰκουμένη, non totam *Ecclesiam*, vero *Imperium*. Attamen haec vox ambigua erat, et poterat intelligi in seensu primatus universalis (4).

Modus agendi episcoporum Constantinopolis plures habuit consequentias. *a)* Quoad Ecclesias antiquiores Orientis, praesertim Alexandriam et Antiochiam, istae noluerunt admittere principatum Eccle-

---

(1) EHA, n. 1036. (2): « Quoniam Romanae Ecclesiae pro canone traditum esse cognovimus, ut promovendi ad diaconatum vel presbyteratum profiteantur se non amplius suis uxoribus conjungendos: *nos antiquum canonem apostolicae perfectionis ordinisque servantes*, hominum qui sunt in sacris legitima conjugia deinceps quoque firma et stabilia esse volumus ». EHA, n. 1093. Hoc concilium appellatur quinisextum quia pro parte disciplinari complebat opus peractum a concilio oecumenico V et VI scilicet a concilio Constantinopolitano II anni 553 et a Constantinopolitano III anni 680.

(3) Acacius episcopus Constantinopolitanus anno 484 a papa Felice II excommunicatus est quia nolebat admittere decreta conc. oec. Chalcedonensis (451). Exinde Acacius schisma fecit quo Ecclesia Constantinopolitana triginta quinque annorum spatio a communione romana separata remansit. HC, t. II, p. 870 sq., 916 sq.; L. Duchesne, in *Mélanges d'archéologie et d'histoire*, t. XXXII, 1912, p. 305 sq t. XXXIII, 1913, p. 337 sq.; ES, n. 169, 171.

(4) *Histoire de l'Eglise*, directa ab A. Fliche et V. Martin, t. V, p. 64 sq.

siae Constantinopolitanae. Sibi constituerunt hierarchiam nationalem independentem ab episcopis graecis nominatis a patriarcha Constantinopolitano. Introducta est, modo officiali, liturgia propria in lingua syriaca Antiochiae, in lingua coptica Alexandriae. Sane, jam in usu erat forma aliqua liturgiae syriacae et copticae, saltem ruri: sed hoc quod antea fiebat in unione cum ritu graeco, nunc factum est in oppositione ritui graeco, ex repugnantia ambitioni Ecclesiae Constantinopolitanae. Constitutio hierarchiae nationalis in Syria et Aegypto, consummata cursu saec. VI, ab hoc tempore serie nunquam interrupta continuata est usque ad dies nostros.

Discordiis inter Syros, Aegyptios et Graecos, multum contribuerunt controversiae theologicae in Oriente. Alexandrini et Antiocheni, sub impulsu S. Cyrilli Alexandrini, strenue impugnarunt, usque ad condemnationem definitivam, in concilio Ephesino (431), haeresim Nestorii episcopi Constantinopolitani qui asserebat duas esse personas, divinam et humanam in Christo, et Mariam non esse Matrem Dei. Ex alia parte, Constantinopolitani, ducti a patriarcha Flaviano, vehementer obstiterunt errori Eutychii docentis in Christo unam tantum esse naturam, scilicet divinam; qui damnatus est in concilio Chalcedonensi (451). Cum ejus error, monophysismus, praecipuos fautores haberet in Aegypto et in Syria, Graeci eo majore zelo istos persecuti sunt.

b) Quoad Imperium, restringitur quotidie vinculum quo patriarchatus Constantinopolitanus devincitur auctoritati imperiali. Imperator in ultima instantia decernit de rebus religiosis, etiam in materia Fidei, et saepe saepius patriarcha Constantinopolitanus, decisiones imperatoris humiliter excipit et ad executionem ducit. Sic fecit, post Eusebium Nicomediensem, Eudoxius sub fine saeculi IV: fuit servile instrumentum imperatoris Constantii in promovendo arianismum. Patriarcha Eutychius, obtemperavit imperatori Justiniano I in disceptatione cum papa Vigilio (553). Patriarcha Sergius favit monothelismo imperatoris Heraclii (638). Alii episcopi Constantinopolitani, uti Macedonius, Nestorius, Acacius, eo facilius proprios errores diffundere potuerunt quod gratia in aula imperiali valebant (1).

c) Quoad S. Sedem, relaxatur vinculum inter patriarchatum Constantinopolitanum et Sedem romanam. Attamen, primatus papae in rebus Fidei universim adhuc agnoscebatur in Oriente. Ope lega-

---

(1) A. M. JACQUIN, *Histoire de l'Eglise,* t. II, p. 76 sq.

torum, papa praesidebat conciliis, quae celebrantur in Oriente, et confirmabat vel reprobabat eorum decreta: ita fecerunt papa Agatho in VI concilio oecumenico, habito Constantinopoli anno 681, papa Sergius quoad concilium quinisextum (692), papa Hadrianus I in VII concilio oecumenico, Niceae anno 787. Opinio publica pro maxima parte revera catholica erat in Oriente et adhaerebat unitati Fidei et Ecclesiae. Sed non raro contentiones oriebantur ab causas plurimas inter quas machinationes patriarchatus Constantinopolitani non ultimum occupabant locum.

2 . **Causae abalienationis Orientis ab Occidente.** — Praeterea considerari debent omnes aliae circumstantiae quibus relationes inter Orientem et Occidentem difficiles reddebantur, e. g. circumstantiae locorum: ob magnam distantiam, visitationes mutuae potius rarae erant. Praeterea, dualismus linguarum erat fons incomprehensionis; lingua graeca plerumque ignorabatur in Occidente, et vicissim lingua latina in Oriente. Usque ad tempus imperatoris Justiniani I (+ 565), lingua officialis pro legibus et administratione Imperii, fuerat lingua latina: proinde *Corpus juris civilis* in lingua ista compositum est. Sed jam sub fine ejusdem saec. VI et initio saeculi sequentis, sub imperatore Mauritio, litterae graecae praevalere inceperunt Constantinopoli, cum exclusione linguae latinae. Inde ortae sunt discrepantiae, quibus augebatur separatio Orientis ab Occidente. E.g., acta II concilii Nicaeni, VII oecumenici (787), conscripta in lingua graeca, de mandato papae Hadriani I (+ 795) in linguam latinam translata sunt, sed modo imperfecto : in decreto VIII de cultu imaginum, vocabulum graecum προσκύνησις, veneratio, transferebatur vocabulo latino *adoratio*. Explicabatur infra, adorationem istam tantum honorariam esse, et nullo modo significare latriam soli Deo tribuendam (1). Sed vocabulum *adoratio* suspectum videbatur Carolo Ma-

---

(1) Secundum translationem latinam, episcopus aliquis Cypri eumdem honorem reddidisset imaginibus ac SS. Trinitati, dum in actis authenticis graecis assertio plane adversa habebatur. Ad confutandos sic dictos errores propositos a praedicto concilio Nicaeno, secundum infidelem translationem latinam, de mandato Caroli Magni confecti sunt *Libri Carolini*, probabilius ab Alcuino. Editi sunt in PL, t. 98; MGH, *Concilia*, t. II, Supplementum, ed. H. BASTGEN. 1924; J. MARÉCHAL, *Les livres Carolins*. Lugduni, 1906; E. BORNET, *La controverse des images en Occident*. Lugduni, 1906; HC, t. III, p. 1127 sq.; ES, n. 302; H. BASTGEN in *Neues Archiv*, XXXVI-XXXVII, 1911-1912.

gno et clero Imperii Francorum: quare decretum de cultu imaginum in praedicto concilio editum, ab eis receptum non est. Notandum est etiam, ob instaurationem Imperii romani in Occidente (800), Graecos simultatem concepisse non tantum in Francos, quos habebant barbaros, sed in ipsam S. Sedem, cui exprobrabant foedus initum cum dynastia carolingia. Adversus Carolum Magnum ejusque successores, imperatores Imperii romani Orientis sibi vindicabant titulum imperatoris Romanorum.

Sub respectu *doctrinali*, praeter quaestionem de cultu imaginum, erat etiam, inde a saeculo VII, alia causa divisionis inter Latinos et Graecos, ob controversiam circa admissionem vel omissionem vocabuli « Filioque » in symbolo Fidei. In concilio Nicaeno (325) habetur tantum: « Et in spiritum Sanctum ». Symbolum Nicaeno-Constantinopolitanum, in concilio oecumenico Constantinopolitano anno 381 editum, sonat: « Et in Spiritum Sanctum, Dominum et vivificantem, *ex Patre procedentem* », quin aliquid negetur vel affirmetur circa processionem Spiritus Sancti a Filio. Patres graeci, Athanasius, Basilius, Gregorius Nyssenus et alii, docebant processionem Spiritus S. ex Patre per Filium (1). Ista expressio non contradicebat formulae adhibitae hinc inde in Occidente: ex Patre *Filioque*. Dum Graeci nolebant inserere *Filioque* in symbolum, Latini vocabulum istud admiserunt, primum Hispani, deinde Galli et Germani. Anno 809, Carolus Magnus a papa Leone III petiit ut *Filioque* adoptaretur in tota Ecclesia romana. Papa recusavit, non quia dogma Processionis Spiritus S. e Filio rejiciebat, sed quia ei repugnabat aliquid innovare in antiqua formula symboli Nicaeno-Constantinopolitani. Vocabulum *Filioque* in symbolum Ecclesiae romanae introductum est tantum initio saec. XI a papa Benedicto VIII. Interea, ista controversia auxit abalienationem Graecorum a Latinis (2). Abalienatio adhuc ingravescebat usibus et observantiis diversis, e.g. quoad coelibatum, jejunium, et barbam, quam Latini radebant, dum Graeci eam longam ferebant.

Inde videtur, praeter ambitionem personalem aliquorum epi-

---

(1) Cfr. textus e Patribus graecis, in EP, n. 479, 611, 770, 953, 1040, 2348. Quoad doctrinam S. Maximi Confessoris et S. Joannis Damasceni: PG, t. 91, 133 sq.; M. JUGIE, *Jean Damascène* (saint) in Dth.

(2) E. MANGENOT, *L'origine espagnole du Filioque*, in *Revue de l'Orient chrétien*, 1906, p. 92 sq.; A. PALMIERI, *Filioque*, in Dth; M. JUGIE, *Theologia dogmatica christianorum orientalium*, t. I, P., 1926.

scoporum Constantinopolis, et interventum indebitum imperatorum in negotiis ecclesiasticis, extitisse etiam circumstantias indolis generalis, uti distantia, mutua incomprehensio, dissensiones politicae, controversiae doctrinales, quae excedebant ambitum localem Constantinopolis, cum essent indolis nationalis et religiosae, et respicerent omnes relationes Ecclesiae graecae ad S. Sedem et Ecclesiam latinam.

II.

ECCLESIA GRAECA A TEMPORE PHOTII AD CONSUMMATIONEM SCHISMATIS

1. - Quaestio personalis Photii. — Altero dimidio saeculi IX (866), Photius conjunxit quaestionem personalem patriarchatus cum quaestione generali relationum Orientis christiani ad S. Sedem et ad Ecclesiam latinam, ac proinde actionem individualem auxit motivo nationali et politico-ecclesiastico.

Brevi recordemur aliqua facta indolis politico-ecclesiasticae, quorum cognitio juvat intellectui mentis et modi agendi Graecorum:

Ob foedus initum cum Francis, Roma a Graecis habebatur civitas capitalis Barbarorum occidentalium, quasi priscum decus imperiale abdicasset.

Cum mare Mediterraneum sub ditione musulmanorum esset, relationes inter Orientem et Occidentem exinde difficiliores redditae sunt. Decursu saec. VII, Palaestina, Syria et Aegyptus admiserunt regimen politicum Arabum, cum evidenti deminutione capitis patriarchatuum Hierosolymitani, Antiocheni et Alexandrini; dum Graeci per plurima saecula numerosos oppugnantium Arabum et Turcarum violentos impetus victriciis armis propulsarunt. Exinde, inter patriarchatus Orientis, solus patriarchatus Constantinopolitanus libere potuit vitam religiosam explicare et ad plenam expansionem suae actuositatis, sive doctrinalis sive apostolicae, devenire.

Saeculo IX, Constantinopolis, « Civitas a Deo custodita » uti appellabatur, Graecis apparebat eminentior inter omnes civitates. Positione sua strategica, facile defendebatur ab omni aggressione inimicorum, sive a latere maris sive a latere terrae, cum vallo protegeretur a Cornu aureo ad mare Marmaricum.

Per portum Constantinopolitanum, merces et onera commeabant inter Asiam et Europam: ibi erant nundinae, ad quas conveniebant mercatores et emptores e Pontu Euxino, ex Arcipelago graeco et ex mari Mediterraneo.

Quoad cultum humanum civilemque, quoad litteras et sapientiam, Constantinopolis communicabat cum praecipuis sedibus antiquae urbanitatis hellenicae: Epheso, Corintho, Athenis.

Praeterea Ecclesia graeca, cujus centrum erat patriarchatus Constantinopolitanus, eminebat unitate, ordine et praecedentia super Ecclesias ritus syriaci et coptici. Tanquam regula Fidei et norma disciplinae, ubique accipiebantur septem concilia oecumenica in Oriente celebrata. Omnes haereses in Oriente ortae, vicissim confutatae et damnatae fuerant: arianismus, nestorianismus, monophysismus et monothelismus. Ipsa vehementissima controversia de cultu imaginum, in qua praesertim S. Germanus et S. Joannes Damascenus doctrinam catholicam defenderant, felicem habuerat exitum in VII concilio oecumenico Niceae anno 787, et in synodo Constantinopolitana anno 842, ubi definitum est imaginibus recte exhiberi posse *veneratio* relativa, in quantum dirigitur ad sanctum imagine repraesentatum, sed nullus cultus *latriae,* nulla adoratio.

Ut victoriam super haeresim reportatam necnon et propriam rectitudinem doctrinalem celebraret, Ecclesia graeca instituit, in synodo Constantinopolitana anni 842, praeside S. Methodio patriarcha, festum orthodoxiae, $Πανήγυρις\ τῆς\ ὀρθοδοξίας$, quotannis celebrandum prima dominica Quadragesimae (1). Praeterea, Ecclesia graeca tunc temporis incumbebat in conversionem populorum slavorum qui saeculis VII et VIII regionem balcanicam occupaverant, Serborum, Bulgarorum et Moravorum.

Anno 847, sedem Constantinopolitanam occupabat Ignatius, filius minor natu imperatoris Michaelis I Rhangabé, quem anno 813 Leo Armenus a throno dejecerat. Ignatius studiose defenderat cultum imaginum, sed nimio rigore procedebat, etiam in relatione ad S. Sedem (2).

---

(1) Festum orthodoxiae prima vice celebratum est Constantinopoli die 11 martii anni 843, praesidente S. Methodio patriarcha Constantinopolitano. Ab isto festo Ecclesia graeca accepit titulum Ecclesiae *orthodoxae.*

(2) F. SEPPELT, *Das Papsttum und Byzanz*. Breslau, 1902; A. FORTESCUE, *The Orthodox Eastern Church,* 3 ed. Lo., 1911; J. BOUSQUET, *L'unité de l'Eglise et le Schisme grec.* P., 1913; B. J. KIDD, *The Churches of Eastern Christendom from A. D. 451 to the present time.* Lo., 1927; *Vita* S. Ignatii a NICETA DAVID, in PG, t. 105, 487 sq.; HC, t. IV, pars prima, p. 254 sq., 452 sq., 481 sq.; art. *Ignace* in Dth, t. VII, col. 713; *Histoire de l'Eglise,* dir. ab A.

Jam cito Ignatius in contentionem venit cum Gregorio Asbesta, archiepiscopo Syracusano, qui sedem reliquerat ob invasionem Arabum et anno 843 refugii causa Constantinopolim petierat. An post mortem patriarchae S. Methodii, Gregorius Asbestas ad patriarchatum tenderat? Quanam de causa Ignatius eum deposuerat, eique substituerat successorem in sede Syracusana? Ignoratur, sed certum est totum negotium ad Curiam romanam allatum fuisse. Tanquam Cathedrae Petri et primae sedi, Romae jus erat se interponendi in negotiis controversis aliarum Ecclesiarum et excipiendi recursum episcoporum qui a suo metropolitano appellabant ad tribunal apostolicum.

Patriarcha Ignatius, dum obstinate sed frustra, ageret apud summos pontifices Leonem IV et Benedictum III ut sine instructione causae confirmarent depositionem Gregorii Asbestae, incurrebat in offensam imperatoris Michaelis III. Iste, filius imperatoris Theophili, thronum ascenderat anno 856, et malo subjacebat spiritui avunculi Bardae, viri ingeniosi, qui Constantinopoli universitatem studiorum instituerat, sed vitam ducebat scandalosam. Ea de causa, patriarcha Ignatius in Epiphania anni 858 communionem negaverat Bardae. Praeterea, noluerat consentire detrusioni in monasterium imperatricis matris Theodorae ejusque filiae, a Michaele III perpetratae.

Omnia haec patriarchae in crimen objecit curia imperialis, cujus sententiâ anno 858 Ignatius patriarchatus gradu dejectus est et in insulam Terebinthum relegatus. Arbitrio Michaelis III, Ignatio successit Photius adhuc laicus, secretarius imperialis (1).

Vir eruditus in omni scientia sacra et profana, Photius, cognatus imperatricis Theodorae et Caesaris Bardae, erat persona grata in curia byzantina, et solerter officiis secretarii et magistri functus fuerat. Non probatur eum fuisse, nec adulatorem Caesaris Bardae, nec complicem archiepiscopi Gregorii Asbestae in machinatione adversus patriarcham Ignatium. Sed non obstante prohibitione ca-

---

FLICHE et V. MARTIN, t. VI, p. 465 sq. P., 1937; M. JUGIE, *Le Schisme byzantin. Aperçu historique et doctrinal.* P., 1946.

(1) PG, t. 102, col. 585. I. HERGENROETHER, *Photius Patriarch von Constantinopel, sein Leben, seine Schriften und das Griechische Schisma*, 3 vol. Ratisbonae, 1867-1869; HC, t. IV, 1; E. AMANN, in Dth, t. XII, art. *Photius;* G. HOFMANN, *Photius et Ecclesia Romana*, 2 fasc. R., 1932; F. DVORNIK, *Le premier schisme de Photius* (Actes du IV Congrès international des études byzantines). Sofia, 1935.

nonica, a statu laicali sine transitu per ordines sacros ad patriarchatum evectus fuerat. Fautores Photii invocabant exemplum S. Ambrosii episcopi Mediolanensis et patriarcharum Constantinopolis, Nectarii et Tarasii, qui simili modo propriae ecclesiae praepositi fuerant. Praeterea Photio objiciebatur patriarchatum non vacare ob iniquam depositionem Ignatii. Vero, amici Photii respondebant Ignatium anno 858 mense decembri suae abdicationi subscripsisse, dummodo hic qui ei substitueretur esset in sua communione. Ita fecisset Ignatius ut Gregorius Asbestas ejusque sequaces arcerentur a patriarchatu.

Quidquid sit, videtur Photium propriae promotioni assensum dedisse ut concordia in ecclesia Constantinopolitana instauraretur: ei propositum erat tribuere Ignatio titulum honorificum patriarchae et ab eo consilium capere. Spatio sex dierum, ordines sacros accepit, et die Nativitatis 858 episcopus consecratus est a Gregorio Asbesta. An iste, depositus ab Ignatio, licite poterat conferre Photio sacramentum Ordinis? Alii negabant, alii affirmabant. Certe ejus depositio non confirmata fuerat a S. Sede.

Photio praesertim adversabantur duo episcopi, Metrophanes Smyrnensis, et Stylianus, Neocaesariensis, necnon monachi florentis monasterii Studii Constantinopoli, dum monachi Olympi in Thessalia generatim partes tenebant Photii (1). Tempore verno anni 859, synodus habita Constantinopoli in ecclesia SS. Apostolorum Ignatium a sede depositum declaravit et poenis canonicis in plurimos ejus fautores animadvertit.

Secundum consuetudinem, Photius evectionem suam ad sedem Constantinopolitanam notam fecit in litteris synodicis, sive enthronisticis, missis ad quatuor patriarchas: Romae, Antiochiae, Alexandriae et Hierosolymorum. Eorum responsio, si benevola, significaret eos in communione vivere velle cum Photio, et exinde ipsa ejus conditio in propria ecclesia valde augeretur. Ei ante omnia cordi erat obtinere confirmationem a prima sede patriarchali, Roma.

---

(1) Quoad Metrophanem, cfr. MANSI, t. XVI, Acta Concilii VIII, parte III; quoad Photium, ejus praecipua opera sunt: *Myriobiblion*, in quo recensentur 280 auctores sacri et profani, *Amphilochia*, dialogus cum discipulo Amphilochio circa tercentas viginti sex questiones pertinentes ad exegesim, theologiam et philosophiam; *Contra Manichaeos; De Spiritus Sancti Mystagogia*, circa processionem tertiae Personae SS.mae Trinitatis; Commentaria S. Scripturae; Homiliae; Epistolae; ed. in PG, t. 101-104; M. JUGIE, *Theologia dogmatica christianorum orientalium*, t. I. Parisiis, 1926.

In epistola ad papam Nicolaum I, Photius asserebat se nolentem ad patriarchatum electum esse; de circumstantiis in quibus Ignatius depositus fuerat, paulum referebat, et desinebat emittendo professionem Fidei ad mentem septem Conciliorum oecumenicorum (1). Nicolaus I, antequam Photium in communionem Ecclesiae Romanae admitteret, duos legatos Constantinopolim misit, Radoaldum episcopum Portuensem et Zachariam episcopum Ananiensem, qui, tota re diligenter perpensa ut meri cognitores litis et non tanquam arbitri, deinde referrent papae.

Isti legati secum ferebant litteras Nicolai I ad Photium et ad imperatorem Michaelem III. Photio summus pontifex objiciebat promotionem patriarchalem irregularem esse, quia neophytus erat, non clericus (2). In epistola ad imperatorem, papa invalida declarabat acta synodi celebratae in ecclesia SS. Apostolorum, in qua patriarcha Ignatius depositus fuerat. Praeterea protestabatur adversus decreta imperatoris Leonis III Isaurici (+741) quibus Calabria et Sicilia patrimonio spirituali ecclesiae Constantinopolitanae adnexae fuerant, et requirebat ut Illyricum orientale, Epyrus, Illyria, Macedonia, Thessalia, Achaia, Dacia, Moesia et Praevalitana restituerentur jurisdictioni Romanae (3).

Violando mandatum habitum a papa, legati pontificii Radoaldus et Zacharias, instigatione curiae byzantinae mense aprili 861 celebrarunt synodum cui praesedit Michael III. Ibi Ignatius admisit se patriarchatum obtinuisse sola auctoritate basilissae Theodorae, sed legatis pontificiis facultatem negavit jus dicendi in sua causa, cum ad hoc non deputati fuissent. Nihilominus Ignatius iterum a gradu patriarchali dejectus est, quia modo irregulari istam dignitatem obtinuisset, et archiepiscopum Asbestam ac duos alios episcopos injuste deposuisset.

Nicolaus I, vix certior factus de modo agendi suorum legatorum, eos vehementer reprobavit, et in synodo Romae habita mense martio 862 depositionem Ignatii irritam fecit. Simul scripsit « prudentissimo viro Photio » sedem Constantinopolitanam non vacare; in epistolis ad patriarchas Antiochiae, Alexandriae et Hierosolymo-

---

(1) PG, t. 102, 588 sq.; G. Hofmann, fasc. I, p. 21 sq.
(2) PL, t, 119, 780; MGH, EE, t. VI, 440, ed. Perels, *Epistolarum* Nicolai I; G. Hofmann, fasc. I, p. 24.
(3) MGH, EE, t. VI, 438 sq.; FHE n. 335.

rum, Ignatium patriarcham legitimum, et Photium intrusum, indicavit (1).

Anno 862 declinante, archimandrita Theognostus Romam attulit appellationem Ignatii ad Sedem Romanam. Appellatio confecta erat nomine Ignatii, decem metropolitanorum, quindecim episcoporum et plurimorum presbyterorum. An libellus appellationis reapse conscriptus sit ab Ignatio? Juremerito dubitari potest. Etenim, ante synodum habitam Constantinopoli in ecclesia SS. Apostolorum, Ignatius declaraverat se non provocasse ad tribunal Romanum. De cetero, Ignatius nunquam eminuit singulari reverentia erga S. Sedem. Quidquid sit, Nicolaus I appellationem Ignatii ejusque fautorum libenter excepit, nam ei occasionem praebebat demonstrandi, secundum epistolam suam ad Photium (18 mart. 862) « sanctam Romanam Ecclesiarum caput esse et ab ea (omnes ecclesias) rectitudinem atque ordinem in cunctis utilitatibus et ecclesiasticis institutionibus... exquirere ac sectari » (2).

Concilium Romanum mense aprili 863 celebratum, praeside Nicolao I, ante omnia a dignitate episcopali deposuit legatos infidos Radoaldum et Zachariam. Deinde, quoad causam patriarchatus Constantinopolitani, quinque edidit capitula: 1) adversus Photium, a neophyto factum patriarcham, consecratum ab episcopo deposito, adversario Ignatii et corruptore legatorum romanorum; exinde Photius spoliabatur ab honore et titulo patriarchali ac ab omni officio sacerdotali; 2) Gregorius Asbestas suspendebatur a ministerio sacerdotali; 3) omnes clerici ordinati a Photio privabantur officio; 4) Ignatius instaurabatur in sedem patriarchalem; 5) ecclesiastici fautores Ignatii, qui in exsilium missi et a gradu suo dejecti fuerant, restituebantur in dignitatem et ministerium (3).

Haec decreta Concilii Romani communicata sunt cum imperatore Michaele III, qui respondit epistola insolenti, in qua deridebat papam ob linguam latinam « barbaram et scythicam ». Sed interea proculdubio Nicolaus I plenius edoctus est de re, sive a curia imperiali sive ab alio fonte; nam die 28 septembris 865, duae partes, etiam Gregorius Asbestas, invitabantur Romam, sive per se coram, sive per legatos, ut ante S. Sedem solveretur eorum causa. In epistola hac die ad imperatorem missa, papa iterum affirmabat aucto-

---

(1) PL, t. 119, 785 sq.; G. HOFMANN, op. cit., p. 29.
(2) G. HOFMANN, op. cit., p. 30.
(3) MGH, EE, t. VI, 553 sq.

ritatem supremam Sedis Romanae: « Prima sedes non judicabitur a quoquam ». Sed concedebat fieri posse, ut aliquid de antecedenti sententia tribunalis Romani derogaretur: « Non negamus, ejusdem Sedis sententiam posse in melius commutari, cum aut sibi subreptum aliquid fuerit, aut ipsa pro consideratione aetatum vel temporum seu gravium necessitatum dispensatorie quiddam ordinare decreverit » (1).

At eodem tempore quo agitabutur quaestio personalis Ignatii et Photii, inter Orientem et Occidentem, occasione missionis sacerdotum latinorum in Bulgariam, oriebatur conflictus longe gravior, cum triplici aspectu politico, doctrinali et disciplinari. Bulgari, anno 864, devicti fuerant ab imperatore Michaele, eorumque princeps Boris, ut pacem haberet, debuerat converti ad religionem christianam. Boris confestim petiit a Photio institutionem hierarchiae ecclesiasticae independentis, cum proprio patriarcha, in Bulgaria. Photius isti petitioni annuere noluit, sane de mandato imperatoris, qui quaerebat extendere auctoritatem politicam gubernii byzantini in Bulgariam ope cleri graeci. Cum a Photio nihil obtineret nisi dissertationes de S.ma Trinitate et de septem conciliis oecumenicis, Boris ad papam Nicolaum I sese direxit, et una cum solutione dubiorum de administratione sacramentorum, de coelibatu, de polygamia et aliis quaestionibus, eum rogavit ut in Bulgariam mitteret presbyteros latinos qui populum suum catholice instruerent. Cum Bulgari praeter Thraciam, quae pertinebat ad patriarchatum Constantinopolitanum, occuparent etiam partem Illyrici quod antiquitus subjacebat jurisdictioni immediatae summi pontificis, Nicolaus consensit precibus principis Boris et ad Bulgaros misit legationem directam a Formoso episcopo Portuensi et Paulo a Populonia, cum *Responsis ad consulta Bulgarorum* (2).

---

(1) PL, t. 119, 948 sq.; MGH, EE, t. VI, 474 sq.; ES, n. 330 sq.; G. Hofmann, op. cit. p. 43 sq.

(2) A. Vaillant et M. Lascaris, *La date de la conversion des Bulgares, Revue des études slaves*, t. XIII, p. 5 sq. Illyricum, ad latus orientale Maris adriatici, constabat Dacia, Dalmatia, Epiro, Macedonia, Graecia et insulis vicinis. Ista regio primum pertinebat ad Imperium romanum Occidentis, ideoque subdebatur jurisdictioni immediatae papae, sicut Italia et aliae partes Europae occidentalis. Inde ab anno 379, Illyricum conjungi incepit cum Imperio romano Orientis, et anno 421, imperator Theodosius II id adscripsit patriarchatui Constantinopolitano. Se opponente papa S. Bonifatio, Illyricum tunc restitutum est auctoritati immediatae S. Sedis. Sed postea byzantini id

In his *Responsis,* papa solvebat secundum disciplinam Romanam dubia quae princeps Bulgarorum ei proposuerat: Consensus mutuus facit matrimonium, cerimoniae externae sunt adventiciae; aliae nuptiae licite possunt contrahi; lavatio permittitur etiam diebus poenitentiae; hi qui sive a Graeco (presbyterum se fingente) sive a Judaeo, utrum christiano, an pagano, ignoratur, baptizati sunt in nomine Sanctae Trinitatis vel tantum in nomine Christi, non sunt denuo baptizandi; Communionem eucharisticam fideles accipere possunt in Quadragesima; abstinentia a labore servili non obligat die sabbati; prohibitio Antiqui Testamenti de esu carnium et suffocatorum non valet in Novo Testamento; fideles Bulgari non debent imitari modum orandi Graecorum; vita matrimonialis presbyterorum est reprehensione digna; priores sedes patriarchales sunt: Romana, Antiochena et Alexandrina; ecclesiae Constantinopolitana et Hierosolymitana minore fruuntur auctoritate. Ita dissensio disciplinae graecae a disciplina romana etiam Bulgaris manifesta fiebat.

Princeps Boris sperabat hierarchiam propriam cum patriarchatu autonomo sub brevi erecturam in Bulgaria. Independentiam politicam Bulgariae corroborare cupiebat adjutorio patriarchae autonomi, a quo, nomine papae, optabat accipere coronam regiam. Formosus Portuensis principi Boris videbatur candidatus aptior ad patriarchatum Bulgariae. Sed Nicolao I tempora nondum matura videbantur. Respondit principi Boris se, quando fieri posset, libenter concessurum patriarcham vel saltem archiepiscopum cum pallio, ut significaretur eum jurisdictionem tenere a Sede Romana.

Eodem tempore Nicolaus ad imperatorem Michaelem III legatos misit Donatum episcopum Ostiensem, Leonem cardinalem presbyterum et diaconum Marinum, cum epistolis tono nimis acerbo conscriptis ab Anastasio Bibliothecario: injungebatur Michaeli III ut combureret litteras insolentes quas anno 863 miserat ad Nicolaum I; alioquin papa, praesentibus episcopis Occidentis, pronuntiaret excommunicationem et igni traderet scripta eorum qui tenebant partes imperatoris et Photii. Ordinationes a Gregorio Asbesta Photio collatae, innuebantur esse invalidae, ita ut pariter fuissent invalidae ordinationes factae a Photio. Dubitatur an istae epistolae pervenerint ad imperatorum et Photium. Certum est legatos pontifi-

---

iterum ab ea abstulerunt, frustra reclamantibus Hadriano I anno 785 et Nicolao I anno 860. Cfr. *Responsa ad consulta Bulgarorum* apud MANSI, t. XV, 403 B; PL, t. 119, 980 sq.; ES, n. 334 sq.

cios in Constantinopolim admissos non fuisse, et proinde ad Bulgariam iter fecisse. Aliunde, quando, suadente legatione romana, presbyteri graeci e Bulgaria demissi sunt, tunc Photius se interposuit palam, et ad totam Ecclesiam atque nationem graecam grave detulit periculum quod eis imminebat ob errores, insolentias, delicta et injustitias a S. Sede et ab Ecclesia latina in byzantinos commissas. Hoc fecit, anno 867, in famosa *Epistola Encyclica ad Archiepiscopales Thronos per Orientem*, in qua indicebat concilium (1).

In hac *Epistola Encyclica*, Photius colligebat capita accusationis Orientalium adversus Latinos, quaestiones de doctrina et de ratione vitae, quas studiose exaggerabat, ut demonstraret in posterum omnem communionem impossibilem esse inter Graecos et Latinos. Quoad Graecos, innuebat eos esse superiores aliis Ecclesiis, speciatim sub respectu scientiae theologicae et rectitudinis doctrinalis. Quoad Latinos, quin eos expresse nominaret, eos describebat inimicos verae Fidei christianae: erant homines impii, execrabiles, blasphematores, pestiferi, apri devastatores, provenientes e tenebris Occidentis qui nationem recens ad religionem Christi conversam (Bulgaros), pervertere conati sunt sequentibus modis. Hic Photius enumerabat crimina Latinorum in Bulgaros: 1) Latini obligant Bulgaros ad jejunandum die sabatti, dum e contrario Graeci hac die non jejunant; 2) Quia Latini permiserunt prima hebdomada jejunii lac et caseum et aliorum similium voracitatem; 3) Latini contemnunt presbyteros legitime conjugatos; 4) Latini iterum confirmant Bulgaros qui sacramentum confirmationis jam acceperant a presbyteris byzantinis.

Ultimum et maximum crimen Latinorum erat quod corruperant Symbolum Nicaeno-Constantinopolitanum, inserendo verbum « Filioque ». Adversus istam blasphematoriam insertionem, pro qua sola Latini mererent mille anathemata, Photius allegabat quatuordecim argumenta subtilia simul et inania, uti, e.g.: « Si e Filio procedit Spiritus, uti et e Patre; cur non et Filius gignitur e Spiritu, ut e Patre » (2). Videtur Photius scripsisse eodem tempore epistolam ad Bulgaros, in qua iterum Latinis crimini dabat aliquos usus pe-

---

(1) PG, t. 102, col. 721 sq.; F. DVORNIK, *Les Slaves, Byzance et Rome au XIe siècle*, op. cit. p. 182; E. HERMAN, *Le cause storiche della separazione della Chiesa greca secondo le più recenti ricerche*. La Scuola cattolica, 1940, p. 128 sq.; M. GORDILLO, *Photius et Primatus Romanus*, Orientalia Christiana periodica, t. VI, 1940, p. 6 sq.; G. HOFMANN, op. cit., p. 46 sq.

(2) PG, t. 102, col. 727, n. 10.

culiares, e.g. ponendi agnum super altare in die Paschatis, conficiendi chrisma cum aqua fluminis, radendi barbam. Princeps Boris, Michael a baptismo appellatus, istam epistolam transmisit ad Nicolaum I, petendo pariter ut hierarchia ecclesiastica stabiliretur in Bulgaria, cum legato Formoso tanquam archiepiscopus vel patriarcha.

Photius abusus est ignorantia et vanitate Graecorum, quibus persuasit Ecclesiam graecam et ipsam orthodoxiam in gravissimo discrimine versari ob quaestiones et usus praedictos, quibus reapse nullo modo substantia doctrinae vel constitutio Ecclesiae offendebantur. Rogante papa Nicolao, Aeneas Parisiensis et Ratramnus Corbeiensis incriminationes Photii confutarunt (1). Die 13 novembris 866, papa Photium monuit sub poena excommunicationis ut throno patriarchali usurpato abdicaret; eadem die Ignatium patriarcham depositum consolatus est. Sed Photius, ab imperatore Michaele III protectus, concilium Constantinopolim convocavit, a quo praecipui praesules graeci, uti patriarchae Alexandriae, Antiochiae et Hierosolymorun, abfuerunt. Pseudo-concilii, cui praesedit imperator Michael cum novo caesare Basilio Macedone (867), acta perierunt; vero scimus ex Vita Ignatii, a monacho Niceta David e Paphlagonia, et ex Vita S. Nicolai I, tributa Anastasio Bibliothecario, Photium ibidem pronuntiasse depositionem papae, Nicolai I, et omnes fautores ejus excommunicasse (2). Refertur viginti et unum episcopos decreta Photii subsignasse.

Brevis fuit triumphus Photii. Etenim eodem anno 867, die 24 septembris, caesar Basilius Macedo, imperatore Michaele occiso, thronum imperialem ascendit. Duobus mensibus postea, Photium, cujus timebat machinationes, relegavit in monasterium Skepi, et Ignatium sedi patriarchali restituit (3). Nicolao I, defuncto die 13 novembris anni 867, successit Hadrianus II. Iste consensit petitioni sibi expressae a patriarcha Ignatio ut celebraretur concilium in quo dirimerentur omnes quaestiones quae turbabant Orientem, et reme-

(1) Aeneas Parisiensis conscripsit *Liber adversus Graecos* et Ratramnus Corbeiensis *Contra Graecorum opposita*. Ambo eduntur in PL, t. 121.

(2) *Vita* praedicta Ignatii in PG, t. 105, 487 sq.; *Vita* S. Nicolai in *Libro Pontificali*, ed. L. Duchesne, t. II, p 151 sq.

(3) A. Vogt, *Basile I, empereur de Byzance*. P., 1908; J. B. Bury, *A history of the eastern Roman Empire from the fall of Irene to the accession of Basil I*. Lo., 1912.

8.

dium afferretur violationibus disciplinae ecclesiasticae. Papa legatos misit Donatum episcopum Ostiensem, Stephanum episcopum Nepesinum et diaconum Marinum. Hi praesederunt concilio, quod inauguratum est in ecclesia S. Sophiae die 5 octobris anni 869. De mandato Hadriani II, legati postularunt ut in prima sessione, patres concilii subscriberent *Libello satisfactorio* quo repudiabant pseudopatriarcham Photium et emittebant professionem Fidei secundum formulam papae Hormisdae (1). Patres graeci subsignarunt, sed aegre.

In hoc concilio, quod est octavum oecumenicum, habitae sunt decem sessiones quibus interfuerunt centum circiter episcopi, cum delegatis patriarcharum Alexandriae, Antiochiae et Hierosolymorum. Photius respondere recusavit legatis pontificiis, allegando se soli imperatori rationem redditurum esse actionum suarum; nec agnoscere voluit patriarcham Ignatium, nec promittere ei obedientiam in statu laicali: quare excommunicatus est, una cum fautoribus suis qui sese submittere renuerant (2). Hi omnes qui a Photio ordinati fuerant, declarati sunt inhabiles ad functiones ecclesiasticas; deinde, Photius iterum in exsilium missus est in locum Stenos prope flumen Bosphorum (3).

Concilium istud, quartum oecumenicum Constantinopoli celebratum, quod ad quaestionem Photii attinet, solutionem attulit quae generatim placuit tam Graecis quam Latinis, praesertim quia plene respondebat desiderio imperatoris Basilii I et papae Hadriani II. Sed persistebant causae politico-ecclesiasticae dissidii inter Orien-

---

(1) ES, n. 171.

(2) Jam paulo ante Photius damnatus fuerat in synodo Romae celebrata, praeside Hadriano II.

(3) ES, n. 336 sq., 339, 341: « Definimus, neminem prorsus mundi potentium quemquam eorum, qui patriarchalibus sedibus praesunt, inhonorare aut movere a proprio throno tentare, sed omni reverentia et honore dignos judicare; praecipue quidem sanctissimum Papam senioris Romae, deinceps autem Constantinopoleos patriarcham, deinde vero Alexandriae ac Antiochiae atque Hierosolymorum; sed nec alium quemcumque conscriptiones contra sanctissimum Papam senioris Romae ac verba complicare et componere sub occasione quasi diffamatorum quorundam criminum; quod et nuper Photius fecit ». Acta authentica graeca hujus concilii perierunt, cum legati pontificii a Slavis piratis capti fuerant; sed Anastasius Bibliothecarius, qui tunc Constantinopoli morabatur nomine imperatoris Occidentis Ludovici II, penes se habebat exemplar, quod de mandato papae Hadriani II in linguam latinam vertit. Concisum exemplar graecum Anastasius amplioribus verbis latine reddidit.

tem et Occidentem, praesertim ob missionem presbyterorum latinorum in Bulgariam. In hac quaestione, Graeci quasi omnes, tam adversarii Photii quam fautores ejus, operabantur unanimes ut missionariis latinis substituerentur byzantini: sub fine concilii, occasionem habuerunt propitiam ut propositum suum ad felicem exitum ducerent. Etenim cum princeps Bulgarorum Boris, nec a Nicolao I nec ab Hadriano II obtinuisset constitutionem hierarchiae propriae, cum patriarcha sibi beneviso, Formoso episcopo vel Marino diacono, anno 870 pro expedita compositione recursum habuit ad concilium Constantinopolitanum. Patres graeci, frustra vetantibus legatis pontificis, sine mora Bulgariam adscripserunt patriarchatui byzantino, et senex patriarcha Ignatius, urgente imperatore Basilio, consecravit metropolitanum graecum destinatum Bulgariae, una cum decem circiter episcopis. Sub protectione imperatoris, episcopi et presbyteri byzantini intrarunt in Bulgariam, quam proinde missionarii latini relinquere coacti sunt (1).

Occasione dissidii orti inter S. Sedem et curiam byzantinam de jurisdictione in Bulgaria, Photius potuit recuperare gratiam imperatoris Basilii I, ita ut, vita functo patriarcha Ignatio (23 octobris 877), consentientibus aliis patriarchis, ab imperatore patriarcha Constantinopolitanus nominatus sit. Papa Joannes VIII, desiderio motus instaurandi pacem inter Orientem et Occidentem, et solvendi quaestionem Bulgariae in favorem S. Sedis, consensit electioni Photii, sub conditionibus enunciatis in *Commonitorio* et in epistolis papae ad imperatorem et ad Photium directis, mense augusto anni 879 (2).

---

(1) Per totum pontificatum suum (872-882), Joannes VIII conatus est reducere Bulgariam ad jurisdictionem romanam. Sub poena schismatis, prohibuit Bulgaris ne acciperent sacramenta a presbyteris graecis; patriarcham Ignatium, « quia caput suum erigere contra sanctam apostolicam ecclesiam, a qua episcopatus sortitus est dignitatem, non dubitavit », Romam citavit ut de excessibus rationem redderet; ei minatus est excommunicationem, nisi, intra mensem, revocasset episcopos et presbyteros graecos e Bulgaria. Sed incassum: Ignatius patriarcha mortuus est (23 oct. anni 877), antequam nuntii pontificii pervenirent Constantinopolim; Basilius Macedo et princeps Boris donis tantum et obsequiis responderunt precibus et minis pontificis. MGH, EE, t. VII, p. 61 sq., 277 sq. F. Dvornik, op. cit., p. 248; G. Hofmann, op. cit. fasc. II, p. 21 sq.; E. Amann, in *Histoire de l'Eglise* dir. ab A. Fliche et V. Martin, t. VI, p. 488 sq.

(2) In *Commonitorio* continebantur instructiones pro legatis pontificiis cardinali Petro et episcopis Eugenio ab Ostia ac Paulo ab Ancona. PL, t. 126; HC, t. IV, 1 pars.

Translatio graeca instructionum (*Commonitorii*) quas Joannes VIII dedit suis legatis, necnon et epistolarum quae destinabantur imperatori, Photio et clero quatuor patriarchatuum, mitior est quam textus authenticus latinus. Ita e.g., in textu latino requiritur a Photio ut satisfactionem daret pro injuriis commissis in S. Sedem, dum, ad mentem textus graeci, mere deberet laudare bonitatem Sedis apostolicae. Undenam provenit haec discrepantia? Generatim non amplius admittitur ipsum Photium textum graecum adulterasse. Inter recentiores auctores, alii tenent legatos imperatoris et Photii in Urbe, consentiente summo pontifice, textum latinum nimis durum mitigasse in translatione graeca; secundum alios, alteratio Actorum concilii, *Commonitorii* et epistolarum, peracta fuisset saeculo XIII declinante, ab adversariis unionis Ecclesiarum, ut monstrarent Photium nullius culpae reum.

Certum est legatos pontificios de mandato Joannis VIII animo benevolo et amico ad Photium venisse; alioquin ei inde a prima sessione synodi Constantinopolitanae (m. novembri 879) non obtulissent insignia patriarchalia: stolam, omophorion, tunicam et sandalia. Tam Photius quam legati romani conati sunt in hac synodo instaurare concordiam inter S. Sedem et patriarchatum. In sessione II (17 novembris), primus legatus cardinalis Petrus petiit a Photio: 1) utrum paratus esset in communionem suam excipere clericos dissidentes factionis Ignatianae qui profiterentur obedientiam; 2) an episcopos et presbyteros graecos revocaret e Bulgaria? Ad primam petitionem, Photius respondit decisionem spectare ad imperatorem qui praecipuos rebelles exsilio mulctaverat; quoad aliam quaestionem, patriarcha plene annuit, optando ut Sedes Romana iterum jurisdictione fungeretur in Bulgaria.

Hisce responsis acceptis, et brevi peracta inquisitione de modo quo Photius post mortem Ignatii ad sedem patriarchalem assumptus fuerat, cardinalis Petrus nomine Joannis VIII Photium publice tanquam patriarcham agnovit; ita fecerunt patriarchae Antiochiae, Alexandriae, Hierosolymae et catholicos Armeniae.

Ubi actum est de admissione neophytorum ad ordines sacros (19 novembris), cum Graeci sibi jus vindicassent servandi propriam disciplinam, quae non cohaerebat cum more Romano, res infecta remansit. Sed Photium proclamando legitimum patriarcham, legati pontificii ipso facto admittebant validitatem promotionis neophyti ad episcopatum. De *Filioque* tractarunt adstantes synodo in duabus ultimis sessionibus (3 et 13 martii 880). Opinati sunt nihil mutandum esse de Symbolo Nicaeno-Constantinopolitano, et quoad Processionem Spiritus Sancti, quamque Ecclesiam, sive Graecam sive Romanam, formulam propriam tenere posse.

Joannes VIII confirmavit acta synodi, absolute quoad instaurationem Photii in patriarchatum, restricte quoad alia decreta. Scribebat enim ad Photium: « Nam et ea quae pro causa tuae restitutionis synodali decreto Constantinopoli misericorditer acta sunt, recipimus, et si fortasse nostri legati in eadem synodo contra apostolicam praeceptionem egerint, nos nec recipimus nec judicamus alicujus existere firmitatis ». (1) Joannes VIII recordabatur sane legatorum Radoaldi et Zachariae, qui mandatum a Nicolao I acceptum violaverant.

Photium a Joanne VIII in basilica S. Petri alia vice damnatum fuisse (mense februario 881) et ideo novum schisma fecisse, postea affirmarunt fautores factionis Ignatianae, quibus nimis facile crediderunt, usque ad finem saeculi XIX, historici occidentales (2). Reapse agitur de afffrmatione erronea, facta ira et studio, ut monstraretur omnes Romanos Pontifices, a S. Leone IV ad Joannem IX (847-898) reprobasse Photium. Ipse Photius talem affirmationem indirecte confutat in ultimo suo tractatu, *Mystagogia Spiritus Sancti* (885 ?), ubi Joannem VIII laudibus prosequitur, unacum pluribus aliis pontificibus: Damaso, Coelestino I, Leone Magno, Vigilio, Gregorio Magno, Zacharia II, Agathone, Leone IV, Hadriano I, Benedicto III et Hadriano III. Si Joannes VIII excommunicasset Photium, an isti inerat virtus tam heroica, ut papam deinde laudibus ornasset ?

Post Joannem VIII (+882), Photius patriarcha in unione remansit cum S. Sede, licet non semper bona gratia frueretur Curiae Romanae: Marinus (882-884), successor immediatus Joannis VIII, partem magnam habuerat in concilio annis 869-870 habito, quod deposuerat Photium. Videtur Basilium I eum non agnovisse tanquam papam, (an instinctu Photii vel non, disputatur), cum contra canones sedem Caeritis deseruisset ut ascenderet ad cathedram S. Petri. Post brevem pontificatum quindecim mensium de vita

---

(1) MGH, EE, t. VII, p. 227, 228.
(2) F. Dvornik, *Le second schisme de Photius une mystification historique*, in *Byzantion*, t. VIII, 1933, p. 425 sq.; V. Grumel, *Y eut-il un second schisme de Photius?* in *Revue des sciences philosophiques et théologiques*, t. XXII, 1933, p. 431 sq.

decessit, et assumptus est Hadrianus III (884-885), cum quo Photius amicitiam coluit. Post Hadrianum III, summas claves obtinuit Stephanus V (885-891), qui, cum favore papae Marini fruitus fuisset, ejus memoriam strenue defendit adversus Basilium I et Photium: in epistola vehementi, isti fiduciam detraxit, quin tamen eum a communione Ecclesiae Romanae segregaret.

De caetero, quando haec epistola pervenit Constantinopolim, Photius non amplius occupabat thronum patriarchalem. Post obitum ejus protectoris Basilii I (29 aug. 886), novus imperator Leo VI, simulata conspiratione, Photium deposuerat et in monasterium Armeniaki relegaverat.

In exsilio, ex-patriarcha regressus est ad praedilecta studia theologica. Post primam depositionem, conscripserat brevem tractatum: *Ad eos qui dicunt Romam primam esse Cathedram*. Nunc autem, in monasterio Armeniaki composuit opus majoris momenti: *Mystagogia Spiritus Sancti,* in quo objecit textus S. Scripturae et traditionem patristicam, innovationi aliquorum Latinorum quoad « Filioque » (1). Ut reprobaret insertionem « Filioque », in Symbolum, saepe invocavit Evangelium S. Joannis, XV, 26, ubi Jesus loquitur de Spiritu Sancto « qui a Patre procedit ». Praeterea pro sententia sua allegavit Pontifices Romanos qui laudarunt Symbolum Nicaeno-Constantinopolitanum (2); citat Leonem III qui noluit inserere « Filioque » in Symbolum, et attulit confirmationem datam a legatis pontificiis Concilio Constantinopolitano 879-880, in quo decretum est, quoad Symbolum: nihil detrahendum et nihil addendum.

Ignoratur quanto tempore Photius vixit in solitudine monastica Armeniaki. Certum est eum obiisse die 6 februarii, sed quonam anno? Annus 897 non probatur. Gesta ejus, per plures annos silentio praetermissa, versus finem saec. X, vel initio saec. sequentis, ingravescente dissidio inter Graecos et Latinos, semper magis exaltata sunt, quasi Photius fuisset praecipuus defensor jurium patriarchatus, Ecclesiae graecae et totius Imperii Orientis adversus insolentem ambitionem Antiquae Romae et barbarorum Occidentis. Translatis ejus exuviis ab Armeniaki in ecclesiam S. Joannis de Eremia Constantinopoli, cultum sanctorum habuit die 6 februarii.

---

(1) PG, t. 102, col. 793 sq.
(2) In quo habetur tantum: « Et in Spiritum Sanctum, Dominum et vivificantem, ex Patre procedentem, cum Patre et Filio adorandum ». ES, n. 86.

Cito ejus nomen inscriptum est in elencho patriarcharum qui bene meriti erant de recta doctrina, et quorum « memoria aeterna » acclamabatur die festo Orthodoxiae, prima dominica Quadragesimae. Ita post mortem Photius et Ignatius uniebantur eodem plausu fidelium Graecorum, unacum praedecessoribus, Germano, Tarasio, Nicephoro et Methodio, « sanctissimis, orthodoxis, illustrissimis patriarchis ». Decursu temporis, disceptatio Photii cum Ignatio in oblivionem venerat, et oculis orthodoxorum tam Photius quam Ignatius celebrati sunt tanquam praeclari Patres qui indefesse contenderunt pro exaltatione propriae Ecclesiae (1).

3. - Relatio Orientis ad Occidentem post Photium.

— Quasi per duo saecula, ab instauratione patriarchae Ignatii, anno 867 ad 1053, Ecclesia graeca, publice saltem, unita remansit cum S. Sede, licet non deessent causae dissensionis. Sed exstiterunt etiam relationes amicae inter Latinos et Graecos. Latini, qui peregrinationem in Terram Sanctam instituebant, iter faciebant per Imperium byzantinum. In Sicilia et in Italia meridionali, quae pertinebant ad Imperium byzantinum, numerosi habitabant Graeci, ibique vigebant tam ritus graecus quam ritus latinus, e.g. in Calabria, in terra Hydruntina, in Apulia. Peregrini graeci petebant Romam, ut venerarentur sepulchra Apostolorum; alii fundabant monasteria graeca, in Urbe et in Italia meridionali (2). Inter istos eminuit S. Nilus, Graecus e Rossano in Calabria qui vitam monasticam initiaverat in Mer-

---

(1) A. Vogt, *Note sur la chronologie des patriarches de Constantinople*, in *Echos d'Orient*, t. XXXII, 1933, p. 275; V. Grumel, *La liquidation de la querelle photienne*, in *Echos d'Orient*, t. XXXIII, 1934, p. 257 sq.; Idem, *Le « Filioque » au concile photien de 879-880*, in *Echos d'Orient*, t. XXIX, 1930, p. 257 sq.; V. Laurent, *Le cas de Photius dans l'apologétique du patriarche Jean XI Beccos (1275-1282) au lendemain du deuxième concile de Lyon*, in *Echos d'Orient*, t. XXIX, 1930, p. 396 sq.; M. Jugie, *Le culte de Photius dans l'Eglise byzantine*, in *Revue de l'Orient chrétien*, t. XXIII, 1922, p. 105 sq. Patriarchae Ignatio sanctorum honores tribuuntur tam apud Graecos quam apud Latinos, ubi in *Martyrologio Romano* inscribitur sub die 23 octobris.

(2) Dabantur metropolitae graeci in civitate Hydruntina, in S. Severina, et Rhegii Calabriae. In Urbe, colonia graeca florebat ad pedes collium Palatini et Aventini: ecclesia S. Mariae in Cosmedin pertinebat ad Graecos; praeterea ibi erant monasteria graeca SS. Stephani et Silvestri, S. Praxedis, S. Luciae de Renatis, S. Mariae in Campo Martio, S. Caesarii, S. Erasmi ad Coelium, S. Anastasii ad Aquas Salvias.

curion, prope Scaleam ad litus Maris mediterranei. Quando Saraceni invaserunt terram suam, Nilus cum sexaginta monachis fraterne exceptus est in abbatia Benedictinorum Montis Cassini, ibique eis facultas fuit celebrandi officia sua liturgica in ritu graeco. Deinde petiit Romam et anno 1004 fundamenta jecit coenobii Cryptoferratensis, sub regula S. Basilii, ubi anno sequenti obiit (1).

Vicissim Latini occupabant monasteria et sanctuaria in Oriente: Hierosolymis, super montes Sinai et Athos, Constantinopoli, ubi erat monasterium romanum S. Sergii (2). Alia sanctuaria latina in Constantinopoli erant: S. Maria Amalphitanorum, S. Stephanus Hungarorum, Panaghia Varanghiorum, ecclesia S. Mariae destinata Anglo-Saxonibus et Normannis qui pertinebant ad custodiam militarem imperatoris. Patriarchae orientales Fidei professionem ad papam mittebant, ut testarentur in ejus communione vivere velle; nomen papae inscribebatur in diptycis et pronuntiabatur in liturgia graeca. Ipso tempore Michaelis Caerularii, qui schisma consummavit, Petrus III, patriarcha melchita Antiochiae, electionem suam nuntiabat papae Leoni IX et ab isto, die 13 aprilis anno 1053, accipiebat litteras congratulatorias ob suam devotionem in Sedem S. Petri (3).

Attamen disciplinae divergentes, quaestio insertionis verbi « Filioque », aversio multorum Graecorum a Roma ipso facto quod non amplius conjungebatur politice cum Imperio romano Orientis, sed adhaerebat Imperio Francorum, semina discordiae erant. Roma eis potius videbatur caput latino-germanicum quam centrum unitatis Fidei et magisterii universalis Ecclesiae catholicae. Quare, interventus S. Sedis in negotiis ecclesiasticis Constantinopolis aegre tolerabatur et saepe saepius dissidium augebat. Ita evenit primis annis saeculi X (905-12), durante controversia de tetragamia, orta occasione quarti matrimonii quod imperator Leo VI inierat, cum e tribus matrimoniis anterioribus nullus superesset filius. Quartae nuptiae prohibebantur a disciplina Ecclesiae graecae: proinde patriarcha Nicolaus Mysticus imperatori tetragamo communionem negaverat. Tunc

---

(1) Vita S. Nili in AS, t. VII Septembris, p. 259 sq. ed. 1867; PG. t. 120, 15 sq.; A. ROCCHI, *De coenobio Cryptoferratensi*. Frascati, 1893; F. GROSSI GONDI, *Il Tuscolano nell'età classica*. R, 1908.

(2) Sancti orientales Sergius et Bacchus, medici Cosmas et Damianus, S. Thecla et S. Euphemia speciali modo colebantur in Occidente.

(3) MANSI, t. XIX, 662 sq.; PL, t. 143, 771 sq.; ES, n. 343 sq.

Leo VI Nicolaum Mysticum e patriarchatu dejecit, ejus loco nominavit monachum Euthymium et controversiam submisit judicio papae Sergii III. Cum iste concessisset dispensationem pro quartis nuptiis ineundis, secundum usum occidentalem, clerus byzantinus in duas factiones divisus est: factio Euthymianorum qui tenebant partem imperatoris, et approbabant sententiam Sergii III; factio Nicolaitarum qui consentiebant patriarchae deposito Nicolao Mystico, et reprobabant sententiam papae (1).

Patriarchae Sisinius (+999) et Sergius II (+1019) probabilius non habuerunt relationem continuam cum S. Sede, sane ob rebellionem Italiae meridionalis adversus auctoritatem byzantinam. Imperator Nicephorus Phocas (+969) prohibuerat rituale romanum in Apulia et Calabria; cooperante patriarcha Constantinopolitano Polyeucto, tentaverat redigere totam Apuliam sub jurisdictionem byzantinam. Anno 1020, imperator Basilius II patriarchatum Bulgariae suppressit, eique substituit archiepiscopatum graecum, suffraganeum patriarchatus byzantini, cum residentia in Achrida.

4. - **Conditio moralis S. Sedis saeculis IX-XI**. — De cetero, ista actio antiromana eo facilius explicabatur a parte gubernii imperialis et patriarchatus byzantini, quod dignitas S. Sedis in dies declinabat, sive ob tristem conditionem in qua versabatur tunc temporis, sive ob malum interventum aliquorum pontificum in rebus Ecclesiae graecae. Exemplum nefastae immixtionis pontificiae habetur anno 931, quando imperator Romanus I, filium suum Theophylactum, vix sexdecim annos natum, evehere cupit ad patriarchatum Constantinopolitanum. Pars cleri byzantini, et praesertim monachi, adversabantur tali nominationi. Imperator interpellavit papam Joannem XI (2), et iste, pressus a fratre Alberico, principe Romanorum, approbavit nominationem scandalosam Theophylacti et misit legatos Constantinopolim qui adstiterunt consecrationi juvenis. Iste nullam vocationem ecclesiasticam habebat, totus deditus erat venationi et voluptati, et magis curabat mille equos

---

(1) S. SALAVILLE, art. *Léon VI le Sage*, in Dth; J. GAY, *Le patriarche Nicolas le Mystique et son rôle politique*, in *Mélanges Diehl*, t. I, 1935, p. 91 sq.; *Vita Euthymii*, ed. C. DE BOOR, B., 1888; M. JUGIE, *La vie et les oeuvres de S. Euthyme*, in *Patrologia orientalis*, t. XVI, 1926, p. 463 sq.

(2) Filius Marotiae, (filiae Theophylacti vestiarii pontificii), et ignoti. Cfr. L. DUCHESNE, *Les premiers temps de l'état pontifical*, op. cit., p. 313.

a se opipare enutritos quam fideles suo ministerio commissos. Cum scandalo fidelium Constantinopolis, indignus Theophylactus, per viginti tres annos patriarchatus sui longa consuetudine devinctam tenuit Romanam Curiam (1).

Tunc temporis, a principio saeculi X usque ad annum 964, sortibus S. Sedis praesedit senator Theophylactus ejusque familia (2), in qua feminae, praesertim Marotia, ambitione et flagitio, aemulabantur viros. Sub eorum profana directione, plurimum ad summum pontificatum promoti sunt candidati incapaces vel indigni: Sergius III (904-911) et Joannes X (914-928), familiares Marotiae; Joannes XI (931-936) ejus filius; Joannes XII (955-963) ejus nepos, filius Alberici senatoris Romanorum. Urgente Alberico, Romani juraverant se ejus filium Octavianum in papam electuros post mortem Agapiti II. Cum iste jam anno 955 obierit, Octavianus, nondum viginti annos natus, cathedram S. Petri ascendit, eamque sub nomine Joannis XII, octo annorum spatio omni genere libidinum maculavit, usque ad ipsam diem mortis suae, 14 maii anni 964 (3).

In rebellione Romanorum adversus jugum imperatorum Germaniae, candidati unius alteriusque partis omni ope et omni violentia contenderunt summas claves. Anno 974, imperator Constantinopolis Joannes I hospitem excipiebat Franconem diaconum, candidatum factionis romanae contra Benedictum VI papam imperialem, quem Franco, nomine assumpto Bonifatii VII, strangulari manda-

---

(1) Paulo antea, sub fine saeculi IX, mense januario anni 897, eadem Curia romana adstiterat horrendo spectaculo causae illatae a papa Stephano VI praedecessori suo papae Formoso anno anteriore defuncto: actis Formosi rescissis, cadaver ejus, quod ante tribunal pontificium adductum fuerat, vestibus usque ad cilicium spoliatum est et a plebe romana in Tiberim projectum. Paulo post, decursu tumultus popularis, Stephanus VI in carcerem detrusus est ubi vita decedebat strangulatus. Sub successore Theodoro II (897) cadaver Formosi solemniter translatum est in basilicam S. Petri. L. DUCHESNE *Liber pontificalis*, op. cit. t. II; *Les premiers temps de l'état pontifical*, op. cit. p. 297 sq.; G. DOMINICI, in *Civiltà Cattolica*, 1924, t. I, p. 103 sq., p. 518 sq.; 1924, t. II, p. 121 sq.

(2) Theophylactus in historia romana prima vice apparet anno 900, tanquam vestiarius pontificius, cui commissa erat provincia Ravennatensis; deinde factus est magister militum, consul et senator Romanorum.

(3) *Liber pontificalis*, ed. L. DUCHESNE, t. II, p. 246; LIUTPRANDUS, Cremonensis, *Antapodosis*, MGH, SS, t. III; *Liber de rebus gestis Ottonis maximi imperatoris*, MGH, SS, t. III; BENEDICTUS A S. ANDREA ad Montem Soractum, *Chronicon*, XXVII, sq. MGH, SS, t. III.

verat. Electo Benedicto VII sub protectione imperatoris Germaniae Ottonis II, imperatores byzantini Joannes I et Basilius II intrusum Bonifatium VII patrocinati sunt. Defuncto Benedicto VII (983), Bonifatius VII, auxiliante imperatore Basilio II, ingressus est Romam, procuravit necem Joannis XIV, qui in successorem Benedicti VII electus fuerat, et semetipsum iterum intrusit, anno 984. Morte repentina correptus, mense julio anni sequentis, populus romanus cadaver ejus nudum traxit per Urbem, et denique projecit ante « Caballum Constantini » (reapse erat statua Marci Aurelii), in platea Lateranensi.

Anno 997, idem imperator Orientis Basilius II, una cum Crescentio duce Romanorum, suscitavit antipapam, graecum Joannem Philagathum, quem sub nomine Joannis XIV opposuit papae Gregorio V, cognato et candidato imperatoris Germaniae Ottonis III. Primo dimidio saeculi XI, familia comitum Tusculi, e progenie senatoris Theophylacti et comitis Alberici patris Joannis XII, plurimum praevaluerunt in electione summi pontificis: Benedictus VIII (1012-1024), erat frater Romani comitis Tusculi, qui tanquam senator omnium Romanorum vices gerebat imperatoris Germaniae in Urbe; mortuo Benedicto VIII, Romanus iste, laicus, semetipsum papam eligere fecit, nomen Joannis XIX assumpsit, et per octo annos Ecclesiam gubernavit, non pastor sed praefectus. Joanne XIX vita functo anno 1032, comes Albericus, frater Joannis XIX et Benedicti VIII, curavit ut ambae potestates, temporalis et spiritualis, filiis suis committerentur: Gregorius factus est consul Romanorum, et Theophylactus, juvenis, summus pontifex. Iste nomen sumpsit Benedicti IX et vix adolescens, sicut avus ejus Joannes XII, omni libidini petulanter laxavit habenas. Pontificatum abdicare coactus a populo romano, anno 1044, summas claves, pecunia pro victu promissa, tradidit successori suo Gregorio VI (1).

Saepe nimis ergo, a fine saeculi IX ad medium saeculum XI, papae deficiebant virtute, pietate et doctrina; inde creverunt in Ecclesia byzantina simul propria aestimatio et contemptus S. Sedis. Eodem tempore, vita spiritualis et studia theologica procul dubio magis florebant Constantinopoli quam Romae. Saeculo IX, ante Photium, S. Theodorus Studita, et duo patriarchae byzantini, sancti Ta-

---

(1) F. Baix, art. *Benoît VI, Benoît VII, Benoît VIII, Benoît IX* (cum L. Jadin) *Boniface VII*, in DHE.

rasius et Nicephorus, splendide illustrabant orthodoxiam vere catholicam; eodem saeculo patriarcha S. Methodius compilabat vitas sanctorum Orientis. Saeculo XI, duo praecipue eminebant scriptores: Simeon (+1042), abbas monasterii Mamae Constantinopoli, magister in re mystica; Simeon Metaphrastes (+1025), magnus cancellarius aulae imperialis, hagiographus Ecclesiae graecae. Habita ratione cum sensu propriae superioritatis quo plerumque ducebantur patriarchae byzantini, mirandum non est si, anno 1024, Eustathius patriarcha Constantinopolitanus, muneribus oblatis, a papa Joanne XIX petiit ut Ecclesia byzantina esset autonoma et universalis in orbe suo. Papa Joannes recusavit, firmiter Eustathio obstantibus pluribus episcopis et monachis in Occidente, praesertim ex Ordine Cluniacensium. Quod Eustathius non obtinuit munere, successor ejus, Michael Caerularius, arripuit violentiâ.

5. - Actio violenta Michaelis Caerularii pro consummatione schismatis.

E familia nobili Constantinopolitana ortus, Michael Caerularius non eminebat scientia vel calliditate uti Photius: notabatur temperamento aspero, amore solitudinis et mente directa in vitam asceticam, saltem a tempore quo, implicatus conspirationi adversus imperatorem Michaelem IV tanquam laicus, circa annum 1040, vitam monasticam amplexus fuerat. Sub imperatore Constantino IX Monomacho, multum potuit, tam in aula imperiali quam in patriarchatu: primum cancellarius et secretarius generalis Ecclesiae Constantinopolitanae, mortuo patriarcha Alexio, favore imperatoris ejus loco electus est. A die consecrationis suae, 25 martii anni 1043, usque ad depositionem suam anno 1058, primum locum tenuit in vita politico-ecclesiastica Imperii byzantini (1).

Timendo deminutionem propriae auctoritatis, Caerularius obstabat proposito foederi inter imperatorem germanicum Henricum III, papam Leonem IX et imperatorem byzantinum Constantinum

---

(1) *Acta et scripta de controversiis Eccles. graecae et latinae saec. XI composita* ed. a C. WILL, Marburgi, 1861; PG, t. 120, 719 sq.; I. HERGENROTHER, *Photius Patriarch von Constantinopel*, op. cit.; protrahitur usque ad annum 1054; L. BRÉHIER, *Le schisme oriental du XIe siècle*. P., 1899; L. DUCHESNE, *Autonomies ecclésiastiques. Eglises séparées*. P., 1896; A. MICHEL, *Humbert und Kerullarios*, 2 vol., Pdb., 1925-1930; E. AMANN, art. *Michel Cérullaire* in Dth; M. JUGIE, *Le schisme de Michel Cérullaire*, in *Echos d'Orient*, t. XXXVI, 1937, p. 440 sq.

Monomachum. In Latinos hostilem animum prima vice manifestavit anno 1052, quando jussit ut eorum ecclesiae Constantinopoli clauderentur. Anno sequenti, papam et Ecclesiam latinam directe aggressus est ope epistolae quam, sub inspiratione sua, archiepiscopus Leo de Achrida misit ad episcopum Joannem Tranensem et per eum, « ad universos episcopos Francorum et monachos et populos et ad ipsum reverendissimum papam » (1). In ista epistola iterum reprobabantur sic dicti usus judaici quibus Ecclesia latina contaminabatur: usus panis azymi pro Sacramento Eucharistiae; jejunium die sabbati; manducatio carnis suffocatorum animalium; omissio verbi *Alleluia* tempore Quadragesimae. Leo de Achrida papam supplicabat ut reverteretur ad traditiones authenticas Ecclesiae scilicet ad disciplinam graecam (2).

Paulo post, Nicetas Pectoratus, monachus celeberrimi monasterii Constantinopolitani Studii, quod a praesidio primatus S. Sedis sub S. Theodoro Studita mutatum est in centrum actionis antiromanae, libellum edidit in quo Latinos accusavit de haeresi ob insertionem *Filioque,* et praesertim impugnavit coelibatum ecclesiasticum (3). Nomine papae Leonis IX, cardinalis Humbertus a Silva Candida modo decretorio, sed nimia acerbitate, confutavit utrumque. Interea, acerrimo sermone in azymum « judaicum » Latinorum, in eorum « pharisaicum » jejunium sabbatinum, in « paganam » manducationem carnis cum sanguine, necnon et opere violento, Michael Caerularius aggressus est Latinos Constantinopoli commorantes. Anno 1053, jussit ut presbyteri, in monasteriis latinis patriarchatus viventes, adoptarent ritum graecum; et cum hoc facere recusarent, eos anathematizavit. Unus e suis fautoribus, Nicephorus cancellarius patriarchatus, in clausura ecclesiarum latinarum hostias a Latinis consecratas pedibus conculcavit, dicendo eas invalide consecratas quia e pane azymo confectas.

Huic insanae aggressioni firmiter restitit papa Leo IX. In epi-

---

(1) PG, t. 120, 835 sq.; PL, t. 143, 929 sq.

(2) Ipse Michael Caerularius easdem querimonias aliasque ejusdem valoris expressit in suo *Edicto synodali* et in prima epistola ad Petrum patriarcham Antiochenum: PG, t. 120, col. 735 sq., col. 781 sq.

(3) PG, t. 120, col. 1011 sq.; confutatio Humberti a Silva Candida habetur col. 1021 sq.; pro ejus responsione epistolae Leonis de Achrida, cfr. PL, t. 143, col. 931 sq.; V. Laurent, *Le titre de patriarche oecuménique et Michel Cérulaire,* in *Miscellanea G. Mercati,* t. III, p. 373 sq. R., 1946.

stola « In terra pax hominibus » (composita a cardinali Humberto) die 2 sept. anni 1053 directa ad Michaelem Caerularium et Leonem archiepiscopum de Achrida, papa defendit jura et usus Ecclesiae Romanae, moderationem romanam opposuit intolerantiae byzantinae, et praesertim vindicavit primatum romani pontificis (1). Imperator Constantinus IX Monomachus, non approbabat vim a Michaele Caerulario illatam Latinis; voluisset servare unionem religiosam cum S. Sede, ut cum ejus auxilio posset expellere Normannos e suis possionibus Italiae meridionalis. Ejus impulsu, Caerularius misit ad Leonem IX epistolam moderatam, in qua proponebat ut dissidium pacifice componeretur. Ad concordiam politico-ecclesiasticam promovendam, papa ad imperatorem misit tres legatos: Humbertum cardinalem episcopum Silvae Candidae; Fredericum e Lotharingia, cardinalem cancellarium S.R. Ecclesiae, et Petrum, archiepiscopum Amalphitanum, qui portabant litteras papae ad Constantinum Monomachum et ad Caerularium.

Isti non placuerunt litterae pontificiae in quibus, dictante cardinali Humberto, Leo IX Caerularium laudabat pro desiderio pacis, sed eum etiam vituperabat ob ambitionem et ob injurias Ecclesiae latinae illatas. Indoli superbae Caerularii, cardinalis Humbertus opposuit propriam asperitatem, et ideo inter legatos et patriarcham nulla orta est consensio. Ne tempus perderent, legati disceptarunt cum Graecis de rebus controversis: decursu solemnis disputationis habitae in monasterio Studii, die 24 maii 1054, in qua eminuit Humbertus a Silva Candida, Nicetas Pectoratus confessus est se scripsisse de mandato Michaelis Caerularii et libellum suum publice revocavit. Michael Caerularius vero, accepto nuntio mortis Leonis IX (19 apr. 1054) insolentior factus est et ecclesias ubi celebrabant legati interdictas declaravit. Quare legati pontificii mandatum suum expleverunt et, die sabbati 16 julii anni 1054, initio missae, super altare S. Sophiae deposuerunt bullam qua excommunicabantur Michael Caerularius, Leo de Achrida, Nicephorus eorumque fautores, et alta voce pronuntiarunt Michaelem Caerularium dejectum esse a

---

(1) Mansi, t. XIX, 638 sq.; PL, t. 143, col. 744 sq.; ES, n. 350 sq. Loquendo de benevolentia qua circumdabantur monasteria ritus graeci in Italia, Leo IX dicebat: « Ecce in hac parte, Romana Ecclesia quanto discretior, moderatior et clementior vobis est... nullum eorum adhuc perturbatur, vel prohibetur a paterna traditione, sive sua consuetudine, quin potius suadetur et admonetur eam observare ».

patriarchatu (1). Die sequenti legati reliquerunt Constantinopolim.

Bulla excommunicationis, quam confecit Humbertus a Silva Candida, evidenter ab irato composita et edita est: vera falsis petulanter in ea miscentur. Post laudes tributas columnis Imperii et civibus sapientibus, quibus Constantinopolis « christianissima et orthodoxa est civitas », sequuntur verba aspera et criminationes odiose inflatae in Caerularium ejusque sequaces: « Quantum autem ad Michaëlem, abusive dictum patriarcham, et ejus stultitiae fautores, nimia zizania haereseon quotidie seminantur in medio ejus. Quia sicut Simoniaci donum Dei vendunt; sicut Valesii hospites suos castrant, et non solum ad clericatum sed insuper ad episcopatum promovent; sicut Ariani rebaptizant in nomine Sanctae Trinitatis baptizatos, et maxime Latinos; sicut Donatistae affirmant, excepta Graecorum Ecclesia, Ecclesiam Christi et verum sacrificium atque baptismum ex toto mundo periisse; sicut Nicolaitae carnales nuptias concedunt et defendunt sacri altaris ministris; sicut Severiani maledictam dicunt legem Moysis; sicut Pneumatomachi vel Theumachi absciderunt a Symbolo Spiritus Sancti processionem a Filio; sicut Manichaei inter alia, quodlibet fermentatum fatentur animatum esse; sicut Nazareni carnalem Nazaraeorum munditiam adeo servant, ut parvulos morientes ante octavum a nativitate diem baptizari contradicant, et mulieres in menstruo vel partu periclitantes communicare, vel si paganae fuerint baptizari prohibeant, et capillos capitis ac barbas nutrientes eos, qui comas tondent, et secundum institutionem Romanae Ecclesiae barbas radunt, in communione non recipiant... » (1).

Tales accusationes, quae crederentur de industria exaggeratae, magis adhuc ad rebellionem moverunt Caerularium ejusque fautores. Ut unio cum Roma servaretur, nihil valuerunt bonae dispositiones imperatoris Constantini IX et meliorum praesulum Ecclesiae graecae, uti Petri III, patriarchae Antiocheni. Michael Caerularius fortior erat ipso imperatore, quia tam monachi quam populus, ab eo adversus Romam excitati, cum eo erant: volens nolens, Constanti-

---

(1) Jam in epistola « In terra pax hominibus », Leo IX scribebat cap. 11: « Praejudicium faciendo summae Sedi, de qua nec judicium licet facere cuiquam hominum, anathema accepistis ab universis Patribus omnium venerabilium Conciliorum ».

(2) PL, t. 143, p. 1002; C. MIRBT, *Quellen zur Geschichte des Papsitums und des Römischen Katholizismus*, n. 269, ed. 5. Tübingen 1934.

nus IX debuit sequi Caerularium, qui sine mora convocavit synodum. Cum in curia imperiali semper plurimi episcopi adessent, jam die 20 julii 1054, paucis tantum diebus postquam legati pontificii Michaelem Caerularium a patriarchatu depositum proclamaverant, idem Michael Caerularius anathema dixit in ipsos legatos (1). Petrus patriarcha Antiochenus conatus est Caerularium adducere ad compositionem faciendam cum S. Sede, sed incassum. (2). Sub Constantino IX ejusque successore Michaele VI, ferox patriarcha tanquam supremus dominus summae rerum Imperii et sacerdotii praefuit Constantinopoli. Sed prospera fortuna ejus raptim declinavit quando Isaac Comnenus ascendit thronum, anno 1057. Novus imperator, timendo ne potens patriarcha in se conjuraret, eum in carcerem detrusit; mortuus est Michael Caerularius sub fine anni 1058, Madytae ad Dardanellas, dum, actore Michaele Psellos, citabatur ante synodum ut perduellionis reus. In Ecclesia orthodoxa, colitur tanquam martyr.

Schisma ab eo perpetratum non confestim ubique admissum est in Ecclesia graeca. Plures coaetanei patriarchae Constantinopolitani, uti Petrus patriarcha Antiochenus, Georgius Hagorita, Theophylactus archiepiscopus Achridae, non consentiebant scissioni. Relationes indolis religiosae et oeconomicae inter Orientem et Occidentem nullo modo interruptae sunt. Sed proculdubio actio violenter antiromana operata a Caerulario majorem effectum obtinuit quam rebellio Photii, quia Caerularius, favorem lucratus est minutae *plebis* et *monachorum*, qui hactenus fideles remanserant S. Sedi. Quoad populum, ex natura sua formae externae religionis addictum, Michael Caerularius eum excitavit adversus Latinos, accusando istos de discrepantiis indolis mere ritualis et disciplinaris, quasi sacrilegia et haereses essent. Praeterea, pro parte sua habuit etiam monachos, qui magni eum aestimabant quia ipse monachus fuerat antequam elevaretur ad patriarchatum. Cum monachi, virtute et doctrina, essent portio selectior Ecclesiae graecae, eorum adhaesio actioni antiromanae Michaelis Caerularii plurimum valuit ut schisma tempore et spatio extenderetur.

---

(1) PG, t. 120, 736.
(2) PG, t. 120, 736 sq.

A CONSUMMATIONE SCHISMATIS
AD TEMPORA MODERNA

III.

1. - Usque ad expugnationem Constantinopolis a Turcis. —
Consummata scissione, bona vel mala consuetudo Ecclesiae graecae ad S. Sedem et ad Latinos plurimum pependit a modo agendi summorum pontificum, imperatorum Orientis, cleri byzantini et principum occidentalium (1).

Summi pontifices frequenter contenderunt pro defensione Fidei christianae in Oriente et pro regressu dissidentium ad centrum unitatis Fidei. Cum eis imperatores Orientis plurimum cooperati sunt, duplici desiderio unionis religiosae et auxilii politico-militaris adversus Turcas qui invadebant Imperium. Clerus byzantinus generatim operam suam paucum vel nihil praestitit S. Sedi et imperatoribus pro reversione Ecclesiae graecae ad unitatem, a parte alti cleri, ne diminueretur sua auctoritas suprema in negotiis ecclesiasticis, a parte monachorum, e consideratione propriae praestantiae doctrinalis et disciplinaris. Apud principes occidentales, saepenumero praevaluerunt considerationes temporales in sua actione politica versus Orientem.

a) *Conamina S. Sedis pro defensione christianismi in Oriente et pro regressu dissidentium.* Vix decem annis post consummationem schismatis a Michaele Caerulario (1064), Turcae Seldschukitae invadebant Imperium graecum. Confestim imperator Michael VII, anno 1073 invocavit auxilium papae Gregorii VII, promittendo ei se cum populo graeco ad unitatem catholicam reversurum, si Latini adjuvarent eos in bello cum Saracenis. Gregorius VII cito percepit defensionem Imperii graeci a Turcis non pertinere ad solum Orientem, sed rem esse magni momenti pro tota Ecclesia. Quare sine mora benigne respondit Michaeli VII et epistolis hortatus est Gulielmum comitem Burgundiae, imperatorem Germaniae Henricum IV et omnes christianos ad impugnandum fortiter inimicum hereditarium

---
(1) G. OSTROGORSKY, *Geschichte des Byzantinischen Staates*. Mn., 1940.

christiani nominis. Jam quinquaginta millia militum, italici et ultramontani, ad expeditionem parati erant. Sed in Occidente, imperator Henricus IV aliique principes occupabantur contentione de investituris, et in Oriente anno 1078 Michael VII regno expellebatur ab usurpatore Nicephoro. (1)

b) *Incomprehensio et injuriae in orientales a parte latinorum.* Bellis crucigerorum, aliqui principes occidentales usi sunt ut propriae ambitioni satisfacerent, creando principatus in Oriente cum terris et civitatibus quas e manibus Turcarum eriperant, sed quae de jure pertinebant ad Imperium graecum. Ita, in prima expeditione crucigerorum, dux Normannorum Bohemundus expugnavit Antiochiam anno 1098, et illico seipsum proclamavit principem Antiochiae, quin antea ad hoc licentiam obtinuisset imperatoris byzantini. Statim Bohemundus in principatu suo constituit patriarcham latinum, et patriarcham graecum, qui favebat imperatori byzantino, sedem suam relinquere coegit. Tali modo erecti sunt plures principatus latini in partibus quae erant Imperii graeci, ante invasiones Saracenorum, uti Edessae in Mesopotamia, Tripoli in Syria, in Achaja et insulis Maris Aegaei. Suâ arrogantia, Latini facile in se incenderunt odia Graecorum. Nihil mirum inde si anno 1182, in tumultu populari, Latini plurimi, inter quos ipse legatus papae Lucii III, occisi sunt: patriarcha byzantinus Dositheus istam stragem plene excusavit, dicendo Graecum, homicidam decem Graecorum, certe a Deo veniam accepturum si postea trucidaret centum Latinos (2).

Quartum bellum crucigerorum (1202-1204), in quo duces militum, contra voluntatem expressam papae Innocentii III (3), sese

---

(1) Epistolae S. Gregorii VII in PL, t. 148, col. 300 sq.; J. GAY, *Les papes du XI*e *siècle et la chrétienté* P., 1926; A. FLICHE, *S. Grégoire VII*, in coll. *Les Saints*, 2 ed. P., 1920; IDEM, *La Réforme Grégorienne et la reconquête, chrétienne*, t. 8 coll. *Histoire de l'Eglise* dir. ab A. FLICHE et V. MARTIN. p. 63 sq. P., 1946.

(2) L. ALLATIUS, *De Ecclesiae occidentalis et orientalis perpetua consensione libri III.* Colomae, 1648; *Nova Patrum Bibliotheca*, ed. A. MAI, t. VI, parte 2; ed. J. COZZA-LUZI, t. X; W. NORDEN, *Das Papsttum und Byzanz. Die Trennung der beiden Mächte und das Problem ihrer Wiedervereinigung bis zum Untergange des byzantinischen Reichs*, 1453, p. 120. B., 1903; A. VASILIEV, *Histoire de l'Empire byzantin*, transl. gallica, a P. BRODIN et A. BOURGUINA, t. II, p. 1 sq. P., 1932.

(3) Sub poena excommunicationis, Innocentius III prohibuerat crucigeris ne minimum afferrent damnum possessionibus christianorum: PL, t. 215, col. 103-107.

immiscuerunt in discordiis intestinis Imperii byzantini, scilicet in conflictu inter imperatorem depositum Isaac Angelum et usurpatorem Alexium III, et ista occasione Constantinopolim expugnarunt, ibique Imperium latinum instituerunt, nefastam habuit consequentiam quoad relationes religiosas inter Orientem et Occidentem. Die 13 aprilis 1204, crucigeri splendidam Constantinopolim modo exsecrabili vastarunt: spoliarunt magnifica sanctuaria byzantina; reliquias, icones, vasa sacra aliosque thesauros sibi appropriarunt vel ad proprias ecclesias in Occidentem miserunt (1). Balduinus, comes Flandriae, obtinuit imperium Constantinopolis; loco patriarchae graeci Joannis Camateros qui aufugerat, nominatus est patriarcha latinus, venetus Thomas Morosini, qui S. Sophiam pro ecclesia cathedrali habuit, cum capitulo canonicorum venetorum. Ita etiam alias antiquas sedes orientales, uti Thessalonicam et Patras, occuparunt Latini. Cum presbyteris et monachis graecis, qui nolebant admittere primatum romanum, legatus pontificius, cardinalis Pelagius, nimia severitate egit.

Papa Innocentius III acerrime damnavit, anno 1205, delicta a Latinis commissa, in epistolis ad ducem venetum Henricum Dandolo, ad imperatorem Balduinum et ad legatum pontificium, Petrum Capuanum cardinalem S. Marcelli (2). Tanquam verum imperatorem semper agnovit Theodorum Lascaris, qui post expugnationem Constantinopolis a Latinis, sedem Imperii orientalis fixerat Niceae in Asia Minori. Cum eo tractavit de modo deveniendi ad reversionem Graecorum in sinum Ecclesiae catholicae. Eodem scopo, successores ejus, praesertim Gregorius IX et Innocentius IV, servarunt habitudinem ad imperatorem byzantinum, quam anno 1261

---

(1) W. NORDEN, *Der vierte Kreuzzug im Rahmen der Beziehungen des Abendlandes zu Byzanz*. B., 1898.

(2) Ex epistola Innocentii III ad legatum suum Petrum Capuanum, die 12 julii 1205: « Quo modo enim Graecorum Ecclesia, quantumcumque afflictionibus et persecutionibus affligatur, ad unitatem ecclesiasticam et devotionem sedis apostolicae revertetur, quae in Latinis nonnisi perditionis exemplum et opera tenebrarum aspexit, ut jam merito illos abhorreat plus quam canes? Illi etenim, qui non quae sua sunt, sed quae Jesu Christi quaerere credebantur, gladios, quos exercere debuerant in paganos, christianorum sanguine cruentantes, nec religioni, nec aetati, nec sexui pepercerunt. incestus, adulteria et fornicationes in oculis hominum exercentes, tam matronas quam virgines etiam Deo dicatas exponentes spurcitiis garsionum... tabulas argenteas etiam de altaribus rapientes et inter se confringentes in frusta, violantes sacraria, cruces et reliquias asportantes ». PL, t. 215, col. 701.

faciliorem reddidit recuperatio Constantinopolis a Michaele VIII Palaeologo (1).

Ratione politica, quia egebat auxilio S. Sedis adversus aggressiones Caroli Andegavensis ejusque fautorum, Michael VIII, ab initio regni sui aperte favit unioni. Ad instaurandam istam, Gregorius X convocavit concilium oecumenicum Lugduni, ad quod Palaeologus ope trium legatorum misit professionem Fidei sibi anno 1267 a Clemente IV propositam. In isto concilio, XIV oecumenico, ubi adfuerunt S. Albertus Magnus et S. Bonaventura, die 29 junii anni 1274, praesente papa Gregorio X, Ecclesia graeca cum Ecclesia latina solemniter reconciliata est. In constitutione de processione Spiritus Sancti ex Patre et Filio, invocabatur communis sententia Patrum et Doctorum Ecclesiae graecae et latinae, quin injungeretur insertio verbi *Filioque* in symbolum. Die 16 januarii anni sequentis unio item solemni ritu proclamabatur Constantinopoli (2).

Sed stabili effectui unionis obstiterunt solita impedimenta, sive a parte cleri byzantini, sive a parte principum occidentalium, sive denique a parte ipsius papae. Imperator Michael VIII Palaeologus, sicut patriarcha Constantinopolis, Joannes XI Beccos, sincere quaerebant promovere unionem, immo imperator eam vi et metu injungebat. Sed major pars cleri graeci, et praesertim monachi, contrarii erant unioni et habebant Michaelem VIII Palaeologum tanquam proditorem Ecclesiae orthodoxae. Ubi agebatur de Ecclesia romana, Graeci ante omnia recordabantur gesta invisa a Latinis in eos peracta; abusus et delicta antea a Latinis commissa in Imperio graeco, toti catholicismo apostolico romano imputabantur, ita ut multi Graeci ne hypothesim quidem reconciliationis cum S. Sede volebant admittere.

---

(1) Adjuvatus a Genuensibus, invidis Venetis, Michael VIII instaurare potuit Imperium byzantinum. C. CHAPMAN, *Michel Paléologue, restaurateur de l'Empire byzantin*. P., 1926; A. A. VASILIEV, *Histoire de l'Empire byzantin*, op. cit., t. II, p. 253 sq.

(2) ES, n. 460 sq; J. DRÄSEKE, *Kircheneinigung Kaisers Michael VIII Palaeologus*, in *Zeitschrift für wissenschaftliche Theologie*, t. XXIV, p. 325 sq; F. VERNET, *Lyon, IIe concile oecuménique*, in Dth, t. IX, col. 1374 sq.; M. VILLER, *La question de l'Union des Eglises (1274-1438)*, in *Revue d'histoire ecclésiastique*, t. XVI, 1921, p. 261 sq. Anno 1215, concilium oecumenicum Lateranense IV redarguerat superbiam Graecorum contra Latinos et declaraverat post Romanam Ecclesiam, patriarchatum Constantinopolitanum primum obtinere lucum. ES, n. 435-436. Ita jam in concilio oecumenico Constantinopolitano IV statutum fuerat (869-70). ES, n. 341.

Principes occidentales, nullo modo cooperati sunt, nec cum imperatore Michaele VIII, nec cum papa Gregorio X, pro unione corroboranda. E contrario, demonstrarunt animum plane adversum, uti Carolus Andegavensis rex Neapolis et Siciliae, qui agebat ut Imperium latinum instauraretur Constantinopoli. Praeterea, in ipso territorio Imperii byzantini adhuc existebant principatus latini, uti in Achaja et insulis Maris Aegaei: principes latini qui ibi imperabant, e dynastiis Campaniae, de Villehardouin et Champlitte, frequentes incursiones faciebant in partes vicinas Imperii, unde repugnantia Graecorum Latinis semper viva remanebat.

Praeterea, successores Gregorii X, Innocentius V, Joannes XXI, Nicolaus III et Martinus IV, nimio rigore egerunt cum Michaele VIII, patriarcha Joanne et clero graeco, praesertim quoad additionem verbi « Filioque » symbolo (1). Papa Joannes XXI, anno 1277 decreverat *Filioque* inserendum esse in symbolum apud Graecos. Praevidendo oppositionem Graecorum, imperator petiit a Nicolao III, successore Joannis XXI, ut Graeci possent servare antiquum usum recitandi symbolum Nicaeno-Costantinopolitanum sine vocabulo *Filioque,* cum concilium Lugdunense (1274) non praescripsisset Graecis istam insertionem, sed definierat doctrinam catholicam de processione Spiritus S. a Patre et Filio. Anno 1278, Nicolaus III respondit unitatem Fidei nullam pati differentiam in modo eam exprimendi, ideoque symbolum una eademque formula recitandum esse. Michael VIII et patriarcha Johannes XI Beccos sententiam papae obedienter exceperunt. E contrario, clerus byzantinus eam respuit et rebellavit adversus patriarcham Constantinopolitanum. Successor Nicolai III, Martinus IV, Gallus devotus Carolo Andegavensi, pertinaciam Graecorum imputavit Michaeli VIII istumque a communione fidelium segregavit. Imperator obiit excommunicatus, simul a pontifice romano et ab adversariis byzantinis unionis, anno 1282, dum ejus aemulus, Carolus Andegavensis, qui Fide catholica non videtur excelluisse super Michaelem VIII Palaeologum, cumulabatur honoribus a Martino IV. Exinde unio Ecclesiae graecae cum S. Sede iterum abrupta est.

Sub successore Michaelis VIII, Andronico II (1282-1328), Byzantini libere manifestare potuerunt odium suum antiromanum.

---

(1) H. LAURENT, *Georges le Métochite, ambassadeur de Michel VIII Paléologue auprès d'Innocent V,* in *Miscellanea G. Mercati,* t. III, p. 136 sq. R., 1946.

Joannes XI Beccos, aliique episcopi graeci qui adhaeserant unioni, depositi sunt et, vel in carcerem detrusi, vel in exilium missi (1). Per quadraginta annos (1282-1323), nulla fuit relatio officialis Ecclesiae graecae ad S. Sedem. Progredientibus Turcis, anno 1323, Andronicus II ope legatorum suorum apud Carolum IV regem Franciae, se commendavit benevolentiae papae Joannis XXII. Sed colloquia tunc inita nullum habuerunt exitum. Pontifices sequentes, uti Clemens VI, Innocentius VI et Urbanus V, non obstante sua bona voluntate, a principibus Occidentis paucum vel nullum auxilium obtinuerunt pro defensione Imperii graeci, cum ipsi principes latini tunc plurimum inter se belligerarent (2). Ob aspirationes Eduardi III regis Angliae in regnum Franciae, anno 1337 inter Gallos et Anglos bellum ortum erat, notum in historia sub nomine *Belli centum annorum* quia protractum est usque ad annum 1453. Praeterea, ultimo quarto saec. XIV (1378) et primis annis saec. XV, usque ad electionem papae Martini V in concilio Constantiensi (1417), ipsa Ecclesia catholica in Occidente divisa erat magno schismate, ob contentiones inter duos vel tres aemulos ad summum pontificatum.

c) *Concilium Ferrariense-Florentinum.* Sed pace vix instaurata in Ecclesia catholica cum electione Martini V, S. Sedes opus suum pro reversione Ecclesiae graecae ad unitatem iterum arripuit. Quando papa Eugenius IV concilium convocavit Ferrariae (1438), invitavit Ecclesiam graecam et alias Ecclesias separatas a centro unitatis Fidei. Joannes VIII Palaeologus, imperator Orientis (3),

---

(1) R. SOUARN, *Un patriarche grec catholique au XIIIe siècle*, in *Echos d'Orient*, t. III, 1900, p. 229 sq., 351 sq.; J. DRÄSEKE, *Zur Friedensschrift des Patriarchen Joannes Beccos*, in *Zeitschrift für wissenschaftliche Theologie*, 1907, p. 231 sq.; Idem, *Joannes Beccos und seine theologischen Zeitgenossen*, in *Neue Kirchliche Zeitschrift*, t. XVIII, 1907, p. 877 sq.; V. LAURENT in *Echos d'Orient*, 1926-1930; L. BRÉHIER, *Beccos, Jean XI*, in DHE, t. VII, col. 354-364. Opera Joannis Beccos eduntur in PG, t. 141.

(2) C. GIANNELLI, *Un progetto di Barlaam per l'unione delle chiese*, in *Miscellanea G. Mercati*, t. III, p. 157 sq. R., 1946.

(3) En ultima verba quae de opportunitate concilii oecumenici ad unionem instaurandam Joanni VIII reliquit pater, Emmanuel II, anno 1425 : « Cogita de synodo et rem curae habe, praesertim, cum impii [Turcae] tibi timendi sunt; cogere tamen eam ne jam aggrediare, quoniam nostrates, ut mihi quidem videtur, ad inveniendam rationem modumque conjunctionis, consensus, pacis, charitatis et concordiae nequaquam apti sunt, sed eos, occidentales dico, tales facere animum inducunt, quales fuimus antiquitus. Quod profecto fieri non potest, ac timeo pene etiam deterius schisma eveniat : et nos ecce

venit cum pluribus episcopis graecis, quorum praecipui erant: Bessarion, archiepiscopus Nicaenus, Isidorus, metropolita Chioviensis, cum sede in Mosqua, Josephus, patriarcha Constantinopolitanus, qui cum duobus praedictis favebat unioni; Marcus Eugenicus, archiepiscopus Ephesinus, qui adversabatur unioni. Triginta circiter praesules Ecclesiae orthodoxae adstiterunt concilio, una cum numeroso comitatu clericorum et laicorum ex Oriente (700 homines), qui addicebantur servitio imperatoris et episcoporum: secundum pactum initum cum imperatore, Eugenius IV sumptus omnes itineris et commorationis in Italia liberaliter tulit.

Ex Occidente, aderant circiter 150 episcopi, inter quos eminebant cardinales Nicolaus Albergati et Julianus Cesarini, plures theologi quorum princeps erat Ambrosius Traversari, superior generalis Camaldulensium, eximius humanista litteris graecis optime instructus, qui e parte latina controversiam doctrinalem duxit cum Graecis. Discussiones per totum annum durarunt: primum Ferrariae, a mense aprili anni 1438, deinde Florentiae, ubi concilium translatum est mense januario anni 1439 ob pestem quae Ferrariam depopulabatur; ipse papa praesidebat sessionibus. Quaestio de processione Spiritus Sancti et de additione verbi *Filioque* symbolo, diu discussa est. Sed tam in ista quaestione quam in aliis quae disceptatae sunt, Graeci, exemplum sequentes Bessarionis et Isidori a Chiovia, in fine consenserunt cum Latinis, saltem quoad essentiam doctrinae.

Bulla « Laetentur caeli » (6 jul. 1439), qua instaurabatur unio inter Graecos et Latinos, composita est in vero spiritu mutuae comprehensionis. Ibi declarabatur: Spiritus Sanctus procedit e Patre et Filio tanquam ab uno principio; formula latina « ex Patre Filioque » et formula graeca « ex Patre *per* Filium », concordant eo sensu quod in formula latina Filius praesentatur tanquam *principium* subsistentiae Spiritus Sancti, dum in formula graeca affirmatur Filium esse *causam* hujus subsistentiae. Vocabulum *Filioque* licite ac rationabiliter appositum est symbolo, sed nihil decernebatur quoad obligationem inserendi istud vocabulum. In sacrificio missae, consecratio aequali validitate conficitur sive in pane azymo sive in pane

---

expositi foremus impiis ». GEORGIUS PHRANTZES, *Chronicon Majus*, in PG, t. 156, col. 784 sq.; W. MILLER, *The historians Doukas and Phrantzes*, in *Journal of Hellenic Studies*, t. XLVI, 1921, p. 63 sq.; R. LOENERTZ, *Autour du « Chronicon Majus »* attribué à *Georges Phrantzès*, in *Miscellanea G. Mercati*, t. III, p. 273 sq. R., 1946.

fermentato. In canone *De novissimis,* nihil definitum est de igne quo purificantur animae in purgatorio, quia Graeci ignem purgatorii negabant. Declarabatur tantum « animas poenis purgatoriis post mortem purgari ». Praeterea, definiebatur animas justorum et animas purificatorum, post mortem, *mox,* ergo ante judicium generale, recipi in caelum et intueri clare ipsum Deum trinum et unum. Denique affirmabatur primatus Sedis apostolicae et romani pontificis in universum orbem (1).

Bulla « Laetentur caeli » solemniter promulgata est Florentiae in ecclesia cathedrali S. Mariae, die 16 julii 1439. Omnes patres concilii, tam Graeci quam Latini, praesentes erant, excepto Marco Eugenico, archiepiscopo Ephesino, qui usque ad mortem repugnavit unioni. Josephus patriarcha Constantinopolitanus interim obierat, reconciliatus cum S. Sede. Papa Eugenius IV celebravit missam; deinde Bessarion bullam legit in lingua graeca, et cardinalis Julianus Cesarini in lingua latina: lectione peracta, duo praelati sibi osculum pacis dederunt in signum unionis. Postea omnes Graeci, praeeunte Joanne VIII imperatore, genuflexerunt ante papam ejusque manum osculati sunt in signum obedientiae. Ista occasione, Eugenius IV ad cardinalatum promovit duos praelatos graecos qui magis operam dederant pro reversione Graecorum ad unitatem Ecclesiae: Bessarionem et Isidorum Chioviensem (2).

Felix successus concilii Ferrariensis - Florentini, ante omnia tribui debet benevolentiae qua sanctus pontifex Eugenius IV usus est cum Graecis, et spiritui conciliationis quo inspirabantur praecipui patres concilii tam ex parte latina quam ex parte graeca. Etiam imperator Joannes VIII Palaeologus omni zelo favit unioni, e qua sperabat effectum politicum, scilicet auxilium S. Sedis et principum Occidentis, quo ultima fragmenta sui Imperii salvare potuisset. Etenim, tempore concilii, quasi totum Imperium graecum jam occupaba-

---

(1) HC, t. VII, p. 951 sq.; G. PETIT, *Documents relatifs au concile de Florence.* I. *La question du purgatoire,* II. *Oeuvres anticonciliaires de Marc d'Ephèse.* P. 1920 1923; G. HOFFMANN, *Concilium Florentinum.* I *Erstes Gutachten der Lateiner über das Fegfeuer.* II. *Zweites Gutachten der Lateiner über das Symbolum,* in *Orientalia christiana,* 1929-1930; ES, n. 691 sq

(2) L. MOHLER, *Kardinal Bessarion als Theologe, Humanist und Staatsmann,* 2 vol. Pdb. 1920-1927; folium periodicum *Bessarione,* R., ab anno 1896; G. MERCATI, *Scritti d'Isidoro il cardinale Ruteno e codici a lui appartenuti che si conservano nella Biblioteca Vaticana,* in *Studi e Testi,* fasc. 46. R., 1926.

tur a Turcis, exceptis Constantinopoli et partibus vicinis usque ad civitatem Selymbriam, et aliquibus locis ad litus maris Aegaei uti monte Athos, et Peloponeso. Notandum est praeterea, concilium istud celebratum esse in ambitu mere religioso, libero ab omni pressione ambitionum temporalium principum Occidentis. Nulla violentia, nullus interventus extraneus compulit vel humiliavit Graecos. Unice tractatae sunt quaestiones indolis doctrinalis, et unusquisque potuit ore libero exprimere opinionem suam. Archiepiscopus Ephesinus, Marcus Eugenicus, qui unioni adhaerere noluit, pro hac sua obstinatione nullo modo molestatus est, et expedite potuit Constantinopolim regredi. Ipsi episcopi graeci in patriam reversi, confessi sunt neminem eorum aliquam injuriam vel violentiam passum esse.

Ex instauratione unionis cum Graecis, orta est magna spes revocandi ad unum ovile omnes christianos separatos a centro unitatis Fidei. Etenim, praeter Graecos, habebantur in Oriente aliae communitates christianae schismate divisae ab Ecclesia catholica. In Persia et Mesopotamia, inde a saeculo V existebat Ecclesia nestoriana, quae errorem acceperat a schola theologica Edessae. A saec. VI ad saec. XIV, missionarii nestoriani penetrarunt in Khorassan, Turkestan, Indiam, Sinense imperium et Mongoliam, ibique sedes episcopales erexerunt: saeculo XIII, Ecclesia nestoriana constabat viginti sedibus metropolitanis et ducentis circiter sedibus suffraganeis. Adhibebat liturgiam syriaco-chaldaicam, sed in Mongolia et apud Sinas clerus indigena libros sacros in linguam vulgarem transtulerat (1).

Causâ monophysismi, major pars christianorum Armeniae sub fine saeculi V separati sunt ab Ecclesia catholica. Occasione bellorum crucigerorum, principes et episcopi armeni, uti rex Leo II, metropolitae Gregorius VI et Joannes VI, tempore Innocentii III, agnoverunt primatum papae, et cum isto egerunt de unione instauranda. Etiam Syri plurimum adhaeserunt monophysismo, et in Ecclesiam separatam constituti sunt, opere praesertim Jacobi Baradai, episcopi Edessae (+ 578), a quo appellati sunt Jacobitae. Semper restiterunt

---

(1) F. NAU, *L'expansion nestorienne en Asie*, in *Annales du Musée Guimet*, t. XL. P. 1913; A. MINGANA, *Early spread of Christianity in Central Asia and the Far East*, in *Bulletin of the John Rylands Library*, t. IX, 1925; E. TISSERANT, *Nestorienne (Eglise)*, in Dth.; R. JANIN, *Les Eglises orientales et les rites séparés*, ed. 3. P., 1935; ed. renovata a G. GATTI et C. KOROLEVSKIJ, *I riti e le Chiese orientali*. Genova, 1942.

Ecclesiae graecae, dum e contrario amice vixerunt cum crucigeris latinis, et saepe saepius, cum ipsis Saracenis. Praeterquam in Syria, Ecclesia monophysita Jacobitarum propagata est in Palaestina, in Asia Minori, in India, in insula Cypro et in Mesopotamia: initio saeculi XIII, habebat viginti sedes metropolitanas et circiter centum octoginta sedes suffraganeas. Etiam Ecclesia coptica Aegypti profitebatur monophysismum; ab ea pendebat Ecclesia Aethiopiae.

Monothelismus, conclusio logica monophysismi, dicitur fautores invenisse apud Syros qui vivebant circa monasterium S. Maronis ad fluvium Orontem, initio saec. VII. Probabilius constituti sunt in Ecclesiam particularem primo dimidio saeculi IX. Ob invasionem Arabum qui monasterium S. Maronis destruxerant, Maronitae aufugerunt super montem Libanum, initio saeculi X, et decursu temporis dispersi sunt in aliis partibus Syriae, Palaestinae, Cypri et Aegypti (1).

Ex christianis dissidentibus in pluribus partibus Orientis, ob nestorianismum, monophysismum et monothelismum, plurimi separati erant modo potius externo, scilicet formulis dubiis vel erroneis quibus exprimebatur eorum Fides, quam animo vere schismatico. Saepe saepius per plura saecula sejuncti vixerant ab omni commercio cum S. Sede. Relationibus vix instauratis, opere praesertim cleri latini constituti in Oriente decursu bellorum crucigerorum, et missionariorum ex Ordinibus mendicantibus, facile revertebantur ad unitatem catholicam. Sic, e. g., anno 1182, Maronitae professionem Fidei miserunt Amalrico, patriarchae latino Antiochiae.

Praeter Ecclesiam orthodoxam byzantinam, plures aliae Ecclesiae orientales repraesentabantur in concilio Ferrariensi-Florentino. Nomine Maronitarum, aderant Frater Minor Joannes et Isaac delegatus episcopi Eliae; Zara Jacob, imperator Aethiopiae, miserat Andream, abbatem S. Antonii in Aegypto; Petrus diaconus

---

(1) Art. *Arménie* in Dth et DHE; G. HOFMANN, *Die Einigung der armenischen Kirche mit der katholischen Kirche auf dem Konzil von Florenz*, in *Orientalia Christiana*, t. V, 1939, p. 151 sq.; *Antioche (patriarcat jacobite)*, in Dth et DHE; *Alexandria (Pratriarcat)*, in LTK; *Monophysite (Eglise copte)*, in Dth; *Abyssine (Eglise)* in DHE; *Ethiopie*, in Dth; S. VAILHÉ, *Les origines religieuses des Maronites*, in *Echos d'Orient*, t. IV, 1901, p. 96 sq.; t. V, 1902, p. 281 sq.; t. IX, p. 257 sq.; art. *Maronite* in *The Catholic Encyclopedia; Maroniten*, in LTK; *Maronite (Eglise)* in Dth; P. DIB, *L'Eglise maronite*, t. I, P., 1930; R. JANIN, in *Histoire du christianisme* ed. a CH. POULET, fasc. XII, p. 821 sq. P., 1936.

papae Eugenio IV obtulit litteras Joannis, patriarchae coptici Alexandriae. Isti delegati libenter consenserunt ardenti desiderio summi pontificis, et nomine propriae Ecclesiae Fidem catholicam professi sunt atque obedientiam vicario Christi promiserunt.

Ita factum est ut cum bulla « Laetentur coeli » pro unione Graecorum, plures aliae in concilio confectae sunt bullae, quibus promulgabatur una Fides catholica admissa ab aliis Ecclesiis orientalibus: « Exultate Deo » pro Armenis (22 nov. 1939) « Cantate Domino » pro Jacobitis (4 feb. 1441), aliaque decreta quibus declarabatur recta professio Fidei Syrorum, Chaldaeorum et Maronitarum. Legatus Isaac, nomine Eliae episcopi Cypri, fecit professionem Fidei « reprobando Macarii de unica voluntate in Christo haeresim » (1).

Sed unio tanto fervore Florentiae celebrata, paucum vel nihil ad effectum deducta est in ipso sinu Ecclesiarum orientalium. Graeci praesertim ei acriter restiterunt. Imperatorem Joannem VIII Palaeologum et episcopos graecos, qui bullam « Laetentur coeli » subsignaverant, Constantinopolim reversos, clerus et populus hostili potius animo exceperunt, dum e contrario Marcum Eugenicum, qui unioni non adhaeserat, celebrarunt tanquam defensorem impavidum orthodoxiae graecae. Jam cito, ipsi episcopi qui signaturam apposuerant bullae unionis, semetipsos de dato chirographo excusare inceperunt, allegando false quod Francorum formidine subscripserant (2).

Non obstante bona sua voluntate, Joannes VIII Palaeologus non potuit proclamare unionem, cum derelictus esset ab episcopis obsignatoribus et fortiter impugnatus ab alto clero et a monachis. E quatuor patriarchis, unus tantum admittebat unionem: Metrophanes II, Constantinopolitanus. Tres alii patriarchae graeci, Philotheus Alexandrinus, Dorotheus Antiochenus, et Joachim Hierosolymitanus, ei adversabantur. Joanni VIII Palaeologo, qui obiit anno 1448, successit frater ejus Constantinus XI. Iste forsitan cessisset resistentiae cleri graeci, si roboratus non fuisset praesentia et consilio cardinalis Isidori a Chiovia, quem apud imperatorem de-

---

(1) Mansi, Supplementum ad t. XXXI, col. 1755 sq.; ES, n. 695 sq.

(2) Historicus contemporaneus graecus, Ducas, qui unioni favebat in sua *Historia byzantina* narrat tristem adventum istorum episcoporum in Constantinopolim, et mendaces excusationes quibus subscriptionem suam justificare tentarunt, PG, t. 157, col. 1014.

legaverat papa Nicolaus V, cum auxilio ducentorum militum: exinde decretum unionis promulgatum est, in S. Sophia, die 12 decembris 1452.

Byzantini, excitati a monacho cui nomen Georgius Scholarius, decreto repugnarunt. Diffundebatur rumor quod, ipsa die qua propriae orthodoxiae valedicerent, Constantinopolis redigeretur sub jugum Turcarum (1). Non percipiebant se orthodoxiam veram, scilicet Fidem Athanasii, Gregorii Nysseni, Joannis Chrysostomi, Basilii, Joannis Damasceni, et aliorum Patrum Ecclesiae graecae, jamdiu abnegasse. Interea Turcae, ducti ab ipso sultano Mahumeto II, Constantinopolim obsidione premebant, eamque die 29 maii anni 1453 expugnabant. Constantinus XI periit in ultima pugna pro defensione civitatis, cum suprema consolatione moriendi in unione cum vicario Christi. Die 30 maii, hora octava matutina, Mahumetus II ingrediebatur ecclesiam S. Sophiae, quae exinde mutata est in mesquitam (2).

2. — Ecclesia in Oriente a medio saeculo XV ad tempus praesens.

— Actum erat de Imperio romano Orientis, et ex ejus ruina duae fluebant consequentiae pro vita externa Ecclesiae orthodoxae: a) subjectio Ecclesiae graecae dominationi Turcarum; b) institutio Ecclesiarum nationalium apud populos qui Fidem acceperant a Graecis vel decursu temporis sub eorum jurisdictionem positi fuerant.

a) *Subjectio Ecclesiae graecae dominationi Turcarum.* Turcae egerunt cum Graecis, sicuti a principio Mahumetani egerant cum populis devictis. Consideratione politico-oeconomica, scilicet ut Graecis christianis facilius dominarentur, et ab eis majora commoda materialia traherent, eos constituerunt in corpus politico-religiosum, distinctum a Turcis, cui concessa est tolerantia cultus christiani sub vigilantia supremae auctoritatis turcae. Turcae nullo modo intenderunt absorbere subditos graecos, sed eis uti tanquam elemento proficuo pro sua prosperitate temporali.

---

(1) Primus senator Mesazon, dicebat: « Turcorum mitram ac redimiculum in media urbe dominari, quam Latinorum galerum regnantem conspicere, potius esse ». Ducas, *Historia byzantina*, PG, t. 157, col. 1071 sq.

(2) A. A. Vasiliev, *Histoire de l'empire byzantin*, op. cit., t. II, p. 336 sq.

Christiani erant major pars multitudinis habitantium. Apud eos, numerosi erant operarii, agricolae, homines dediti administrationi, artibus et litteris. Tanquam christiani, non poterant participes esse societatis islamiticae, quia in regimine islamitico, status in unum confundebatur cum religione. Quare Mahumetus II subditos suos christianos constituit in communitatem distinctam, sine ulla relatione ad Ecclesiam catholicam, ne ex unione Graecorum cum Latinis oriretur periculum pro Turcis. In superiorem isti communitati praefecit patriarcham, qui gestionis suae rationem reddere debebat sultano. Sine mora, Mahumetus II procuravit electionem patriarchae hostilis unioni cum Latinis, scilicet Georgii Scholarii, qui nomen assumpsit Gennadii II. Sicuti antea patriarcha praeficiebatur suo muneri ab imperatore, ita inde a dominatione turcica, investituram externam accepit ab ipso sultano (1). Anno 1454, prima vice Mahumetus II, patriarchae Gennadio II baculum pastoralem tradidit, non amplius SS.mam Trinitatem invocando, uti faciebat imperator, sed dicendo: « Sis patriarcha, et caelum protegat te. Favor meus tibi non deerit, et frueris omnibus juribus praedecessorum tuorum ».

Patriarcha simul erat caput religiosum communitatis christianae, ejus judex nomine sultani, ejusque delegatus apud sultanum. Eximebatur a vectigalibus, simul ac presbyteri patriarchatus. Pro Ecclesia cathedrali ei assignata est ecclesia SS. Apostolorum. Inde ab anno 1603, patriarcha sedem fixit apud ecclesiam S. Georgii de Phanar.

Reapse Ecclesia graeca, ope novi sui statuti, in servitutem adjudicata est sultano: patriarcha ejusque ministri, qui obedientiam detrectaverant summo pontifici, patri et pastori in Christo, vel sponte vel invite, obsequium praestiterunt principi infidelium, majori inimico christianae Fidei. Cito etiam munera ecclesiastica venalia facta sunt, cum Graeci experti essent sultanum illos promovere candidatos qui majora offerebant dona gratiosa. Jam paulo post occupationem Constantinopolis a Turcis, introducta est consuetudo comparandi dignitatem patriarchalem ope ingentis summae pecuniae: ita fecerunt, altero dimidio saeculi xv, Marcus Xylocaravi, Simeon Trapezuntinus et Raphael I. Ut plura dona acciperet, administratio turcica frequentius mutavit patriarcham, omni trien-

---

(1) L. Bréhier, *L'investiture des patriarches de Constantinople au Moyen Age*, in *Miscellanea G. Mercati*, t. III, p. 368 sq. R., 1946.

nio vel quadriennio. Patriarcha depositus poterat assumi iterum, quotiescumque solvebat majorem pecuniam: ab anno 1612 ad annum 1637, Cyrillus Lucar septem vicibus obtinuit patriarchatum. Bona fortuna patriarchae pendebat a favore sultani ejusque ministrorum (1).

Serviles erga auctoritatem turcicam, patriarcha ejusque cooperatores despotice agebant cum clero et populis extraneis qui eorum subjacebant jurisdictioni, vel qui decursu temporis expugnati sunt a Turcis. Perinde ut antea volebant praedominari in toto imperio byzantino, sic nunc contendebant primatum ecclesiasticum super omnes subditos imperii Turcarum, ideo etiam in Serbia, Bulgaria, Romania et in aliis regionibus quas sultanus in ditione habebat.

Quare patriarchae Constantinopolitani operam impenderunt ut nulla esset in istis partibus auctoritas religiosa autonoma. Interventu patriarchali anni 1766, anno sequenti suppressae sunt sedes archiepiscopales de Ipek in Serbia, et de Achrida in Bulgaria. In quantum poterant, imponebant liturgiam byzantinam; destruebant libros sacros qui non erant scripti in lingua graeca, et persequebantur Serbos, Bulgaros, atque Syros, qui ritum graecum absolvebant in lingua materna. In omnibus agebant quasi monopolium orthodoxiae habuissent, et mandata sua injungebant auxilio auctoritatis sultani.

b) *Constitutio Ecclesiarum nationalium in Oriente.* Exinde ortum est, apud populos qui repugnabant despotismo ecclesiastico patriarchatus byzantini, desiderium instituendi Ecclesiam nationalem propriam. Applicarunt duo principia quae antea ipsi patriarchae byzantini invocaverant in sua contentione cum S. Sede romana: 1) Sedes capitalis politica alicujus nationis debet simul esse ejus sedes capitalis religiosa. 2) Quaeque natio habere debet, intra proprios limites, supremam auctoritatem religiosam, independentem a quacumque alia.

Primi qui sese liberarunt ab odiosa jurisdictione graeca, fuerunt Moscovitae, scilicet habitantes principatus cujus centrum erat civitas Mosqua, super flumen Moskowa, in actuali Russia centrali. Rutheni, sequentes metropolitam Isidorum ejusque successorem Gregorium, admiserant unionem cum Roma; Moscovitae e contra-

---

(1) Vailhé, art. *Constantinople (Eglise de)* in Dth, t. III, col. 1421; J. Bousquet, *L'unité de l'Eglise et le schisme grec*, op. cit., p. 283 sq.

rio secuti erant byzantinos in eorum schismate. Usque ad finem saec. XVI, Ecclesia moscovita pendebat a patriarchatu Constantinopolitano qui confirmabat ejus metropolitam. Sed Moscovitis repugnabat substare patriarchae qui investituram accipiebat a supremo capite infidelium. Quare, vix Moscovia liberata est ab invasionibus Mongolorum, voluit habere caput ecclesiasticum autonomum. Anno 1589, patriarcha Constantinopolitanus Jeremias II cedere debuit instantiis principis Moscoviae Feodori Ivanovitch eique concedere patriarcham proprium. Tali modo ex Ecclesia orthodoxa separata a Roma, egressa est prima Ecclesia nationalis autonoma, autocephala: Mosqua, quae cito appetiit privilegia et auctoritatem tertiae Romae.

Etenim, cum Ivan III, princeps Moscoviae, uxorem duxisset. Zoë, filiam Thomae Palaeologi, nepotis imperatoris byzantini Constantini XI, ipse Ivan III ejusque successores, sibi vindicarunt jus in hereditatem imperii byzantini, et voluerunt esse, sicut antea erant imperatores graeci: protectores totius orthodoxiae, cum nova sede Mosquae (1).

Saeculo proxime elapso, regnum Graeciae et populi balcanici qui emancipati sunt a dominatione Turcarum, obtinuerunt etiam, plerumque potenti protectione Russiae, caput ecclesiasticum autonomum. Frustra patriarcha Constantinopolitanus excommunicavit, tanquam schismaticos, fautores *ethnophyletismi,* scilicet particularismi nationalis (2): quos ipse excommunicabat, sacra synodus Russiae libenter excipiebat. In Graecia, Ecclesia nationalis constituta est anno 1850; in Bulgaria, anno 1870; in Serbia, anno 1879; in Romania, anno 1885. Praesenti saeculo, aliae erectae sunt Ecclesiae nationales orthodoxae, e. g. in Bosnia Herzegovina, ita ut hodie habentur viginti et tres Ecclesiae autonomae ritus byzantini, in linguis diversis (3).

Istae Ecclesiae dividuntur in tres partes: *a)* pars graeca ortho-

---

(1) E. Lo GATTO, *Storia della Russia,* p. 127 sg. Firenze, 1946

(2) E. g. patriarcha Anthimus VI in synodo habita Constantinopoli mense septembri anno 1871.

(3) A. FORTESCUE, *The orthodox eastern Church,* op. cit.; K. LÜBECK, *Die christliche Kirchen des Orients.* Kempten et Mn., 1910; PERNICE, *Origine ed evoluzione storica delle nazioni balcaniche.* M., 1915; R. JANIN, *Les églises séparées d'Orient.* P., 1935; ed. italica a C. GATTI et C. KOROLEVSKIJ, *I Riti e le Chiese orientali,* vol. I, p. 167 sq., Genova, 1942.

doxa; *b)* pars melchita orthodoxa; *c)* pars slavica orthodoxa. *a)* Pars graeca orthodoxa comprehendit patriarchatum Constantinopolitanum, Ecclesiam synodalem Graeciae et archiepiscopatum Cypri. *b)* Pars melchita orthodoxa constat tribus patriarchatibus Antiochiae cum sede Damasci, Alexandriae et Hierosolymorum, atque archiepiscopatu Montis Sinai. Melchitae ortum ducunt a catholicis Syriae et Aegypti qui saeculo VI fideles remanserunt doctrinae catholicae et imperio byzantino, dum plurimi eorum concivium adhaeserunt monophysismo. *c)* Pars slavica orthodoxa longe praecipua est. Complectitur Ecclesiam Russiae quae usque ad bellum mundiale 1939-1945 sub regimine sovietico dire vexata est, una cum aliis confessionibus. Institutio religiosa in scholis, sicut etiam omnis cerimonia publica cultus, hodie adhuc prohibentur. Nemo assistere poterat cultui divino vel praedicationi doctrinae christianae, nisi major esset 18 annorum. Ministri cultus tractabantur tanquam non - operarii, ideo privabantur omni jure civili. Solo anno 1929, 1100 ecclesiae, 120 mesquitae, 120 synagogae circiter, vel clausae, vel scopo profano adhibitae, vel destructae sunt. Tota legislatio quoad educationem, matrimonium, vitam domesticam et socialem, imbuitur spiritu antireligioso. In Liga « Atheorum militantium » adscripti sunt circiter 6.500.000 sodalium. In Constitutione russica inscribitur libertas religiosa, sed est mera fictio vel apparentia reservata orthodoxis, in quantum inserviunt totalitarismo sovietico, ad modum praesentis patriarchae Alexii. Habentur circiter 95.000.000 orthodoxorum. Numerus catholicorum ignoratur. Georgia et Ucraina, quae annis 1918-1919, una cum independentia politica, Ecclesiam suam autonomam proclamaverant, brevi postea sub tyrannicam et athaeam dictaturam Moscovitarum redactae sunt (1).

Praeterea habentur Ecclesiae orthodoxae in Bulgaria, cum sede exarchi in Sophia; in Yugoslavia, cum sede patriarchali in Belgrado; in Romania cum sede patriarchali in Bucarest (2). Ec-

---

(1) L. BERG, *Ex Oriente lux, Religiöse und philosophische Probleme des Ostens und des Westens*. Mainz, 1929; Idem, *Was sagt Sowiet Russland von sich selbst?* München-Gladbach, 1930; W. GURIAN, *Der Bolschewismus*. Fr., 1932; M. D'HERBIGNY, *Les « Sans Dieu »*. P., 1933; J. SCHWEIGL, *Russische Kirche*, in *Staatslexicon der Görresgesellschaft*, t. IV, 1931; *Lettres de Rome sur l'athéisme contemporain*, ed. R. ab anno 1935; E. LO GATTO, *op. cit.*, p. 851 sq.; L. KANIA, *Il bolscevismo e la religione*. R., 1945.

(2) In Bulgaria, habentur 4.100.000 orthodoxorum super totalem multitudinem 5.500.000 habitantium; in Yugoslavia, e totali multitudine 12.000.000

clesia orthodoxa Poloniae, erecta est post bellum 1914-1918 et dirigitur a s. synodo quae constat metropolita orthodoxo Cracoviae ejusque quatuor suffraganeis. Numerat quasi 3.000.000 orthodoxorum, qui pro maxima parte sunt Ucraini. Minores numero sunt orthodoxi in Finlandia (65.000), Esthonia (220.000), Lethonia (175.000), Lithuania (75.000), Cecoslovachia (70.000), ubi sunt totidem Ecclesiae orthodoxae (1). In America septentrionali habentur duo archiepiscopi orthodoxi, et unus in Japonia.

Hic enumerantur tantum Ecclesiae autonomae ortae ex Ecclesia byzantina post separationem ejus a centro unitatis Fidei. Sed praeter eas, sunt aliae Ecclesiae nationales, sejunctae a Roma decursu temporum: 1) Ecclesia nestoriana, ritus syro-chaldaici, in Persia et Irak, cum capite supremo ecclesiastico in Kotschanes (Kourdistan), et septem dioecesibus. 2) Ecclesia syro-jacobita, monophysita, in Mesopotamia, Kourdistan et India (Malabar); patriarcha residet in Irak. 3) Ecclesia monophysita ritus Antiocheni apud Malankaricos in Malabar, qui dicuntur christiani S. Thomae. Inde ab anno 1930, plures eorum regressi sunt ad Fidem catholicam, praeeuntibus duobus episcopis Mar Ivanios et Mar Theophilos. 4) Ecclesia monophysita Armena, cujus ritus provenit a ritu syriaco, et sodales, circiter 2.300.000, vivunt dispersi in Russia, in Cilicia, Hierosolymis, in Bulgaria et in America septentrionali. Habet quinque catholicatus: in Etschmiadsin pro Russia, in Sis pro Cilicia, Hierosolymis, Constantinopoli, et in Bulgaria. 5) Ecclesia monophysita coptica in Aegypto, cum ritu proprio, patriarchatu in Cairo et 850.000 circiter sodalibus. 6) Ecclesia monophysita aethiopica, quae ortum ducit ab Ecclesia separata coptica. Liturgia aethiopica est translatio et extensio liturgiae copticae. Metropolita Aethiopiae consecratur a patriarcha coptico et sedem habet in Addis - Abeba. Ecclesia ista habet circiter 3.500.000 fideles.

Notandum est simul existere Ecclesias ejusdem denominationis unitas cum S. Sede (2).

---

habitantium, 5.700.000 pertinent ad Ecclesiam orthodoxam Serbiae; in Romania, ante adnexionem Bessarabiae et Bucovinae Imperio russico, erant circiter 11.700.000 orthodoxorum super totalem multitudinem 17.600.000 habitantium.

(1) Sunt numeri approximativi e tempore quod praecedit interventum politico-militarem Russiae in istis partibus.

(2) *Statistica con cenni storici della gerarchia e dei fedeli di rito orientale.* R., 1932.

Ecclesia orthodoxa graeca, in triplici suo elemento graeco, melchita et slavo, distributa in pluribus Ecclesiis autocephalis, numerat circiter 140.000.000 fidelium, e quibus hodie plus minusve tercenta millia tantum pertinent ad patriarchatum byzantinum e quo ortus est totus motus separationis a centro Ecclesiae catholicae. Unaquaeque Ecclesia orthodoxa dividitur in dioeceses quae habent proprium episcopum. Tota Ecclesia regitur a synodo, scilicet a congregatione episcoporum, in qua patriarcha vel metropolita habet tantum praecedentiam honorificam. Orthodoxi modernistae, vel pertinentes ad motum slavophilum, docent auctoritatem doctrinalem et disciplinarem supremam non residere in sola hierarchia, sed in tota communitate fidelium. Episcopi sunt tantum delegati communitatis fidelium, praecipuum membrum Ecclesiae, sed non sunt super eam constituti. Apud orthodoxos admittitur hierarchia, sed saepius rejicitur hierocratia, gubernium exclusive sacerdotale, quod secundum eos est deformatio proveniens ab Ecclesia romana. Tali modo, in Ecclesia orthodoxa non datur auctoritas clare definita et universim accepta. Ecclesiae autocephalae non formant corpus organice unum, sed potius foederationem plus minusve liberam Ecclesiarum quae plerumque inter se spiritualiter uniuntur. Non agnoscunt caput commune: patriarcha Constantinopolitanus habet tantum praecedentiam honoris causa (1).

In doctrina, orthodoxi concordant cum catholicis in omnibus, exceptis dogmatibus de primatu et infallibilitate summi pontificis, de processione Spiritus e Patre et Filio, et de Immaculata Conceptione. Negant indulgentias et ignem purgatorii, ac vinculum matrimonii in aliquibus casibus solubile reputant. Praeterea docent transsubstantiationem non fieri per verba consecrationis in S. Missa, sed per epiclesim (2).

Lingua liturgica ritus byzantini plerumque est lingua nationalis cujusque Ecclesiae, sed sub forma antiqua, apud Graecos,

---

(1) N. VON ARSENIEW, *Die Kirche des Morgenlandes*. B., 1926; ST. ZANKOW, *Das orthodoxe Christentum*. B., 1928; M. G. CONGAR, *Chrétiens désunis Principes d'un œcuménisme catholique*, p. 261 sq. P., 1937; A. GRATIEUX, *A. S. Khomiakov et le Mouvement slavophile*, t. II, *Les doctrines*, p. 102 sq. P., 1939; K. ALGERMISSEN, *Konfessionskunde*, p. 525 sg. Hannover, 1939.

(2) A. PALMIERI, *Theologia dogmatica orthodoxa*. F., 1913; M. JUGIE, *Theologia dogmatica christianorum orientalium ab Ecclesia catholica dissidentium*, op. cit.; C. DUMONT, in *Revue des sciences philosophiques et théologiques*, t. XIX, 1930, p. 310 sq.; *Civiltà cattolica*, 1936, parte 2, p. 177.

Russos, Serbos, Bulgaros et Rumenos, Episcopi obstringuntur coelibatu, dum presbyteri quasi omnes conjugati sunt. Ordines religiosi proprie dicti non habentur apud orthodoxos, sed existunt plurima monasteria antiquissima, quae sequuntur proprias traditiones et generatim servant regulam S. Basilii vel S. Theodori Studitae. In monasteriis super montem Athos hodie adhuc vivunt circiter quatuor milla monachorum qui pro parte longe majore sunt graeci (1). Apud monachos, summa perfectio consistit in aversione a mundo; plerumque ducunt vitam austeram, deditam diuturnis cerimoniis liturgicis et labori manuali. Actioni apostolicae, ministerio animarum, paulum attenditur in Ecclesia orthodoxa. Ministri ejus parum incumbunt in christianam institutionem fidelium, sed multum tempus impendunt in cultum divinum. Quare Ecclesia orthodoxa non valet profunda auctoritate religiosa in vitam privatam et publicam fidelium, sed potius solemnitate liturgica et significatione nationali.

3. - **Conatus pontificum romanorum et conditiones pro regressu dissidentium** — Inde a saeculo XVI, concilio Tridentino peracto, opus S. Sedis pro reversione dissidentium ad unam Fidem, stricte unitur cum opere pro reformatione totius Ecclesiae. Gregorius XIII (1573 - 1585), instituit commissionem cardinalium pro Negotiis orientalibus et erexit collegia pro Orientalibus graecis, maronitis et armenis. Post eum, Urbanus VIII (1623 - 1644), ope S. Congregationis de Propaganda Fide et Collegii ejusdem nominis, paternam sollicitudinem demonstravit Orientalibus. Saeculo proxime elapso, relationes S. Sedis ad eos frequentiores factae sunt. Anno 1846, Pius IX ad eos dirigebat litteras; anno 1868, litteris « Arcano divinae providentiae », eos invitabat ad concilium Vaticanum. Leo XIII, epistolis « Praeclara gratulationis » (1894) et « Satis cognitum » (1896), eos iterum ad unionem vocabat. Anno 1917, Benedictus XV erigebat Congregationem pro Ecclesia orientali et pontificale Institutum orientale, a Pio XI perfectum. Operi unionis, Pius XI dedicavit litteras encyclicas « Ecclesiam Dei » (1923) et « Mortalium animos » (1928); egit etiam de negotiis ecclesiasticis Orientis in litteris « Rerum orientalium » (1928). Die

---

(1) F. W. HASLUCK, *Athos and its Monasteries*, Lo., 1924; G. HOFMANN, *Athos e Roma*. R., 1925; Idem, *Rom und Athosklöster*., R., 1926; F. PERILLA, *Le Mont Athos*. P., 1927; C. GATTI, C. KOROLEVSKIJ, *op. cit.*, p. 189 sq.

23 decembris 1945, Pius XII, in litteris encyclicis *Orientales omnes*, datis anno 350 elapso ab unione episcopatus Rutheni cum S. Sede, recensuit numerosa signa benevolentiae data a pontificibus romanis Ruthenis sparsis in Polonia, in Austria et in Russia et vehementer reprobavit graves tribulationes inflictas a gubernio russico, cooperante patriarcha Alexio, Ruthenis catholicis qui nolunt deserere propriam Matrem Ecclesiam, ut transirent ad communitatem dissidentium. Notantur praeterea collegia pro Orientalibus, promovente S. Sede, Romae et alibi erecta; folia periodica de quaestionibus orientalibus in lucem edita, ut *L'Oriente cristiano* et *Irenicon;* congressus pro unione habiti in Velehrad in Moravia inde ab anno 1907, Viennae, anno 1926, Panormi, Barii, et in aliis locis.

Sane, praeter persecutiones, obstacula unioni, indolis practicae et psychologicae, non desunt. Saepe nimis adhuc Oriens separatur ab Occidente vel mutua incomprehensione et suspicione, vel repugnantia nationali. Apud Orientales, fidelitas propriae religioni plurimum modo indissolubili permiscetur amori patrio. Qui ejurat schisma, exuit patriam, praesertim si adoptat ritum latinum. Orthodoxus qui convertitur ad catholicismum romanum, fit occidentalis. Exinde, in aliquibus statibus ubi praevalet Ecclesia orthodoxa, magno rigore agitur cum his qui inclinant in unionem cum S. Sede romana, quasi essent proditores patriae. E contrario, Orientalibus unitis, summi pontifices reliquerunt proprium ritum, leges et usus, e. g. Ecclesiae graecae unitae siverunt symbolum Nicaeno - Constantinopolitanum sine insertione verbi *Filioque* et propriam disciplinam quoad coelibatum.

Actio directa pro regressu dissidentium orientalium ad unum ovile et unum pastorem, ante omnia adimpleri debet ab ipso clero catholico orientali (1). Jam anno 1643, Urbanus VIII, praesente Methodio Terleckyj, episcopo Chelmensi, exclamabat: « Per vos, mei Rutheni, Orientem convertendum spero ». Catholici rituum orientalium, praesertim ritus byzantini, in pluribus partibus constituunt portionem selectam et actuosam totius communitatis christianae. Ad ritum byzantinum pertinent circiter 8.200.000 catholicorum, e quibus 5.000.000 Ruthenorum, vel Ucrainorum, et 1.300.000 Ru-

---

(1) P. G. Scolardi, *Au service de Rome et de Moscou au XVIIe siècle. Krijanich, messager de l'unité des chrétiens et père du panslavisme.* P., 1947; RHE, XLIII, 1948, p. 341 sq.

menorum. Item habentur patriarchatus et episcopatus catholici rituum syro - chaldaici, malabarici, syro - jacobitici, armeni, coptici et aethiopici. Praeterea habetur parva sed fidelis natio 430.000 Maronitarum, qui omnes profitentur religionem catholicam.

Clerus catholicus orientalis, cum adjutorio et levamine cleri latini, verbo et exemplo fratribus separatis efficaciter demonstrare potest, quod reverti ad unam Fidem et unum summum Pastorem, non significat *latinizzari, occidentalis* vel *Europaeus* fieri, sed *catholicus* esse in pleno et traditionali sensu verbi. In sola Ecclesia catholica, dissidentes simul conveniunt cum propriis Patribus et Doctoribus, saltem usque ad totum saeculum IX. Et ista Ecclesia catholica, cujus caput visibile est successor Petri, non est latina, vel graeca, aut slava, vel alius denominationis, sed est universalis, et omnes filios suos, cujuscumque sint generis, linguae vel ritus, eadem sollicitudine ad se vocat et in gremium suum materne excipit.

CAPUT TERTIUM

ECCLESIA ET STATUS IN OCCIDENTE A RUINA IMPERII CAROLINGII AD TRANSLATIONEM S. SEDIS IN GALLIAM (887 - 1305)

Summarium. — I. Misera conditio externa Ecclesiae in Occidente: 1) Occasus Imperii Carolingii. 2) Ordinatio feudalis societatis. 3) Consequentiae ordinationis feudalis pro Ecclesia. — II. Actio Ecclesiae pro pace sociali et liberatione a tutela principum: 1) Pax et Treuga Dei. 2) Prima tentamina pro emancipatione auctoritatis pontificiae. 3) A Nicolao II ad Gregorium VII (1059-1085): *a*) Decretum Nicolai II; *b*) Opus S. Gregorii VII pro libertate Ecclesiae. 4) Investitura ecclesiastica a principibus saecularibus aufertur opere Concordati Wormatiensis et I Concilii oecumenici Lateranensis (1123). — III. De statu Ecclesiae a fine Controversiae de Investituris usque ad Translationem S. Sedis in Galliam (1123-1305). 1) S. Sedes in dissidiis a factionibus romanis excitatis, cum interventu S. Bernardi a Claravalle (1123-1155). 2) Ecclesia et status sub dynastia Hohenstaufica (1138-1268): *a*) Fredericus Barbarossa et papa Alexander III (1152-1190); *b*) Ecclesia sub pontificatu Innocentii III (1198-1216) *c*) Ultimum fatum domus Hohenstauficae. 3) De Ecclesia et Statu in Anglia (1154-1213). 4) De Ecclesia et Statu sub influxu politico Galliae, ab Urbano IV ad Bonifatium VIII (1261-1303); *a*) A II Concilio Lugdunensi ad abdicationem S. Coelestini V (1274-1294); *b*) Res prosperae et adversae sub pontificatu Bonifatii VIII (1294-1303).

I.

MISERA CONDITIO EXTERNA ECCLESIAE IN OCCIDENTE

1. - Occasus Imperii carolingii. — A fine saeculi IX usque ad medium saeculum XI, Ecclesia in Occidente, quoad vitam externam, in misero statu versatur.

Ecclesia effectus subiit occasus Imperii carolingii quod anno 887, deposito imperatore Carolo III, divisum est in quinque regna: Alemaniam, Franciam, Provinciam, Burgundiam et Italiam. Ipso facto, Ecclesia in Occidente perdebat beneficium cooperationis quod imperatores carolingii, praesertim Carolus Magnus et Lodovicus Pius, ei ultra quam satis erat, praestiterant. Carolus Magnus imprimis, plurimum valuerat, etiam in rebus indolis doctrinalis ut e. g. in quaestionibus de *Filioque* et de *cultu imaginum*. Tamquam Ecclesiae defensor ad extra et adjutor ad intra, sese immiscuerat in omnibus, negotiis quae spectabant ad auctoritatem ecclesiasticam, nominando episcopos, distribuendo bona ecclesiastica, ordinando institutionem puerorum, liturgiam et disciplinam, officia saecularia committendo clericis quos in suo servitio adhibebat (1).

Imperio Francorum collapso, Normanni et Hungari pagani, atque Arabes mahumetani, audaciores facti, sive ab Occidente sive ab Oriente terras christianas invaserunt, et ecclesias ac monasteria vastarunt cum magno danno vitae religiosae. Fideles supplices orabant: « A furore Normannorum, libera nos, Domine ». Normanni populabantur plagas maritimas et levibus suis naviculis flumina ascendebant et perveniebant ad interiora regnorum. Arabes etiam per viam maris et per Tiberim aggressi sunt Romam anno 846 et expilarunt thesauros basilicarum S. Petri et S. Pauli; anno 902 expugnarunt Siciliam et pedem fixerunt in Italia meridionali; Hungari principio saec. X penetrarunt usque Italiam septentrionalem, praecipue regiones alpinas et Germaniam meridionalem praedati sunt, et usque ad terras septentrionales terrorem seminarunt (2).

2. - **Ordinatio feudalis societatis.** — Praeterea, ex occasu Imperii carolingii promota est *organizatio feudalis societatis*, qua territorium et auctoritas distributa sunt inter dominos locales, cum detrimento potentiae regiae, et omnes sodales societatis inter se ligabantur juramento fidelitatis ac mutua praestatione servitii et protectionis (3).

Hoc tempore, fortunae et potestas adhaerebant possessioni

---

(1) L. HALPHEN, *Charlemagne et l'Empire carolingien*. P., 1947; C. DE CLERCQ, *La législation religieuse franque de Clovis à Charlemagne* (507-814). L., 1936; C. G. MOR, *I rapporti fra la Chiesa e gli Stati barbarico-feudali in Italia, fino al Concordato di Worms*, in *Chiesa e Stato*, Studi storici e giuridici per il decennale della Conciliazione tra la S. Sede e l'Italia, t. I, p. 19-92. M., 1939.

(2) F. LOT, *Les invasions barbares et le peuplement de l'Europe*, 2 vol. P., 1937.

(3) *Questioni di Storia medioevale*, cura E. ROTA. Como-Milano, 1946.

soli. Qui possidebat solum, territorium, ipso facto fiebat dives et potens. Principes qui volebant praemium tribuere suis ducibus, suis ministris, suis episcopis et abbatibus, conferebant eis possessionem conditionalem partis sui territorii. Initio, hoc donum erat personale et temporarium, *beneficium* factum *intuitu personae*: in hoc casu, territorium restituebatur donatori post mortem beneficiarii. Sed patet beneficiarios operatos esse apud principes ut beneficium quod ab eis acceperant, hereditarium fieret, ita ut post suum obitum transiret ad suos heredes. Tali modo simplex beneficium personale fiebat *feudum,* bonum quod remanebat unitum cum familia, ea conditione ut caput familiae principi donatori annuum obsequium vel donum praestaret, quo agnoscebat hoc bonum ab illo tenere. Juramento fidelitatis, obsequio annuo et praestatione servitii, beneficiarius fiebat *vassus,* vassalus, cliens potentioris domini qui ei feudum concesserat.

Praeterea vassali qui feudum hereditarium acceperant, conati sunt ut redderetur immune, scilicet exemptum a tributis status, a vectigalibus et gabellis, a quacumque impositione regali. Denique vassali quaesierunt extendere sua jura, suam potentiam et petierunt jura regalia: exercendi justitiam, cudendi nummos, erigendi telonia, imponendi tributa, componendi copias militares.

Tali modo Europa Occidentalis, Italia, Germania, Gallia, Anglia, Hispania inde a saeculo ix divisae erant in baronias, comitatus, principatus parvos et magnos, inter se plus minusve unitos vinculo quod ligabat vassalum, scil. dominum clientem inferiorem domino superiori, sed qui omnes cupiebant extendere propriam potentiam. Castellum munitum erat signum potestatis dominicae. In medio aevo, castris plenae erant Italia, Germania, Gallia, Anglia, aliaeque regiones ubi praevalebat regimen feudale.

Etiam episcopi et abbates acceperant territoria a regibus et principibus cum juribus regalibus, et ita fiebant vassali horum principum. Ipso tempore quo accipiebant haec bona, debebant praestare juramentum fidelitatis principi quo officium assumebant adeundi eum quando illos convocaret in curiam suam, et eum adjuvandi tempore belli statuto concursu militari. Tali modo creabatur vinculum quo in rebus temporalibus episcopus vassalus ligabatur principi qui ei feudum commodaverat. Sed ipso facto quod episcopi et abbates fiebant domini temporales, scil: viri divites et potentes qui operam dabant administrationi oeconomicae et gubernio politico status, reges et principes quaesierunt partem habere, immo partem praecipuam, in nominationibus episcoporum et abbatum. Qui superiores erant episcopis et abbatibus sub puro respectu temporali, voluerunt etiam esse eorum superiores sub respectu ecclesiastico. (1)

3. - **Consequentiae ordinationis feudalis pro Ecclesia.** — A saeculo IX, a tempore quo regimen feudale majus incrementum sumpsit, crevit aspiratio principum laicorum ut auctoritatem haberent in gubernio Ecclesiae atque jurisdictionem spiritualem summi pontificis et episcoporum dependentem redderent a propria potestate saeculari. Haec aspiratio sese manifestavit *nominatione* episcoporum et abbatum a regibus, a principibus, a dominis feudalibus in quorum territorio dioeceses et abbatiae sitae erant, quamvis resisterent abbates reformationis Cluniacensis qui exemptionem obtinuerant et directe a papa pendebant. Sed ultro progressi sunt principes saeculares, et, praecipue saec. x, non solum nominarunt episcopos et abbates, sed etiam eis *investituram* dignitatis ecclesiasticae contulerunt, remittendo eis, ante eorum consecrationem, baculum, symbolum officii pastoralis, et annulum, symbolum unionis spiritualis episcopi cum sua ecclesia. Saec. xi, rex Germaniae, baculum remittens neo-episcopo, ei dicebat: « Accipe ecclesiam ». Intendebat revera ei committere curam pastoralem dioecesis. Principes sibi vindicabant etiam jus deponendi episcopum quem nominaverant, si genio suo non obsequebatur.

Isti abusus quasi naturali modo profluebant ex permixtione rerum spiritualium et temporalium durante regimine feudali. In collatione beneficiorum dignitatibus ecclesiasticis, principes saeculares magis ducebantur utilitate materiali et ambitione politica quam bono spirituali fidelium. Reges, ut e. g. Otto Magnus rex Germaniae (936 - 73), malebant investituram conferre dignitatibus ecclesiasticis potiusquam principibus saecularibus quia feuda ecclesiastica post mortem beneficiarii vacabant, ideo poterant dari novo praelato fautori regis, dum e contra feuda data principibus

---

(1) *Histoire de l'Eglise* dir. ab A. Fliche et V. Martin, t. VII, *L'Eglise au pouvoir des laïques* (888-1057) P., 1940; A. Hauck, *Die Entstehung der bischöflichen Fürstenmacht.* Lz., 1891; A. Schulte, *Der Adel und die deutsche Kirche im Mittelalter*, ed. 2. 1922; A. Saba, *Storia della Chiesa*, t. II. T., 1940.

temporalibus hereditaria fiebant, transibant ad heredes qui non semper regi favebant. Ex dependentia praelatorum a principibus, Ecclesia fiebat institutio status et pervadebatur spiritu et modo agendi mundano. E nominatione praelatorum eorumque investitura a principibus, orta est opinio secundum quam episcopatus et abbatiae, qua tales, scilicet qua institutiones ex indole sua spirituales, sunt feuda principum et potentia spiritualis est emanatio potentiae regalis.

Exinde praevaluit *consideratio politica* et mere temporalis in nominatione praelatorum. Antequam aliquem promoverent ad beneficium ecclesiasticum, principes considerabant numquid candidatus sibi sub respectu politico inservire potuisset. Ita factum est ut saepe saepius nominarentur praelati incapaces et indigni in spiritualibus, sed fideles vel serviles erga principem in temporalibus.

Praeterea candidati ambitiosi appellabant *simoniam*, procurando sibi officia et dignitates Ecclesiae ope pecuniae vel aliorum bonorum materialium. Saeculis x et xi in plurimis locis episcopatus et abbatiae venales erant. Praelati tali modo electi, ut pecuniam pro sua nominatione expensam recuperarent, non ordinabant clericos in ordinibus sacris nisi data compensatione pecuniaria, et presbyteri non administrabant sacramenta nisi obtinuissent stipendium. In synodo habita Romae anno 1049, Leo IX voluit deponere omnes sacerdotes ab episcopis simoniacis ordinatos: sed erant tam numerosi ut non potuerit decisionem suam exsecutioni mandare quia tali decisione nimium numerum ecclesiarum proprio pastore privasset. Ipse « plerosque simoniacos et male promotos tamquam noviter ordinavit ».(1) Nicolaus II decrevit in concilio romano, anno 1060 « erga simoniacos nullam misericordiam habendam esse ». (2)

Ita factum est ut saepius sedes episcopales et abbatiales tenerentur a laicis; familiae nobiles appetebant jus hereditarium in beneficia ecclesiastica, ea conferebant filiis natu minoribus vel etiam filiabus in dotem matrimonialem. Simonia minuebat conceptum dignitatis praelaturae, res spirituales reducebat ad proportiones pure materiales: oculis principum et multorum clericorum, beneficia

---

(1) Ita S. Petrus Damiani: F. Drehmann, *Leo IX und die Simonie*, 1908.
(2) ES, n. 354.

episcopalia et abbatialia tantum valebant quantum valebant eorum proventus oeconomici.

Praelati, canonici et parochi simoniace promoti, in rebus temporalibus implicati, parum vel nihil curabant de vita morali et spirituali, nec pro seipsis, nec pro grege sibi commisso. Ex hac negligentia, et ex vita profana pastorum secuta est consequentia funesta, scilicet violatio coelibatus ecclesiastici.

E clericis in ordinibus majoribus constitutis, episcopis non exceptis, plures vivebant in concubinatu, alii praetendebant legitime uxorem ducere posse, ut e. g. in Longobardia, ubi plures arbitrabantur matrimonium sacerdotum ibi esse privilegium ecclesiae Ambrosianae. Contra simoniam et concubinatum presbyterorum in Longobardia exorta est factio popularis Patarinorum. (1) Presbyteri et episcopi conjugati vel concubinarii magis curabant de familia carnali quam de grege spirituali, utebantur bonis ecclesiasticis ut filiis providerent et ita ecclesiae, ac instituta caritatis privabantur necessariis subsidiis.

Nicolaitae, uti appellabantur clerici incontinentes, non incumbebant in ministerium animarum, nec in scientiam sacram. *Ignorantia* religiosa et *superstitio*, licentia et barbaries vitae privatae et socialis in Medio Aevo plerumque alebantur a negligentia pastorali cleri concubinarii. Apud laicos derelictos superstitio tenebat locum religionis. Exinde orti sunt usus barbari, uti *ordalia* seu *Judicia Dei*, experimenta juridica probatione aquae frigidae, aquae et ferri ferventis, cui coram populo et clero exponebantur accusati, ut probaretur an rei vel innocentes essent. Credebatur enim Deum necessario signo suae omnipotentiae testimonium daturum de culpa vel de innocentia hominis incriminati qui tali experimento subjiciebat. Tam inveterata erant ordalia, ut Ecclesia ea eradicare non potuerit: quare ea in aliquibus regionibus, e. g. in Gallia et in Germania, interdum toleravit sub forma mitiori, ut mala pejora vitarentur. Sub Innocentio III, concilium oecumenicum Lateranense IV (1215) ordalia severo decreto abolevit, et prohibuit ne quispiam iis ritum cujuslibet benedictionis aut consecrationis impenderet.

Barbaries in vita sociali sese manifestabat in recursu ad arma,

---

(1) ILARINO DA MILANO, *L'eresia di Ugo Speroni nella confutazione del maestro Vacario*. Città del Vaticano, 1945.

pro solutione conflictus vel reparatione injuriae. Plebs inermis trepidabat in medio certaminum singularium et aggressionum. Tribunalia pauca erant et plerumque jus fortioris conculcabat aequitatem. Per violentiam vindicabatur violatio juris. Ut incessantibus pugnis, duellis, ferociae privatae et publicae finis imponeretur, Ecclesia incessanter operata est, et cum bella atque certamina singularia omnino exstinguere impossibile fuisset, institit ut saltem aliquibus diebus in hebdomada pax observaretur (1).

II.

ACTIO ECCLESIAE PRO PACE SOCIALI ET LIBERATIONE A TUTELA PRINCIPUM

1. - **Pax et treuga Dei.** — Exinde opere cleri ordinata est Pax Dei, primum in Aquitania et Septimania, provinciis meridionalibus Galliae. Anno 989, in concilio celebrato in loco Charroux, sub poena excommunicationis prohibitum est aggredi clericos vel monachos, invadere ecclesias et monasteria, necnon subripere bona pauperum. Concilium Narbonense (990) protectionem Ecclesiae extendit ad mercatores et eorum possessiones. Concilia habita in Anse (994) et Limoges (Lemovici, 997) decreverunt ut tempore belli nulla vis inferretur feminis, peregrinis, agricolis, venatoribus et piscatoribus. Pariter instrumenta laboris, jumenta et pistrina posita sunt sub tutela Ecclesiae. Ad servandam Pacem Dei, instituta est militia dioecesana, quae constabat clericis, equitibus et agricolis. Creata sunt etiam foedera inter dominos, quibus obligabantur servare pacem. Synodus Bituricensis (1038) tale foedus obligatorium reddidit. Praeterea clerus et plures principes conati sunt imponere Treugam Dei, scil. tempus indutiarum, quo omnino arma

---

(1) F. PATETTA, *Le ordalie, studio di storia del diritto e di scienza del diritto comparato*. T., 1890; S. GRELEWSKI, *La réaction contre les ordalies en France depuis le IX siècle jusqu'au Décret de Gratien*. Rennes, 1924; P. BROWE, *De Ordaliis*, Textus et Documenta Universitatis Gregorianae, fasc. 4 et 11. R., 1932-1933.

Agobardus archiepiscopus Lugdunensis (779-840), Ordalia improbavit vocavitque contraria doctrinae Christi, in opere *De divinis sententiis*, PL, t. 104, p. 125.

silerent. Concilium provinciale in Elne prope Perpinianum celebratum (1027), fidelibus propriae provinciae praescripsit ut abstinerent a bello inde a sabbato in meridie ad feriam II, hora sexta matutina. In synodo Niciensi (Nizza, 1041), sub poena excommunicationis decretum est « ut ab hora vespertina diei Mercurii inter omnes christianos, amicos et inimicos, vicinos et extraneos, sit firma pax et stabilis treuva usque in secundam feriam id est die lunae ad ortum solis ».

Gulielmus dux Normanniae, anno 1042 in ducatu suo treugam extendit et pacem praecepit ab Adventu ad octavam Epiphaniae, ab ineunte Quadragesima ad octavam Paschatis, et a primo Rogationum die ad octavam Pentecostes. Anno 1080, Gulielmus I rex Angliae Treugam Dei promulgavit. In synodo Claramontana anno 1095 habita praeside Urbano II, can. 10 edictum est ut arma ponerentur etiam in vigiliis et diebus festis B. Mariae V. et Apostolorum. Concilia Lateranensia (1123, 1139, 1179), Treugam Dei extenderunt ad totum orbem christianum. (1)

Abusus e feritate morum non deerant in societate Medii Aevi; sed ne deerat quidem, a parte plurimorum praesulum et monachorum, actio perseverans, ut ferocia locum cederet caritati fraternae. Inter episcopos qui saeculis X-XI ferventer operati sunt pro pace publica, pro cooperatione principum cum auctoritate episcopali, et pro disciplina ecclesiastica, eminuerunt Ratherius Veronensis, Atto Vercellensis, Waso Leodiensis et Dunstanus Cantuariensis. Malum nunquam exoritur in Ecclesia, quin Providentia divina suscitet bonos qui remedium apponant. Praeter exemplum pastorum qui facti sunt forma gregis, notatu dignae sunt synodi quae obstiterunt corruptioni et abusibus: Wormatiensis (866), Moguntina (888), Trosleana (909), Augustana Vindelicorum (952) et Pictaviensis (1000). Nova congregatio benedictina Cluniacensis promovebat reformationem religiosam (910), dum Fides propagabatur in Scandinavia et in Europa orientali.

In Italia, pro restauratione vitae monasticae et disciplinae multum profuit nova familia eremitarum et coenobitarum Camaldulensium fundata eodem saec. X a S. Romualdo. Tam austeris moribus

---

(1) E. SEMICHON, *La paix et la trève de Dieu*, 2 vol. ed. 2. P., 1869; C. F. KÜSTER, *De treuga et pace Dei*, ed. 2. 1902; L. QUIDDE, *Histoire de la paix publique au Moyen-Age*. P., 1929; C. MIRBT, *Quellen zur Geschichte des Papsttums und des Römischen Katholizismus*, ed. 5, p. 159 sq. Tübingen, 1934.

et cultu silentii quam oratione et labore incitabant clerum et populum ad vitam magis christianam. (1)

Sed deerat directio S. Sedis, quia tunc electio summi pontificis, sicut electio majoris partis episcoporum in manibus erat principum temporalium. Quasi duorum saeculorum spatio (882 - 1061), papatus alternatim subjiciebatur tutelae aristocratiae romanae et imperatorum Germaniae. Ab 882 ad 963, 24 papae occuparunt sedem S. Petri, quorum alii paucos tantum dies regnarunt, alii, ut Stephanus VI, Leo V, et Christophorus misere trucidati sunt in acerrima contentione politica. Recordamur auctoritatem quam senator romanus Theophylactus, ejus conjux Theodora senior, ejusque filiae, Marotia et Theodora junior, exercuerunt in electione paparum. (2) Marotia tres candidatos promovit ad solium pontificium (928-935): Leonem VI, Stephanum VII et proprium filium Joannem XI. Filius Marotiae, Albericus, dictator Romae, anno 955 summas claves procuravit proprio filio Octaviano, Joanni XII, juveni dissoluto undeviginti annorum.

Cum iste papa conspirasset adversus Ottonem I, imperatorem S. R. Imperii, opere imperatoris depositus est in synodo Romae habita anno 963. Hac occasione a Romanis princeps germanicus juramentum extorsit quod non eligerent nec consecrarent papam nisi approbantibus imperatore ejusque filio.

Usque ad annum 1061 fuit aspera et non interrupta contentio inter imperatores germanicos et patricios romanos ut praepotentem partem haberent in nominatione papae. Crescentius, filius Theodorae junioris, papam Benedictum VI ab imperatore Ottone I designatum, post mortem hujus imperatoris a S. Sede depulit ejusque loco Bonifatium VII antipapam constituit (974). Sed ne tempore turbatissimo quidem deerat sollicitudo spiritualis in Urbe, ut probat prima canonizatio sollemnis pontificia, pronuntiata anno 993 a papa Joanne XV in honorem S. Udalrici, episcopi Augustani, in concilio Romano (3).

---

(1) *Vita S. Romualdi*, a S. Petro Damiani, PL, t. 144, 953 sq.; A. Pagnani, *Vita di S. Romualdo*. Ravenna, 1927.

(2) P. Fedele, *Ricerche per la storia di Roma e del Papato nel sec. X*, Archivio della Romana Società di Storia patria, t. XXXIII - XXXIV, 1910-1911; J. Gay, *Les papes du XI siècle et la chrétienté*. P., 1926.

(3) ES, n. 342.

2. - **Prima tentamina pro emancipatione auctoritatis pontificiae.**

— Otto III imperator S. R. Imperii et papa Silvester II ((999 - 1003) mutuo consensu operati sunt, sive pro expeditione adversus Turcas, sive pro constitutione foederis nationum christianarum sub directione imperatoris et papae. Ambo conati sunt moderare curas nimis temporales quibus a saeculo et amplius S. Sedes implicata erat. (1)

Post Silvestrum II, papa Benedictus VIII (1012-24) cum imperatore S. Henrico fortiter repressit crimina simoniae et violationis coelibatus praesertim in synodo celebrata Papiae anno 1018 (2); promovit etiam bellum sacrum adversus mahumetanos in Italia meridionali; et pro reformatione ecclesiastica adhibuit operam congregationis Cluniacensis Benedictinorum.

Sed imperatores germanici etiam meliores ut S. Henricus, ducebantur immodico conceptu propriae auctoritatis quoad investituram ecclesiasticam; sibi vindicabant jus eligendi papam, nominandi et deponendi episcopos, distribuendi bona Ecclesiae. Strenue se immiscebant in omni electione pontificia, sive interventu personali, sive ope suorum delegatorum vel fautorum Romae, praesertim comitum Tusculi, qui tunc, cum familia Crescentiorum, (3) potentiores erant in Urbe: ambo oriebantur a senatore Theophylacto qui saeculo anteriore cum conjuge Theodora et filiabus plurimum valuerat in sortes S. Sedis.

Ut pontificatum totum et pro multo tempore in suis manibus haberet, factio comitum Tusculi anno 1032 a Romanis in papam eligere fecit juvenem Theophylactum, filium Alberici comitis Tusculi, qui notus est sub nomine Benedicti IX (1032 - 44). (4) Ejus vita flagitiosa offendit Romanos qui eum expulerunt. Cum viderit

---

(1) F. Picavet, *Gerbert, un pape philosophe*. P., 1897.

(2) In hac synodo decretum est: I. Ut nullus in clero mulierem attingat... II. Ut episcopus nullam feminam habeat neque cum aliqua habitet. III. Ut filii clericorum, servorum ecclesiae, servi sint ecclesiae cum omnibus adquisitis ». Mansi, XIX, 343 sq.

(3) G. Bassi, *I Crescenzi* (900-1012). R., 1915.

(4) Chronista contemporaneus, Rodulphus Glaber, de eo refert in suis *Histor.*, lib. IV, c. IX: « Intercedente thesaurorum pecunia electus exstitit a Romanis ». Dicitur puer annorum duodecim, sed probabilius trentennis erat. Desiderius a Monte Cassino, *Dialogi*, III, PL, t. 149, 1003; *Histoire de l'Eglise*, dir. ab A. Fliche et V. Martin, t. VII, p. 90 sq. P., 1940.

se favorem Romanorum recuperare non posse, abdicavit dignitatem pontificiam et locum cessit Gregorio VI, viro probo, quem probabat monachus Hildebrandus, futurus papa Gregorius VII. Sed post annum, Gregorius VI depositus est in synodo Sutrina, praesente imperatore Henrico III (20 dec. 1046), quia Benedicto IX summam pecuniae praebendo, pontificatum modo simoniaco obtinuerat.

Tunc imperator Henricus III vicissim nominavit quatuor papas transalpinos: Clementem II, jam episcopum Bambergensen, Damasum I, Bavarum, episcopum Brixinensem, Victorem II ex Eichstätt, et Alsatam Leonem IX, episcopum Tullensem, cognatum imperatoris. Cum Leone IX, (1049 - 1054) incepit revera instauratio disciplinae ecclesiasticae, opera et directione ipsius pontificis, non imperatoris. Designatus in pontificem ab Henrico III, confirmatus qua talis in conventu imperiali Wormatiensi (1049), Romam ingressus est tanquam episcopus Tullensis peregrinus ad limina Apostolorum, et summum pontificatum exercere noluit nisi habita electione facta a Romanis. (1) A consiliis ei adstiterunt plures egregii viri Lotharingii. Non solum Romae, sed in toto Occidente, abusus fluentes ex praevalentia spiritus mundani in ecclesia, simoniam, concubinatum abolere tentavit. Quinque annos tantum duravit ejus pontificatus (1049 - 54), sed quasi sine intermissione in via fuit ut praesentia sua clerum et fideles ad reformandos mores incitaret; eodem scopo plures synodos convocavit, Romae, Papiae, Remis et Moguntiae, eodem anno 1049 (2).

Doctrinam Ratramni et Berengarii Turonensis de modo quo Christus praesens est in Eucharistia, reprobavit. Promovit etiam expeditionem militarem, sed infausto exitu, adversus Normannos, ut reprimeret eorum saevas incursiones et Beneventum recuperaret quod ad

---

(1) E. MARTIN, *S. Léon IX* (Les Saints). P., 1904; J. GAY, *Les Papes du XI*[e] *siècle*. P., 1926.

(2) Quoad primatum Sedis Romanae, in synodo Remensi: « Edictum est, ut si quis assidentium quempiam universalis Ecclesiae primatem praeter Romanae sedis antistitem esse assereret, ibidem publica satisfactione satisfaceret. Cumque ad haec universi reticerent, lectis sententiis super hac re olim promulgatis ab orthodoxis patribus declaratum est quod solus Romanae sedis pontifex universalis Ecclesiae primas esset et apostolicus ». Cfr. *Historia dedicationis ecclesiae S. Remigii*, a monacho ANSELMO, PL, t. 142, col. 1432.

dominium pontificium pertinebat. Leo IX fuit pontifex qui plena libertate suo officio fungi voluit, bonum spirituale Ecclesiae tantum prae oculis habendo (1). Ei non defuerunt validi cooperatores, uti Hugo Romarici montis, Udo Tullensis, cancellarius et bibliothecarius pontificius et Fredericus Lotharingius, futurus papa Stephanus IX.

Praeterea in reformationem Ecclesiae praecipue incubuerunt S. Petrus Damiani et Humbertus a Silva Candida. S. Petrus Damiani (1007-1072), prior erat monasterii Fontis Avellanae. Asceta antidialecticus, litteras et philosophiam parum faciebat et cognitionem e Fide oriri praedicabat. Pro reformatione Ecclesiae invocabat interventum auctoritatis saecularis. Scripto et verbo hortabatur ad poenitentiam et abnegationem; duo praecipua crimina hujus temporis: violationem coelibatus et simoniam, acerrime adversatus est. Attamen ordinationes simoniace collatas legitimas habebat. A papa Stephano IX, 1057 factus est cardinalis episcopus Ostiensis (2).

Humbertus, monachus lotharingius, postea cardinalis episcopus de Silva Candida, bibliothecarius S. R. Ecclesiae (+ 1061) fervidus cooperator fuit papae Leonis IX. Scripsit *libros tres adversus Simoniacos* (3) in quibus pro reformatione Ecclesiae remedia proponit quae postea Nicolaus II et Gregorius VII applicarunt. Tanquam causam primariam Nicolaismi (violationis coelibatus) et simoniae, denuntiabat investituram dignitatum Ecclesiae datam a laicis, qua investitura laici usurpabant jura quae unice competebant auctoritati ecclesiasticae, ita ut, aiebat Humbertus de Silva Candida, Ecclesia in Occidente magis dejiceretur quam in Oriente. Papa debet consecrare metropolitanos, et hi debent investituram dare episcopis. Auctoritas spiritualis et auctoritas temporalis mutuum auxilium sibi praestare debent: sed auctoritas spiritualis est anima, auctoritas temporalis est corpus. Auctoritas spiritualis superat auctoritatem temporalem sicut coelum superat terram. Ordinationes simoniace collatas invalidas declarabat (4).

---

(1) Successor ejus, Victor II (1054-1057), praesertim incubuit in negotia politica Germaniae et Italiae.

(2) *Vita S. Petri Damiani* a JOANNE DE LODI, in PL, t. 144, 115.

(3) PL, t. 143.

(4) A. FLICHE, *Les Prégrégoriens*. Poitiers, 1916; J. P. WHITNEY, *P. Damiani and Humbert*, Cambridge Historical Journal, 1925, t. I, p. 237 sq.; A. DEMPF, *Sacrum Imperium*, tr. italica a C. ANTONI, p. 104 sq. M., 1933.

11.

3. - **A Nicolao II ad Gregorium VII (1059 - 1085)** — a) *Decretum Nicolai II*. — Est periodus decisiva pro instauratione disciplinae ecclesiasticae et vindicatione independentiae pontificiae, in qua praevalet figura monachi Hildebrandi, futuri Gregorii VII. Monachus Hildebrandus e Thuscia oriundus (1015? - 1085) non eminebat praestantia physica, sed voluntate, proposito, et fortitudine animi, praesertim in periculo. Jam a tempore Leonis IX legatione fungi coepit pro S. Sede, primum in Gallia, postea in Germania, sub Stephano IX. Mediator fuit inter curiam germanicam et altum clerum romanum pro electione Gerardi, episcopi Florentini, postea Nicolai II, ad solium pontificium anno 1059. Eodem anno, 13 aprilis, in synodo Lateranensi, praesentibus 113 episcopis, Nicolaus II promulgabat decretum de electione summi pontificis virtute cujus, secundum mentem expressam ab Humberto a Silva Candida in suo tractatu *Adversus simoniacos*, et secundum consilium Hildebrandi, electionem pontificiam committebat cardinalibus, eamque ita liberabat a tutela, tam factionum romanarum quam aulae germanicae.

Istius decreti duo servantur textus, alius pontificalis alius imperialis. Sed solus textus pontificalis authenticus habetur, dum textus imperialis anno 1084 confectus est a tredecim cardinalibus qui operâ Henrici IV antipapae Clementi III adhaeserunt. Secundum decretum Nicolai II, cardinales - episcopi collatis consiliis candidatos debent proponere; quo facto, cardinales - episcopi unacum cardinalibus - presbyteris et diaconibus electionem perficiunt: cui electioni clerus populusque romanus consensum dabunt. Pontifex eligatur e clero romano, si ibi vir idoneus invenitur, alioquin desumatur ex aliarum ecclesiarum clero. « Salvo debito honore et reverentia dilecti filii nostri Henrici, qui in praesentiarum rex habetur et futurus imperator Deo concedente speratur, sicut jam sibi concessimus, et successorum illius, qui ab hac apostolica sede *personaliter* hoc jus impetraverint ».

Patricii romani et curia imperialis germanica aegre tulerunt hoc decretum, quo eis denegabatur omne jus interveniendi in electionibus pontificum. Sed papa Nicolaus providit ut in casu oppositionis, sive romanae sive imperialis, haberet praesidium et tutamen. Tunc temporis Normanni sedem fixerant in Italia meridionali ibique principatus constituerant in regione capuana, in Calabria,

Apulia, e territoriis quae reapse pertinebant ad Imperium graecum, et ad antiquos reges longobardos, quorum jura imperatores germanici sibi arrogaverant. Etiam pontifices romani sibi jus patronatus feudalis vindicabant in haec territoria, vi concessionum quas eis fecerant reges Francorum Pepinus et Carolus Magnus. Hoc suo jure patronatus usus est Nicolaus II, ut a principibus normannis effectivam obtineret protectionem in casu aggressionis.

Eodem anno 1059, quo decretum de electione pontificia promulgaverat, Nicolaus II petiit Melphim in Italia meridionali, ibique praesedit concilio (23 aug.). Duo duces Normannorum ab eo, tanquam domino feudali, terrarum quas occupaverant acceperunt investituram, Ricardus ab Aversa, principatus Capuae, Robertus Guiscardus, ducatus Apuliae et Calabriae. Duo duces promiserunt se tributum annuum soluturos pontifici romano, et S. Sedem ab omni impetu protecturos. Si vacante Sede romana haberetur competitio inter candidatos ad solium pontificium, Normanni agnoscerent illum qui praesentaretur a praestantioribus cardinalibus: « Et si tu vel tui successores ante me ex hac vita migraveritis, secundum quod monitus fuero a melioribus cardinalibus, clericis Romanis et laicis, adjuvabo, ut papa eligatur et ordinetur ad honorem S. Petri ». (1)

Jam anno sequenti, 1060, curia imperialis, dum Henricus IV adhuc in pupillari aetate esset, declaravit tam decretum de eligendis pontificibus quam foedus a summo pontifice cum Normannis initum, invalida esse. Sed Nicolaus II firmiter restitit et antequam moreretur decretum de electione pontificum iterum confirmavit.

Ex morte improvisa Nicolai II, (27 jul. 1061), factio romana et curia imperialis occasionem ceperunt ut se iterum immiscerent in electionem papae. Sed Desiderius, abbas Montis Cassini, obtinuit protectionem ducis Ricardi ab Aversa, qua fulti, cardinales elegerunt Anselmum Lucensem qui causae libertatis et reformationis Ecclesiae totus deditus erat, ac antea direxerat repugnantiam fidelium sacerdotibus simoniacis et concubinariis. Anselmus nomen sumpsit Alexandri II (1061 - 1073). Factio nobilium romanorum et curia imperialis huic papae legitimo opposuerunt antipapam, Cadalum, episcopum Parmensem cui impositum est nomen Honorii II. Sed, sub influxu S. Annonis archiepiscopi Coloniensis, qui dum

---

(1) C. MIRBT, *Quellen*, *op. cit.*, n. 272.

imperator Henricus IV pupillus esset, Germaniam gubernabat, episcopi germanici unacum episcopis italicis Mantuae in concilio adunati (1064), agnoverunt Alexandrum II tanquam papam legitimum, et sic antipapa Cadalus (Honorius II) paulatim a suis fautoribus derelictus est.

Henricus IV, vix majorem aetatem attigerat, anno 1065, beneficia ecclesiastica conferre coepit soluto pretio, episcopos et abbates nominando modo simoniaco. Alexander II statim huic abusui restitit, et praelatos simoniace electos citavit ut se de hac re purgarent, e. g. episcopos Coloniensem, Moguntinum et Trevirensem, vel ut officium deponerent, ut Carolum episcopum Constantiae (1071). Quotidie oriuntur novi conflictus: Henricus IV volebat repudiare uxorem suam Bertham Taurinensem (1069) et sollicitabat episcopum Sigfridum a Moguntia ut impium propositum approbaret. Alexander II misit Petrum Damiani legatum ad Henricum IV, et legatus in synodo Francofordiae ei poenas ecclesiasticas minitatus est nisi renuntiaret proposito divortio.

Cum Wido archiepiscopus Mediolanensis dignitatem deposuisset, illicito interventu imperatoris subdiaconus Godefridus archiepiscopus constitutus est probabiliter modo simoniaco. Alexander II hanc electionem confirmare noluit, sed archiepiscopum nominavit Attonem (1072). Praeterea, cum imperator ejusque consiliarii archiepiscopum intrusum Godefridum per fas et nefas imponere voluissent, papa consiliarios imperiales excommunicavit. Exinde relationes S. Sedis ad Imperium germanicum semper difficiliores fiebant.

Ex Normannia, ubi saec. XI florebant episcopi zelantes, uti Mauritius a Fécamp et Joannes ab Avranches, necnon abbates pii et docti, uti Lanfrancus et S. Anselmus, salutaris actio pro reformatione religiosa transiit in Angliam, quam Gulielmus dux Normanniae anno 1066 expugnaverat. In Hispania, opere cardinalis legati Hugonis Candidi, liturgia romana substituta est ritui mozarabico, et clerus tam saecularis quam regularis ad meliorem frugem ductus, uti probant 14 canones promulgati in synodo Gerundensi (1068) (1).

Ubique notatur influxus beneficus Alexandri II pro reformatione cleri et pro independentia temporali S. Sedis. Praeterea, omni

---

(1) Mansi, t. XIX, col. 1069; HC, t. IV, p. 1267.

fervore incubuit in liberationem Siciliae et Hispaniae ab imperio mahumetanorum. Ejus indefessa actione, potentia tam spiritualis quam temporalis S. Sedis notabiliter aucta est, ita ut via pararetur operi decisivo quod pro liberatione Ecclesiae ab interventu principum et pro recuperatione christiana ab islamismo explicarunt ejus successores Gregorius VII et Urbanus II.

b) *Opus S. Gregorii VII pro libertate Ecclesiae* (1). — Cum Hildebrandus, tanquam cardinalis archidiaconus S.R.E. praesideret exsequiis defuncti papae Alexandri II (1073) in basilica Lateranensi, clerus et populus clamarunt: Hildebrandus papa! Ita acclamatus a voce publica, a cardinalibus electus est secundum decretum de eligendo pontifice 22 aprilis 1073. Adhuc simplex diaconus, ordinatus est presbyter 22 maii 1073 et consecrationenm pontificiam accepit 30 junii 1073, praesente legato imperatoris Henrici IV.

Secundum Gregorium VII, papa debet repraesentare Christum in terra, in caritate, justitia et pace. Auctoritas temporalis debet subjici auctoritati pontificiae in omnibus rebus quae spectant ad salutem christianorum. Nulla ambitione personali ductus, Gregorius VII in omnibus ante oculos habebat honorem Dei, jus Ecclesiae et suprematiam pontificiam.

In *Dictatu papae,* 27 propositionibus presse definivit praerogativas summi pontificis (1075): 1) « Quod Romana ecclesia a solo Domino sit fundata; 2) Quod solus Romanus pontifex jure dicatur universalis; 3) Quod ille solus possit deponere episcopos vel reconciliare; ... 12) Quod illi liceat imperatores deponere; ... 16) Quod nulla synodus absque praecepto ejus debet generalis vocari; ... 19) Quod a nemine judicari debeat; ...22) Quod Romana Ecclesia nunquam erravit nec in perpetuum Scriptura testante errabit; ... 26) Quod catholicus non habeatur, qui non concordat Romanae Ecclesiae; 27) Quod a fidelitate iniquorum subjectos potest absolvere » (2).

---

(1) Quoad fontes de Gregorio VII, ante omnia notatur ejus *Registrum epistolarum,* cujus ed. emendatior habetur ab E. CASPAR in MGH, EE. B., 1920-1923; etiam a JAFFÉ, *Bibliotheca rerum germanicarum,* t. II, *Monumenta gregoriana,* B., 1865 et apud PL, t. 148; PAULUS DE BERNRIED, *Vita S. Gregorii VII,* PL, t. 147. A. FLICHE, *La réforme grégorienne et la reconquête chrétienne,* in *Histoire de l'Eglise,* t. VIII. P., 1946; *Studi gregoriani per la storia di Gregorio VII e della riforma gregoriana,* raccolti da G. B. BORINO. 3 vol. R., 1947-1949.

(2) *Registrum II,* 55 a, ed. E. CASPAR, I, 201 seq.; W. M. PEITZ, *Das*

Gregorius VII non quaerebat in certamen venire nec cum imperatore germanico, nec cum aliis principibus, nec cum alto clero; sed volebat emendationem morum et suppressionem abusuum profluentium ex investitura. Initio sperabat se opus suum ad bonum finem ducere posse cooperatione imperatoris, principum et episcoporum. Sed, ut scribebat fidelibus Longobardiae, 1 julii 1073, omni modo tenebatur officio restaurandi Ecclesiam in veritate et justitia: « Ut velimus nolimus, omnibus gentibus, maxime christianis, veritatem et justitiam annunciare compellimur » (1).

Jam in prima synodo Romae habita dominica prima Quadragesimae 1074, Gregorius adversus clericos simoniacos et concubinarios edidit decreta depositionis, quae per legatos et epistolas undique promulgata sunt. In Germania, Henricus IV, licet nullo modo mutatus in melius, cum egeret gratia papae intuitu futurae suae incoronationis imperialis, legatos pontificios recepit, et annuit ut haberentur synodi ad exstirpanda simoniam et concubinatum. Sed in synodis habitis Erfurti et Passaviae in Germania, Rotomagi et Pictavii in Gallia, Wintoniae in Anglia, paucum vel nihil actum est pro applicatione decretorum Gregorii VII ob mollitiem vel cupidinem plurimorum episcoporum. Decreta Gregorii VII adversus simoniam et concubinatum dicebantur « importabilia, ideoque irrationabilia ». Concilium Wintoniense (Winchester), (1076) praeside Lanfranco archiepiscopo Cantuariensi, praescripsit coelibatum presbyteris ecclesiarum collegialium, sed ad tempus suspendit applicationem decreti pro clero rurali.

Anno, sanctus praesul Coloniensis, timebat majora mala si decreta papae ad exsecutionem darentur. Tunc Gregorius VII clare percipiens imbecillitatem moralem praesertim provenire ab investitura saeculari, decrevit malum in radice aggredi auferendo a principibus laicis jus investiendi episcopum, vel presbyterum vel clericum in aliquo officio vel dignitate ecclesiastica.

Ita fecit in synodo quadragesimali anni 1075, ubi, renovando can. VI promulgatum a Nicolao II in synodo lateranensi 1059, statuit, ut si quis deinceps episcopatum vel abbatiam de manu alicujus personae laicae suscepisset, nullatenus inter episcopos vel ab-

---

Originalregister Gregors VII. Vi., 1911; C. Mirbt, *Quellen, op. cit.,* p. 146, n. 278.

(1) *Registrum* I, 15.

bates haberetur; insuper tali intruso papa gratiam S. Petri et introitum ecclesiae interdicebat, quousque locum quem ceperat, resipiscendo non deseruisset; eademque poena afficiebat dominos saeculares omnes, etiam reges et imperatores, qui investituram episcopatuum vel alicujus ecclesiasticae dignitatis dare praesumpsissent. Quod decretum annis 1078 et 1080 in romanis synodis confirmavit.

Qualis mutatio a tempore antecedenti, quo plures papae erant instrumentum docile in manibus imperatorum vel patriciorum romanorum!

Gregorius VII proclamabat principium *exclusionis* principum saecularium ab omni interventu in concessione officiorum et dignitatum Ecclesiae. Non ignorabat ob antiquas consuetudines, ob circumstantias speciales, applicationem immediatam decreti non ubique possibilem esse. Quare sibi propositum erat de hac applicatione amice cum principibus tractare. In Anglia decretum contra investituram a laicis nequidem promulgatum est, probabiliter quia Gulielmus Normannus, qui nominabat episcopos in Anglia, abstinebat a simonia et promovebat coelibatum clericorum. Galliae rex Philippus I decretum admisit sed non immediate applicavit. In Germania, exsecutio immediata decreti de investitura difficilis erat, quia episcopi ibi modo strictiore legati erant imperatori a quo potentissima feuda acceperant, ita ut quasi tota eorum fortuna, adversa vel prospera, ab imperatore penderet: erant creaturae ejus (1).

Aliunde, suppressio investiturae ecclesiasticae hactenus datae a principibus saecularibus, istos ad pauciora redigebat, sive oeconomice sive politice. In Germania et Longobardia praesertim, Henricus IV, rebellione Saxonum domata, nihil curabat reformationem abusuum. Unum tantum scopum prosequebatur: auctoritatem regiam in negotiis ecclesiasticis, in nominatione praelatorum, in investitura officiorum ecclesiasticorum intactam servare eamque extendere non obstante Gregorio VII. Ejus consiliarii, uti Liemarus archiepiscopus Bremensis eidem principio adhaerebant, et major pars episcopatus germanici, licet in eo non deessent episcopi digni et capaces, timebat ne prohibitio investiturae laicae a Gregorio VII

---

(1) A. CAUCHIE, *La querelle des investitures dans les diocèses de Liége et de Cambrai*, 2 vol. L., 1890; E. DE MOREAU, *Histoire de l'Eglise en Belgique*, t. I. Br. [1940]; G. DRIOUX, *Hugues-Renard légat de Grégoire VII en Flandre*, Miscellanea historica A. De Meyer, t. I, p. 337-347. L., 1946.

emanata, remedium esset pejus ipso malo. Potentiae suae ferocius confidens, Henricus IV anno 1075 ecclesiae Mediolanensi praefecit diaconum Tedaldum, eumque opposuit archiepiscopo legitimo Attoni. Per litteras 8 dec. 1075 ad imperatorem missas, Gregorius VII protestatus est se nunquam Tedaldum intrusum excepturum, et Henrico IV exprobravit transgressionem canonum ecclesiasticorum.

Ita incepit luctatio aperta inter summum sacerdotem et imperatorem. In synodo de mandato Henrici Wormatiae habita (24 jan. 1076), episcopi germanici et longobardici, quibus se adjunxit cardinalis Hugo Candidus, fere omnes dejectioni Gregorii VII subscripserunt. In litteris quibus Henricus IV et episcopi germanici « Hildebrando, jam non Apostolico sed falso monacho » nuntiabant ejus dejectionem a throno pontificio, impugnabatur potestas exclusiva et absoluta in nominationem et depositionem episcoporum, ac in divisionem dioecesium, quam sibi tribuerat Gregorius VII in *Dictatu papae*: potestati pontificiae, etiam in principes saeculares, quam Gregorius invocabat virtute primatus quem Christus contulerat Petro, Henricus IV ejusque fautores opponebant sententiam auctoritatis supremae principis, de jure divino, in negotiis suis, etiam in his quae spectant Ecclesiam.

Ut de more, mense februario 1076 Gregorius habuit synodum Romae, in qua Henricum IV excommunicavit, et ejus subditos a juramento fidelitatis solvit, donec obedientiam praestaret papae. A dignitate imperiali nondum depositus est, sed tantum suspensus. Ex episcopis complicibus Henrici, alii, uti Moguntinus et Ultrajectinus, ab Ecclesiae communione repulsi sunt, alii Romam vocati, ut rebellionis suae rationem redderent.

Excommunicatio Henrici IV a papa Gregorio solemniter pronuntiata, plures episcopos germanicos ad resipiscendum movit et repugnantiam principum saecularium despotico regi auxit. Henricus vero, tunc Ultrajecti degens, resistere tentavit. Eo praesente, Gulielmus episcopus Ultrajectinus, unicus praesul qui cum rege erat in die paschatis, 27 martii 1076, ausus est anathema dicere in Gregorium, in sermone conviciis pleno. Sed eadem die, ecclesia S. Mariae in qua hoc sacrilegium compleverat, a fulgure destructa est et episcopus Gulielmus post paucos dies obiit: quam mortem repentinam fideles vindictae divinae tribuendam, non dubitarunt.

Henricus IV cito expertus est quanta auctoritate morali circumdabatur Gregorius VII a parte fidelium et quanti momenti erat excommunicatio in se a Gregorio VII lata. Rex incassum convocabat episcopos sive Wormatiae, sive Moguntiae, et quotidie crescebat oppositio principum, quorum praecipui erant Rudolphus dux Sueviae, Guelfo dux Bavariae et Bertholdus dux Carinthiae. In congressu principum et episcoporum apud Triburium prope Moguntiam habito 16 oct. 1076, decretum est ut Henricus IV a gubernio imperiali abstineret donec Gregorius VII in comitiis imperialibus Augustae Vindelicorum (Augsburg) celebrandis 2 feb. 1077, totam rem dirimeret per sententiam definitivam, vel condemnationis vel absolutionis. Si Henricus IV propria culpa plusquam uno anno in excommunicatione remaneret, tunc declararetur dejectus pro semper a throno imperiali. Henricus IV, a favore publico derelictus, externe saltem omnia promisit; etiam Gregorius VII invitationem principum cum eis conveniendi in Augsburgum accepit, et sine mora iter in Germaniam aggressus est.

Sed astutus rex, juremerito timens sortem quam sibi in comitiis imperialibus reservabat conjugata ratio summi pontificis et principum germanicorum, illum ab istis dividere statuit, de pace cum Gregorio VII separatim agendo. Non obstante voluntate contraria papae, qui volebat totum negotium remittere ad concilia imperialia, uti concordatum erat, Henricus clam cum parvo comitatu per Montem Cenisium in Italiam venit. Gregorius vix audivit adventum Henrici, in Lombardia, recessit in castellum Canusiae, in Apenninis apud Regium Aemilii, quod pertinebat ad devotam suam fautricem comitissam Mathildem (1). Henricus, cum nec legatis quos praemiserat, nec intercessione Hugonis abbatis Cluniacensis, ipsius Mathildis et aliorum optimatum potuisset recuperare gratiam papae, ipse, invito Gregorio VII, Canusiam venit. Ibi, ut papa 28 januarii 1077 ad principes germanicos retulit, « per triduum ante portam castri deposito omni regio cultu miserabiliter utpote discalceatus et laneis indutus persistens, non prius cum multo fletu apostolicae miserationis auxilium et consolationem implorare destitit, quam omnes, qui ibi aderant et ad quos rumor ille pervenit, ad tantam pietatem et compassionis misericordiam movit, ut pro eo multis precibus et lacrimis » intercederent.

Post longam haesitationem, papa cessit precibus comitissae

---

(1) N. Grimaldi, *La contessa Matilde e la sua stirpe feudale*. Firenze, 1928.

Mathildis, marchionissae Aleidis et Hugonis, abbatis Cluniacensis, Henricum absolvit (28 jan.) ab excommunicatione et ei S. Communionem administravit. Sed quaestionem de regno Germaniae et consequenti corona imperiali, solvendam reliquit comitiis principum et praelatorum, ad quae se adventurum « data primum opportunitate », affirmabat. Attamen Gregorius toleravit ut Henricus titulo regio signaret jusjurandum quo verbis incertis promittebat se satisfacturum papae secundum consilium ejus, eique spondebat liberum introitum et exitum ultra montes (1).

Gregorius VII, Henricum IV in gratiam excipiendo, licet invitationem principum acceperat tractandi et dirimendi totum negotium in comitiis Augustae Vindelicorum habituris, rem fecit invisam principibus. Si Gregorius VII unice egisset habito respectu ad summum jus, Henricum IV non absolvisset nisi obtenta ejus submissione plena in comitiis imperialibus Augsburgi habituris, uti decretum fuerat. Sed apud Gregorium VII praevaluit misericordia sacerdotalis super severitatem juridicam et ipso facto infido Henrico IV, unacum absolutione, procuravit, indirecte saltem, felicem successum temporalem cum detrimento principum adversariorum.

Etenim Henricus IV, absolutus a Gregorio IX, non melior sed insolentior factus est: non adiit comitia Augsburgi et prohibuit quominus papa ea adiret. Principes germanici, timentes ne papa nimis cederet Henrico, legatis pontificiis dissuadentibus, in loco Forchheim Henricum IV de regno dejecerunt et regem elegerunt Rudolphum ducem Sueviae (15 mart. 1077). Inde bellum civile exarsit in Germania. Electionem Rudolphi Gregorius VII non pro-

---

(1) Epistola *Quoniam pro amore* Gregorii VII ad principes germanicos, 28 jan 1077, ed. E. CASPAR, t. I, 312; C. MIRBT, p. 147, n. 280.

Ab acatholicis, absolutio data Canusiae a Gregorio VII imperatori electo Henrico IV, saepius describitur tanquam pejor humiliatio inflicta imperio et major triumphus summi pontificatus in medio aevo. Princeps Otto von Bismarck, cancellarius Imperii germanici ultimo quarto saeculi proxime elapsi, durante conflictu cum Ecclesia catholica appellato *Kulturkampf*, alludebat absolutioni datae Henrico IV quando dicebat: « Nach Canossa gehen wir nicht ». Sed notare oportet papam nullo modo humiliare voluisse imperium, nec Henricum IV obligasse ad petendam absolutionem. Est Henricus IV, qui, ex consilio politico, omni pretio obtinere voluit absolutionem, ut in conspectu sui populi et principum qui ei contrarii erant, instauraret auctoritatem suam. De caetero, Henricus IV non est unicus princeps saecularis qui poenitentiam publicam peregit in medio aevo. Recordetur satisfactio data ab Henrico II rege Angliae ad sepulcrum S. Thomae Becket (1174).

bavit sed ne voluit quidem excommunicare eum, antequam eum audisset, ut Henricus IV requirebat. De caetero, Rudolphus stabat a latere papae pro reformatione cleri: decreta pontificia adversus simoniam, violationem coelibatus et investituram laicam severe ad exsecutionem ducebat. Ob talem rigorem apud clerum plurimi in eum exorti sunt adversarii, qui iterum sese Henrico IV junxerunt in bello civili. Ab utraque parte exigebantur approbatio pontificis et damnatio adversarii. Sed Henricus, qui 27 jan. 1080 devixerat exercitum saxonicum Rudolphi, vi et metu, ope legatorum simoniacorum uti Liemari Bremensis, auctoritatem suam absolutam quaerebat imponere Gregorio. Quare iste, in synodo romana 7 mart. 1080, Henricum ab Ecclesiae communione repulit, a gradu regio deposuit, ejusque subditos a vinculo obedientiae solvit. Deinde, eodem solemni ritu, Rudolphum Svevum regem agnovit.

Excommunicationi suae, Henricus IV respondit convocando synodum Brixinii, (Brixen) in qua episcopi Longobardiae numerosiores fuerunt episcopis germanicis; e cardinalibus, unus tantum adfuit, rebellis Hugo Candidus. In hac synodo, episcopi praesentes Gregorium VII invalide electum asserentes, eum iterum deposuerunt, eique antipapam substituerunt Guibertum, archiepiscopum Ravennatensem, qui nomen sumpsit Clementis III (25 jun. 1080) (1). Cum rex Rudolphus in praelio ad Elstram periisset (15 oct. 1080), Henricus IV, tempus opportunum opinatus est ut in Italiam descenderet et Romam expugnaret. A 21 maii 1081 urbem obsidione cinxit, et 3 jun. 1083, basilicam vaticanam occupavit et partem urbis Leoninae cepit, dum Gregorius, castro S. Angeli munitus, aliam partem civitatis tenebat. Novo impetu dato 21 mart. 1084, Henricus IV totam urbem expugnavit, excepta arce S. Angeli. Dominica Palmarum 24 mart., in basilica vaticana antipapa Clemens III constitutus est romanus pontifex. Die Paschatis, 31 mart., in eadem basilica Clemens III imposuit coronam imperialem capiti Henrici IV ejusque uxori Berthae.

Gregorius VII, a pluribus suis fautoribus derelictus, cum paucis fidelibus in Mole Adriana usque ad ultimum restitit obsidioni Henrici IV et adjutorium invocavit sui vassali Roberti Guiscardi, ducis Normannorum, qui in ditione habebat Apuliam et Calabriam. Guiscardus, timens ne imperium Henrici IV nimis ingravesceret in

---

(1) Anno 1078, synodus romana Guibertum excommunicaverat ob ejus discordiam a Gregorio VII.

Italia, illico Romam tetendit cum triginta millibus Normannorum, et Henricus IV, qui tali copiae strenuorum militum resistere non potuisset, 21 maii 1084 propere Urbem reliquit cum suo antipapa Clemente III.

Die 27 maii, Robertus Guiscardus liberavit Gregorium VII eumque conduxit ad basilicam lateranensem. Sed Normanni, qui nondum deposuerant suum instinctum piraticum, in praemium suae expeditionis plures vicos urbis, ut S. Laurentii in Lucina et S. Silvestri in capite, depraedati sunt sine misericordia; alios vicos, ut partes circa Lateranum et Vespasiani amphitheatrum, incendio tradiderunt, ita ut Romani, quorum major numerus jam favebat Henrico IV, odio profundo prosecuti sunt Normannos et aperte increparunt Gregorium qui eos auxilio vocaverat.

Quare Gregorius VII coactus est discedere a Roma sub protectione Normannorum. Primum petiit abbatiam Montis Cassini, deinde Beneventum et Salernum. In hac civitate sub fine anni 1084 convocavit concilium in quo iterum communione fidelium arcuit Henricum IV et antipapam Guibertum (Clementem III). Praeterea misit legatos in Germaniam et in Galliam qui nomine suo appellarunt ad omnes fideles. (1)

Refertur Gregorium VII paulo ante mortem (25 maii 1085) dixisse cardinalibus et episcopis circumstantibus: « Ego, fratres mei dilectissimi, nullos labores meos alicujus momenti facio, in hoc solummodo confidens quod *semper dilexi justitiam et odio habui iniquitatem* » (2). Quae verba deinde composita sunt in locutione famosa: « Dilexi justitiam et odi iniquitatem: propterea morior in exilio ». Disputatur an revera Gregorius VII ista verba, vel similia pronuntiaverit. Sed procul dubio ista verba fideliter traducunt animum ejus fortem et rectum, devotum sine limite libertati Ecclesiae et auctoritati S. Sedis.

Humane loquendo, Gregorius moriebatur victus. Sed non obstante morte in exsilio, Gregorius VII peregerat opus fundamentale pro vita et actione Ecclesiae in medio aevo. Assertio fortissima quam fecerat jurium Ecclesiae, certamen quod invicto animo duxerat ut Ecclesiam liberam redderet et sanctam, immunem a si-

---

(1) HC, t. V, parte 1ᵃ, p. 306.
(2) Ita PAULUS a Bernried in *Vita Gregorii*, PL, t. 148, 95; WATTERICH, *Vitae Pontificum Romanorum*, t. I.

monia, a concubinatu, ab investitura principum, ab omni pollutione profana, principia quibus stabilire voluerat regnum Dei in terris sub directione summi pontificis, effectus suos dederunt in toto orbe terrarum. Tenaci opera Gregorii VII, auctoritas superior S. Sedis, non pro ambitione terrena, sed pro bono animarum, admissa est a populis et principibus. Sancta Romana Ecclesia est mater universalis cui omnes, tam reges quam nationes, subduntur. « Sanctam Ecclesiam non quaerant sicut ancillam sibi subjicere vel subjugare » (1).

Admittebat principum potestatem in rebus temporalibus, dummodo exerceretur sub rectione suprema pontificis romani, in ordine ad salvationem animarum. (2) Ecclesia et status debent cooperari saluti humani generis, Ecclesia quoad animam, status quoad corpus. Ad summum pontificem pertinet promulgare et exsecutioni mandare leges divinas, praecepta ecclesiastica et normas morales, quibus subjiciuntur tum principes, tum populi: ambo sunt suae curae pastorali commissi et de ambobus respondere debebit apud Deum. Papa potest deponere principes qui leges divinas vel praecepta ecclesiastica violant, solvere eorum subditos a juramento fidelitatis, quia principes in foro ecclesiastico et in rebus spiritualibus pendent, non directe a Deo, uti praetendunt jurisperiti imperiales, sed a papa. Regnare debent cum Christo sub ejus vicario, et non cum mundi principe diabolo (3).

Exemplum et actio Gregorii VII auctoritatem Ecclesiae in re publica valde instaurarunt. Successores ejus in medio aevo, licet non omnes eadem fortitudine processissent, eamdem viam secuti

---

(1) Epistola Gregorii VII ad Hermannum episcopum Metensem, 15 mart. 1081, Reg. VIII, 21; ed. E. CASPAR, II, 544; C. MIRBT, n. 297.

(2) In Epistola supra citata, Gregorius de origine auctoritatis principum severum profert judicium: « Quis nesciat reges et duces ab iis habuisse principium, qui Deum ignorantes superbia rapinis perfidia homicidiis postremo universis paene sceleribus, mundi principe diabolo videlicet agitante, *super pares*, scilicet *homines*, dominari caeca cupidine et intolerabili praesumptione affectaverunt »?

(3) Epistola cit. ad Hermannum episcopum Metensem: « Quodsi reges pro peccatis suis a sacerdotibus sunt judicandi, a quo rectius quam a romano pontifice judicari debent? ».

Cfr. art. A. FLICHE de Collectione canonica Anselmi Lucensis, et A. VAN HOVE de fontibus Juris canonici sub fine saec. XI, in *Miscellanea historica* A. De Meyer, t. I, p. 358-372.

sunt; et fideles, a papa ejusque legatis illuminati, plurimum partes S. Sedis amplexati sunt. Etenim Gregorius VII incessanter usus est legatis, qui in omni parte Europae principes et populos strictius S. Sedi devincire conati sunt. Etiam ultimis annis, dum Romae obsidione premeretur, vel Salerni in exilio novissimos dies degeret, misit legatos, qui nuntiarunt poenas ecclesiasticas in Henricum IV et Guibertum antipapam latas. Isti legati instituebantur, vel ad tempus, data occasione, vel in perpetuum. Legati ad tempus saepe pertinebant ad Curiam romanam, uti cardinales Geraldus ab Ostia et Petrus ab Albano. Legati permanentes erant episcopi regionis in qua papam repraesentabant, e. g. Altmannus Passaviensis in Germania, Hugo a Die in Gallia: convocabant concilia, hortabantur praesules ad supprimendum abusus, suspendebant vel deponebant episcopos incapaces aut indignos: erant longa manus pontificis, qui eis delegabat amplissimas facultates. Tam actione personali quam actione legatorum Gregorius VII maxima momenta habuit ad vitam sive internam sive externam Ecclesiae.

Pontifex qui ab adversariis describitur tanquam tyrannus superbus, revera pastor fuit qui unice movebatur zelo domus Dei et anxietate salutis animarum. In eo elucebant firma fides, tenera pietas, caritas erga omnes, et amor pacis (1). In eo revera justitia, pax et caritas osculatae sunt: quibus Ecclesia semper et ubique, etiamsi ad tempus oppressa, de quacumque adversariorum malevolentia triumphum finalem egit.

4. **Investitura ecclesiastica a principibus saecularibus aufertur opere Concordati Wormatiensis et I Concilii oecumenici Lateranensis (1123).** — In successorem Gregorii VII electus est Desiderius, abbas Montis Cassini, concursu principum Normannorum qui imperabant in Italia meridionali (1086 - 1087). Sub nomine Victoris III, acre certamen sustinere debuit in ipsa Urbe adversus antipapam Clementem III ejusque fautores. In concilio Beneventano, (29 aug. 1087), Henricum IV iterum anathema dixit. Victore III defuncto 16 sept. 1087, in conclavi Terracinae celebrato, Urba-

---

(1) Verus tractatus vitae spiritualis componi posset ex epistolis S. Gregorii VII ad comitissam Mathildem (Reg., I, 47), ad Aleidem reginam Hungariae (Reg., VIII, 22), ad Alphonsum VI regem Castiliae (Reg., VII, 6) et ad Hugonem abbatem Cluniacensem (Reg., I, 62).

nus II (12 martii 1088 - 29 jul. 1099) proclamatus est summus pontifex. Praedicator eloquens, aperte ad fideles sese direxit, eosque traxit ad reformationem morum, ad expeditionem crucigerorum, et ad cooperandum secum pro liberatione cleri a tutela principum.

Eisdem principiis inhaerebat ac S. Gregorius VII, sed methodo minus rigida. Scribebat ad episcopos Germaniae 13 mart. 1088: « Rejicio quod rejecit, damno quod damnavit, amo quod amavit » (1). Collegit fructus fortissimae actionis Gregorii VII contra abusus, ejusque praeclara exempla secutus est. In synodo Melphitana (Melfi) (1089), edidit canones adversus simoniam, concubinatum et investituram clericorum. Ista decreta renonavit in concilio Placentino (1095) cui adstiterunt quatuor millia clericorum et triginta millia laicorum, inter quos legati Philippi I regis Galliae. Sed praecipuum triumphum obtinuit in synodo Claramontana (1095) ubi 200 episcopi et abbates, ac multi domini saeculares aderant. Ibi decrevit ut nullus ecclesiasticorum aliquem honorem a manu laicorum exciperet, et prohibuit episcopis et presbyteris ne praestarent laicis homagium, scilicet juramentum fidelitatis pro feudo vel beneficio quod recipiebant. Nolebat ut ecclesiastici obligarentur praestare servitia dominis laicis.

Hanc prohibitionem ad exsecutionem ducere tunc difficile vel impossibile erat, quia homagium, ligia fidelitas pro feudo accepto, ab omnibus agnoscebatur tanquam pars inhaerens regimini feudali, et non constituebat necessario intrusionem in re ecclesiastica. Sed promulgando talem prohibitionem, Urbanus II intendebat liberare semper magis clerum ab omni interventu vel influxu laicali. In eadem synodo Claramontana evidenter patuit etiam quanta auctoritate spirituali pontificatus Romanus iterum fruebatur apud fideles: in publica platea Urbanus II ibi praedicavit expeditionem sanctam adversus sequaces Mahumeti, et, ejus ardenti sollicitatione moti, incredibili fervore nobiles et plebeji se cruce signarunt et ad liberandam Terram Sanctam animose profecti sunt. Urbanus II diem clausit extremum 29 julii 1099, paucis diebus postquam Jerusalem a crucigeris, duce Godefrido de Bouillon, expugnata fuerat. Jam 13 augusti Ro-

---

(1) De gestis Urbani II cfr. PETRUS PISANUS, *Vita Urbani papae*, ed. WATTERICH, *Vitae Pontificum Romanorum*, 5348 sq.; MANSI, t. XX; A. FLICHE, in *Histoire de l'Eglise*, t. VIII, p. 199 sq. P., 1946; FL, t. 151, 283.

mae pacifice eligebatur in pontificem cardinalis Rainerius qui sibi nomen sumpsit Paschalis II (1099 - 1118). (1)

Resolvit quaestionem de investituris in Gallia, Anglia et Normannia: aegre, reges dimiserunt investituram ope anuli et baculi. In Gallia rex servavit jus consentiendi electioni, eamque confirmandi, dandi bona temporalia episcopis et abbatibus et ab eis petendi juramentum feudale. In Anglia, episcopus vel abbas ante consecrationem praestabat juramentum regi, quo constituebatur in possessione bonorum temporalium. De facto tamen, in Anglia rex nominabat episcopos, cum tacito consensu S. Sedis, quamdiu praesules recte promovebantur a principe.

Paschalis II adstitit ruinae Henrici IV: duo filii istius, Conradus et Henricus, rebellarunt adversus patrem. Dolo comprehensus, imperator Henricus IV, qui animum summe ingratum atque molestum S. Sedi demonstraverat, a proprio filio Henrico coactus est abdicare et morte obscura defunctus est 9 aug. 1106, Leodii in Belgio.

Sed qualis pater talis filius. Henricus V, qui submissionem papae finxerat, quamdiu ejus auxilio egerat, post electionem suam in regem, eamdem ac pater mentem antipontificiam exhibuit. Romam venit 1110 et a papa exegit jus investiturae. Papa recusavit non ambigue. Potior ei videbatur Ecclesia constituta in parcitate temporali cum libertate, quam Ecclesia abundans divitiis sed privata libertate, ac serva Status. Applicabat sententiam quam cardinalis Deusdedit (+1097 circa), fautor Gregorii VII, exponit in *Collectione canonum,* dicata Victori III (1087), Libro III de bonis Ecclesiae (2). Potius quam concedere investituram imperatori, papa proposuit episcopis Germaniae ut redderent regi omnia feuda et regalia quae praesules a temporibus Caroli Magni ab imperatoribus acceperant et viverent tantum decimis, oblationibus et donis peculiaribus. Sed episcopi rejecerunt propositionem Paschalis II. Iste, cum perseverasset negans Henrico V jus investiturae, ab eo in carcerem detrusus est (1111). Post duos menses, Paschalis II, ad vitandum schisma, cessit minis et Henrico V tribuit jus investiturae

---

(1) EKKEHARDI AB AURA, *Chronicon universale*, MGH, SS. t. V, p. 33 sq.; HUGONIS A FLAVIGNY, *Chronicon*, MGH, SS, t. VIII, p. 288 sq.; JAFFÉ-WATTENBACH, *Regesta Pontificum Romanorum*, 5807 sq.; MANSI, t. XX-XXI; A. FLICHE, *Histoire de l'Eglise,* op. cit., t. VIII, p. 338 sq.

(2) DTH, t. IV, p. 647 sq.; LTK, t. III, p. 228.

tanquam privilegium *personale,* dummodo electio praelatorum libera esset. Deinde papa liberatus Henricum V imperatorem coronavit 13 aprilis 1111.

Sed tunc tam papa quam imperator experti sunt non amplius servari posse in Ecclesia magnum abusum investiturae laicae. Apud clerum et fideles, praesertim in Italia et Gallia, oppositio vehemens exorta est. Synodus Lateranensis (1112) irritum declaravit privilegium vi extortum; synodus Viennensis in Gallia eodem anno Henricum V excommunicavit; in ipsa Germania, in synodo habita in loco Goslar imperator excommunicatus est (1115). Papa revocavit privilegium (quod dicebatur *pravilegium*) 6 martii 1116, in synodo Lateranensi: investituram ecclesiasticarum rerum a manu laicali rursus prohibitam declaravit sub anathemate dantis et accipientis.

Nihil valuit violentia Henrici V qui Gelasio II, successori Paschalis II 21 januarii 1118 defuncti, opposuit antipapam Gregorium VIII. Gelasius II ab Ecclesiae communione repulit Henricum V ejusque antipapam, licet ambo tunc occuparent Romam; deinde papa aufugit in Galliam, Cluniaci apud monachos, ubi obiit 29 jan. 1119. Cum impossibile esset adunare conclave, duo cardinales qui Cluniaci adstiterant Gelasio II, Lambertus Ostiensis et Conon Prenestinus, papam designarunt Guidonem archiepiscopum Viennensem in Gallia: quae designatio confirmata est Romae a cardinali Petro Portuensi, adhaerente clero et populo Urbis (1 mart. 1119). Novus pontifex, consanguineus imperatoris Henrici V, sibi nomen assumpsit Calixti II (1).

Henricus V, cum videret fortunam sibi semper magis adversam fieri, non tantum in Italia et Gallia, sed etiam in Germania, de pace cum papa componenda tractare coepit. Calixtus II invitavit imperatorem, episcopos et principes in generali congresu Wormatiae celebrando die 8 sept. 1122. Huic congressui praesedit legatus papae, Lambertus cardinalis Ostiensis. Ibidem nomine papae et imperatoris celebre concordatum factum est quo Henricus V dimisit omnem investituram *per anulum et baculum,* et concessit in omnibus ecclesiis sui Imperii canonicam fieri electionem et liberam

---

(1) *Vita Gelasii II,* a PANDULFO, *diacono romano conscripta,* ed. WATTERICH, *Vitae Pontificum Romanorum,* t. II, p. 91 sq.; *Vita Calixti papae a* PANDULFO, *diacono romano conscripta, Ibid.,* t. II, p. 115 sq.; JAFFE-WATTENBACH, *Regesta Pontificum Romanorum,* n. 6632 sq.; U. ROBERT, *Histoire du pape Calixte II.* P. 1891.

consecrationem; possessiones et regalia S. Petri, quae a principio hujus discordiae usque ad hodiernam diem sive tempore Henrici IV, sive tempore suo ablata fuerant, quae habebat, eidem sanctae Romanae Ecclesiae restituere promisit, quae autem non habebat, ut restituerentur fideliter juvaret.

Pro parte sua, Calixtus II concessit Henrico V ut electiones episcoporum et abbatum Teutonici regni, qui ad regnum germanicum pertinebant, in ejus praesentia fierent, absque simonia et aliqua violentia. Electus autem regalia ab Henrico V reciperet *per sceptrum*, non amplius per anulum et baculum. Ex aliis vero regionibus Imperii, consecratus infra sex menses investituram per sceptrum ab imperatore acciperet, et quae ex his jure isti deberet, adimplere tenebatur, exceptis omnibus quae ad Romanam Ecclesiam spectabant.

In concilio oecumenico Lateranensi, (IX) primo concilio oecumenico celebrato in Occidente (18 mart. 1123), praesentibus trecentis circiter episcopis, clausulae concordati Wormatiensis solemniter approbatae sunt et confirmatae plurimis decretis adversus simoniam, concubinatum clericorum et investituram laicam: Laici, quamvis religiosi sint, nullam tamen de ecclesiasticis rebus aliquid disponendi habeant facultatem. Omnium negotiorum ecclesiasticorum curam episcopus habeat et ea velut Deo contemplante dispenset. Si quis principum aut laicorum aliorum dispensationem vel donationem rerum sive possessionum ecclesiasticarum sibi vindicaverit, ut sacrilegus judicetur. Nullus in episcopum, nisi canonice electum, ad consecrandum manus mittat. Quod si praesumpserit, et consecratus et consecrator absque recuperationis spe deponatur. (1)

Ita terminum habuit longissima de investituris controversia, quae non tantum spectat historiam relationum externarum Ecclesiae ad principes, sed etiam historiam doctrinalem Ecclesiae, in quantum principes saeculares, repetendo jus investiturae alicujus dignitatis vel officii ecclesiastici, praetendebant, saltem implicite, potestatem magisterii et ministerii ecclesiastici a potestate civili fluere, et potestatem civilem *jus proprium* habere talem investituram conferendi.

---

(1) C. Mirbt, *Quellen zur Geschichte des Papsttums,* op. cit. n. 305-306; ES, n. 361.

III.

DE STATU ECCLESIAE A FINE CONTROVERSIAE DE INVESTITURIS USQUE AD TRANSLATIONEM S. SEDIS IN GALLIAM (1123 - 1305)

Proculdubio, post I concilium oecumenicum Lateranense, non in omnibus partibus abusus simoniae, violationis coelibatus, et investiturae statim suppressi sunt. Sed non amplius invocari poterat consuetudo vel favor principum ut tales abusus tuerentur. Etenim, antequam damnarentur a nova et expressa legislatione canonica, jam reprobabantur in ipsa sententia fidelium. Opinio publica quoad istos abusus, opere indefesso pontificum et legatorum, inde a Leone IX pedetentim mutata est in sensu independentiae ministerii ecclesiastici ab interventu saeculari. Nihilominus, Ecclesia durante medio aevo saepius in gravi discrimine posita est, praesertim hic in Urbe ob dissidia intestina (1155), in S. Imperio Romano ob Caesaro - papismum domus imperialis Hohenstauficae (1138-1268), in Anglia ob asperam controversiam de applicatione decretorum Clarendonii (1164), et in Gallia ob luctamen politico - ecclesiasticum inter papam Bonifatium VIII et regem Philippum IV (1294-1303). Breviter exponamus facta praecipua quae referuntur ad vitam praesertim externam Ecclesiae in ista periodo (1).

1. - S. Sedes in dissidiis a factionibus romanis excitatis (1123-1155). — Ob controversiam de Investituris, potestas imperialis declinaverat Romae et auctoritas familiarum ex Urbe creverat. Tunc praecipuae familiae romanae erant: Frangipani et Pierleoni, quae primatum contendebant. Ob aemulationem istarum familiarum, non una vice orta sunt certamina occasione electionis pontificiae. Mortuo Calixto II (1124), cardinales papam jam elegerant Tebaldum tituli S. Anastasiae, qui sibi nomen Coelestini sumpserat,

---

(1) A. FLICHE, R. FOREVILLE, J. ROUSSET, *Du premier concile du Latran à l'avènement d'Innocent III* (1123-1198), *Histoire de l'Eglise*, dir. A. FLICHE-V. MARTIN, t. IX. P., 1946; S. MOCHI ONORY, *Ecclesiastica libertas e concordati medioevali (da Worms a Costanza 1122-1418)*, in op. cit. *Chiesa e Stato*, t. I, p. 93-113. M., 1939; G. SORANZO, *Vicende religiose precedenti o seguenti i più antichi concordati*, ibidem, p. 147-189. M., 1939.

quando Robertus Frangipani intervenit cum sua factione, et pontificem imposuit cardinalem Lambertum Ostiensem, qui proclamatus est cum nomine Honorii II. Pro bono pacis, cardinalis Tebaldus recessit, et cum electio Lamberti Ostiensis a Collegio cardinalium confirmata fuisset (21 dec. 1124), iste habitus est legitimus pontiex et pacifice potuit gubernare Ecclesiam usque ad obitum (14 feb. 1130).

Vix celebratis exsequiis defuncti papae Honorii II, apud S. Gregorium ad montem Coelium, quindecim vel sexdecim cardinales, inter quos quatuor cardinales-episcopi, quibus secundum decretum Nicolai II (1059) spectabat praecipua pars in electione romani pontificis, electum declararunt cardinalem diaconum Gregorium, tituli S. Angeli in Pescheria. Iste, vir austerus unice bono Ecclesiae deditus, nomen sumpsit Innocentii II. (1130 - 1143). Sed paucis horis postea, factio quae adhaerebat familiae Pierleoni, consentientibus viginti quatuor cardinalibus, pontificem proclamavit cardinalem Petrum ejusdem familiae, qui appellatus est Anacletus II.

Exinde octo annorum spatio Ecclesia divisa est inter duos pontifices. Cum Anacletus II opibus et armis praevaleret, Innocentius II coactus est refugium quaerere in Gallia. Ut schismati finis imponeretur, rex Galliae Ludovicus VI convocavit concilium in Etampes. Patres istius concilii decisionem de papa legitimo reliquerunt viro qui tunc summa auctoritate fruebatur in tota Ecclesia: S. Bernardo abbati Claravallensi. (1) Inquisitione peracta, S. Bernardus declaravit Innocentium II pontificem esse legitimum, uti digniorem, electum ad normam decreti Nicolai II (1059), a purpuratis patribus qui constituebant partem saniorem S. Collegii.

Huic sententiae annuerunt Gallia, Hispania et Anglia; deinde etiam Germania, insistente S. Norberto, archiepiscopo Magdeburgensi et fundatore Ordinis Praemonstratensium. Anacleti II causam propugnare perrexerunt Scotia, Italia meridionalis et Sicilia, impellente rege Rogerio.

Praeside Lothario rege germanico, Innocentius II regressus

---

(1) S. BERNARDI *Epistolae*, PL, t. 182; E. VACANDARD, *Vie de S. Bernard, abbé de Clairvaux*. P., 1895; W. WILLIAMS, *S. Bernard of Clairvaux*. Manchester, 1935; H. FECHNER, *Die politischen Theorien des Abtes Bernhard von Clairvaux*. Bonn, 1933.

est Romam, ubi occupavit aedes Lateranenses et collem Aventinum, dum antipapa Anacletus II usurpabat basilicam S. Petri et arcem S. Angeli. Die 4 junii 1132, Innocentius II Lotharium coronavit imperatorem S. Romani Imperii in basilica Lateranensi. Antipapa Anacleto II de vita functo (25 jan. 1138), Innocentius II pleniore immunitate potuit exercere ministerium, et urgente S. Bernardo, pro anno 1139 convocavit II concilium Lateranense, quod est X oecumenicum. (1)

In hoc concilio cui adstiterunt episcopi et abbates numerosissimi, triginta editi sunt canones quibus iterum damnantur clerici et monachi concubinarii et simoniaci, presbyteri qui falsis poenitentiis animas laicorum decipiunt, scilicet de uno tantum peccato poenitentiam imponentes, relictis caeteris; laici incestuosi et usurarii, atque hi qui sacramentum Eucharistiae, baptisma puerorum, ordines ecclesiasticos et legitimas nuptias exprobrant. In can. 30, ordinationes factae a Petro Leonis, (antipapa Anacleto II) et aliis schismaticis et haereticis, irritae declarantur. In eodem concilio excommunicatus est rex Siciliae Rogerius ob tenacem suam oppositionem papae Innocentio II. Anno sequenti 1140, 16 julii, papa confirmabat damnationem 19 propositionum erronearum Petri Abaelardi de Trinitate, de Christo, de libero arbitrio et peccato, factam paulo antea in synodo Senonensi (Sens, in Gallia) et Abaelardo tanquam haeretico perpetuum silentium imponebat.

Vicissim nobiles, cives et plebs romana turbarunt pontificatum Innocentii II. Secundum exemplum Italiae septentrionalis, decursu 1143 Romani aboleurunt praefecturam, cui spectabat administratio justitiae nomine pontificis, et Urbem proclamarunt municipium independens. Innocentius II obiit 24 septembris ejusdem anni; sub ejus successoribus, Coelestino II (1143 - 1144), Lucio II (1144 - 1145) et Eugenio III (1145 - 1153), Romani adhuc insolentiores facti sunt. Ob continuas turbationes excitatas sive a senatu sive a plebe, Eugenius III, jam monachus Cisterciensis et discipulus S. Bernardi, electus 15 februarii 1145, nonnisi sub fine 1149 modo stabili Romae sedem stabilire potuit. Eloquens abbas Claravallensis frustra redarguebat Romanos: « O popule stulte et insipiens... Quid ergo nunc Roma, nisi sine capite truncum corpus, sine oculis frons ef-

---

(1) ES, n. 364 sq.; C. MIRBT, *Quellen, op. cit.*, n. 307.

fossa, facies tenebrosa? Aperi, gens misera, aperi oculus tuos et vide desolationem tuam jamjamque imminentem ». (1)

Absente Eugenio III, Arnaldus a Brescia, canonicus regularis S. Augustini, vir rigide vivens et tumultuose agens, impune potuit stimulare populum romanum adversus papam et praelatos bona temporalia possidentes. Secundum eum, omnia bona Ecclesiae debuissent tribui principi, et clerus debuisset reduci ad paupertatem evangelicam, nihil accipiens pro subsistentia nisi eleemosynas et decimas. Numerosos fautores lucratus est in Urbe, etiam apud clericos inferiores, qui rebellarunt adversus praesules. Arnaldus, qui jam in II concilio Lateranensi (1139) damnatus fuerat et ex Italia pulsus, ab Eugenio III iterum reprobatus est tanquam schismaticus (15 jul. 1148) (2).

Proculdubio, possessio immoderata bonorum temporalium multis praelatis erat fons ambitionis, luxus et simoniae. In epistola ad Henricum archiepiscopum Senonensem, *De moribus et officio episcoporum*, S. Bernardus antistites sui temporis revocavit ad vitam castam, humilem et caritate plenam; in sermone *De conversione ad clericos*, conatus est avertere presbyteros ab omni vanitate mundana: a gula, a gloria terrena, a divitiis, et praesertim a voluptate carnis.

Sed nulla exprobratio moveri poterat adversus Eugenium III, quem S. Bernardus in epistola ad cardinales qui eum elegerant ita descripsit: « Sepultum hominem revocastis ad homines, fugitantem curas et turbas denuo implicuistis et immiscuistis turbis... Crucifixus mundo per vos revixit mundo, et qui elegerat abjectus esse in domo Dei sui, ipsum vos in dominum omnium elegistis » (3).

Rogatus ab humili discipulo suo evecto ad summum pontificatum, abbas Claravallensis ad Eugenium III direxit Libros V *De Consideratione*, qui recte dici possunt: *Examen conscientiae* Summi Pontificatus et Curiae romanae, peractum, non ab aliquo reformatore rebelli, sed ab austero monacho qui ad mentem S. Gregorii VII voluisset ut papa ejusque officiales suum mandatum explerent

---

(1) Epist. 243, PL, t. 182, p. 439.
(2) A. De Stefano, *Arnaldo da Brescia e i suoi tempi*. R., 1921; G. W. Greenaway, *Arnold of Brescia*. Cambridge, 1921.
(3) Ed. H. Hurter, SS. *Patrum opuscula selecta*, fasc. XLVI, p. 11 sq. Oeniponti, 1885.

in spiritu supernaturali, liberi ab omni ambitione terrena. Ad discipulum suum Eugenium III scribebat S. Bernardus: « Praesis, ut provideas, ut consulas, ut procures, ut serves. Praesis, ut prosis; praesis, ut fidelis servus et prudens, quem constituit dominus super familiam suam... De cetero oportere te esse considera, formam justitiae... assertorem veritatis, fidei defensorem, doctorem gentium, christianorum ducem.... cleri ordinatorem, pastorem plebium, magistrum insipientium, refugium oppressorum.... oculum caecorum, linguam mutorum, ultorem scelerum.... malleum tyrannorum.... orbis lumen... vicarium Christi ». (1)

In Urbe, Romani divisi erant inter Eugenium III, quem ultimis mensibus vitae suae (dec. 1152 - jul. 1153) plurimi agnoscebant mediatorem pacis et summum benefactorem, ac Arnaldum a Brescia, qui impune prosequebatur violentam praedicationem antiecclesiasticam usquedum ipsius reipublicae romanae potitus est. Eugenio III de vita functo Tiburi (Tivoli) 8 jul. 1153, non videtur ejus successor Anastasius IV, qui jam 3 dec. 1154 obiit, aliquid potuisse ut pax in Urbe instauraretur. Adrianus IV (Nicolaus Breakspear anglicus), 1154-1159, cum senatus recusasset Arnaldum e civitate pellere uti ipse mandaverat, Romam sacris interdixit. Tunc clerus et cives divinorum usu privati, senatores obligarunt ut obsequium praestarent papae et Arnaldum ejicerent. Captus et brachio saeculari traditus, potius ut rebellis auctoritati imperiali Frederici I quam ut haereticus obstinatus, Arnaldus decollatus est et cineres ejus cadaveris flammis traditi projectae sunt in Tiberim (1155). Etiam post mortem Arnaldi a Brescia, Romani aspirarunt ad municipium autonomum, licet papae sibi vindicassent jus vigilandi, ope senatorum, rectam administrationem Urbis.

2. - Ecclesia et Status sub dynastia Hohenstaufica (1138-1268).
Claritatis causa, juvat in memoriam revocare conceptum generalem *de auctoritate respectiva Ecclesiae et Status* in societate medievali.

In medio aevo, religio Christi non solum considerabatur tanquam bonum maximum singulorum hominum, sed etiam tanquam vinculum inter populos et status, qui, cum modo integro constarent fidelibus, debebant ordinari, etiam in sua constitutione et actione temporali, secundum dictamina unius Fidei catholicae. Omnes oc-

---

(1) Ed. cit. H. Hurter, p. 26 sq.

cupantes gradus scalae socialis, ab imperatore et rege ad infimum servum, simul filii ejusdem Ecclesiae erant, ideoque, qualiscumque esset eorum potestas saecularis, tanquam christiani submittebantur legibus Ecclesiae ejusque capiti, summo pontifici, qui erat hic in terris principium et tutor unitatis spiritualis omnium fidelium.

Unitati temporali populorum et principum quos ligabat vinculum unius Fidei catholicae, praesidebat imperator. S. Romanum Imperium, ad mentem S. Sedis, significabat unitatem temporalem orbis christiani, in quo imperator jura Ecclesiae propugnare debebat. In eadem societate credentium, papa et imperator auctoritatem exercebant, papa in spiritualibus, imperator in temporalibus. Sed cum natura et finalitate sua, temporalia subjecta essent spiritualibus, auctoritas pontificia superabat omnem auctoritatem saecularem. Ecclesiae competebat omnes sodales societatis christianae, tam principes quam subditos, ad proprium finem supernaturalem ducere, dum auctoritas temporalis solum vigilare debebat ut adessent conditiones propitiae ad hunc finem supernaturalem obtinendum. Secundum Ivonem Carnotensem, Status referebatur ad Ecclesiam sicut corpus ad animam; secundum Innocentium III sicut luna ad solem. (1)

Papa, qui habetat auctoritatem summam et directam in spiritualibus, ipso facto habere debebat auctoritatem indirectam in temporalibus, in quantum inserviebant spiritualibus, saluti animarum cui praepositus erat. Exinde sibi vindicabat jus excommunicandi et deponendi principes qui impediebant exercitium auctoritatis spiritualis. Tanquam vicarius Christi capitis invisibilis societatis christianae, papa occupabat primum locum in hac societate: coronabat imperatorem, dirimebat lites inter principes et populos, protegebat debiles adversus oppressores, proclamabat bella crucigerorum, approbabat ordines religiosos et universitates studiorum, erigebat episcopatus et confirmabat metropolitanos, sanctis honores altaris decernebat, et convocabat concilia oecumenica eisque praesidebat. Ipsi principes, papae osculo pedum obsequium praestabant, reges et imperatores officio stratoris fungebantur, stapes et

---

(1) In tractatu *De Sacramentis christianae fidei*, II, part. II, cap. 4 scribit Hugo a S. Victore (1096-1141): « Nam spiritualis potestas terrenam potestatem et instituere habet ut sit et judicare si bona fuerit ». PL, t. 176, p. 148.

frena tenendo quando papa equitabat, uti prima vice anno 754 Pepinus Brevis fecerat in honorem Stephani II.

Haec erat doctrina et praxis quoad auctoritatem summi pontificis, quae decursu medii aevi crescenti vigore affirmata est a S. Sede, fervide cooperantibus theologis et canonistis romanis. Ipse S. Bernardus, qui in Libro IV, cap. 34 *De Consideratione* lugebat papam successisse, non Petro, sed Constantino in gemmis et sericis, in comitatu militari et circumstrepentibus ministris, paulo inferius scribebat: « Uterque ergo Ecclesiae et spiritualis scilicet gladius et materialis; sed is quidem *pro* Ecclesia, ille vero et *ab* Ecclesia exserendus; ille sacerdotis, is militis manu sed sane ad nutum sacerdotis et jussum imperatoris ». Quae suo suffragio comprobarunt tam Gregorius IX in epistola ad Germanum patriarcham Constantinopolitanum, quam Bonifatius VIII in bulla *Unam sanctam* (18 nov. 1302).

Attamen, potestas indirecta summi pontificis in temporalibus, non in omni sua applicatione clare definita erat: pendebat a circumstantiis personarum et locorum, a conditionibus politico-ecclesiasticis in quibus versabantur sive pontifices sive principes. De cetero, adversus theologos et canonistas pontificios, jurisperiti laici saepius docuerunt principes auctoritatem suam directe a solo Deo tenere, quin papae ullam jurisdictionem agnoscerent in imperatores et reges. Exinde, inter Sedem apostolicam et principes, praesertim in S. Romano Imperio, in Anglia et in Gallia, acerrimae disceptationes ortae sunt, quas brevi exponimus.

a) *Fredericus Barbarossa et Alexander III.* — Cum Conradus III, primus princeps e domo Hohenstaufen qui obtinuit regnum germanicum (1138-1152), occuparetur dissidio intestino inter suos fautores Ghibellinos (Waiblingen), et Guelfos, sequaces sui competitoris Henrici ducis Bavariae (e domo Welf), opportunius reputavit se non immiscere in negotiis Ecclesiae romanae. Ejus nepos, Fredericus I Barbarossa, antiquo Jure romano enutritus et potentiae avidus, in diuturno regno suo (1152-1190) non solum conatus est papam impedire ab omni immixtione in temporalibus, sed etiam auctoritatem pontificiam submittere absolutismo imperiali. (1)

---

(1) Ottonis *episcopi Frisingensis* et Rahewini, *Gesta Frederici I imperatoris*, ed. G. Waitz-Simson, MGH, *Scriptores Rerum Germanicarum in usum*

Jam ab initio animum parum officiosum in papam ostendit. Etenim cum Romam versus iter faceret ut imperator coronaretur (jun. 1155), Sutrii renuit Hadriano IV stratorem agere. Post tres dies tantum acquievit, cum principes germanici seniores ei monstrassent antiquum morem esse, ut imperator papae teneret stapiam. Non obstante promissione facta die coronationis suae (18 jun. 1155) defendendi libertatem, bona et jura Ecclesiae, ad mentem Concordati Wormatiensis, Fredericus ad episcopatum promovebat creaturas suas quin curaret S. Sedem, et praelatis a se electis interdicebat ne ad papam recurrerent pro investitura ecclesiastica. Praeterea tractabat cum Graecis de expugnatione Apuliae, quam Hadrianus IV, cui competebat dominium feudale in hanc regionem, tribuerat unacum regno Siciliae, principi normannico Gulielmo, filio Rogerii II.

In actione politico-ecclesiastica, Frederico Barbarossa adstabat cancellarius imperialis Rainaldus a Dassel, qui anno 1159 factus est archiepiscopus Coloniensis. A consiliis papae Hadriani IV erat Rolandus Bandinelli, cancellarius S. R. Ecclesiae, qui Jus canonicum egregie tradiderat in Universitate Bononiensi. Cum officiales imperiales in carcerem detrusissent archiepiscopum Lundensem in Dania, Eskil, strenuum assertorem immunitatis S. Sedis et amicum S. Bernardi, Hadrianus IV ad comitia imperialia Vesontione (Besançon) habita m. octobri 1157, deputavit cardinalem Bandinelli, cum litteris in quibus in memoriam revocabantur *beneficia* quae S. Sedes contulerat imperatori. Cancellarius imperialis Rainaldus a Dassel vocabulum *beneficia* commentavit quasi significaret *feuda*, quorum collationem imperatori papa sibi indebite arrogare voluisset.

Inde irae imperatoris, quas papa Hadrianus IV placare sategit, exponendo legatum suum de *beneficio* locutum esse in sensu *boni facti,* non in sensu *feudi.* (1) Sed in aula imperiali semper magis praevalebat doctrina auctoritatis absolutae Frederici I. Iste, iterum in Italiam profectus anno 1158, in campis Roncaliis prope Placentiam comitia habuit, in quibus jurisperiti Bononienses et aliqui praelati serviles, ut archiepiscopus Mediolanensis, voluntatem

---

scholarum. Hannover, 1912; K. HAMPE, *Deutsche Kaisergeschichte in der Zeit der Salier und der Staufen,* ed. 7. Lz., 1937.

(1) E. ALMEDINGEN, *The english Pope Adrian IV.* Lo., 1925.

imperatoris jus esse declararunt, secundum adagium: *quod principi placuit, legis habet vigorem*. Fictum istud jus invocans, Fredericus Barbarossa attentavit autonomiae municipiorum italicorum, occupavit terras quas comitissa Mathildis tempore Gregorii VII Patrimonio S. Petri obtulerat, et renitente Hadriano IV candidatum ineptum, juvenem Guidonem a Biandrate, ad sedem Ravennatensem promovit.

Cardinales plurimi papam hortabantur ut firmiter resisteret despotismo imperatoris. Sed 1 septembris 1159 Hadrianus IV diem extremam obiit Anagniae. Electio successoris, facta in Urbe, stetit sub signo contentionis Imperii cum Sacerdotio, ideoque desinit in schisma. Cardinales longe numerosiores, circiter viginti, suffragium dederunt Rolando Bandinelli, qui jam monstraverat se tam doctrina quam fortitudine strenue defensurum esse jura S. Sedis. Sed factio imperialis, quae paucis constabat cardinalibus (quinque forsitan) eodem tempore papam proclamavit cardinalem Octavianum Monticelli, e familia comitum Tusculi.

Electio Rolandi Bandinelli, qui sibi nomen Alexandri III sumpsit (1159 - 1181), proculdubio valida erat. Sed aemulus ejus, Octavianus Monticelli, appellatus Victor IV (1159 - 1164), protegebatur ab imperatore, qui praetextu litis dirimendae synodum « generalem » convocavit Papiae mense februario 1160. Ibi, urgente cancellario Raynaldo a Dassel, Victor IV a 50 episcopis e Germania et Longobardia declaratus est papa legitimus, et « cancellarius Bandinelli », Alexander III, qui reapse erat verus summus pontifex, ab Ecclesiae communione tanquam intrusus expellebatur. Alexander III anathema dixit antipapam Victorem IV ac Fredericum I, et subditos istius a vinculo fidelitatis solvit (1).

Tali modo, Ecclesia in Occidente iterum dividebatur inter duo capita religiosa: papam Alexandrum III et antipapam Victorem IV. Sed jurisdictio istius, ejusque successoris cardinalis Guidonis a Crema, dicti Paschalis III (1164-1168), unice pendebat a fortuna politica Frederici Barbarossa. In ipsa Germania non deerant fautores causae papae legitimi, uti Eberhardus archiepiscopus Salisburgensis et plures abbates Ordinis Cisterciensis qui informabantur spiritu

---

(1) Ch. POULLET, *Guelfes et Gibelins*, t. I, *La lutte du sacerdoce et de l'empire*. P., 1922; V. ERMONI, *Alexandre III*, DHE; K. BIHLMEYER, *Kirchengeschichte*, t. II, ed. 11. Pdb., 1940.

S. Bernardi Claravallensis. Italia centralis et meridionalis quasi unanimis adhaerebat Alexandro III. Idem advenit in Gallia, Anglia, Neerlandia et Hispania.

Barbarossa ejusque antipapae et ministri, sive violenter sive astute agebant ut sic dictus « schismaticus Rolandus » (Alexander III) pro semper dejiceretur. Sequaces papae tanquam inimici Imperii bonis suis privati sunt et in exsilium missi. Sciens Germanos reliquiarum cupidos, ut eorum gratiam causae imperiali conciliaret, Raynaldus a Dassel archiepiscopus Coloniensis anno 1164 reliquias dictas *SS. trium Regum* Mediolano transtulit in sedem suam. Eodem scopo imperator a Raynaldo solemniter in Aquisgrana exaltari fecit ossa Caroli Magni, et 29 dec. 1165 ab eodem archiepiscopo Raynaldo de mandato antipapae Paschalis III, Carolum Magnum, primum imperatorem germanicum, in sanctorum numerum referri procuravit.

Sed incassum. In Germania non diminuebat numerus eorum qui tenebant partes Alexandri III. In Italia, anno 1164 inter tres civitates Veronam, Vicentiam et Paduam, cum adhaesione Venetiarum, constituebatur *Foedus* dictum *Veronense,* pro libertate servanda adversus tyrannidem imperialem. In quarto suo itinere italico (1166-1168), expugnata Urbe, Fredericus I coronam imperialem alia vice sibi imponi curavit a Paschali III, in basilica S. Petri (1 aug. 1167). Sed febris malarica jam a die sequenti decimare coepit suum exercitum, sibique abstulit plures principes et praecipuos consiliarios, uti contumacem archiepiscopum - cancellarium Raynaldum a Dassel et decem alios episcopos. Nihil remansit humiliato imperatori nisi summa diligentia repetere Germaniam cum afflictis militibus.

Calamitas haec, vera vindicta divina in oculis adversariorum Frederici, animum reddidit Italis. Adversus imperatorem *Ligam Longobardicam* statuerunt cui 22 civitates nomen dederunt, praeside ipso papa Alexandro III (1 jul. 1168). In memoriam hujus facti, a papa appellata est arx quam tunc in partibus Pedemontanis *Liga Longobardica* aedificavit: *Alexandria.* Sed Barbarossa nondum cessit. Mortuo Paschali III (1168), tertium antipapam promovit, Joannem Strumensem, dictum Calixtum III (1168-1178). Novo comparato exercitu, cui tamen deerat cooperatio potentis principis Henrici Leonis, ducis Saxoniae et Bavariae, Fredericus I quintam tentavit expeditionem italicam, in qua accepit cladem quam reddere sperabat (1174-1178).

Frustra obsidione cinxit Alexandriam, quae fortiter restitit. Praelio Legnani inito, totus ejus exercitus vel caesus vel repulsus est, ita ut ipse fugae praecipiti propriam salutem committere debuit (29 maii 1176). Tunc cum Alexandro III coepit agere de reconciliatione. Post negotia preparatoria Anagniae peracta, papa 1 aug. 1177 imperatorem Venetiis ad portam S. Marci recepit. In pace tunc sancita, Fredericus I Alexandrum III recipiebat « in catholicum et universalem papam ». Praeterea promittebat se redditurum omnia bona quae « occasione schismatis » ab Ecclesia Romana ablata fuerant. Cum Longobardia, induciae sex annorum fiebant; cum Gulielmo rege Siciliae, pax quindecim annorum confirmabatur. « Ei autem qui dicitur Calixtus (antipapa Calixtus III) una abbatia dabitur. Illi autem qui dicebantur ejus cardinales redibunt ad loca quae primo habuerunt, nisi ea sponte vel judicio dimiserant, et in ordinibus quos ante scisma perceperunt relinquentur ». (1)

In pace Venetiis signata, decernebatur proxima celebratio concilii generalis. Quare anno 1179 Alexander III concilium celebravit, quod est III Lateranense et XI oecumenicum. Prima cura hujus concilii fuit: statuere conditiones pro valida electione summi pontificis, ut removeretur periculum novi schismatis. Ideo e 27 canonibus, qui in hoc concilio editi sunt, canon 1 fert ut « ille absque ulla exceptione ab universa Ecclesia romanus pontifex habeatur, qui a duabus partibus (cardinalium) fuerit electus et receptus. Si quis autem de tertiae partis nominatione confisus... sibi nomen episcopi usurpaverit, tam ipse quam qui eum receperint, excommunicationi subjaceant et totius sacri ordinis privatione mulctentur...».

In canonibus sequentibus, declarabantur invalidae ordinationes et collationes beneficiorum factae ab antipapis tempore praeteriti conflictus, et deponebantur clerici qui ab antipapis ad officia ecclesiastica evecti fuerant, vel juramentum praestiterant perseverandi in schismate. Reapse, postquam Calixtus III submissionem fecerat, nobiles romani quartum antipapam, appellatum Innocentium III, Alexandro III opponere conati erant, sed sine felici successu (1178-1180). Praeterea damnati sunt hi qui certamina singu-

---

(1) C. Mirbt, *Quellen*, op. cit., n. 315.

laria attentarent, mercaturam facerent cum saracenis et judaeis, usurarii, violatores Treugae Dei, simoniaci et haeretici Albigenses seu Cathari (1).

Alexander III obiit 30 aug. 1181, celebratus tanquam lux cleri, ornamentum Ecclesiae, pater civitatis. Successores ejus, Lucius III (1181-1185) et Urbanus III (1185-1187), iterum cum Barbarossa disceptarunt, sive ob terras principissae Mathildis ab eo contra jus occupatas, sive ob matrimonium ab ejus filio Henrico contractum cum Constantia amita Gulielmi II regis Siciliae. Cum iste non haberet haeredem directum, ipso facto post ejus obitum (1189), Sicilia poterat repeti pro domo Hohenstaufica, nomine Constantiae principissae Siculae uxoris Henrici, filii et successoris Frederici I. Ita ab utraque parte, septentrionali et meridionali, dominium temporale S. Sedis ditione Hohenstaufica concluderetur: quod curiae pontificiae res intempestiva et periculi plena videbatur.

Licet papa Clemens III (1187-1191) tanquam dominus feudatarius Siciliae Tancredo e dynastia normannica hoc regnum assignasset, Henricus VI, proclamatus imperator post mortem patris Frederici I durante tertio bello crucigerorum (10 jun. 1190), non destitit a principatu Siculo. Postquam papa Coelestinus III (1191-1198) ei coronam imperialem imposuisset Romae in festo Paschatis 1191 (15 apr.), gressus Apuliam versus direxit, sed contagione exorta in exercitu, redire coactus est in Germaniam. Decedente rege Tancredo (feb. 1194), dominatum severum imposuit Siciliae, crudeliter animadvertit in barones normannicos qui rebellarunt adversus suum jugum, Concordatum Wormatiense violavit constituendo episcopos ad suum libitum, inique egit in crucigerum regem Angliae, Richardum *Corleonis,* quem captivum tenuit usquedum 150 millium marcarum argenti solvisset. Exinde omnis relatio inter S. Sedem et Imperium interrupta est.

Cum Henricus VI anno 1195 bellum sacrum pararet, ratio melior effecta est inter eum et papam Coelestinum III. Vero, crucem sumendo, imperator magis movebatur ambitione politica quam zelo religioso. E Sicilia et Italia meridionali, principatum germanicum voluisset extendere ad regiones sitas circa Mare Mediterraneum orientale, usque ad Syriam. Sed dum exercitum 60.000 virorum in Orientem misisset, ipse praematura morte ere-

---

(1) C. Mirbt, *Quellen, op. cit.* n. 316; ES, n. 400 sq.

ptus est, Messanae, vix 32 annos natus, 28 sept. 1197. Paucis mensibus postea (1198), nonagenarius Coelestinus III eum sequebatur in sepulcro. Eodem anno 1198 decedebat Constantia vidua Henrici VI, filium trium annorum Fredericum committendo pro tutela Innocentio III.

b) *Ecclesia sub pontificatu Innocentii III* (1198-1216 (1). — Etenim, mense januario 1198, annoso et debili Coelestino III successerat junior et capacior inter cardinales, Lotharius e comitibus a Signia, qui annum 37 aetatis suae attigerat. Institutione theologico-juridica Parisiis et Bononiae peracta, cardinalis creatus fuerat anno 1190. In vita ascetica et negotiis curiae integre tractatis magnanimam indolem monstraverat: in justitia rigidus, sed in misericordia pius; humilis in prosperis, et patiens in adversis, naturae tamen aliquantulum indignantis, sed facile ignoscentis. Ita refert auctor anonymus sed coaetaneus gestorum ejus. Manus suas puras ab omni turpi munere servavit, per viam regiam rectitudinis incedens, semper ductus ab alta conscientia auctoritatis sacerdotalis. (2)

Summus pontifex, sollicitudinem pastoralem ad universum gregem extendit, ad principes tanquam supremus arbiter, ad clerum ut praeceptor, ad populos ut pater et defensor. Gubernavit Ecclesiam in spiritu Gregorii VII et Alexandri III. (3) Quin potestatem directam in negotiis saecularibus sibi vindicaret, sibi idealem suprematiam super principes et nationes totius orbis christiani tribuebat, qua dominis et subditis propria officia et jura dictabat. Gubernio natus et circumstantiis propitiis adjutus, inter omnes pontifices romanos medii aevi eminuit potestate quam sapienter et fortiter exercuit pro bono Ecclesiae et Status.

In Urbe auctoritatem pontificiam instauravit. Ter in hebdomada consistorium publice celebrabat, in quo jus suum cuique reddebat: ad eum audiendum jurisperiti et litteratissimi viri undique ad curiam affluebant. Statum pontificium auxit Piceno et du-

---

(1) *Epistolae, Acta et alia scripta* INNOCENTII III in PL, t. 214-217; M. MACARRONE, *Chiesa e Stato nella dottrina d'Innocenzo III*. R., 1940; J. LO GRASSO, *Ecclesia et Status, Fontes selecti*. R., 1939; J. HOLLNSTEINER, *Die Kirche im Ringen um die kirchliche Gemeinschaft vom Anfang des 13. Jahrhunderts bis zur Mitte des 15. Jahrhunderts, Kirchengeschichte* ed. P. J. KIRSCH, vol. II, p. 2. Fr., 1940.

(2) PL, t. 214, p. XVII.

(3) A. FLICHE, *Innocent III et la réforme de l'Eglise*, RHE, XLIV, 1949, p. 87 sq.

catu Spoletano. Cum Siciliam tanquam dominus feudalis in praedium beneficiarium haberet, investituram hujus regni contulit juveni Frederico de Hohenstaufen, cujus decem annorum spatio tutor extitit (1198-1208). Sed praesertim firmo judicio in negotiis Germaniae intervenit, cum ibi, ob ancipitem electionem duorum competitorum ad coronam imperialem, Philippi Svevi et Ottonis a Brunswick, bellum civile impenderet.

Anno 1201, Innocentius III inter duos candidatos ad Imperium accepit Ottonem a Brunswick. Cum fautores Philippi Svevi hanc decisionem aegre tulissent, papa in celebri decretali *Venerabilem* ad ducem Zaringiae (mart. 1202), jus summi pontificis in electione imperatoris declaravit: « ...Sicut justitiam nostram ab aliis nolumus usurpari, sic jus principum nobis nolumus vindicare. Unde illis principibus jus et potestatem eligendi regem in imperatorem postmodum promovendum recognoscimus, ut debemus, ad quos de jure et antiqua consuetudine noscitur pertinere; praesertim cum ad eos jus et potestas hujusmodi ab apostolica sede pervenerit, quae Romanum imperium in persona magnifici Karoli a Graecis transtulit in Germanos. Sed et principes recognoscere debent et utique recognoscunt, quod *jus et auctoritas examinandi personam electam in regem et promovendam ad imperium ad nos spectat*, qui eam inungimus, consecramus et coronamus ». (1)

Sed vix imperator coronatus (4 oct. 1209), Otto a Brunswick fregit promissiones quas mense martio ejusdem anni papae fecerat: eripuit bona Ecclesiae, violavit Concordatum Wormatiense de investituris et aggressus est regnum Siciliae, quod pertinebat ad juvenem Fredericum ab Hohenstaufen. Tunc papa, iterum supremo arbitratu utens foedifragum Ottonem fidelium communione exclusit et plures principes ejus fautores ab eo arcuit. Cum aemulus ejus Philippus Svevus, occisus fuisset ab Ottone a Wittelsbach (21 jun. 1208), adversarii imperatoris Ottonis regem Germaniae elegerunt Fredericum ab Hohenstaufen. Post gravem cladem inflictam Ottoni apud Bouvines a rege Franciae, Philippo II Augusto, foederato Frederici (jul. 1214), iste mense julio anno sequenti rex Germaniae coronatus est Aquisgranae. Bono auspicio incipiebat

---

(1) C. Mirbt, *Quellen*, op. cit., n. 323, p. 174 sq.; E. Krebhiel, *The interdict, its history and its operation, with special attention to the time of pope Innocent III*. Washington, 1909.

regnum, quod postea summam et diuturnam molestiam attulit S. Sedi.

Breviter saltem recordamur alia praeclara gesta Innocentii III. Principes ad mollitiem labentes animo impavido ad morum disciplinam compulit: ita vinculum matrimonii contra tentamina Petri II Aragoniae, Alphonsi IX Leonis et Philippi Augusti regis Franciae exitu secundo defendit. Ut jam videbamus, crucesignatos in Graecos saevientes vehementer reprobavit. Anno 1209, contra obstinatos haereticos Albigenses regionis Tolosanae exercitum in expeditionem misit, duce Simone a Montfort.

Aequali zelo ad cleri vitam et ministerium intendens, visitatores prudentes per diversas provincias ecclesiasticas delegavit, per quos fecit diligenter inquiri de statu dioecesium et de conversatione praelatorum. Quos nocentes invenit, a praelatura removit, nolens crimina relinquere impunita: in Germania deposuit Coloniensem et Moguntinum archiepiscopos, in Longobardia, Mediolanensem, in Provincia (Provence) dejecit Tolosanum et Biterrensem episcopos; in Francia destituit Lingonensem episcopum et abbates plurimos.

Praeterea Innocentius III multum usus est cum Ordinibus religiosis antiquis vel recens fundatis. Jam 23 aprilis 1198 erectionem Ordinis Fr. Hospitalium S. Spiritus a Guidone Montis Pessulani (Montpellier) confirmavit; quorum Constitutiones anno 1213 approbavit. Anno 1204 eorum curis credidit celebre ad opus infirmorum et pauperum hospitium apud S. Mariam in Saxia juxta Tiberim ante basilicam Vaticanam, quod ipse construxerat. Ab eorum commoratione hospitium istud nomen S. Spiritus accepit. (1)

Ab eodem papa Joannes a Mattha et Felix a Valois simul approbationem Ordinis SS. Trinitatis de redemptione captivorum et formam habitus acceperunt, 17 decembris 1198. Huic congregationi nascenti sedem in Urbe dedit, scil. domum S. Thomae apostoli et S. Michaelis archangeli de Formis, vulgo *S. Tommaso della Navicella*.

S. Francisci Assisiensis ejusque sequacium vitae formam et regulam oretenus confirmavit (1209) eisque dixit: « Ite cum Domino,

---

(1) *Liber Regulae S. Spiritus,* ed. A. F. LA CAVA, *Studi di storia della medicina,* t. VI. M., 1947; M. HEIMBUCHER, *Die Orden und Kongregationen der katholischen Kirche,* 3 ed., 2 vol. Pdb., 1933-34.

fratres, et prout Dominus vobis inspirare dignabitur, omnibus poenitentiam praedicate ». S. Clara Assisiensis « volens enim religionem suam intitulari titulo paupertatis a b. m. Innocentio tertio paupertatis privilegium postulavit. Qui vir magnificus tanto virginis fervore congratulans, singulare dixit esse propositum, quod nunquam tale privilegium a Sede apostolica fuerit postulatum. Et ut insolitae petitioni favor insolitus arrideret, pontifex ipse cum hilaritate magna petiti privilegii sua manu conscripsit primam notulam ». Hoc evenit anno 1215 vel 1216 (1).

Tribus Ordinibus Fratrum et Sororum Humiliatorum in Longobardia ortis approbationem dedit eorumque regulas confirmavit annis 1198-1201. Deinde, enata discordia in domibus primi Ordinis super modo deligendi praepositos, ipse Innocentius eam per decretum composuit anno 1210. Discipulis Durandi ab Huesca, qui Pauperes Catholici dicuntur, vitam communem et praedicandi licentiam concessit anno 1210. Labentem disciplinam Fr. Montis S. Bernardi instauravit anno 1212; ejus opere regulam Canonicorum Regularium S. Augustini promiserunt. In concilio Lateranensi intermissum Ordinem Crucigerorum restituit, cujus sodales sese dedicabant aegrotis et peregrinis errantibus.

In eodem concilio, S. Dominicus, Praedicatorum pater, de confirmanda familia religiosa egit. Cujus preces admisit pontifex et propositum commendavit. Hortatus vero est eum, ut Tolosam ad suos primos fratres rediret, communicatoque cum eis consilio, ex antiquioribus regulam jam approbatam sumeret, quam postea Romae rediens confirmationi papae submitteret. Ita hortatus est Innocentius III virtute can. 13 concilii: « Ne nimia religionum diversitas gravem in Ecclesia Dei confusionem inducat, firmiter prohibemus, ne quis de caetero novam religionem inveniat: sed quicumque voluerit ad religionem converti, unam de approbatis assumat ». Tale mandatum humiliter accipiens, S. Dominicus elegit regulam S. Augustini cum additamentis S. Norberti. (2)

Tanto pontificatui digna corona imposita est celebratione IV

---

(1) *Opuscula S. Francisci*, ed. L. LEMMENS Quaracchi. 1904; H. BOEHMER-F. WIEGAND, *Analekten zur Geschichte des Franciscus von Assisi*, ed. 2. Tübingen, 1930. [F. CALLAEY], *In memoriam Innocentii III septimo centenario a decessu*, Analecta O.F.M. Cap. t. XXXII, 1916, p. 163 sq.

(2) F. PETIT, *L'ordre de Prémontré*, ed. 2. P., 1927; A. WALZ, *Compendium historiae Ordinis Praedicatorum*. R., 1930.

concilii Lateranensis, quod est XII oecumenicum, sub fine anni 1215, praesentibus 412 episcopis et 800 abbatibus. In tribus sessionibus generalibus hujus concilii (10, 20, 30 novembris), praecipuae quaestiones tunc disputatae de doctrina, disciplina et cultu, definitae sunt in 70 capitulis. Damnati sunt errores Albigensium, Waldensium et abbatis Joachim a Flore de unitate seu essentia Trinitatis. Adversus errores damnatos, patres concilii statuerunt Professionem Fidei quae est summarium doctrinae catholicae. In ea prima vice invenitur, in documento pontificio, verbum *transsubstantiatio,* quod doctores jam adhibebant a medio saeculo XII.

Ibidem etiam decretum est ut quisque fidelis, postquam ad annos discretionis pervenerit, omnia sua solus peccata saltem semel in anno confiteretur proprio sacerdoti, et ad minus in Pascha susciperet Eucharistiae sacramentum, severissimo secreto imposito sacerdoti « ne verbo aut signo aut alio quovis modo aliquatenus prodat peccatorem ». Matrimonia clandestina declarata sunt illicita; impedimentum consanguinitatis restrictum ad quartum gradum, dum antea extendebatur ad sextum gradum. Repressi sunt etiam abusus in expositione reliquiarum sanctorum: « ... praesenti decreto statuimus, ut antiquae reliquiae amodo extra capsam nullatenus ostendantur nec exponantur venales. Inventas autem de novo nemo publice venerari praesumat, nisi prius auctoritate Romani Pontificis fuerint approbatae...». Utinam tale decretum decursu temporum semper adamussim servatum fuisset! (1)

In concilio Lateranensi, Innocentius III indixit novam sacram expeditionem crucigerorum. Sed mortuus est antequam propositum potuisset ad exsecutionem ducere, Perusii 16 julii 1216. Magnus pontifex, qui in vita tanta fruebatur auctoritate et celebrabatur ut *lux mundi,* vix defunctus a suis familiaribus derelictus est in ecclesia deserta, teste oculari Jacobo Vitriacensi, qui in epistola mense octobri 1216 Januae data, retulit quae vidit Perusii: « Ego autem ecclesiam intravi et oculata fide cognovi, quam brevis sit et vana hujus seculi fallax gloria » (2).

---

(1) A. LUCHAIRE, *Innocent III*, t. VI: *Le concile de Latran.* P., 1908; Idem in *Revue historique,* t. 97-98, 1908; ES, n. 428 sq.; C. MIRBT, *Quellen, op. cit.* n. 329 sq.

(2) H. BOEHMER-F. WIEGAND, *Analekten, ed. cit.,* p. 65 sq.: « ... papam Innocentium inveni mortuum, sed necdum sepultum, quem de nocte quidam furtive vestimentis pretiosis, cum quibus sci [?] erat, spoliaverunt ».

Die 18 julii, ut narrat idem Jacobus Vitriacensis, « elegerunt cardinales Honorium bonum senem et religiosum, simplicem valde et benignum, qui fere omnia, quae habere poterat, pauperibus erogaverat » (1216-1227). Honorius III (Cencius Savelli) bellum crucigerorum ab Innocentio III indictum iterum proclamavit, et ut Fredericum II induceret ad crucem sumendam, ei diadema imperiale imposuit 22 nov. 1220. Sed astutus imperator patienti pontifici non dedit nisi fallaces promissiones. Mortuus est Honorius III m. martio 1227, cum Frederico II m. augustum ejusdem anni pro ultimo termino juramenti crucis explendi assignasset, sub poena excommunicationis.

c) *Ultimum fatum domus Hohenstauficae.* — Ad sedem pontificiam assumptus est Hugolinus cardinalis Ostiensis, sub nomine Gregorii IX (1227-1241) (1). Erat patruelis Innocentii III, in jure canonico peritus (*Decretales* Gregorii IX) et sicut avunculus, fortis et stabilis in defensione summarum clavium et libertatis Ecclesiae. Cum Fredericus noluisset obsequi instanti hortatui ut denique tandem sacram expeditionem arriperet et a voluptatibus terrenis abstineret, Gregorius IX eum 29 sept. 1227 a fidelium communione exclusit. In Terram Sanctam profectus, princeps excommunicatus foedus iniit cum sultano Aegypti Malek-el-Kamel, quo Fredericus regnum Hierosolymitanum obtinuit pro christianis.

In Italiam regressus m. junio 1229, Fredericus II, officio Hermanni a Salza magni magistri Ordinis Teutonici, aestate 1230 in S. Germano - Ceprano pacem fecit cum Gregorio IX: imperator promisit liberas fore electiones praelatorum et facultatem appellandi ad S. Sedem, necnon spopondit de bonis Ecclesiae; exinde papa eum absolvit ab excommunicatione. Pace usus est Fredericus II ut Siciliam sub auctoritate sua absoluta ordinaret, Sardiniam, quae erat feudum pontificium, sine consensu papae filio naturali, Enzio, committeret, et in Germania rebellionem filii sui Henrici (VII) domaret. Gregorius IX, juremerito timens ne imperator praedominaretur Italiae et Ecclesiam submitteret proprio arbitrio stabiliendo Romae caput Imperii, exemplum Alexandri III imitatus, pactum conclusit cum Liga longobardica, quae pro libertate tuenda ad arma venerat cum Frederico II. Insuper, in Coena Domini 24 mart. 1239, papa

---

(1) *Registres de Grégoire IX*, éd. L. Auvray, t. I-III. P., 1890-1910.

iterum anathema dixit imperatorem ejusque subditos a juramento fidelitatis liberavit.

Proinde asperrimum certamen, scripto et ferro, exortum est inter Sacerdotium et Imperium. Libelli extremae violentiae editi sunt, a curia romana adversus imperatorem, a cancellaria imperiali adversus papam: Fredericus II dicebatur « bestia » Apocalypsis, « praecursor Antichristi », atheus qui Moysen, Christum et Mahumetum deridebat ut tres impostores mundi (1); papa describebatur tanquam turbator pacis, pharisaeus, protector haereticorum Longobardiae, « magnus draco » et « Antichristus » ultimorum temporum. Fredericus occupavit partem territorii pontificii, dum Gregorius IX suasit Venetis ut invaderent Apuliam, et in Germaniam misit legatum Albertum a Behaim, cum mandato excitandi aemulum adversus imperatorem.

Papa simul convocavit concilium oecumenicum, ad quod citaret Fredericum (1241). Sed iste omni modo impedivit celebrationem concilii, comprehendendo prope insulam Elbam tres cardinales et centum circiter episcopos, qui iter Romam versus arripuerant. Jam cum exercitu in conspectu Romae erat ut caperet papam; sed Gregorius IX quasi centenarius febri maligna e vivis oblatus est 22 aug. 1241, dum Ecclesia in extremo discrimene versaretur, sive in Oriente ob invasionem Mongolorum, sive in Occidente ob violentam disceptationem inter imperatorem et papam, quos frustra rex Galliae S. Ludovicus IX reconciliare conabatur.

Successor Gregorii IX, Coelestinus IV, vix 17 dies regnavit (nov. 1241). Tunc sedes S. Petri vacavit per 20 menses, donec 25 jun. 1243 electus est cardinalis Sinibaldus Fieschi e Janua, vir in jure canonico et in re diplomatica expertus. Nomen sumpsit Innocentii IV. E traditione familiari, novus papa inclinabat in favorem imperatoris, et jam m. mart. 1244 initiata sunt negotia pacis. Sed deerat mutua fiducia et cum Fredericus II papae proposuisset ut simul convenirent, Innocentius IV insidias suspicatus est et inopinate fugam cepit, Lugduni se recipiens, ubi remansit usquedum vixit imperator (1244-1251). Ibi aestate 1245 celebratum est con-

---

(1) Ita Gregorius IX in epistola « Ascendit de mari » ad Henricum archiepiscopum Rhemensem, 1 jul. 1239. C. MIRBT, *Quellen*, p. 197, n. 3. Sed in concilio Lugdunensi nihil habetur de tali blasphemate inter accusationes tunc factas Frederico II.

cilium (I Lugdunense, XIII oecumenicum), quod cumprimis constitit praelatis gallicis et hispanicis.

Ipse papa inauguravit concilium proferendo sermonem de quinque plagis Ecclesiae, scil.: 1) peccata cleri; 2) nova expugnatio civitatis Jerusalem a mahumetanis; 3) periculum quod imminebat Imperio latino Constantinopolitano; 4) invasio Mongolorum; 5) odium imperatoris in Ecclesiam. Plurima crimina Frederico II imputata sunt: perjurium, haeresis, sacrilegium (ob detentionem episcoporum apud insulam Elbam) et oppressio cleri in Sicilia. Non obstante oratione pro imperatore pronuntiata ab ejus cancellario Thaddeo a Suessa, Innocentius IV, unanimo voto 250 patrum concilii, in tertia sessione 17 julii habita, Fredericum excommunicavit, ejus subditos solvit a juramento fidelitatis, et principes electores hortatus est ut in Germania novum promoverent Regem romanorum: exinde vicissim electus est Henricus Raspe a Thuringia et Gulielmus comes Hollandiae (1247). (1)

Brevi Germania conflagravit bello civili: Conradus IV, filius Frederici II, causam patris defendit adversus Gulielmum hollandicum; in Italia, Guelfi, pro papa, et Ghibellini, pro imperatore, asperrime pugnarunt inter se. Ordines Mendicantes, Minores et Praedicatores, decreta pontificia in principem rebellem publici juris fecerunt et ad bellum sacrum excitarunt fideles. In fervore polemico quo ducebantur canonistae papales Henricus a Suso, Gulielmus Durandus a Mende et jurisperiti imperiales uti Petrus a Vinea, potestas papae in temporalibus et competentia principis in negotiis ecclesiasticis, sive obscure sive immoderate vindicatae sunt. Dum summa crudelitate partes adversae in invicem saevirent, e. g. tyrannus imperialis Ezzelinus a Romano, Vicetiae, Paduae et Tarvisii, Fredericus II obiit 13 dec. 1250 in castello Fiorentino prope Luceram in Apulia, confessus et excommunicatione absolutus ab amico suo Berardo, archiepiscopo Panormitano.

Post ejus mortem, Innocentius IV regressum fecit in Italiam et sedem fixit Perusii (1251). Nec Conradum IV nec ullum principem e dynastia Hohenstaufica voluit admittere in candidatum ad

---

(1) *Registres d'Innocent IV*, t. I-IV, ed. E. BERGER. P., 1884-1920. F. PODESTÀ, *Papa Innocenzo IV*. M., 1928; HC, t. V, b; *Ecclesia et Status, Fontes selecti*, coll. J. LO GRASSO, n. 392 sq., C. MIRBT, *op. cit.* n. 357 sq.; C. POULET, *Histoire du christianisme, Moyen-âge*, p. 622 sq. P., 1934.

imperium, ejusque exemplum secuti sunt successores: Alexander IV (1254-1261), Urbanus IV (1261-1264) et Clemens IV (1265-1268). Ut Manfredum, filium naturalem Frederici II, a regno Siciliae arceret, Urbanus IV, oriundus gallicus, hoc regnum proposuit Carolo de Anjou fratri S .Ludovici IX regis Galliae. In praelio Beneventi (feb. 1266) Carolus devicit Manfredum, qui ibi periit.

Tunc cum exercitu in Italiam venit juvenis filius Conradi IV, Conradinus, quem ghibellini regem Siciliae acclamarunt, licet Clemens IV, dominus feudatarius Siciliae, eum sub poena excommunicationis ab omni competitione cum Carolo de Anjou prohibuisset. In pugna inita in loco Scurcola - Tagliacozzo (23 aug. 1268), Conradinus cladem subiit et in fuga captus est. Quamvis Clemens IV victorem ad clementiam hortaretur et judices inclinarent in veniam, immitis Carolus de Anjou miserum Conradinum vix sexdecim annos natum unacum decem fautoribus decollari jussit Neapoli 29 oct. 1268. (1) Quatuor annis postea (1272), Enzio, filius naturalis Frederici II, cui iste Sardiniam tribuerat, licet istud regnum tunc esset feudum pontificium, moriebatur in captivitate Bononiensi. Ita nullus haeres, nec legitimus, nec spurius, remanebat e potenti gente Hohenstaufica, quae optime cum S. Sede cooperari potuisset pro bono orbis christiani, si ambitionem suam politicam in Italia moderasset et si auctoritatem suam absolutam in re ecclesiastica non imposuisset summo pontifici.

E diuturno luctamine, Ecclesia exiit victrix sed debilitata. Volens nolens, S. Sedes nimis implicata fuit in negotiis politicis et expeditionibus bellicis, in violentiis opere et sermone quae, etiamsi necessariae, decorem suum spiritualem aliquatenus obscurarunt. Aggressiones ironicae et perniciosae a parte imperiali, auctoritatem pontificiam in publica existimatione minuerunt. Contributiones pecuniariae hac occasione a curia romana impositae, saepius murmur vel apertam oppositionem excitarunt. Nihil mirum inde, si principes extra Italiam et Germaniam, praesertim S. Ludovicus IX rex Galliae, nedum faverent papae vel imperatori, medium cursum inter ambos tenuerunt et egerunt ut concordia instauraretur (2).

Pro S. Romano Imperio, praesertim quoad partem germanicam, disceptatio Hohenstaufica causa fuit divisionis et declinatio-

---

(1) R. Morghen, *Il tramonto della potenza sveva in Italia*, R., 1936.
(2) G. Goyau, *S. Louis*, P., 1928.

nis politicae in medio evo. Absentia imperatorum a Germania, frequentes contentiones candidatorum ad coronam imperialem necnon diuturnum interregnum quo Germania orbata fuit imperatore (1250-1274), principes locales stimularunt ut ditionem propriam de facto independentem redderent ab auctoritate centrali. Eodem tempore quo Germania debilitabatur ob divisiones internas, Gallia majorem unitatem acquirebat et proinde altero dimidio saeculi XIII, potestate superabat S. Romanum Imperium. Sed antequam de historia Ecclesiae in Gallia hoc tempore agamus, brevia dicamus:

3. - De Ecclesia et Statu in Anglia (1154-1213).

— Non solum adversus Fredericum I Barbarossa, sed etiam adversus Henricum II, regem Angliae (1154-1189) papa Alexander III invicte defendit libertatem Ecclesiae. *Consuetudines avitas* invocans, rex aegre ferebat privilegium fori et postulabat, ut cum archidiacono, magistratus regius de clericis judicaret. Thomas Becket, ab archidiacono Cantuariensi cancellarius regius factus (1150), primo tempore magis favebat caesaropapismo Henrici II quam juri Ecclesiae. Sed postquam, ipso proponente Henrico II, ad sedem archiepiscopalem Cantuariensem evectus fuerat (1162), curam pastoralem fervide arripuit et exemptionem cleri ab indebito interventu laico perseveranter affirmavit [1].

In conventu Clarendoniensi mense januario 1164 habito, rex approbationi episcoporum plures proposuit articulos qui non consonabant cum canonibus ecclesiasticis, ut e. g. art. 3: Clerici, in judicium saeculare vocati, non fruentur praesidio judicii ecclesiastici. Art. 4: Episcopi aliique vassali regno non egredientur nisi de licentia regis. Art. 7: Vassali et magistrus regii censuris astringi non possunt nisi rege permittente; nec cuiquam licet ad sedem apostolicam provocare nisi cum venia regia. Art. 12: Beneficia episcoporum, quae vacant, in manu regis sunt; electio pro sede vacante fieri debet concedente rege in regio sacello; electus debet ante consecrationem facere juramentum feudale et juramentum fdei salvo jure suo.

---

[1] *Epistolae* S. Thomae Becket, PL, t. 190, 369 sq.; *Vitae* ejus, ibid. 1 sq., 1070 sq.; DEMIMUID, *S. Thomas Becket*, coll. *Les Saints*, ed. 3. P., 1927; T. BORENIUS, *St. Thomas Becket*. Lo., 1932; H. WARD, *The Canterbury Pilgrimages*, ed. 2. Lo., 1927.

Instantibus episcopis, Thomas Becket concessit ut isti articuli, qui repetebantur a *consuetudinibus avitis* introductis a rege normannico Gulielmo (1078), observarentur *bona fide;* sed renuit apponere sigillum diplomati regio quo promulgabantur. Vero, cum papa Alexander III articulos Clarendonienses rejecisset, etiam Thomas Becket eos reprobavit. Inde irae regis, qui Thomam crimine laesae majestatis accusavit. Archiepiscopus aufugit in Galliam apud Alexandrum III qui, nedum Thomam a sede Cantuariensi deponeret ut Henricus II requirebat, eum legatum in Angliam universam constituit, Eboraco excepto, cujus praesul nimis aulicus aperte adversabatur Thomae. Iste, impavidus, nobiles anglicos bonorum ecclesiasticorum raptores communione fidelium ejecit et articulos Clarendonii iterum damnavit.

Jam Henricus II, suadente cancellario germanico Raynaldo a Dassel, cogitabat de adhaerendo antipapae Paschali III. Attamen, cum episcopi anglici remanerent fideles Alexandro III, rex opportunius judicavit, saltem apparenter, pacem componere cum Thoma Becket, qui post exsilium sex annorum mense julio 1170 cum jubilo populi Cantuariam rediit. Sed triumphus moralis quem pastor intrepidus reportaverat regi videbatur humiliatio intollerabilis, de qua saepius conquerebatur in aula regia. Ut Henricum liberarent a « presbytero plebejo » qui impune in eum illudebat (ita iratus vociferabat rex), quatuor equites occiderunt archiepiscopum in ipsa ecclesia cathedrali Cantuariensi, 29 nov. 1170.

Sacrilegum homicidium universam excitavit indignationem in Anglia et in Gallia. Alexander III excommunicavit occisores, et duos legatos deputavit ad Henricum II, ut ab eo reparationem publicam exigerent criminis quod indirecte saltem provocaverat. Ne interdiceretur a sacris, rex juramento se purgavit ab omni participatione sceleris, et promisit se abrogaturum consuetudines quae laederent libertatem et jus Ecclesiae, e. g. jus cleri appellandi ad papam (29 sept. 1172). Sed *de facto,* tam Henricus II quam ejus successores Angliam gubernarunt in spiritu articulorum Clarendonensium, ita ut reapse Ecclesia ibi subordinaretur Statui. Sed rex conatus est sibi conciliare gratiam populi anglici. Angli enim Thomam Becket confestim ut martyrem venerari coeperant et Alexander III eum anno 1173 in sanctorum numerum retulerat. Quare ipse Henricus II anno sequenti ad frequentatum sepulcrum sui fortissimi contradictoris demisse peregrinatus est et in conspectu populi flagellis se mulctavit. De caetero Henricus II ejusque successores libenter agnoscebant supremam auctoritatem pontificiam quando eis proderat: ita Henricus II anno 1171 invocavit declarationem Hadriani IV (Nicolai Breakspear, unici papae e gente anglica), ut ditionem suam ad Hiberniam extenderet.

Initio saeculi XIII, S. Sedes iterum in rebus Angliae intervenire debuit, ad vindicandam libertatem Ecclesiae ab indebita immixtione regis Joannis, dicti *Sineterra* (1199-1216), fratris et successoris Richardi, cui agnomen erat *Corleonis*. Cum rex noluisset agnoscere cardinalem Stephanum Langton, in archiepiscopum Cantuariensem legitime a canonicis electum (1207), Innocentius III regnum Angliae a divinis interdixit (1208). (1) Nedum cederet papae et ordinibus cleri et nobilium Angliae, qui numero longe majore adversabantur regi, Joannes iram effudit in eos qui parebant interdicto. Exinde anno 1209 excommunicatus est, et anno 1212, dejectus a throno. Rex Galliae, Philippus II Augustus, qui erat dominus feudatarius Joannis quoad ejus ditiones continentales (Normannia, Aquitania, Andegavia) ab Innocentio III mandatum accepit sententiam depositionis exsequendi.

Tunc rex Joannes tandem resipuit, et pace composita cum papa, damna Ecclesiae inflicta reparavit. Ut in futurum protectione S. Sedis frueretur, regna Angliae et Hiberniae Innocentio III « ejusque catholicis successoribus » in homagium ligium obtulit, et proprios successores obligavit ut simili modo summo pontifici et Ecclesiae Romanae fidelitatem praestarent. Ad indicium hujus oblationis, Joannes statuit ut in perpetuum de redditibus Angliae et Hiberniae mille marcae sterlingorum annuatim tribuerentur S. Sedi, « salvo per omnia denario beati Petri », qui jam a saeculis erogabatur Vicario Christi (15 maii 1213). Paulo postea a clero et a classe nobilium regi imposita est Magna Charta libertatum, quam, rogatus a Joanne, Innocentius III non admisit. Sed Henricus III (1216-1272) filius et successor Joannis *Sineterra*, hanc Magnam

---

(1) F. M. POWICKE, *Stephen Langton*. Oxford, 1928; M. GIBBS et J. LANG, *Bishops and Reform*. 1215-1272. Lo, 1934. Secundum C. R. CHENEY, Innocentius III non devenisset ad depositionem regis Joannis. Cfr. *Studies in Medieval History presented to F. M. Powicke*, p. 100 sq. Oxford, 1948.

Chartam, in gratiam suam a cap. 63 ad 43 restrictam, probavit, et exinde partes adversae saltem ad tempus reconciliatae sunt. (1)

Notamus adhuc alios reges: Sueciae, Daniae, Lusitaniae, Aragoniae, Poloniae, Hungariae et Bulgariae, regna sua Innocentio III in feudum obtulisse. Hoc sane fecerunt non solum ex devotione erga S. Sedem, sed etiam ratione politica, ut ditionem suam subtraherent ambitioni principis saecularis potentioris. Sed ipso facto quod reges regna sua committebant protectioni summi pontificis, iste potuit majore vi et existimatione loqui et agere in orbe christiano: ita explanatur pontificatum Innocentii III, quod auctoritatem in res publicas spectat, locum primarium occupasse in medio aevo.

4. - **De Ecclesia et Statu sub influxu politico Galliae, ab Urbano IV ad Bonifatium VIII** (1261-1303). — Urbanus IV (1261-1264) et Clemens IV (1265-1268), oriundi gallici faverunt patriae suae, quae regebatur a S. Ludovico IX (1226-1270). Fama regis, crescens unio territorialis regni Galliae et splendor Universitatis studiorum Parisiensis, Galliae primum gradum assignabant inter status Europae. Etiam in Italia, princeps gallicus praevalebat potentiâ politica: Carolus I ab Anjou, rex Neapolis et Siciliae (1265-1285), quem Clemens III fecerat senatorem Romae et vicarium imperialem Thusciae; vir ambitiosus et inquietus, qui simul dominari cupiebat S. Sedi ac S. Romano Imperio in Oriente et in Occidente. (2)

Mortuo Clemente IV, Sedes romana vacavit per duos annos et novem menses donec denique tandem, remota omni consideratione profana, candidatus vere religiosus obtinuit numerum requisitum votorum (2/3): Theobaldus Visconti e Placentia, jam archidiaconus Leodiensis, qui sibi nomen sumpsit Gregorii X (1271-1276). Jam 1272 concilium generale Lugduni celebrandum convocavit (II Lugdunense, XIV oecumenicum) eo praecipuo scopo ut unionem Graecorum, liberationem Terrae Sanctae a dominatu musulmanorum et concordiam inter principes Occidentis promoveret. Idoneum candidatum ad coronam imperialem, Rudolphum de Habs-

---

(1) *Ecclesia et Status*, coll. J. Lo Grasso, n. 367 sq.
(2) G. M. Monti, *Da Carlo I a Roberto di Angiò, Ricerche e documenti*. Napoli, 1932.

burgo (1273-1291), a septem principibus electoribus adoptatum, agnovit cum formula: « Te regem Romanorum nominamus ». Sed propter certamina quae turbabant Germaniam, Rudolphus iter Romanum aggredi non potuit ut a papa imperator coronaretur.

a) *A II concilio Lugdunensi ad abdicationem Coelestini V (1274-1294).* — Concilium oecumenicum Lugduni habitum est m. maio-julio 1274, cui interfuerunt episcopi circiter 500, principum legati et abbates multi. Ad concilium invitati erant etiam illustriores theologi hujus temporis: Albertus Magnus, Thomas Aquinas et Bonaventura a Bagnorea. Sed Thomas, in itinere, Fossanovae, obiit (7 mart. 1274) et Bonaventura durante synodo (15 jul.). Praeter negotium de unione Graecorum, de quo supra actum est, hoc concilium in canone *Ubi periculum majus* tractavit de electione summi pontificis quamcitius facienda in conclave, quod « ita claudatur undique, ut nullus illud intrare valeat vel exire... Verum si, quod absit, infra tres dies, postquam, ut praedicitur, conclave praedictum iidem cardinales intraverint, non fuerit ipsi Ecclesiae de pastore provisum, per spatium quinque dierum immediate sequentium singulis diebus tam in prandio quam in coena uno solo ferculo sint contenti; quibus provisione non facta decursis, extunc tantummodo panis, vinum et aqua ministrentur eisdem, donec eadem provisio subsequatur ». Videtur patres concilii istas normas pro expedita electione papae mutuatos esse ab ordinationibus vigentibus in municipiis italicis et in Ordine Fr. Praedicatiorum. (1)

Mortuo Gregorio X in odore sanctitatis, raptim transierunt papae Innocentius V (1276), Hadrianus V (1276) et Joannes XXI (1276-1277). Iste, qui antea fuerat celebratus professor medicinae, abrogavit supradictum can. *Ubi periculum majus;* sed Coelestinus V eum restituit (1294) et Clemens VI eum mitigavit (1351). Joanni XXI successit Nicolaus III, e potenti familia romana Orsini, vir forti animo dotatus et in re politica expertus. Pluribus consanguineis amplas contulit dignitates: quare Dante Alighieri in « Divina Commedia » (*Inferno*, XIX, 46) « anima trista » Nicolai III inferorum carceri adscripsit. Non probatur papam egisse e mero nepotismo, sed verisimilius, quia ob factiones quae dividebant Urbem, egebat adjutorio proximorum quibus plenam fidem dare poterat.

---

(1) HC, t. VI, p. 153 sq.; C. Mirbt, *op. cit.*, n. 365 sq.

Nicolaus III antiquum Exarchatum Ravennatensem, consentiente rege Rudolpho, adjunxit Statui pontificio (1279). Praeterea despoticam auctoritatem Caroli I ab Anjou in Italia debilitare conatus est, invitando eum ut deponeret officia senatoris romani et vicarii imperialis Thusciae. Sed qui post eum ad sedem S. Petri evectus est, Martinus IV (1281-1285), Gallus Simon de Brion, jam cancellarius S. Ludovici IX, causae Caroli I ab Anjou plene devotus, eum in senatoriali dignitate redintegravit. De partiali ratione agendi hujus papae adversus imperatorem graecum Michaelem Palaeologum, regis Caroli gratia, jam supra dictum est.

Die 30 martii 1282, praestantia moralis papae et auctoritas politica Gallorum in Italia gravem cladem subierunt, ob conjurationem Siculorum qua, duce Joanne a Procida et instigante Petro Aragoniae rege, uno die fere omnes Galli in Sicilia trucidati sunt: *Vesperae Siculae*. (1) Ab hoc momento, ditio sicula a domo gallica de Anjou transiit ad dynastiam Aragonensem cujus caput, Petrus III, uxorem duxerat Constantiam filiam Manfredi, quam Conradinus nepos Frederici II haeredem regni Neapolis et Siciliae constituerat. Frustra, nec sine detrimento spirituali, Martinus IV summas claves impendit servitio Caroli de Anjou: Petrum III Aragonensem excommunicavit, Siciliam a sacris interdixit, adversus rebelles bellum sacrum praedicare jussit. Siculi obstinate Gallos repulerunt, et Martinus IV ac Carolus I de Anjou eodem anno 1285 mortui sunt, propriae potestati acerbo vulnere percussi. (2)

Nec major fortuna, quoad negotium siculum, arrisit Honorio IV (1285-1287), e gente romana Savelli, cui post sedis vacationem tredecim mensium successit Nicolaus IV (1288-1292), primus papa ex Ordine Fr. Minorum. Iste stricte amplexus est partes familiae Colonna, quae cum gente Orsini omni vi contendebat primatum in Urbe. Conatus est parare exercitum crucigerorum, sed infausto exitu: sub ejus pontificatu, expugnatione Ptolemaidis portus Syriae (Accon), ultimum praesidium latinorum in Oriente ablatum est (1291). Quando Nicolaus IV obiit (4 apr. 1292), electio successoris laboriosissima fuit, quia cardinales dividebantur inter factiones familiae Colonna, ad quam pertinebant duo purpurati,

---

(1) O. CARTELLIERI, *Peter von Aragon und die sizilianische Vesper*. Heidelberg, 1904.

(2) J. GAY, *Notes sur le second royaume français en Sicile et la papauté d'Urbain IV à Boniface VIII*, Mélanges Jorga. P., 1933

familiae Orsini, quae etiam numerabat duos cardinales, et regis Neapolitani, Caroli II ab Anjou (1285-1309), qui callide operatus est ut candidatus ambitioni suae accommodatus eligeretur (1).

Deliberationes electorales protractae sunt spatio duorum annorum et trium mensium, primum in Urbe, apud S. Mariam Majorem, ad Aventinum, in S. Maria supra Minervam, deinde Reate et denique Perusii, ubi advenit Carolus II ab Anjou. Iste cardinali Latino Malabranca commendavit electionem pii viri Petri a Murrone, qui cum aliquibus sociis ducebat vitam eremiticam ad montem Majella in Aprutio. Cardinales, qui erant undecim, in istum candidatum consenserunt die 5 julii 1294. Petrus a Murrone reluctans electionem accepit, et sub nomine Coelestini V quinque mensibus Ecclesiae praefuit. (2)

Electio tam insolita facta est desiderio vel praetextu praeponendi Ecclesiae pastorem qui non implicaretur negotiis politico-juridicis, sed unice attenderet missioni suae spirituali. Secundum speculationes inspiratas a scriptis abbatis Joachim a Flore (+1202), eligeretur papa angelicus, dux novi et ultimi status Ecclesiae, in quo regnaret Spiritus Sanctus cum ministris qui viverent secundum Evangelium in perfecta paupertate. In Italia meridionali, numerosi sequaces spirituales abbatis Joachim, praesertim in Ordine Fratrum Minorum, adventum Coelestini V salutarunt tanquam signum novae vitae in Ecclesia, sine sollicitudine terrena, in altissima abnegatione. Sed cum perfectionem impossibilem somniassent supra sensum communem et extra verum statum rerum, cito declinarunt in zelotypiam et in rebellionem (3).

Coelestinus V pontifex consecratus et coronatus est 29 augusti 1294 in ecclesia de Collemaggio Aquilae. Jam cito deridebatur ob nimiam simplicitatem et ignorantiam rerum curiae. Romam nunquam venit, sed suadente Carolo II ab Anjou, sedem fixit Neapoli, vel prope Neapolim in loco Castel Nuovo, et in brevi ge-

---

(1) L. Bréhier, *L'Église et l'Orient au moyen-âge. Les croisades.* P., 1928; G. Schlumberger, *Prise de Saint-Jean d'Acre en l'an 1291, Revue des Deux Mondes*, 1913.

(2) *Vita* papae Coelestini, *Analecta Bollandiana*, 1890-1899, praesertim t. XVI, 1897: *S. Pierre Célestin et ses premiers biographes.*

(3) F. Callaey, *L'idéalisme franciscain spirituel au XIVe siècle. Etude sur Ubertin de Casale.* L., 1911; H. Bett, *Joachim of Fiore.* Lo., 1931; F. Foberti, *Gioacchino da Fiore, nuovi studi critici.* F., 1934.

stione sua obsecutus est regi. Istius filium secundogenitum, licet 21 annos tantum natum, nominavit archiepiscopum Lugdunensem; inconsulto S. Collegio, sed suggerente Carolo II, mense septembri 1294, duodecim creavit cardinales, e quibus septem Gallos et tres Neapolitanos. Denique, ob lassitudinem et anxietatem animi, de consensu cardinalium dignitatem pontificiam abdicavit, jussit ut nova fieret electio, et albam tunicam eremitae laetus iterum induit (13 dec. 1294) (1).

b) *Res prosperae et adversae sub pontificatu Bonifatii VIII* (1294-1303) — Cardinales Neapoli congregati 24 decembris 1294 ad Petri cathedram evexerunt collegam Benedictum Caetani ex Anagnia, oriundum ex Hispania a parte patris, a parte matris e familia comitum de Segni, ad quam pertinebant papae Innocentius III, Gregorius IX et Alexander IV. Novus papa, Bonifatius VIII (1294-1303), toto coelo differebat a praedecessore Coelestino V: vir erat perspicax et forti animo dotatus, eximius canonista, imbutus conceptu suprematiae pontificiae, ad mentem Gregorii VII et Innocentii III, quin perciperet quantum ab illis tempora mutata erant. Deditus fastui et fortunae familiari, saepe nimis cedebat temperamento impulsivo et iracundo.

Ante omnia oportebat impedire ne occasione demissionis Coelestini V schisma foveretur: quare Bonifatius VIII eum in castello Fumone prope Anagniam detinuit, usque ad mortem 19 maii 1296 (Clemens V eum canonizavit sub nomine Petri a Murrone, 1313). Bonifatius VIII etiam concessiones et privilegia a Coelestino V in detrimentum Ecclesiae data, nulla et irrita declaravit. Saepius adversarii politici et religiosi Bonifatii VIII ei demissionem praedecessoris objecerunt, quasi eam vi et metu imposuisset et deinde tiaram per simoniam obtinuisset. Sed erat objectio mendax a sinistris partibus inspirata.

Propositum Bonifatii VIII, quod jam in primis litteris encyclicis (17 jan. 1295) expressit, erat: ad intra, ordinare Ecclesiam secundum rectam legislationem canonicam; ad extra, pacificam unionem stabilire inter principes christianos, ut novum bellum crucigerorum pro liberatione Terrae Sanctae posset parari. Sibi persuasum erat plenitudinem potestatis pontificiae papae conferre directionem moralem orbis christiani, etiam principum, cum aucto-

---

(1) L. OLIGER, in *Archivum Franciscanum Hist.*, t. XI, 1918, p. 309 sq.

ritate plus minusve directa in negotiis temporalibus. Tunc temporis, non deerant qui profitebantur sententiam plane contrariam, e. g. rex Franciae, Philippus IV dictus Pulcher, ejusque consiliarii, Petrus Dubois, Petrus Flote, Gulielmus de Nogaret: auctoritas regia est a Deo, ergo a nemine pendet; ista auctoritas extenditur tam ad spiritualia quam ad temporalia intra limites regni; hierarchia ecclesiastica ibi *exercet* tantum auctoritatem spiritualem, de consensu regis. (1)

Bonifatius VIII volebat pacem, et habuit bellum, jam a primis annis pontificatus, quando voluit componere dissidium inter Carolum II ab Anjou et Fredericum III de Aragonia, ob contentionem utriusque ad coronam Siciliae. Papa Bonifatius favebat Carolo ab Anjou, dum duo cardinales e familia Colonna, Jacobus et Petrus, partes tenebant Frederici de Aragonia. Cum Bonifatius VIII cardinali Jacobo Colonna intimasset ut rationem redderet, tam ipse quam cardinalis Petrus Colonna renuerunt obedire; alius Colonna, Jacobus Sciarra, thesaurum pontificium rapuit dum transveheretur ab Anagnia ad Urbem. Papa deposuit cardinales Colonna, qui concilium generale appellarunt et adversus Bonifatium factionem excitarunt cui nomen dederunt hi omnes qui ratione *familiari, politica* vel *religiosa* adversabantur papae.

Ratione *familiari*: magna gens Colonna invido ferebat animo incrementum potentiae quod familiis adversis, Caetani, Orsini et Fieschi, proveniebat ex assumptione Bonifatii ad S. Sedem. Ratione *politica*: ubi impugnabatur principium suprematiae pontificiae, uti in Gallia, ibi rebellio factionis Colonna in papam tanquam adjutorium propriae causae excepta est. Ratione *religiosa*: eremitae a Petro a Murrone fundati, Franciscani dicti spirituales, hi omnes qui aspirabant ad statum pure evangelicum Ecclesiae, facile clamarunt Bonifatium esse intrusum, principem mundanum, non pastorem animarum. Sufficit recordari poema satyricum Jacoponis a Todi et imprecationes Hubertini a Casale (2).

Adversus factionem Colonna, Bonifatius indixit bellum sacrum: rebelles devicti sunt, bonis spoliati, castellum Praenestinum

---

(1) G. Digard, M. Faucon, A. Thomas, *Les Registres de Boniface VIII.* P., 1884-1935; J. Rivière, *Le problème de l'Eglise et de l'Etat au temps de Philippe le Bel.* L., 1926.

(2) G. M. Monti, *Una satira di Jacopone da Todi contro Bonifazio VIII. Miscellanea F. Ehrle,* t. III, p. 67 sq. R., 1924.

familiae Colonna demolitum, oppidum circumstans rasum ad solum, et novum erectum inferius, appellatum: Civitas papalis. Spolia e factione Colonna capta, acceperunt nepotes papae. Duo cardinales Colonna, a dignitate depositi, eorumque fautores, in Gallia refugium quaesierunt, ubique animos adversus Bonifatium excitantes. Dissidium quoad coronam Siciliae duravit usque ad 1302, quando haec ditio tributa est Frederico III de Aragonia.

Longe acrior fuit conflictus inter Bonifatium VIII et regem Galliae Philippum IV Pulchrum, qui ortum habuit a pecuniis quas rex Philippus ad libitum a clero gallico imperabat ut bellum gereret adversus Eduardum I regem Angliae (1). Decursu saeculi XIII, clerus gallicus pluries apud S. Sedem conquestus erat de nimiis vectigalibus sibi ab auctoritate regia impositis. Ut bona ecclesiastica a cupiditate regis protegeret, Bonifatius VIII edixit bullam *Clericis laicos* (24 feb. 1296), qua sub poena excommunicationis et interdicti statuebatur ne sine licentia apostolica collectae, decimae, vicesimae seu centesimae ecclesiarum proventuum seu bonorum, a clero laicis solverentur, vel a laicis clero imponerentur (2).

Hujusmodi prohibitio non erat nova; jam facta fuerat in concilio Lateranensi anno 1215. Sed a Bonifatio VIII exprimebatur tono immoderato, quo omnes laici generali reprobatione involvebantur, uti jam a primis verbis praedictae bullae patet: « Clericis laicos infestos oppido tradit antiquitas, quod et praesentium experimenta temporum manifeste declarant, dum... ad illicita frena relaxant nec prudenter attendunt quod sit eis in clericos ecclesiasticasve personas et bona interdicta potestas ». Praeterea in bulla clarior desiderabatur distinctio inter: a) bona quae exclusive pertinebant ad Ecclesiam; b) bona quae clerus a principibus in feudum acceperat; c) dona voluntaria a clero principibus oblata; d) vectigalia a principibus ad libitum imperata.

Adolphus a Nassau, rex Germaniae, et plus minusve, etiam Eduardus I rex Angliae, annuerunt bullae *Clericis laicos*. Philippus IV rex Galliae restitit: decreto 17 aug. 1296, vetuit ne monetae, gemmae vel metalla pretiosa e Gallia exportarentur, et argentarios extraneos, scil. collectores pontificios, a territorio Galliarum interdixit. Ipso facto notabile damnum imminebat aerario curiae

---

(1) G. DIGARD, *Philippe le Bel et le Saint-Siège*, 2 vol. P., 1936.
(2) C. MIRBT, *op. cit.* n. 369 sq.; J. LO GRASSO, *op. cit.* n. 417 sq.

romanae, cum via clauderetur oblationibus destinatis S. Sedi. Per bullam *Ineffabilis* (25 sept. 1296), papa protestatus est se non prohibuisse praestationem tributorum feudalium vel dona voluntarie a clero regi oblata. In signum benevolentiae, Bonifatius VIII reassumpsit causam canonizationis Ludovici IX avi Philippi IV, jam a 24 annis interruptam et pium regem in sanctorum numerum retulit 11 aug. 1297. Clerus gallicus motu proprio regi decimas duorum annorum obtulit. Ad tempus saltem, pax videbatur composita.

Mutata tempora, a pontificatu Alexandri III et Innocentii III, patuerunt quando Philippus IV et Eduardus I quaesierunt mediationem in sua controversia de juribus feudalibus quae rex Angliae contendebat in territorio gallico. Ambo Bonifatium VIII elegerunt, non tanquam summum pontificem, vero ut Benedictum Caetani, ne crederentur agnoscere papae ullam auctoritatem in negotiis proprii regni. Pro bono pacis, Bonifatius VIII admisit distinctionem inter summum pontificem et civem privatum: tanquam Benedictus Caetani, die 2 jun. 1298, sententiam arbitralem dedit; sed in consistorio sequenti, eamdem sententiam tanquam papa confirmavit.

Ut pacem restitueret cordibus et fideles omnium nationum strictius uniret in Christo apud ipsa sepulcra apostolorum, Bonifatius VIII 22 feb. 1300 promulgavit bullam *Antiquorum habet*, qua indixit *Jubilaeum*, quod est fastigium spirituale ejus pontificatus. (1) Omnibus fidelibus « vere poenitentibus et confessis », qui saltem semel in die orarent ad sepulcra SS. Petri et Pauli, per triginta dies, si fuerint Romani, per quindecim dies, si fuerint peregrini aut forenses, concessit plenissimam omnium suorum veniam peccatorum. Hac occasione multitudo innumerabilis fidelium convenit Romam, quam vidit poeta Dante Aligherius transeuntem pontem S. Angeli (*Inferno*, XVIII, (31-32):

« Che dall'un lato tutti hanno la fronte
Verso il castello e vanno a santo Pietro ».

Joannes Villari refert in suis *Chronicis* VIII, 36, per totum annum 1300 ducenta millia peregrinorum frequentasse Urbem,

---

(1) H. THURSTON, *The Roman Jubilee*. Lo., 1925; P. FEDELE, *Gli Anni Santi*. R., 1934; N. PAULUS, in *Theologie und Glaube*, 1913, p. 461 sq.; E. LEVI, in *Archivio della Rom. Società di Storia patria*, t. 56, 1935, p. 133 sq.; V. PRINZIVALLI, *Gli Anni Santi* (1300-1925). R., 1925; P. BREZZI, *Gli Anni Santi*. M., 1949.

quin numerarentur hi qui erant in via, sive in adventu sive in reditu. Fervor universus quo fideles trahebantur ad sacra limina in hoc primo Jubilaeo, proveniebat ex intenso desiderio reconciliationis et pacis post tanta luctamina et dissidia, tanta ecclesiastica fulmina, quibus interdicebantur a sacris. Exinde summi pontifices decreverunt Jubilaeum sive *Annum sanctum* determinato intervallo celebrandum esse: « quolibet anno centesimo secuturo » secundum Bonifatium VIII; Clemens VI autem statuit ut haberetur quoque quinquagesimo anno (1342). Urbanus VI terminum jubilarem reduxit ad triginta tres annos, in memoriam aetatis Jesu Christi (1389); denique Nicolaus V, qui indixit Jubilaeum anni 1450, sanxit ut in posterum quoque vigesimo quinto anno promulgaretur.

Jubilaeum anni 1300 fuit tanquam radius solis in medio tempestatis quae turbavit pontificatum Bonifatii VIII. Si Albertus de Habsburgo rex electus Romanorum, (1298-1308) ei plene satisfecit agnoscendo jus pontificium in collatione dignitatis imperialis, Philippus IV e contrario, motus absolutismo status et cupiditate, prosecutus est redigere clerum Galliae in arbitrium regium violando exemptiones ecclesiasticas. Ut regem ad meliorem sensum reduceret, papa ei deputavit Bernardum Saisset episcopum Apamiensem (Pamiers). Sed Philippus IV eum deprehendi jussit, praetexta perduellione, quia cum esset subditus regis, partes papae foverat. (1301). (1)

Tunc Bonifatius VIII forti animo surrexit ad defendenda jura Ecclesiae: regem arguit de violatione fori eique intimavit ut episcopum Saisset liberaret. Suspendit privilegia regi concessa pro decimis colligendis et episcopos Galliae, doctores theologiae et utriusque juris ac delegatos capitulorum Romam convocavit pro festo Omnium Sanctorum 1302, ad synodum in qua provideretur libertati christianae, reformationi regis et regni necnon suppressioni abusuum. Per bullam *Ausculta fili carissime*, tono vehementi conscriptam (5 dec. 1301), et ipse rex citabatur ad synodum romanam, ut responderet de culpis quae ei imputabantur: usurpatio bonorum ecclesiasticorum; occupatio iniqua beneficiorum; adductio violenta cleri ad tribunal regium, ut in casu episcopi Saisset; impedimenta posita jurisdictioni episcopali; falsificatio monetae cum magno damno subditorum. Reapse, in Flandria, ubi Philippus IV tunc

---

(1) J. M. VIDAL, *Histoire des évêques de Pamiers*, I. *B. Saisset.* P., 1926.

tyrannice exercebat jura domini feudalis, agnomen acceperat contumeliosum: *De Munteschroder - Faux monnayeur*.

In bulla *Ausculta fili carissime*, Bonifatius VII strenue sibi vindicabat jus interveniendi in negotiis politico-ecclesiasticis et ferendi sententiam in regem violatorem canonum. Adhibendo verba S. Scripturae (Jeremiae, I, 10), affirmabat summum pontificem a Deo positum esse « super reges et regna, ad evellendum, destruendum, disperdendum, dissipandum, aedificandum atque plantandum ». Sed nullo modo praetendebat usurpare jurisdictionem temporalem nec se substituere regi in directione rerum civilium.

Philippus IV non venit Romam, ubi proculdubio causam ante synodum perdidisset. In ipsa Gallia, major numerus subditorum, si recte de facto et jure certior factus fuisset, regi abusus commissos exprobrasset. Sed ne populus cognosceret veritatem, Philippus IV recursum habuit ad fraudem et calumniam. Sensum nationalem Gallorum, etiam cleri, excitavit adversus Bonifatium VIII, quasi iste voluisset dominatum politicum tenere in Gallia. Aulici regii e manibus legati pontificii, Jacobi Normanni archidiaconi Narbonensis, eripuerunt bullam *Ausculta fili carissime* et igne destruxerunt. Bullae destructae jurisperitus gallicus Petrus Flote perfide substituit litteras pseudo-pontificias *Deum time*, in quibus papae falso sequentia tribuebantur verba, directa ad regem: « Scire te volumus, quod in spiritualibus et temporalibus nobis subes ». Istis fictis litteris pontificiis, data est simulata responsio regis, in qua papa injuriosius tractabatur: « Philippus, Dei gratia Francorum rex, Bonifacio se gerenti pro summo pontifice, salutem modicam vel nullam. Sciat maxima tua fatuitas in temporalibus nos alicui non subesse ».

Fraudulenta ista actio antipapalis facile opinionem publicam decepit in Gallia. Tres ordines status, clerus, nobiles et cives, adunati in congressu (10 apr. 1302), probarunt regem et protestati sunt adversus immixtionem indebitam curiae romanae in negotiis Gallicis. In consistorio hac de re m. aug. 1302 celebrato, Bonifatius VIII expresse declaravit falso impositum sibi esse mandasse regi « quod recognosceret regnum a nobis. Quadraginta anni sunt, quod nos sumus experti in jure, et scimus, quod duae sunt potestates ordinatae a Deo. Quis ergo debet credere vel potest quod tanta fatuitas, tanta insipientia sit vel fuerit in capite nostro? Dicimus quod in nullo volumus usurpare jurisdictionem regis.... Non potest negare rex, seu quicumque alter fidelis, quin sit nobis subjectus ratione peccati... Praedecessores nostri deposuerunt tres reges Franciae... Cum rex commisit omnia quae illi commiserunt et majora, nos deponeremus regem ita sicut unum garcionem, licet dolore et tristitia magna ».

Denique in synodo Romae habita, cui non obstante prohibitione regis adstiterunt 39 episcopi gallici, Bonifatius VIII promulgavit celebrem bullam *Unam sanctam* (18 nov. 1302), qua definivit doctrinam de *unitate* et *potestate* Ecclesiae. (1) De *unitate*: Una est tantum vera Ecclesia, cujus caput Christus est, ejusque vicarius, Petrus, Petrique successor. Qui se dicunt non esse de ovibus Petri ejusque successorum, ipso facto fatentur se non esse de ovibus Christi. In parte bullae quae agit de *potestate* Ecclesiae, papa exponebat doctrinam de suprema auctoritate pontificia sicut in curia romana tradita fuerat a temporibus Gregorii VII et inveniebatur apud praecipuos magistros ecclesiasticos, a Bernardo Claravallensi ad Thomam Aquinatem. Ita bulla *Unam sanctam* evidenter pendet a tractatu *De ecclesiastica sive de summi pontificis potestate,* quem hoc tempore conscripserat theologus Aegidius Romanus, bene notus Philippo IV cujus praeceptor fuerat.

In bulla praedicta affirmabatur papam habere utramque potestatem tanquam duos gladios, alium spiritualem, alium temporalem. Potestas spiritualis exercetur *ab* Ecclesia, temporalis vero *pro* Ecclesia. Oportet temporalem auctoritatem spirituali subjici potestati : « Ergo, si deviat terrena potestas, judicabitur a potestate spirituali... Quicumque igitur huic potestati a Deo sic ordinatae resistit, Deo resistit ». Sub fine, enuntiabatur tanquam definitio doctrinalis : « Porro subesse Romano Pontifici omni humanae creaturae declaramus, dicimus, definimus omnino esse de necessitate salutis », Patet hanc definitionem valorem doctrinalem solum habere pro rebus quae sunt de fide et moribus. De cetero, sensus generalis bullae erat : Ecclesiam habere potestatem directam in spiritualia, indirectam in temporalia, ratione peccati et salutis animarum. Quae doctrina omni tempore affirmata est a S. Sede.

Sed jurisperiti gallici bullam interpretati sunt in sensu aucto-

---

(1) *Corpus Juris canonici,* Extravagantes communes, lib. I, tit. VIII, cap. I; H. Finke, *Aus den Tagen Bonifaz VIII,* Mr., 1902; C. Poulet, *Histoire du Christianisme,* t. II, *Moyen-âge,* p. 769 sq. P., 1936.

ritatis absolutae et directae quam papa contendisset in rebus temporalibus. Regi occasio propitia videbatur ut se liberaret ab importuno pontifice. In coetu aliquorum praelatorum et baronum habito Parisiis 14 jun. 1303, Philippo IV praeside, minister gallicus Gulielmus a Plaisians, adversus Bonifatium protulit 29 capita accusationis, quibus ei pessima imputabantur crimina: haeresis, commercium diabolicum, blasphemia, simonia, luxuria, etiam contra naturam, occisio Coelestini V (1). Proinde invitabatur rex, tanquam protector fidei, ut promoveret celebrationem concilii oecumenici ad providendum S. Sedi et Ecclesiae. Eo fine cancellarius regius, Gulielmus a Nogaret, in Italiam venit, sed prima ejus cura fuit adunare omnes adversarios papae ut iste, eorum vi et metu, pontificatum abdicaret.

Ob calores aestivos, Bonifatius VIII tunc morabatur Anagniae, in avito castello Caetani. In consistorio ibi m. aug. habito, reprobavit regem ejusque fautores concilium attentantes, et nuntiavit se die 8 sept. editurum bullam *Super Petri solio,* qua rex ejusque consiliarii excommunicarentur et subditi ejus a fide jurata solverentur. Sed pridie Gulielmus a Nogaret cum factione Colonna, duce Jacobo Sciarra, aliisque ghibellinis, castellum Caetani invaserunt, et per duos dies septuagenarium pontificem ludibriis affecerunt. Bonifatius VIII autem invicta constantia declaravit se nunquam pontificatum abdicaturum. Tertia die Anagnienses eum liberarunt et Romam comitatu militari duxerunt, ubi corpore fractus sed non animo, professione fidei solemniter emissa, ad Deum excessit 11 oct. 1303. Impetus sacrilegus in eum factus ubique gravi indignatione fidelium exceptus est. Ipse poeta Dante Aligherius, licet tunc ghibellinus esset, ideo politice contrarius Bonifatio VIII, nefandum tentamen Anagniense comparavit tormentis Christo patienti inflictis (*Purgatorio,* XX, 86).

Philippus IV ejusque jurisperiti, apparenter saltem, triumphum obtinebant Successores immediati Bonifatii VIII, benignus Benedictus XI (1303-1304) jam magister generalis Fr. Praedicato-

---

(1) Ministri Philippi IV soliti erant pejores adhibere calumnias tamquam naturale instrumentum actionis suae politicae: ita fecerunt adversus B. Saisset et magis adhuc adversus Templarios, quorum ingentes reditus excitabant cupiditatem regis, et qui, eo instante, a Clemente V « per modum provisionis » aboliti sunt 12 apr. 1312. G. Lizerand, *Le dossier de l'affaire des Templiers.* P., 1924.

rum, et debilis Clemens V (1305-1314), cesserunt regi quantum potuerunt. Benedictus XI eum absolvit ab excommunicatione et mitigavit sive censuras edictas in familiam Colonna, sive ordinationes datas in bulla *Clericis laicos,* sed auctores sacrilegii Anagniensis anathema dixit et Bonifatium VIII fuisse haereticum et papam intrusum atque illegitimum, declarare renuit. Clemens V, litteris *Meruit carissimi* (1 feb. 1306) declaravit regem et regnicolas Franciae per bullam *Unam sanctam* non amplius subjici Ecclesiae romanae, quam prius erant, et per bullam *Rex gloriae* (27 apr. 1311) Philippum IV excusavit ab omni participatione facinoris Anagniensis, et jussit ut omnia acta Bonifatii VIII et Benedicti XI, aliena a rege, tollerentur e tabulis cancellariae ponificiae. (1)

Ita satisfactum est regi. Sed fugax ista satisfactio non profuit vero bono religioso vel civili nationis cui praeerat ambitiosus et astutus princeps. Philippus IV ejusque jurisperiti laici contribuerunt destructioni conceptus medioevalis unitatis societatis christianae sub auctoritate suprema pontificis romani. Isti conceptui universae paternae auctoritatis pontificiae, opposuerunt principium absolutae potestatis monarchicae. Proprium statum non amplius admiserunt in universalitate Ecclesiae, sed restrinxerunt intra limites nationis, cujus princeps sibi semper magis vindicavit totum dominatum, in spiritualibus et in temporalibus.

Simili tentamine conjiciebant se proprium regnum corroboraturos esse. Reapse illud modo irreparabili debilitarunt, auctoritatem regiam privando valido propugnaculo unionis cum suprema auctoritate spirituali. Malum exemplum quod, impugnando papam, Philippus IV subditis dedit, imitatores invenit in ordinibus status, apud clericos, nobiles et cives, non solum pro oppositione pontifici, sed pro rebellione adversus ipsam auctoritatem regiam. Quare parlamenta, calvinistae, jansenistae et philosophi pepercissent monarchiae quae tam inique aggressa fuerat papatum? Introducendo spiritum laicum antiromanum in consilium regium et augendo sine freno absolutismum principis, Philippus IV inconscie viam stravit ad emancipationes politicas et morales futuras, quarum epilogus esset: ruina monarchiae in Revolutione gallica (2).

---

(1) C. Mirbt, *op. cit.*, n. 374; G. Lizerand, *Clément V et Philippe le Bel.* P., 1910; A. Corvi, *Il Processo postumo di Bonifacio VIII.* R., 1949.

(2) G. de Lagarde, *La naissance de l'esprit laïque au déclin du moyenâge,* t. I, p. 231 sq. Saint-Paul-Trois-Châteaux, 1934.

Quod ad S. Sedem attinet, in diuturna et aspera controversia minuta est ejus auctoritas in vitam publicam populorum. Posthac, papae difficile erit supremum agere magistrum inter principes et gentes orbis christiani, sicut evenerat tempore Alexandri III et Innocentii III. Bonifatio VIII objici possunt, praeter naturam iracundam et nepotismum, verba indiscreta vel minus clara in documentis pontificiis. In curia romana, theologi et canonistae disserebant nimis de jurisdictione temporali papae directa sive indirecta, dum ferventius debuissent curare suppressionem abusuum qui vigebant, v. g. quoad numerosas exemptiones, impositionem tributorum et reservationes beneficiorum Sedi apostolicae.

Sed si, immoderationibus praetermissis, ipsam causam consideramus quam strenue defendit Bonifatius VIII, fateri oportet eum propugnasse causam sanctam Christi uniusque ejus Ecclesiae, cujus papa est summum caput visibile hic in terris. Principium de superioritate auctoritatis spiritualis pontificis romani, quod illaesum servavit, non erat innovatio sed firma traditio, ante eum existens et post eum usque ad nostra tempora protracta. Definitionem doctrinalem quae habetur in ultima phrasi bullae *Unam sanctam*, patres V concilii Lateranensis (XVIII oecumenici) adoptarunt et confirmarunt (1516). Inter errores de Ecclesia ejusque juribus qui in par. V Syllabi damnantur (8 dec. 1864), plures habentur qui jam a Bonifatio VIII reprobati fuerant.

Firme determinando jus pontificium, Bonifatius VIII contribuit futurae instaurationi potestatis papae post Magnun Schisma in Occidente, ejusque defensioni adversus immixtiones absolutismi status, articulos Cleri gallicani et errores liberalismi. (1). Denique, obstinata voluntate qua principes stimulavit ad bellum crucigerorum, mirabili motu fervoris quo ordinavit Jubilaeum anni 1300, et robore vere romano quod demonstravit in fortuna adversa, Bonifatius VIII, mente saltem et animo, si non semper felici successu, pertinet ad praeclaros pontifices medii aevi, Gregorium VII, Alexandrum III, Innocentium III, Gregorium IX, nam sicut isti super omnia dilexit et tuitus est: *Unam sanctam Ecclesiam*.

---

(1) V. Martin, *Les origines du Gallicanisme*, 2 vol. P., 1939.

CAPUT QUARTUM

ECCLESIA ROMANA A TRANSLATIONE S. SEDIS IN AVENIONEM AD CONCILIUM BASILEENSE

(1305 - 1449)

Summarium. — I. S. Sedes translata in Galliam (1305-1376): 1) Clemens V et concilium oecumenicum Viennense (1305-1314). 2) Administratio Ecclesiae, controversiae religiosae et contentio inter imperium et sacerdotium sub Joanne XXII (1316-1334). 3) Pestis nigra et misera conditio Status pontificii. 4) Instauratio S. Sedis in Roma, et consequentiae Translationis Avenionensis. - II. Magnum Schisma in Occidente (1378-1417): 1) Circumstantiae electionis Urbani VI. 2) Electio pseudopapae Clementis VII et consequentiae schismatis. 3) Conamina pro solutione schismatis ope synodi generalis: conciliabulum Pisanum et concilium Constantiense (1409-1417). 4) Conclusio schismatis electione Martini V. - III. Instauratio auctoritatis pontificiae post disceptationem inter papam et concilium Basileense (1432-1449): 1) Rebellio concilii Basileensis adversum Eugenium IV. 2) Definitio primatus romani pontificis. 3) Vita christiana et doctrina catholica in medio certaminum et errorum.

I.

S. SEDES TRANSLATA IN GALLIAM

1. - **Clemens V et concilium oecumenicum Viennense** (1305-1314). — Post brevem pontificatum octo mensium, Benedictus XI e vita cedebat die 7 julii anni 1304. Sexdecim cardinales quibus constabat S. Collegim, intrarunt in conclave Perusiae, die 18 julii anni 1304. Discussiones inter duas factiones, quarum alia, directa a cardinali Matthaeo Orsini, defendebat memoriam Bonifatii VIII, alia, cui praeerat cardinalis Napoleo Orsini, favebat regi Franciae, protractae sunt per undecim menses, donec ambae consenserunt in candidatum qui non pertinebat ad S. Collegium, scilicet in Bertrandum de Got, archiepiscopum Burdigalensem: iste electus est, die 5 junii anni 1305, et nomen sumpsit Clementis V.

Imbecillus corpore et debilis voluntate, Clemens V facile cessit suasioni et auctoritati Philippi IV. Jam nuntiaverat proximum adventum Romae, sed instante rege Franciae, propositum suum ad executionem ducere distulit. Procul dubio, residentia in tumultuosa Urbe non semper arridebat summis pontificibus, et plures antecessores Clementis V eam deseruerant. Benedictus XI mortuus erat extra Romam, Perusiae (1304); Bonifatius VIII libentius residebat Anagniae, Urbe Veteri, et Velitris, quam in palatio Lateranensi; Coelestinus V nunquam venit Romam; Nicolaus IV, aliquoties moratus est apud S. Mariam Majorem, sed plerumque sedem habuit Reate et Urbe Veteri; Martinus IV electus Viterbii anno 1281, semper remansit in Thuscia et in Umbria; Nicolaus III, e familia romana Orsini, etiam electus Viterbii anno 1277, incoronatus Romae, saepe resedit Sutrii, Vetrallae et Viterbii; Joannes XXI (1276-77), remansit Viterbii ubi electus fuerat; Gregorius X (1271-76), duobus tantum mensibus moratus est Romae; Clemens IV (1265-68), nullum rescriptum edidit Romae, sed vixit vel in Umbria, vel Viterbii; Urbanus IV (1261-64), a Viterbio transiit ad Montem Faliscum et Urbem Veterem; Alexander IV (1254-61), paululum stetit Romae initio et sub fine pontificatus sui, et mortuus est Viterbii; Innocentius IV (1243-54) brevi spatio temporis remansit Romae, e qua fugere debuit anno 1244 ob aggressionem Frederici II; moratus est Lugduni usque ad annum 1251; deinde vixit in Umbria, postea Neapoli, ubi obiit.

Vero, cum Clemente V incipit factum novum: residentia papae non solum extra Urbem, sed extra Italiam, in sede fixa apud nationem determinatam, cujus utilitati summus pontificatus videbatur nimis inservire. Sane, Clemens V, sedem stabiliendo in Gallia, non intendebat obligare successores suos exemplo suo. Sed initium dedit conditioni novae, e qua reapse secuta est absentia diuturna summorum pontificum a Roma, per spatium septuaginta annorum. Jam cito Clemens V demonstravit Gallos potiores habere: die 15 decembris anni 1305, eligebat novem cardinales gallicos, unum anglicum et restituebat S. Collegio duos ex-cardinales, Jacobum et Petrum Colonna, qui ob suam oppositionem a Bonifatio VIII e S. Collegio expulsi fuerant.

Ex viginti quatuor cardinalibus quos in toto suo pontificatu Clemens V creavit, viginti tres erant gallici: quinque eorum pertinebant ad ejus familiam. Inde ab anno 1309, sedem stabilivit in civitate Avenionensi, super flumen Rhodanum in comitatu Provinciae, prope Comitatum Venusinum qui ab anno 1274 erat dominii pontificii. Civitas Avenionensis erat feudum regis Neapolis, Caroli II Andegavensis, cognati regis Galliae; quasi ex omni parte circumdabatur territorio istius, ita ut nova sedes pontificia revera in ambitu gallico collocata erat.

Jam videbamus, debilis Clemens V satisfecit quantum potuit desideriis Philippi IV: declaravit quod bona fide contenderat cum Bonifatio VIII; absolvit Gulielmum de Nogaret et Iacobum Sciarra Colonna, sed noluit reprobare acta Bonifatii VIII. Instante rege Franciae, suppressit Ordinem hospitalem et militarem Templariorum in concilio oecumenico Viennensi (1311), per bullam « Vox in excelsis ». Philippus IV appetebat bona quae iste Ordo possidebat in Gallia. In eodem concilio, plures editae sunt constitutiones de Fide et moribus: damnatus est error qui tribuitur franciscano Petro Joannis Olivi, quod anima rationalis seu intellectiva non est forma corporis humani per se et essentialiter; item damnati sunt Beguardi et Beguinae, qui asserebant hominem in vita praesenti talem gradum perfectionis acquirere posse ut redderetur impeccabilis. Provisum est ut clerus saecularis et Ordines mendicantes pacifice explicarent proprium ministerium pro bono animarum. (1)

Sub respectu propagationis Fidei, notanda est constitutio undecima qua, instante Raymundo Lullo, promota est disciplina linguarum orientalium in Universitatibus studiorum, tam pro recta interpretatione S. Scripturae, quam pro controversia cum haereticis, schismaticis et infidelibus (2). Concilium Viennense, quod sibi proposuerat reformare Ecclesiam « in capite et in membris », edidit etiam decreta de vita et honestate clericorum, quibus puniebantur clerici conjugati, indecenter vestiti, professionem vulgarem, uti laniorum et tabernariorum, exercentes. Quoad Inquisitionem haereticae pravitatis, ordinatum est ut episcopi strictius cooperarentur cum inquisitoribus a S. Sede nominatis. Constitutiones confectae in concilio Viennensi, aliaeque promulgatae a Clemente V in ponti-

---

(1) ES, n. 471-483; Ch. POULET, *Histoire du Christianisme, Moyen-âge*, p. 786 sq. P., 1934; F. CALLAEY, DTh, XI, 882 sq.

(2) Initio pontificatus sui, Clemens V erexit provinciam ecclesiasticam in Sinis: sedi metropolitanae in Khanbaliq (Pekino) praefecit missionarium franciscanum Joannem a Monte Corvino, qui habuit sex episcopos suffraganeos. A. VAN DEN WYNGAERT, *Jean de Mont Corvin O. F. M., premier evêque de Khanbaliq (Pe-King)*, 1247-1328. Insulis, 1924.

ficatu suo, ab eo anno 1314 publici juris factae sunt, et deinde, tanquam Liber VII, insertae in *Corpus Juris canonici.* (1)

In quaestione electionis imperialis post mortem imperatoris Alberti de Habsburgo (1308), Clemens V non favit ambitioni Philippi IV regis Galliae, qui commendabat proprium fratrem Carolum de Valois. Ne nimis augeretur auctoritas politica Galliae, electus est Henricus VII a Luxemburgo. In reges Galliae et Angliae, in parentes et amicos, atque in opera pia Galliae meridionalis, Clemens V liberalissime cumulavit beneficia et dona, ita ut e summa 1.040.000 florenorum qua constabat aerarium pontificium, ad obitum suum (20 aprilis 1314), 70.000 tantum relinquebantur successori suo. (2).

Post mortem ejus, S. Sedes vacavit plusquam duobus annis ob dissensiones in S. Collegio, quod dividebatur in tres factiones: factio vasconica decem cardinalium, factio italica septem cardinalium, et factio gallica sex cardinalium. Denique tandem, postquam vicissim quinque candidaturae amotae fuerant, electus est Lugduni die 7 augusti anni 1316, in conventu Fratrum Praedicatorum, Jacobus d'Euse, (Duèse) a Cadurco, cardinalis presbyter tituli S. Vitalis et episcopus Portuensis. Nomen assumpsit Joannis XXII (3).

2. - Administratio Ecclesiae, controversiae religiosae et contentio inter imperium et sacerdotium sub Joanne XXII. — Novus papa erat senex 72 annorum, paucae vel nullius praestantiae physicae, sed magni ingenii et fortis animi. Diuturnum pontificatum 18 annorum (1316-1334), transegit in palatio Avenionensi, incum-

---

(1) HC, t. VI parte I; *Regestum Clementis V,* ed. cura monachorum O.S.B., 9 vol. et appendices. R., 1885-92; E. BERCHON, *Histoire du pape Clément V.* Bordeaux, 1897.

(2) S. BALUZIUS, *Vitae Paparum Avenionensium,* ed. G. MOLLAT, 4 vol. P., 1915-1922; G. MOLLAT, *Les Papes d'Avignon,* ed. 6. P., 1930; H. FINKE, *Papsttum und Untergang des Templerordens.* Mr., 1907; H. LIZERAND, *Clément V et Philippe IV le Bel.* P., 1910; CH. V. LANGLOIS, *Le procès des Templiers,* in *Revue des Deux Mondes,* t. CIII, 1891, p. 382 sq.; Idem, in *Histoire de France* ed. a LAVISSE, t. III, parte 2, p. 174 sq.; V. CARRÈRE, *Hypothèses et faits nouveaux en faveur des Templiers,* in *Revue de l'histoire de l'Eglise de France,* t. III, 1912, p. 55 sq.; G. MOLLAT, DA, IV, 1583 sq.

(3) N. VALOIS, *Jacques Duèse, pape sous le nom de Jean XXII,* in *Histoire littéraire de la France,* t. XXXIV (1915), p. 391-630.

bendo indefessus in gravissima officia ministerii sui, indolis sive administrativae, sive religiosae, sive politico-ecclesiasticae.

Joannes XXII ante omnia curavit *administrationem* Ecclesiae. Creavit novas dioeceses in circumscriptionibus ecclesiasticis nimis extensis, e. g. Tolosae, e qua erectae sunt sex novae dioeceses; Tarraconae, a qua divisa est sedes Caesaraugustana cum pluribus aliis sedibus; stabilivit hierarchiam ecclesiasticam in Persia, cum sede metropolitana in Sultanieh; reformavit Ordinem Equitum S. Joannis, et vigilavit ut officium Inquisitionis recte adimpleretur. Voluit etiam ut S. Sedes haberet magnam vim oeconomicam: quare in suis manibus coegit collationem beneficiorum et nominationem ad officia ecclesiastica. Immixtionem principum et capitulorum in collationibus beneficiorum, jure reservationis pontificiae, restrinxit.

Motus, non cupiditate, sed desiderio instaurandi aerarium pontificium, auxit tributa quae solvi debebant a beneficiariis ecclesiasticis. Ista tributa, vel *directe* tradebantur a beneficiariis ad Curiam romanam, vel *in ipso loco,* in quo beneficium situm erat, colligebantur a collectoribus pontificiis. Episcopus vel abbas reddebat *tributum directum* occasione visitationis ad limina. *Collectores* pontificii peragrabant orbem christianum in Occidente, cujusque beneficii ecclesiastici notabant proventus annuos, debita et statum materialem, ac deinde determinabant *taxationem,* e. g. decimam partem fructuum beneficii, quae colligebatur pro S. Sede. Ad seriem tributorum collectorum pertinebant etiam *annatae,* scilicet fructus quos dabat beneficium primo anno postquam collatum fuerat, et qui requirebantur a Camera apostolica pro S. Sede; *fructus beneficii vacantis,* et *jus spolii.* (1). Reservatione beneficiorum et amplificatione tributorum, Joannes XXII valde thesaurum pontificium ditavit: circiter 4.500.000 florenorum aureorum accepit, et summam aequalem impendit pro necessitatibus S. Sedis et status pontificii, pro defensione Italiae adversus Ludovicum Bavarum, pro missionibus et indigentibus. Quando mortuus est, die 4 decembris annis 1334, reliquit hereditatem circiter 800.000 florenorum.

---

(1) *Jus spolii,* scilicet jus sibi vindicandi omnia bona quae beneficiarius domi habebat in obitu suo · supellectilia, libros, vestimenta, paramenta sacra etc.

Potentiâ pecuniariâ, Joannes XXII magnam existimationem sibi acquisivit apud principes et praelatos. Distribuendo favores et beneficia, multos sibi comparavit fidos cooperatores, eo magis quod magnificus erat parentibus et amicis, sed sibimetipsi parcus et austerus. Nihilominus, collectio annualis tributorum oppositiones suscitavit, praesertim tempore belli et aerumnae, tam a parte cleri quam a parte fidelium: exinde crevit fama cupiditatis qua afficiebatur Curia romana. Praeterea reservatio beneficiorum, virtute « potestatis plenariae » qua fruebatur summus pontifex, causa fuit abusuum, ipso facto quod nimis conjungebatur cum re nummaria, cum desiderio augendi reditus S. Sedis et remunerandi praelatos Curiae (1).

Beneficia sita in regionibus exteris conferebantur officialibus Curiae, qui nunquam residebant in suo beneficio; idem ecclesiasticus accipiebat plura beneficia; alius accipiebat fructus cum mera administratione temporali beneficii, quin assumeret curam spiritualem beneficio inhaerentem: erat *Commenda;* alius, munere vel favore, sibi procurabat futuram provisionem alicujus beneficii antequam vacaret: erat *Exspectativa*. Abusus isti non erant novi, sed creverunt decursu saeculi XIV et provocaverunt majorem oppositionem, praesertim in hisce regionibus quae politice discrepabant a Gallia in cujus ambitu tunc sita erat S. Sedes.

Ratio nummaria quam applicabat Joannes XXII, jam cito visa est desertio vitae pauperis Christi et Apostolorum zelatoribus Evangelii, praesertim ex Ordine Fratrum Minorum (2). Aegritudo qua excitabantur in papam, transiit in apertam rebellionem, occasione discussionis mere theoreticae inter Fr. Minores et Praedicatores *de paupertate apostolica*. Fr. Minores affirmabant Christum et Apo-

---

(1) E. GÖLLER, *Die Einnahmen der apostolischen Kammer unter Johan XXII*. Pdb., 1910; K. H. SCHAEFER, *Die Ausgaben der Apostolischen Kämmer unter Johann XXII*. Pdlb., 1911; C. SAMARAN et G. MOLLAT, *La fiscalité pontificale en France au XIVᵉ siècle. Période d'Avignon et Grand Schisme d'Occident*. P., 1905.

(2) Alvarus Pelagius, Frater Minor contemporaneus et fervidus defensor S. Sedis, reprobabat excessus fiscales Curiae romanae: « Omnes de Saba veniunt... aurum sed non thus deferentes ad romanam Curiam et plumbum reportantes... sed pro plumbo datur aurum et de plumbo fiat majus aurum, quia quod quis emit, paratus est alii vendere et simoniam committere... Cum saepe intraverim cameram camerarii D. Papae, semper vidi ibi nummularios et clericos computantes et trutinantes florenos ». *De Planctu Ecclesiae*, lib. II, cap. VII, p. 28 sq. Venetiis, 1560. N. JUNG, *Alvaro Pelayo*. P., 1931.

stolos nihil proprium habuisse, nec privatim nec collective; Praedicatores e contrario asserebant Christum et Apostolos possedisse bona, saltem in communi. Quin exspectarent sententiam papae, Franciscani adunati in capitulo generali Perusiae (1322), ediderunt duas litteras encyclicas directas ad omnes fideles, quibus propriam doctrinam de paupertate evangelica consentaneam declarabant constitutionibus « Exiit qui seminat » Nicolai III et « Exivi de Paradiso » Clementis V. Joannes XXII respondit decretali « Cum inter nonnullos » (13 nov. 1323), qua praedictam sententiam Fr. Minorum de paupertate apostolica contrariam S. Scripturae declaravit et tanquam haereticam damnavit. Fratres Minores pro majore numero decisionem pontificiam acceperunt; sed inter superiores et professores, plures eam rejecerunt, praeeunte ipso ministro generali Michaele de Caesena. Isti deinde amplexati sunt partem Ludovici Bavari in sua contentione cum papa. (1)

Sub fine pontificatus Joannis XXII (1331-1334), agitata est alia quaestio indolis doctrinalis, quae adversariis ejus ansam praebuit pro majore oppositione: est quaestio *de visione beatifica*. In tribus sermonibus annis 1331-1332 habitis, Joannes XXII praedicaverat ante resurrectionem carnis et ultimum judicium, animas justorum nondum possidere nec vitam aeternam, nec habere beatitudinem proprie dictam, vel plenam visionem beatificam, concludendo ex ista sua opinione damnatos et diabolos cruciandos esse poenis infernalibus tantum post judicium generale.

Confestim surrexerunt contradictores, quorem violentior fuit dominicanus anglicus Thomas Waleys. Praeterea hi omnes qui adversabantur papae praetextu religioso vel politico, Michael a Caesena, Gulielmus Ockham, cardinalis Napoleo Orsini, fautores Ludovici Bavari, Joannem XXII dixerunt haereticum, ideoque a pontificatu deponendum. Papa sincere declaravit opinionem suam emisisse tanquam theologum privatum, in doctrina quae nondum de-

---

(1) F. EHRLE, *Die Spiritualen, ihr Verhältnis zum Franziskanerorden und zu den Fraticellen*, in *Archiv für Literatur und Kirchengeschichte des Mittelalters*, t. I, 1885; t. II, 1886; t. IV, 1888; F. Tocco, *La questione della povertà nel secolo XIV, secondo nuovi documenti*. Neapoli, 1910; F. CALLAEY, *L'idéalisme franciscain spirituel au XIVe siècle, Etude sur Ubertin de Casale*, p. 224 sq. L., 1911; Idem, art. *Olieu* (Joannes Petri Olivi), in Dth.; ES, n. 494; D. L. DOUIE, *The nature and the effect of the heresy of the Fraticelli*. Manchester, 1932.

finita fuerat. Quaestionem discussam submisit examini theologorum, et cum opinio sua ab eis erronea diceretur, ipse eam solemniter ejuravit pridie mortis suae, die 3 decembris anni 1334. Successor ejus, Benedictus XII, constitutione « Benedictus Deus » (29 jan. 1336), definivit quod animae electorum, jam ante resurrectionem corporum et judicium generale, fruuntur visione intuitiva divinae essentiae. (1)

Hae duae quaestiones, indolis religiosae et doctrinalis, connectuntur cum ultima phasi contentionis inter sacerdotium et imperium, quae occupavit pontificatum Joannis XXII inde ab anno 1322 et protracta est sub ejus successoribus usque ad annum 1347. Anno 1314, mense octobri, Ludovicus dux Bavariae et Fredericus de Habsburgo vicissim a propriis fautoribus electi fuerant reges Germaniae. Joannes XXII eos hortatus est ad concordiam, et interim imperium vacans declaravit et regem Robertum Neapolitanum constituit vicarium imperialem in Italia. Conflictus inter duos aemulos duravit septem annos, usquedum Ludovicus Bavarus Fredericum de Habsburgo devicit in praelio apud Mühldorf in Bavaria, anno 1322. Papa, antequam confirmaret electionem Ludovici, procedere volebat ad « examen personae et approbationem electi », eique injungebat ut interim abstineret a gubernatione imperiali.

Sic faciendo, Joannes XXII invocabat antiquam consuetudinem pontificiam. Sed, a tempore Innocentii III, potestas politico-ecclesiastica S. Sedis declinaverat in dies: Ludovicus Bavarus requisitionem papae rejecit, et vicario imperiali ab eo constituto in Italia, opposuit vicarium proprium, comitem Bertholdum a Neiffen. Sine mora, Joannes XXII instituit processum regis Ludovici, eumque anno 1324 excommunicatum et a regno depositum declaravit, atque fautores ejus poenis ecclesiasticis gravavit.

Ab excommunicatione Joannis XXII, Ludovicus Bavarus appellavit ad concilium oecumenicum in declaratione conscripta die 23 maii anni 1324, in loco Sachsenhausen. Deinde descendit in Ita-

---

(1) ES, n. 530. Th. KÄPPELI, *Le procès contre Thomas Waleys O. P. R.*, 1936. Anno 1329, Joannes XXII reprobavit 28 articulos ex scriptis Joannis Eckhardi, mystici germanici Ordinis Fr. Praedicatorum. G. THÉRY, *Contribution à l'histoire du procès d'Eckhart*. Ligugé, 1926; G. DELLA VOLPE, *Il misticismo di Maestro Eckhart nei suoi rapporti storici*. Bononiae, 1930.

liam et cum auxilio ghibellinorum (1) occupavit Romam, die 10 januarii anni 1328, ubi proclamatus est imperator et consecratus in basilica S. Petri ab episcopis Venetiarum et Arelatis. Ipse Jacobus Sciarra Colonna, aggressor Bonifatii VIII, ei imposuit coronam imperialem nomine populi romani. Die 14 aprilis ejusdem anni, in coetu populari cui praesidebat Ludovicus Bavarus in atrio S. Petri, Joannes XXII depositus est a pontificatu, et ejus loco die 13 maii, plebs romana papam elegit obscurum Fratrem Minorem, Petrum Rainalducci de Corvara prope Aquilam, qui nomen assumpsit Nicolai V (2).

In contentione sua cum papa, Ludovicus Bavarus praecipuos consiliarios et defensores habuit Marsilium a Padua et Joannem a Janduno professores universitatis Parisiensis, atque Fr. Minorem Gulielmum Ockham, philosophum et canonistam (3). Initio anni 1324, Marsilius a Padua et Joannes a Janduno exponebant suam theoriam de constitutione democratica societatis civilis et Ecclesiae, in opere cui titulus *Defensor pacis*.

In isto opere, potestas legislativa exclusive tribuitur populo; potestas executiva pertinet ad gubernium stabilitum a populo, scilicet ad monarchiam electivam. Invocando S. Scripturam, quam declarant unicum fontem Fidei, item asserunt in Ecclesia potestatem executivam spectare ad regem, qui eligit clericos et laicos quibus constare debet concilium generale, summa auctoritas in Ecclesia. Hierarchia ecclesiastica cum primatu summi pontificis, est vera causa discordiae inter populos; non est institutionis divinae, sed effectus actionis humanae pontificum. Sacerdotes nihil aliud habent nisi potestatem administrandi sacramenta, praedicandi verbum Dei et exercendi ministerium animarum: potestas ista aequali

---

(1) *Ghibellini* appellabantur fautores partis imperialis: nomen provenit a Waiblingen, ubi orta est dynastia de Hohenstaufen. Adversarii eorum, qui plurimum erant fautores S. Sedis, appellabantur *Guelfi*, a Welf duce Bavariae, aemulo imperatoris Conradi III de Waiblingen.

(2) O. Bornhak, *Staatskirchliche Anschauungen und Handlungen am Hofe Kaiser Ludwig des Bayern*. Weimar, 1933.

(3) Marsilius a Padua, + 1342, erat clericus, sed non presbyter; Joannes a Janduno, gallicus, + 1328, paulo ante mortem nominatus est episcopus Ferrariae a Ludovico Bavaro; pars quam habuit in conscriptione operis *Defensor pacis* nondum clare definita est, sed testatur a contemporaneis. N. Valois, *Jean de Jandun et Marsile de Padoue*, in *Histoire littéraire de la France*, t. XXXIII, p. 328 sq. P., 1906; art. *Jean de Jandun*, in Dth, t. VIII, col. 764 sq.

gradu possidetur ab omnibus sacerdotibus. Ecclesiae nulla inest vis coactiva nec jurisdicio externa; non est societas, sed mera doctrina, cujus sectatores unice uniuntur vinculo ejusdem Fidei. Defensor pacis est imperator, in casu Ludovicus Bavarus, cui dedicabatur opus: est delegatus populi et nomine istius regit statum, ideoque etiam vitam externam Ecclesiae quae absorbetur a statu (1).

Defensor pacis est scriptum medii aevi quo, cum majore apratu eruditionis, status laicus erigebatur adversus Ecclesiam: viam paravit pseudo-reformationi protestanticae saeculi XVI et democratiae modernae antichristianae. Jam die 23 octobris anno 1327, Joannes XXII damnabat istud scriptum ejusque auctores haeresiarchas notorios declarabat. Prima vice impressum est anno 1522 et in *Indicem* librorum prohibitorum repositum anno 1559.

Etiam franciscanus Gulielmus Ockham diminuit auctoritatem summi pontificis in suis scriptis: *Octo quaestionum decisiones super potestate pontificis* et *Dialogus de potestate imperiali et papali*. Secundum eum, Ecclesia constituitur a communitate omnium fidelium sub directione Christi. Haec communitas fidelium, quae repraesentatur a concilio oecumenico, est infallibilis, dum e contrario Ecclesia romana vel Sedes apostolica infallibilis non est: ergo concilium oecumenicum gaudet superioritate super summum pontificem. Papa habet primatum jurisdictionis, sed non est caput absolutum Ecclesiae; est tantum caput ministeriale, scilicet primus servus Ecclesiae universalis, executor ejus decisionum. Officia propria summi pontificis sunt mere spiritualia, videlicet: lectio, oratio, praedicatio. Unicae normae infallibiles Fidei constituuntur a S. Scriptura et a dogmatibus quae accipiuntur ab Ecclesia universali. Pontificatus et imperium ambo instituta sunt a Deo et independentia sunt ab invicem, sed de consensu communitatis fidelium,

---

(1) Editiones recentiores operis *Defensor Pacis*: *The « Defensor Pacis » of Marsilius of Padua*, ed. C. W. Previté-Orton. Cantabrigiae, 1928; *Marsilius von Padua Defensor Pacis*, ed. R. Scholz in MGH, *Fontes juris germanici antiqui*. Hannovriae, 1932; J. Sullivan, *Marsiglio of Padua and William of Ockham*, in *The American historical Review*, t. II, 1896-1897, p. 409 sq., p. 593 sq.; F. Battaglia, *Marsiglio da Padova e ia filosofia politica del medio evo*. F., 1928; J. de Lagarde, *La naissance de l'esprit laïque au déclin du moyen âge*, t. II. Saint-Paul-Trois-Châteaux, 1934; ES, n. 495; E. Frotscher, *Die Anschauungen von Papst Johann XXII über Kirche und Staat*. Jena, 1933; R. Hull, *Medieval theories on the Papacy*. Lo., 1934.

imperator potest se immiscere in negotiis ecclesiasticis quando papa deficit. (1)

Quod ad conflictum inter Ludovicum Bavarum et Joannem XXII attinet, sub respectu religioso, quaestio jam cito soluta est plena submissione antipapae Nicolai V, die 25 augusti anni 1330. Mortuus est tribus annis postea, in castello pontificio Avenionensi. Sub respectu politico, dissidium inter S. Sedem et Imperium contitinuavit sub duobus successoribus Joannis XXII, Benedicto XII (1334-1342) et Clemente VI (1342-1352), donec principes germanici anno 1346 Ludovicum Bavarum ab imperio removerunt, ejussque loco elegerunt Carolum IV a Luxemburgo, regem Bohemiae; anno sequenti, die 11 octobris, morte repentina correptus est Ludovicus Bavarus.

Carolus IV, qui in festo Paschatis 1355 Romae coronam imperialem accepit e manibus cardinalis Ostiensis, noluit se interponere in negotiis politicis Italiae, et curavit etiam ut in futurum S. Sedes non amplius se immisceret in electione vel confirmatione imperatoris germanici. In *Bulla aurea* edita anno 1356, stipulavit modum posthac observandum in electione imperiali: ista fieret unice a tribus principibus ecclesiasticis, archiepiscopis Moguntiae, Augustae Trevirorum et Coloniae, atque a quatuor principibus saecularibus, Palatinatus, Bohemiae, Saxoniae et Brandenburgi. De papa ne mentio quidem fiebat; nullum ei relinquebatur jus, nec confirmandi electum nec interveniendi in gubernatione imperii vacantis. Tali modo, imperium definitive liberabatur ab auctoritate summi sacerdotii, sed ipso facto etiam perdebat suum characterem universalem. Imperator in posterum non amplius erit protector societatis christianae in temporalibus, sed simpliciter primus inter pares apud principes Germaniae (2).

3. - **Pestis nigra et misera conditio Status pontificii**. — Successor Joannis XXII, Benedictus XII, monachus cisterciensis vitae

---

(1) J. Hofer, *Biographische Studien über Wilhelm von Ockham*, in *Archivum Franciscanum historicum*, t. VI, 1913, p. 209 sq., p. 439 sq., p. 654 sq.; W. Mulder, G. *Ockham tractatus de imperatorum et pontificum potestate*, in *Archivum Franciscanum historicum*, t. XVI, 1923, p. 469 sq.; t. XVII, 1924, p. 72 sq.; J. Koch, art. *W. Ockham* in LTK, t. VII, col. 667 sq.; A. Van Leeuwen, in *Ephemerides theologicae Lovanienses*, XI, 1934.

(2) W. Scheffler, *Karl IV und Innocenz VI*. B. 1912.

piae et austerae, reformavit Curiam pontificiam et Ordines religiosos, praesertim Ordinem S. Benedicti; propriae familiae nullum favorem concessit, et ad beneficia promovit tantum digniores qui satisfecerant examini ab eo praescripto. Post eum S. Sedem occupavit Clemens VI, liberalis et magnificus, qui omnes subditos suos felices reddere cupiebat. Vix electus, turbae sollicitatorum affluxerunt ad Avenionem: plenis manibus, novus papa eis distribuit beneficia et dona. Circumdatus curia numerosa praelatorum, poetarum et artis peritorum, celebravit festa splendida, spiritu mundano non vacua. Anno 1348, civitatem Avenionensem, quae pertinebat ad Joannam reginam Neapolis, S. Sedi acquisivit pretio 80.000 florenorum. Durante peste nigra quae medio saeculo XIV, praesertim annis 1348-1349, grassabatur per totam Europam et tertiam circiter partem totius multitudinis habitantium absumpsit, scilicet 40.000.000 hominum, Clemens VI magna caritate procuravit assistentiam infirmorum in Avenione, ubi 62.000 hominum perierunt, et beneficentia sua sublevavit ubique miseriam provenientem e tanta calamitate (1).

Non tantum fames et crisis oeconomico-socialis secutae sunt pestilentiam nigram, sed etiam persecutiones Judaeorum et abusus Flagellantium. Papa protexit Judaeos, qui dicebantur sortilegiis suis immanem perniciem provocasse; repressit excessus Flagellantium qui tunc orti sunt, primum in Suevia, deinde in aliis regionibus, et instituebant processiones triginta trium dierum ut a Deo obtineretur cessatio pestis. Circuibant sese flagellantes usque ad sanguinem, populum excitantes contra Judaeos et contra praelatos. Cum aliqui eorum petiissent Avenionem, Clemens VI eos solemniter damnavit die 20 octobris anni 1349, et jussit ut eorum associationes dissolverentur.

Sub ejus pontificatu, dissidia et bella intestina semper magis diviserunt Italiam, praesertim Statum pontificium. Urbs jamdiu

---

(1) H. DENIFLE, *La désolation des églises, monastères, hôpitaux en France*, 2 vol. Mâcon, 1897-99. Pestilentia nigra, orta in partibus Sinarum, penetravit in Europam per viam Indiae, Maris Caspii et Asiae Minoris, et depopulata est Europam ab extremitate orientali ad Groenlandiam et Islandam. Manifestabatur febri, exscreatione sanguinis atque inflammatione axillarum et inguinis; post tres vel quinque dies, pestiferi morte conficiebantur. K. LECHNER, *Das grosse Sterben in Deutschland in den Jahren* 1348-1351. OE., 1884; F. GASQUET, *The Black Death of* 1348 *and* 1349. Lo., 1908; K. MEINSMA, *De Zwarte Dood*, 1347-1352. Zutphen, 1924.

privata praesentia summi pontificis, jacebat sine decore et tradebatur sine protectione luctis factionum et oppressioni baronum. (1) Mense maio anni 1347, populus romanus tribunum acclamabat plebejum Cola di Rienzo (Nicolaum filium Laurentii), oratorem vehementem, qui quaerebat instaurare Romam Bruti et Ciceronis. Primis hebdomadibus, justitia et pax restitutae sunt Urbi. Sed vanitate captus, Cola di Rienzo rebellavit adversus legatum pontificium Bertrandum a Deux, et insulse se gessit in gubernatione: pompam regalem exhibebat, pecuniam edebat, et sibimetipsi tribuebat titulum « Nicolaus, auctoritate clementissimi D. N. J. Christi, tribunus severus et clemens libertatis, pacis et justitiae, liberator sacrae reipublicae romanae ». Jam die 15 decembris ejusdem anni 1347, ab Urbe expulsus est. (2)

Ut provideret infelici conditioni Romae et Status pontificii in Italia, Innocentius VI (1352-1362), successor Clementis VI, anno 1353 legatum misit cardinalem hispanicum Aegidium de Albornoz, praelatum habilem in re diplomatica et expertum in arte militari. Iste liberavit territorium pontificium a tyrannis qui illud usurpaverant e. g. in Piceno et in partibus Bononiae; simul pacem reddidit Romae, et tali modo viam praeparavit reditui papae in Urbem. *Constitutiones Aegidianae* quas anno 1357 promulgavit, inservierunt administrationi Status pontificii usque ad annum 1816 (3).

4. - Instauratio S. Sedis in Roma et consequentiae Translationis Avenionensis.

— Innocentius VI fuit pontifex severus et justus, qui dignitates ecclesiasticas in praemium dabat virtuti, non natalibus. Ei successit B. Urbanus V (1362-1370), monachus benedictinus, qui prosecutus est operam praedecessorum, Benedicti

---

(1) Magnae familiae romanae habebant arcem in Urbe et unum vel plura castella in Statu pontificio: Colonna occupabat collem Quirinalem, Conti Capitolium, Frangipani Palatinum. Ita Orsini dominabatur in Vicovaro, Savelli in Palombara et Albano, Annibaldi in Rocca di Papa, Colonna in Praeneste et Genazzano.

(2) H. Cochin, *La grande controverse de Rome et Avignon au XIVe s.* P., 1921; G. Monticelli, *Chiesa e Italia durante il Pontificato Avignonese.* M., 1937; P. Piur, *Cola di Rienzo.* Vi., 1933.

(3) M. Antonelli, *Il cardinale Albornoz e il governo di Roma nel 1354*, in *Archivio della Società romana di storia patria*, t. XXXIX, 1916; F. Filippini, *Il Cardinale Egidio Albornoz.* Bologna, 1933.

XII et Innocentii VI, pro reformatione cleri et Ordinum religiosorum, reprimendo cumulum beneficiorum et promovendo celebrationem conciliorum provincialium. Liberaliter favit studiis, privilegia concessit Universitatibus studiorum jam exsistentibus et novas erexit, uti Cracoviae et Vindobonae. Propriis sumptibus providit institutioni 1400 alumnorum. Sanctitate et doctrina, vera forma gregis fuit: Petrarcha eum summis laudibus prosecutus est in tractatu *De rebus senilibus* (1). Urbanus V primus reversus est Romam anno 1367, non obstantibus instantiis regis Galliae et recriminationibus cardinalium gallicorum, quibus acerbum erat commutare residentiam sumptuosam sub dulci climate Galliae meridionalis, cum Urbe desolata et turbata perpetuis contentionibus.

Ex alia parte, summo gaudio Romani intra muros suos salutarunt pontificem revertentem, die 16 octobris 1367. Tunc Roma erat quasi civitas deserta, ubi habitabant tantum triginta milia hominum. Scribebat Petrarcha ad papam: « Jacent domus, labant moenia, templa ruunt, sacra pereunt, calcantur leges... ecclesiarum mater omnium, tecto carens, et vento patet et pluviis ». Sed post breve tempus Urbanum V poenituit reliquisse Avenionem, quae eum instanter revocabat, ut facilius componeret pacem inter Galliam et Angliam. Romae circumdabatur mercenariis et baronibus, semper rebellioni paratis. Praeterea, sibi abalienaverat animum Italorum, creando octo cardinales, e quibus unus tantum, Franciscus Tebaldeschi, romanus erat, et omnes alii pertinebant ad nationem gallicam. Timendo seditionem, licet Petrus de Aragonia et S. Brigitta eum vehementer dissuaderent, mense septembri 1370 reversus est Avenionem, ubi obiit die 19 decembris ejusdem anni.

Successor ejus, Gregorius XI (1370-78) ultimus papa gallicus, inde a principio habuit desiderium redeundi Romam, ut praesentia suâ finem imponeret agitationi generali qua commovebatur Status pontificius. Spretis precibus legatorum Galliae, cardinalium et ipsius sui patris, die 13 septembris anni 1376 ex Avenione profectus est, et post asperrimum iter quatuor mensium pluries tempestate interruptum, die 17 januarii anni sequentis solemni comitatu Urbem ingressus est. Ad regressum in Romam eum filiali affectu

---

(1) Libro VII, epist. 1. M. Chaillan, *Le bienheureux Urbain V*, in collectione *Les Saints*. P., 1911; E. de Lanouvelle, *Le bienheureux Urbain V et la chrétienté au milieu du XIV° siècle*. P., 1929.

hortata erat S. Catharina Senensis (1347-1380), ex tertio Ordine
S. Dominici, quae anno 1376 a republica Florentina delegata fuerat ad Gregorium XI, ut ab eo obtineret absolutionem ab interdicto
quod papa fulminaverat in rempublicam, quia Bononiam excitaverat
ad rebellionem adversus S. Sedem. Deinde Gregorio XI Romam
regresso, fervidam direxit rogationem ut vitam vere ecclesiasticam
instauraret apud clerum, praesertim apud praelatos. (1)

Restituendo S. Sedem Romae, Gregorius XI profuit pacificationi Status pontificii, ubi praevalentia praelatorum et officialium e
Gallia non amplius tolerabatur et subditos excitabat ad rebellionem adversus papam. Gregorius XI etiam operam dedit repressioni
haereticorum, et ordinationi Missionum in Persia, in Graecia et in
Armenia. Voluisset instaurare concordiam in toto orbe christiano, et
isto scopo promoverat congressum delegatorum principum Europae,
Sarzanae, anno 1378; in eo repraesentabantur, praeter S. Sedem,
respublicae Florentina et Mediolanensis, imperator Germaniae, reges Neapolis, Galliae, Hungariae et Hispaniae. Sed vix inceptum
negotium pacis abrumpebatur morte pontificis, die 27 marti 1378.

De papis Avenionensibus, alii, praesertim Itali et Germani,
non parum detraxerunt, dum alii, scilicet Galli, eos plus aequo

---

(1) S. CATERINA DA SIENA, *Lettere scelte, con note di* N. TOMMASEO, in *Collezione di Classici italiani*, vol. XVII, p. 51 sq., p. 69 sq.: « Mettete mano a levare la puzza de' ministri della Santa Chiesa; traetene e' fiori puzzolenti, piantatevi e' fiori odoriferi uomini virtuosi, che temono Dio ». T., 1920; ed. L. FERRETTI, 5 vol., Siena 1918-30; *Lettere*, ed. MISCIATELLI, 6 vol., Siena, 1922; E. G. GARDNER, *St. Catherine of Siena*, 2 vol. ed. 3. Lo., 1907; LEMONNYER. *S. Catherine de Sienne*, in coll. *Les Saints*. P., 1934; A. ALESSANDRINI, *Il ritorno dei papi da Avignone e S. Caterina da Siena*, in *Archivio della Società romana di storia patria*, t. LVI, pp. 1-131. B. R. MOTZO, *Per una edizione critica delle opere di S. Caterina di Siena*. R., 1931; N. M. DENIS-BOULET, *La carrière politique de S. Catherine de Sienne*. P., 1939. Ex alia parte, quoad valorem visionum et praedictionum quae occasione regressus Gregorii XI Romam allegatae sunt, notari possunt verba quae, secundum J. Gersonium (1363-1429) ipse Gregorius XI pronuntiasset in fine vitae suae: « Gregorius XI... positus in extremis, habens in manibus sacrum Christi corpus, protestatus est coram omnibus ut caverent ab hominibus, sive viris sive mulieribus, sub specie religionis loquentibus visiones sui capitis: quia per tales ipse seductus, dimisso suorum rationabili consilio, se traxerat et Ecclesiam ad discrimen schismatis imminentis, nisi misericors provideret sponsus Jesus, quod horrendus usque adhuc nimis heu, patefecit eventus ». J. Gersonius, in *De Consideratione doctrinarum*, III; H. DELEHAYE in AB, t. XL, 1922, p. 192. Proculdubio, papa praesentiebat dissensiones futuras in S. Collegio.

laudibus extulerunt. Dante Aligherius Ecclesiam Avenionensem comparat meretrici quae primo commercium habuit cum amasio gigante, Philippo IV rege Franciae, et deinde ab isto flagellata est a capite usque ad plantam pedum; fautores Clementis V et Joannis XXII dicit hirudines populi italici (1). Coaetanei qui vivebant in ambitu ira et studio saturo, facile inclinabant in censuram aut in laudationem immodicam. Sed luce clarius patet pontifices Avenionenses, si considerantur oculo ab omni parte alieno, non esse inferiores praestantioribus papis in Italia electis durante ultima periodo medii aevi: omnes eminuerunt virtute, honestate et zelo proprii officii (2). Curarunt diffusionem Fidei in Asia et in Africa, promoverunt studia et artes, incubuerunt in reformationem Ecclesiae et repressionem haeresis.

Non fuerunt instrumenta servilia in manibus regum Franciae: solus Clemens V nimis indulsit voluntati et ambitioni Philippi IV, saltem in pluribus quaestionibus Galliam spectantibus. Negotia temporalia et spiritualia Italiae nullo modo neglexerunt durante sua residentia in Avenione, sed ope cardinalium legatorum, quorum praecipuus est Hispanus Aegidius de Albornoz, Statum pontificium ab invasoribus liberarunt. Postquam Ludovicus Bavarus a throno imperiali remotus fuerat, vigilarunt ut potentia gallica non praevaleret in Italia, sed haberet aequipondium in potentia germanica. Praeterea, papae Avenionenses semper servarunt desiderium Urbis: quod successorem Petri decet occupare cathedram Petri in ipsa Urbe, nunquam obliti sunt, et quam primum potuerunt, ad Romam Petri reverterunt.

Sed pontifices Avenionenses, non obstantibus suis meritis, cum omnes, septem numero, gallici essent, sine interruptione in Gallia residentes, circumdati cardinalibus et praelatis gallicis, facile in suspicionem venerunt se inservire magis rei nationali Galliae quam bono universali totius Ecclesiae. E centum triginta quatuor cardinalibus quos crearunt, tredecim erant italici, quinque hispanici, duo anglici, unus helveticus et centum tredecim gallici. Praepotentia Gallorum in S. Collegio male visa erat apud alias nationes, praesertim in Italia et in Germania. Continuae collectiones taxa-

---

(1) *Purgatorio*, cant. XXXII, v. 148 sq.; *Paradiso*, cant. XXVII, v. 58 sq.: « Del sangue nostro Caorsini e Guaschi s'apparecchian di bere »...

(2) Unus eorum, Urbanus V, anno 1870 a Pio IX inter beatos relatus est.

rum, quarum magna pars impendebatur in finem particularem et localem, uti aedificationem palatii pontificii Avenionensis, elevationem socialem consanguineorum pontificum, a parte ipsius cleri oppositionem suscitarunt. Nihil mirum inde si universalitas summi pontificatus aliquantum obscurabatur et si auctoritas papae decrescebat in aestimatione fidelium.

II.

MAGNUM SCHISMA IN OCCIDENTE.

1. - Circumstantiae electionis Urbani VI.

— Pejor consequentia translationis S. Sedis in Avenionem, fuit schisma quod spatio quadraginta annorum (1378-1417), dire probavit Ecclesiam in Occidente. Mortuo papa Gregorio XI, die 27 martii anni 1378, conclave prima vice post 75 annos habitum est Romae. Cardinales praesentes in Urbe erant sexdecim, divisi in tres partes: italica, lemovicensis et gallica. Pars italica constabat quatuor cardinalibus; pars lemovicensis, ex provincia gallica « Limousin », septem cardinalibus, et pars gallica, scilicet ex aliis regionibus Galliae vel provinciis vicinis, quinque cardinalibus. (1) Septem cardinales absentes erant, quorum sex remanserant in Avenione et unus morabatur in Thuscia.

Partes italica et gallica repugnabant parti lemovicensi, e qua jam electi fuerant tres papae, Clemens VI, Innocentius VI et Gregorius XI, et quae proinde per triginta sex annos multum poterat in gubernatione Ecclesiae. De caetero, cardinales aliqui, uti Robertus a Gebennis et Petrus de Luna, cum praeviderent consensum in unum eorum difficilem fore, propugnabant candidaturam extra S. Collegium et jam ante conclave, pronuntiabant nomen Bartholomaei Prignano, archiepiscopi Barensis. Ut facile intelligi potest, clerus et populus romanus ardenter optabant ut futurus papa esset romanus, vel saltem italicus.

---

(1) Cardinales italici erant: Franciscus Tebaldeschi, senex invalidus, archipresbyter basilicae S. Petri; Jacobus Orsini; Petrus Corsini, archiepiscopus Florentiae et Simon a Borsano, archiepiscopus Mediolani. Inter cardinales lemovicenses notabantur Guido de Malesset, Joannes de Cros et Petrus de Vergne. E parte gallica, notiores erant Robertus a Gebennis et Petrus de Luna, ex Aragonia.

Cardinales intrarunt in conclave die 7 aprilis anni 1378, post vesperas, dum fere totus populus romanus, armatus et congregatus in platea S. Petri, vociferabat: «Romano lo volemo, o al manco italiano». Cum eo erant montani e Sabina; homines ribaldi fregerant cellarium palatii Vaticani, et violentiâ simul ac vinolentiâ moti, per totam noctem sine intermissione clamarunt: « Papam volumus romanum, vel saltem italicum». Non videtur cardinales magnum in timorem pervenisse ob istos clamores: alioquin in auxilium vocassent quingentos mercenarios britannicos qui non longe ab Urbe erant, vel recessissent in arcem S. Angeli, ubi asylum securum invenissent sub custodia intrepidi Petri Gandelin. Nihilominus, minae et vociferationes continuae eis molestiam attulerunt non parvam, eosque proculdubio induxerunt ut sine mora procederent ad electionem (1).

Die 8 aprilis, initio scrutinii, Gulielmus de la Voulte, episcopus Massiliensis et custos conclavis, territus cardinales obtestatus est ut quam citius proclamarent electum, ad sedandum furorem populi. Cardinales prosecuti sunt suas deliberationes, et manifestum faciendo inter se nullam haberi concordiam pro electione papae ex S. Collegio, vicissim proposuerunt candidatum extra S. Collegium, de quo jam ante conclave aliqui cardinales locuti fuerant, scilicet Bartholomaeum Prignano, archiepiscopum Barensem, qui in Curia officio vice-cancellarii fungebatur. Tunc erat hora matutina, et omnes cardinales praesentes, excepto uno, Jacobo Orsini, qui protestatus est se non sufficienti frui libertate, ergo quindecim cardinales consenserunt in electionem Bartholomaei Prignano. Sed cum iste a conclavi abesset, ante omnia explorandum

---

(1) S. VINCENTIUS FERRERIUS, *De moderno Ecclesiae Schismate*, ed. ab A. SORBELLI, *Il trattato di S. Vincenzo Ferrer intorno al grande scisma d'Occidente*. Bononiae, 1906; L. SALEMBIER, *Le grand Schisme d'Occident*, ed. 5 P., 1921; F. BLIEMETZRIEDER, *Literarische Polemik zu Beginn des grossen abendländischen Schismas. Ungedruckte Texte und Untersuchungen*. V. et Lz., 1909; E. PERROY, *L'Angleterre et le grand schisme*, t. I, *Etude sur la politique religieuse de l'Angleterre sous Richard III* (1378-1399). P., 1933; M. DE BOUARD, *La France et l'Italie au temps du grand schisme d'Occident*, in *Bibliothèque des Ecoles françaises d'Athènes et de Rome*, fasc. 139. P., 1936; G. J. JORDAN, *The inner history of the great Schism of the West*. Lo., 1930; L. PASTOR, *Storia dei papi*, transl. ital. A. MERCATI, t. I. R., 1931.

erat si acciperet electionem suam. Quare arcessitus est ad aedes Vaticanas una cum aliis praelatis, ne plebs romana deprehenderet quisnam erat electus. Interim cardinales sedate pranderunt.

Post prandium, tredecim cardinales in sacello adunati, libere declararunt se in papam elegisse Bartholomeum Prignano, et cardinalis Jacobus Orsini confestim nuntiavit electionem, quin faceret nomen electi, qui nondum advenerat. (1) Sed tunc, scilicet *post* legitimam electionem Bartholomaei Prignano, advenit magna confusio. Plebs romana invasit Vaticanum, exigendo nomen electi: vicissim pronuntiantur plura nomina, archiepiscopi Barensis, qui ab aliquibus confunditur cum odioso Joanne de *Bar*, lemovicensi, camerario papae defuncti, et etiam cardinalis Francisci Tebaldeschi, romani. Nonnulli clerici, timendo iram populi quia non Romanus sed Italus extra S. Collegium electus fuerat, innuunt Franciscum Tebaldeschi esse electum, et cardinales eum supplicant ut sineret dolum donec effugerent furorem Romanorum. Plebeji quin exspectarent proclamationem publicam, cardinali Tebaldeschi mitram imponunt, humeros pluviali cooperiunt, et eum pontificem acclamant, dum ipse se opponebat, vociferando: « Non ego sum papa, sed archiepiscopus Barensis ». Quando denique tandem Romani perceperunt Tebaldeschi non esse electum, eum semivivum reliquerunt ante altare.

Interea Bartholomaeus Prignano, papa electus, ad palatium Vaticanum venerat, ubi nuntium suae electionis accepit. Sed e cardinalibus, ob tumultum popularem sex fugerant in castellum S. Angeli, quatuor extra Urbem, alii dispersi erant in civitate; unus cardinalis Tebaldeschi eum certiorem reddidit de vera et legitima electione. Die sequenti, 9 aprilis, duodecim cardinales convenerunt in sacellum Vaticanum, ubi Bartholomaeo Prignano electionem pridie factam nuntiarunt; cum eam acciperet, vestibus pontificiis indutus est, et cardinales perfecerunt cerimoniam traditionalem « adorationis » (2). Deinde cardinalis Petrus de Vergne, lemovicensis, secundum formulam consuetam electionem nuntiavit po-

---

(1) Tres cardinales, Hugo de Montalais, Geraldus du Puy et Petrus de Vergne, nondum regressi erant in conclave.

(2) Quatuor cardinales qui extra Urbem refugium quaesierant, adhuc foris erant.

pulo romano, qui obsequium praestitit novo pontifici. Iste sibi nomen sumpsit Urbani VI (1).

Tunc temporis nulla objectio a cardinalibus allata est adversus electionem Urbani VI, quae, licet facta esset in medio clamoris et tumultus populi romani, ab isto injuncta non est. Etenim, Romani nunquam jusserant cardinales eligere Bartholomaeum Prignano, et proculdubio maluissent ut candidatus romanus suffragia obtinuisset. Die 19 aprilis, cardinales electores significarunt elevationem Urbani VI ad summum pontificatum, sex cardinalibus qui in Avenione remanserant; die 8 maii eumdem nuntium miserunt imperatori et principibus. Cerimonia coronationis habita est in basilica S. Petri: cardinalis qui papae tiaram imposuit, fuit Jacobus Orsini, unicus qui votum suum non dederat Bartholomaeo Prignano, sed post electionem eum tanquam papam legitimum agnoverat. Ita, primis hebdomadis, novus pontifex officio suo functus est quin ei aliquid in contrariam partem objiceretur.

Urbanus VI, expertus in re administrativa, sed in moribus asper et durus, cito sibi abalienavit animum cardinalium, praesertim gallicorum, quorum vitam sumptuosam coarctare volebat. S. Catharina Senensis in vanum eum ad caritatem christianam hortata est (2). Cardinalibus et praelatis violentia inaudita vitio dabat omne quod ei non placebat: episcopos qui Romam venerant ut ei reverentiam praestarent, tanquam perjuros quam citius remisit ad propias sedes; cardinalem Jacobum Orsini appellavit fatuum et cardinalem Robertum a Gebennis ribaldum. Eodem modo egit cum principibus vicinis, uti Joanna regina Neapolis et Honorato Caetani, gubernatore Campaniae, qui exinde ei adversati sunt. Cardinales gallici voluissent ut reverteretur Avenionem; sed Urbanus VI declaravit quod nunquam relinqueret Romam et, vix inauguratus, jam praeparabat creationem cardinalium italicorum ut finem imponeret praevalentiae gallicae in S. Collegio.

---

(1) Sub respectu politico, electio Urbani VI satisfacere poterat simul Italis et Gallis: etenim erat oriundus italicus, subditus regni Neapolitani ubi imperabat domus Andegavensis, cognatione conjuncta cum rege Galliae; praeterea, tamquam vice-cancellarius per plures annos Avenione moratus fuerat.

(2) S. CATERINA DA SIENA, *Lettere scelte con note* di N. TOMMASEO, op. cit. p. 71-81: « Scrivo a voi... con desiderio di vedervi fondato in vera e perfetta carità, acciocchè, come pastore buono, poniate la vita per le pecorelle vostre... Vi dissi, che io desiderava de vedervi fondato in vera e perfetta carità. Non che io non creda che voi non siate in carità; ma perchè, sempre che siamo peregrini e viandanti in questa vita, potiamo crescere in perfezione di carità... ».

2. - **Electio pseudopapae Clementis VII et consequentiae schismatis.** — Haec omnia cardinales extranei aegre ferebant; in memoriam revocabant circumstantias tumultuosas in quibus electus fuerat Urbanus VI, et eo facilius ejus electionem vel dubiam vel invalidam dicebant quo asperius eos tractabat. Cardinalis Joannes de la Grange episcopus Ambianensis et consiliarius Caroli V regis Franciae, qui interim Romam venerat, dissidentes in eorum oppositione roboravit eisque auxilium regis promisit. Jam inde a fine mensis maii anni 1378, tredecim cardinales extranei, excusatione valetudinis ob calores aestivos, recedere coeperunt in castellum Anagniae, ubi sub protectione principis Honorati Caetani aperte rebellarunt adversus papam. Die 9 augusti 1378, tredecim cardinales extranei direxerunt litteras encyclicas ad omnes fideles, in quibus asseruerunt Urbanum VI illegitime electum esse sub impulsu timoris, eumque declaraverunt intrusum et anathema. Paucis diebus postea, convenerunt Fundi, ubi eos secuti sunt tres cardinales italici: Jacobus Orsini, Petrus Corsini et Simon a Borsano. (1) Cardinalis Franciscus Tebaldeschi, qui usque in finem fidelis remansit Urbano VI, obiit isto tempore, die 7 septembris anni 1378.

Urbanus VI, proinde papa sine S. Collegio, die 18 septembris creavit viginti novem cardinales. Eodem die, ad tredecim cardinales extraneos in palatio principis Caetani Fundi adunatos, pervenerat epistola Caroli V, qua eis rex Galliae promittebat suum auxilium eosque hortabatur ut procederent ad electionem novi papae. Hoc reapse fecerunt die 20 septembris, eligendo cum unanimitate votorum cardinalem Robertum de Gebennis. Tres cardinales italici non interfuerunt electioni, sed post factum Robertum electum agnoverunt. (2)

---

(1) Urbanus VI eos delegaverat apud cardinales extraneos, Anagniae, ut istos ad meliores sensus erga papam reducerent.

(2) S. Catharina Senensis tribus cardinalibus italicis acerrime exprobravit consensum quem dederunt electioni Roberti a Gebennis. Cfr. *Lettere scelte, con note di* N. Tommaseo, op. cit., p. 84 sq.: « ...Chi mi mostra che voi sete ingrati, villani e mercennai? La persecuzione che voi, con gli altri insieme, avete fatta e fate a questa sposa [la Chiesa] nel tempo che dovevate essere scudi, e resistere a colpi della eresia. Nella quale sapete e cognoscete la ve-

Robertus a Gebennis, qui erat consanguineus regis Galliae, nomen assumpsit Clementis VII (1). Cum eo incipit schisma quod per quadraginta annos (1378-1417) Ecclesiam Christi in Occidente divisit in partes ad invicem hostiles. Jam die 16 novembris, Carolus V rex Galliae subditis suis injungebat ut agnoscerent Clementem VII tanquam verum papam. Die 29 ejusdem mensis, Urbanus VI excommunicabat Clementem VII ejusque fautores, et subditos principum qui ei adhaerebant a juramento fidelitatis solvebat. Vicissim Clemens VII Urbanum VI a corpore Ecclesiae segregabat (2).

Generatim loquendo, nationes quae sub respectu politico adversabantur Galliae, ab ea etiam dissederunt in praesenti conflictu religioso, ideoque partem Urbani VI elegerunt. Inter eas praecipuae erant: Imperium germanicum, Anglia, Hibernia, major pars Belgii, Italia septentrionalis et centralis, Bohemia, Hungaria et Polonia. Una cum Gallia, status qui cum ea foedere uniti erant,

---

rità, che papa Urbano VI è veramente papa, sommo pontefice, eletto con elezione ordinata, e con timore, veramente più per aspirazione divina, che per vostra industria umana. E così l'annunciaste a noi; quello che era la verità. Ora avete voltate le spalle, come vili e miserabili cavalieri: l'ombra vostra v'ha fatto paura... ».

(1) *Suppliques et Lettres de Clément VII*, ed. K. HANQUET, U. BERLIÈRE, H. NELIS, 3 vol. (Analecta Vaticano-Belgica, VIII, XII, XIII). R., 1924-34.

(2) Clemens VII ejusque successor Benedictus XIII non enumerantur in elenchis romanis summorum pontificum, sed auctoritas suprema Ecclesiae numquam declarationem authenticam dedit quoad legitimitatem pontificum qui durante schismate electi sunt. In suo opere *De servorum Dei beatificatione et canonizatione*, lib. I, cap. IX, n 10, t. I, *Operum omnium*, p. 58, Prati, 1839, Prosper Lambertini, postea Benedictus XIV, scribit: « Depulsa temporum caligine, in clara luce hodie positum est, legitimum jus pontificatus penes Urbanum VI ejusque successores Bonifacium IX, Innocentium VII, etc., stetisse ». Quod ad papas attinet, qui adversus Urbanum VI ejusque successores electi sunt, notare oportet quod eorum electio, licet gravissimis impedimentis canonicis irretita, attamen legitima apparebat fidelibus qui in bona fide eis obediebant. Propterea, verbum *schisma* sumi debet lato sensu, et non sensu stricte theologico: etenim, in sensu theologico, schisma constituitur facto inobedientiae deliberatae et contumacis vero pastori. Sed fideles, et inter eos habebantur sancti, qui adhaerebant pseudopapae, persuasi erant quod praestabant obedientiam vero pastori. Eorum intentio optima erat, sed decipiebantur quoad *personam veri pastoris*.

simul agnoscebant Clementem VII: Scotia, Sabaudia, Lusitania, Hispania, marchionatus Montis Ferrati et regnum Neapolitanum. Sed uterque papa fautores habebat intra limites obedientiae sui aemuli; ambo agebant tanquam pontifices Ecclesiae universalis, et ita factum est ut plures dioeceses haberent duos episcopos, abbatiae duos abbates, Ordines religiosi duos superiores generales. Scribebat Ludolphus a Sagan (+ 1422) in *Tractatu de longaevo Schismate*, cap. 2: « Surrexit regnum contra regnum, provincia contra provinciam, clerus contra clerum, doctores contra doctores, parentes in filios et filii in parentes » (1).

Confusio augebatur ipso facto quod in utraque obedientia, habebantur fideles utriusque sexus virtute et doctrina praeclari. Pro Urbano VI stabant S. Catharina Senensis, S. Catharina a Suecia, filia S. Brigittae, Frater Minor B. Petrus de Aragonia, Gerardus Groote, fundator congregationis Fratrum de vita communi, et promotor institutionis christianae · juvenum in Hollandia, Belgio et Germania septentrionali; Clementi VII obediebant S. Vincentius Ferrerius, fervidus praedicator ex Ordine S. Dominici, ejusque frater Bonifatius, prior generalis Carthusianorum, S. Coleta, reformatrix Clarissarum et Fratrum Minorum in Gallia, B. Petrus a Luxemburgo, cardinalis creatus a Clemente VII, defunctus vix duodeviginti annos natus. Notandum est tamen, plurimos qui initio partes Clementis VII susceperant, eum vel ejus successorem Benedictum XIII postea reliquisse: ita fecit S. Vincentius Ferrerius die 12 januarii 1416 (2).

Consequentiae divisionis Ecclesiae in duas jurisdictiones oppositas, fuerunt: *a*) Dualismus in hierarchia ecclesiastica. Duo habebantur pontifices, alius Romae, alius Avenione, ubi a mense junii anni 1379 Clemens VII sedem fixerat; item duo Collegia cardinalium. Ubique, in regnis, in dioecesibus, in paroeciis, in ordinibus religiosis, erant ecclesiastici, religiosi, principes et alii domini temporales qui obedientiam mutabant secundum propria commoda.

---

(1) Editus a J. LOSERTH, in *Archiv für österreichische Geschichte*, 1880. Cfr. L. PASTOR, *Storia dei Papi*, transl. A. MERCATI, t. I. p. 134, ubi citantur plurimi tractatus contemporanei qui referunt tristes effectus schismatis. Quoad consequentias schismatis in Ordine franciscano, cfr. C. EUBEL, *Die Avignonesische Obedienz im Franziskanerorden zur Zeit des grossen abendländischen Schismas*, in *Franziskanische Studien* t. I. 1914, u. 165 sq.

(2) M. GORCE, *S. Vincent Ferrier*, ed. 2. P., 1935.

b) Procrastinatio urgentis reformationis Ecclesiae. *c)* Impunitas haereticorum, praesertim Joannis Wiclef et Joannis Hus, qui in medio acerrimae contentionis inter fautores amborum pontificum, cum majore apparentia veritatis accusationes suas de occasu spirituali Ecclesiae romanae, de ejusque aspirationibus terrenis poterant diffundere. *d)* Declinatio reverentiae et spiritus obedientiae erga S. Sedem. E coexistentia duorum paparum, ortum est dubium an primatus pontificius revera institutionis divinae esset, vel potius effectus actionis politico-ecclesiastica S. Sedis. Exinde, plurimis doctoribus ex utraque parte semper magis videbatur melius esse ut concilio oecumenico tribueretur auctoritas super papam, qua lamentabile dissidium componi posset (1). Insuper, violentia qua papae se invicem impugnabant, auferebat reverentiam debitam summo pontificatui. *e)* Incrementum interventus principum saecularium in rebus ecclesiasticis, occasione imminutionis auctoritatis pontificiae. Ut adhaesionem principum obtinerent et servarent, papae ex utraque parte, Urbano VI excepto, eis nimis generose distribuerunt favores temporales et spirituales. *Placet regium* introductum est durante magno schismate.

Urbanus VI usque in finem remansit homo durus et intractabilis, sed integerrimus in gubernatione. (2) Etiam umbram simoniae fugiebat et nunquam sibi procuravit nec pecuniam nec fautores modo illegitimo, dum e contrario pseudopapa Clemens VII omnibus modis sibi comparabat opes et sequaces. Mortuo Urbano VI, Romae, die 15 octobris anni 1389, quatuordecim cardinales papam elegerunt cardinalem Petrum Tomacelli, neapolitanum, virum habilem et affabilem, qui liberalitate sua multos fautores lucratus est (2 novembre 1389); nomen sibi elegit Bonifatii IX (3). Ita etiam post obitum Clementis VII (16 sept. 1394) cardinales obedientiae Avenionensis die 28 septembris anni 1394 pontificem assumpserunt Petrum de Luna, Benedictum XIII appellatum, qui eminebat probitate et doctrina, sed nimium tenax erat sententiae et voluntatis suae (4). Duplici ista electione schisma protrahebatur.

---

(1) V. MARTIN, in *Revue des sciences religieuses*, 1937, p. 121 sq.

(2) In fine vitae suae, quinque cardinales in eum conspirarunt: quos captivos secum duxit a Neapoli ad Januam, ubi occulte perierunt.

(3) M. JANSEN, *Papst Bonifaz IX und seine Beziehungen zur deutschen Kirche.* Fr. 1903; L. ZANUTTO, *Il pontefice Bonifazio IX.* Utini, 1904.

(4) S. PUIG Y PUIG, *Pedro de Luna, ultimo papa de Aviñon.* Barcelona, 1920. Cfr. *Civiltà Cattolica*, 1923, t. IV.

3. - **Conamina pro solutione schismatis ope synodi generalis: conciliabulum Pisanum et concilium Constantiense** — Sed jam ab initio lugendae divisionis, canonistae et theologi, uti Henricus a Langenstein, Conradus a Gelnhausen et Petrus ab Alliaco, inquirere inceperunt de modo aptiore imponendi finem schismati. Sub patrocinio Universitatis Parisiensis, quae primatu theologico fruebatur inter studia generalia medii aevi, tres viae propositae sunt: 1) via *cessionis,* scilicet abdicatio voluntaria et simultanea duorum pontificum; 2) via *compromissi,* qua arbitri deciderent quidnam faciendum esset; 3) via *synodi generalis,* qua concilium oecumenicum solutionem daret. Abdicatio voluntaria duorum pontificum et electio unius papae ab uno eodemque S. Collegio, cito unionem instaurassent in Ecclesia.

Ab utraque parte dabantur promissiones, quas nulla sequebatur exsecutio: Benedictus XIII videtur nunquam habuisse propositum sincerum abdicandi, nequidem postquam Gallia, Castilia et Navarra ei negaverant obedientiam (1398). Bonifatius IX ejusque successores, Innocentius VII qui duos tantum annos regnavit (1404-1406) et Gregorius XII (1406-1417), meliorem manifestabant animum, sed eis repugnabat aequiparari illegitimo Benedicto XIII. Post electionem Gregorii XII, decisum fuerat, proponente Carolo VI rege Galliae, ut papae ambo convenirent Savonam, et ibi mutuo consensu finem imponerent divisioni. Ambo se abdicare paratos protestati erant. Benedictus XIII advenit Savonam die 24 septembris anni 1407. Cum Gregorius XII noluisset petere istam civitatem, quia timebat ne impeteretur a suo aemulo, pactum est quod conventus haberetur in Portu Veneris, ad extremum limitem reipublicae Genuensis. (1) Sed Benedictus XIII remansit Savonae et Gregorius XII non superavit Lucam. Tergiversatione et pertinacia pontificum, schisma perstitit; principes et praelati Gregorium XII et Benedictum XIII accusarunt delusione et mala fide, atque statuerunt unionem instaurare motu proprio.

Cardinales partis Gregorii XII istum dereliquerunt; item cardinales gallici deseruerunt Benedictum XIII. Congregati Pisis, de-

---

(1) Reapse Gregorius XII nimio amore devinciebatur nepotibus suis, qui nihil aliud considerantes nisi fortunam propriae familiae, bonum senem omni modo distrahebant a proposito abdicandi.

creverunt quod, deficiente papa, ad S. Collegium spectabat gubernare Ecclesiam et finem imponere schismati. Quare declararunt seipsos veros rectores Ecclesiae et, propria auctoritate, convocarunt concilium oecumenicum Pisis pro die 25 martii anni 1409 (1).

Prima vice in historia Ecclesiae, cardinales indicebant concilium oecumenicum in aperta oppositione cum auctoritate pontificia. Miser status Ecclesiae ortus ex schismate, favit diffusioni theoriae superioritatis concilii oecumenici super papam, quae primum in concilio Pisarum in praxim deducta est. Secundum istam theoriam, plenitudo potestatis ecclesiasticae reponitur in ipsa Ecclesia; non in ejus capite. Concilium oecumenicum repraesentat Ecclesiam; ergo nomine Ecclesiae, habet plenitudinem potestatis et superat papam, qui est tantum primus servus Ecclesiae (2).

Jam saeculo anteriore, Marsilius a Padua et Gulielmus Ockham principia superioritatis concilii exposuerant. Sed tempore schismatis in Occidente, multi praelati et doctores isti theoriae adhaeserunt, quia credebant nullam aliam dari viam qua perveniri potuisset ad instaurationem unitatis. Ante omnia volebant providere saluti Ecclesiae. Hierarchia ecclesiastica et primatus summi pontificis, dicebant defensores theoriae superioritatis concilii, existunt tantum ratione boni generalis Ecclesiae: si istum scopum non obtinent, tunc ipso facto tam hierarchia ecclesiastica quam primatus cessant et locum cedere debent concilio oecumenico, quod est emanatio et repraesentatio Ecclesiae universae; ista sola est infallibilis. Exinde, concilium oecumenicum, secundum istos doctores, poterat

---

(1) Diebus 2 et 5 julii anni 1408, Gregorius XII convocavit concilium, celebrandum Aquilejae. Ut suppleret cardinalibus qui eum reliquerant, creavit plures novos purpuratos patres, inter quos erant nepotes sui. Die 7 novembris ejusdem anni, Benedictus XIII injunxit cardinalibus et praelatis obedientiae suae, ut immediate convenirent Perpinianum, ubi volebat celebrare concilium. Ambo concilia, sive Aquilejae, sive Perpiniani, fuerunt consessus pauci vel nullius momenti pro bono Ecclesiae.

(2) Ita docebant Petrus de Alliaco, Franciscus Zabarella, Joannes Gersonius, Theodoricus a Niem, Nicolaus a Cusa, theologi et canonistae magni nominis hoc tempore. Scribebat Zabarella: « Potestas est in universitate tanquam in fundamento, et in papa tanquam in principali ministro ». G. ZONTA, *Francesco Zabarella* (1360-1417). Patavii, 1915; L. SALEMBIER, *Le grand schisme d'Occident*, op. cit., p. 116, n. 1; A. COVILLE, *Le traité de la ruine d'Eglise de Nicolas de Clamanges*. P., 1936.

eximere fideles ab obedientia debita summo pontifici, quando judicabat istum esse causam scandali in Ecclesia (1).

Theoria ista erronea erat et contradicebat traditioni doctrinali tredecies saeculari in Ecclesia. Sed pessima conditio in qua tunc versabatur Ecclesia ob tergiversationes Gregorii XII et ob pertinaciam Benedicti XIII, explicant praestantiores doctores et majores Universitates studiorum istius temporis, Parisiensem, Bononiensem et Oxoniensem, eam propugnasse, magis ex necessitate practica conferendi futuro concilio oecumenico Pisano sufficientem auctoritatem moralem ad restaurandam unitatem in suprema hierarchia ecclesiastica, quam ex intentione subjiciendi modo definitivo potestatem clavium arbitrio concilii. De cetero, cardinales convocationem concilii duobis papis nuntiarunt, et etiam eos invitarunt. Non comparuerunt, sed legatos miserunt (2).

Concilium inauguratum est die 28 martii anni 1409; aderant viginti quatuor cardinales, octoginta episcopi, centum et duo procuratores episcoporum absentium, octoginta septem abbates, ducenti procuratores abbatum absentium, superiores generales Ordinum Praedicatorum, Minorum, Carmelitanum et Augustinianum, insuper delegati Universitatum studiorum et principum, atque tercenti doctores in theologia et jure canonico. Concilio praesedit cardinalis senior, Guido de Malesset, episcopus suburbicarius Praenestinus, unicus qui creatus fuerat ante schisma, scilicet ab avunculo suo Gregorio XI die 20 decembris anni 1375; sed in sessionibus partem praevalentem habuerunt cardinales Petrus Philarghi, franciscanus, archiepiscopus Mediolanensis, et Balthasar Cossa, gubernator Legationis Bononiensis.

Jam inde a principio, concilium causam instituit Gregorii XII et Benedicti XIII, eosque, in quarta sessione, contumaces decla-

---

(1) PETRUS DE ALLIACO. *De potestate Ecclesiae*, ed. ab H. FINKE. *Acta Concilii Constanciensis*, t. I, p. 281. Mr., 1896; JOANNES GERSONIUS, *De auferibilitate Papae ab Ecclesia*, ed. ELLIES-DUPIN, t. II, col. 221. Antuerpiae, 1706; J. LECLER, *Les théories démocratiques au moyen âge*. II. Dans *l'Eglise, Etudes*, t. 225, 1935, p 168 sq.

(2) HC, t. VII, p. I sq. Causam Gregorii XII eloquenter tuitus est Carolus Malatesta, dominus principatus Ariminensis; legati Benedicti XIII, inter quos erant Bonifatius Ferrerius, frater S. Vincentii, prior generalis Carthusianorum, cancellarius Aragoniae et archiepiscopus Tarraconensis, jam cito ad pseudopapam regressi sunt.

ravit. In sessione octava, habita die 10 maii anni 1409, patres decreverunt synodum Pisanam esse verum concilium oecumenicum habens auctoritatem supremam in Ecclesia, cum jure judicandi ipsos pontifices. Tractata causa Gregorii XII et Benedicti XIII, consensu unanimo composita est sententia quam Simon a Cramaud, patriarcha Alexandrinus, pronuntiavit die 5 junii, in sessione decima quinta, habita in ecclesia cathedrali Pisarum: Benedictus XIII et Gregorius XII declarabantur schismatici, haeretici notorii, perjuri et scandalum pro Ecclesia universali; proinde deponebantur a summo pontificatu et expellebantur ab Ecclesia (1). S. Sedes declarabatur vacans et fideles solvebantur ab obedientia. Benedictus XIII respondit sententiae suae depositionis creando duodecim novos cardinales. (2)

Deinde, post sessionem decimam nonam, celebratum est, die 26 junii, conclave in quo electus Petrus Philarghi, qui nomen ac-

---

(1) MANSI, XXVI, 1226 sq.; C. MIRBT, op. cit. n. 391.
(2) Papae electi durante schismate in Occidente:

Papae Romae	Papae Avenionis	Papae Pisarum
1) URBANUS VI *Bartholomaeus Prignano)* 8 april. 1378-15 oct. 1389.	1) CLEMENS VII *(Robertus a Gebennis)* 20 sept. 1378-16 sept. 1394	
2) BONIFATIUS IX *(Petrus Tomacelli)* 2 nov. 1389-1 oct. 1404.	2) BENEDICTUS XIII *(Petrus de Luna)* 28 sept. 1394 depositus 26 jul. 1417 † 29 nov. 1422.	1) ALEXANDER V *(Petrus Philarghi)* 26 jun. 1409-3 maii 1410.
3) INNOCENTIUS VII *(Cosmas Meliorati)* 17 oct. 1404-6 nov. 1406.		2) JOANNES XXIII *(Balthasar Cossa)* 17 maii 1410 depositus 29 maii 1415 † 22 nov. 1419.
4) GREGORIUS XII *(Angelus Correr)* 30 nov. 1406, abdicavit 4 jul. 1415 † 18 oct. 1417.		

Papa universim admissus,
cujus electione schismati finis impositus est:
MARTINUS V
(Otto Colonna)
11 novemb. 1417-20 febr. 1431.

cepit Alexandri V; praesedit ultimis sessionibus concilii, in quibus actum est de reformatione Ecclesiae, verbis potius quam operibus. Electione ejus, confusio adhuc aucta est, dum nunc tres habebantur papae: Gregorius XII, successor legitimus papae Urbani VI; Benedictus XIII pseudopapa, successor Clementis VII; et papa concilii Pisani, Alexander V. Tam Gregorius XII quam Benedictus XIII acta concilii nulla declararunt. (1)

Major pars fidelium in Occidente, praesertim in Gallia, Anglia, Lusitania, Bohemia, Germania et Italia, agnoverunt novum papam Alexandrum V. Sperabatur schisma sub brevi finem habiturum. Sed oriebatur etiam dubium de auctoritate et competentia cardinalium qui concilium convocaverant. Jam initio concilii, delegati germanici regis Roberti de Bavaria, candidati ad imperium, Joannes, archiepiscopus Rigae, Matthaeus, episcopus Wormatiensis et Ulricus, episcopus Verdensis, asseruerant jus convocandi concilium unice spectare ad papam. Praeterea generatim admittebatur quod, ante electionem Alexandri V, alteruter duorum paparum legitimus erat. Si admittebatur legitimitas Gregorii XII, concilium contra ejus voluntatem adunatum eum non poterat deponere; in casu ejus illegitimitatis, etiam cardinales ab eo creati illegitimi erant et nullam habebant facultatem procedendi ad electionem novi papae. Idem dilemma ponebatur fautoribus pseudopapae Benedicti XIII. (2)

Cum Gregorius XII Romam relinquere debuisset, Urbs subjecta est obedientiae Alexandri V. (3) Sed iste jam mense majo anni 1410 e vivis decedebat Bononiae. Septemdecim cardinales ejus loco elegerunt cardinalem Balthasarem Cossa, neapolitanum, die 17 maji anni 1410; nomen assumpsit Joannis XXIII. Tanquam gubernator Legationis Bononiae, ingeniose et valide patrimonium

---

(1) Acta concilii Pisani eduntur apud MANSI, t. XXVI-XXVII. Cfr. HC, t. VII, p. 1 sq.; J. LENFANT, *Histoire du concile de Pise*, 2 vol. Amstelodami, 1724-1727. L. SALEMBIER, op. cit., p. 251 sq.

(2) Quod ad indolem et auctoritatem conciliabuli Pisani attinet, disputant auctores. S. Robertus Bellarminus id appellat concilium generale quod nec approbatum nec reprobatum est. Cfr. S. R. BELLARMINI, *De conciliis et Ecclesia*, t. II, cap. 8, p. 13. P., 1608.

(3) Vicissim Gregorius XII resedit Caietae, postea in Dalmatia, Caesenae et Arimini, ubi Carolus Malatesta eum protexit. A. RUBBIANI, *Alessandro V a Bologna*. Bologna, 1893.

Ecclesiae defenderat ab omni aggressione. Sed magis ducebatur arte politica et ambitione quam integritate et religione. A Leonardo Aretino et a S. Antonino Florentino, dicebatur « vir in temporalibus magnus, in spiritualibus nullus omnino ». (1) Videbatur ab eo paucum vel nihil exspectari posse pro salute Ecclesiae. Nihilominus, in manibus divinae Providentiae, Joannes XXIII fuit instrumentum quo accelerata est solutio schismatis, ope inaugurationis concilii Constantiensis. Etenim, cum *via cessionis,* scilicet voluntariae abdicationis paparum, nullum felicem exitum dedisset, licet pluries proposita et promissa fuisset, unica spes pro fine schismatis reponebatur in concilio generali.

Vir qui partem praevalentem habuit in convocatione et celebratione concilii, est Sigismundus, imperator-electus Germaniae et rex Hungariae, qui fervide desiderabat pacem et unionem reddere Ecclesiae. Theodoricus a Nieheim (Niem), auctor probabilis operis *De modis uniendi et reformandi Ecclesiam in concilio universali,* conscripti anno 1410, et quam maxime diffusi in Occidente, asserebat partem instauratoris unionis spectare Sigismundo tanquam regi Romanorum et protectori Ecclesiae. (2)

Sigismundus arduum opus convocationis concilii perseveranter ad bonum exitum duxit. Vix Joanni XXIII persuadere potuit, ut concilium congregaret, non Romae vel in alia civitate quae favebat Joanni XXIII, sed extra Italiam in ambitu neutro sub respectu jurisdictionis ecclesiasticae, et ubi praepollebat imperator. Pro loco concilii electa est civitas Constantiensis, magnifice sita super lacum ejusdem nominis, inter Helvetiam et Sueviam. Die 9 decembris anno 1413, Joannes XXIII indicebat concilium pro mense novembri anni sequentis. Ad istud convocati sunt etiam Gregorius XII et Benedictus XIII. Gregorius XII promisit quod abdicaret si duo alii papae similiter facerent et delegavit ad concilium cardinalem

---

(1) S. ANTONINI FLORENTINI, *Summa historialis,* parte III, t. 22, cap. 6. Cfr. R. MORÇAY, *S. Antonin, fondateur du couvent de S. Marc, archevêque de Florence,* 1389-1459. Turonibus-Parisiis, 1914.

(2) Liber *De modis uniendi* vicissim tributus est Joanni Gersonio, Andreae de Escobar et Theodorico a Nieheim, vel a Niem. W. MULDER, *Dietrich van Nieheim, zijne opvatting van het Concilie en zijne Kroniek.* Amstelodami, 1907. Attributio Theodorico a Nieheim probabilior videtur. Cfr. ed. tractatus *De modis uniendi,* a H. Heimpel, Lz., 1933.

B. Joannem Dominici, ex Ordine Praedicatorum, archiepiscopum Ragusae, et principem Carolum Malatesta (1).

Ad concilium Constantiense affluxerunt viginti novem cardinales, circiter ducenti archiepiscopi et episcopi, centum abbates et circiter tercenti doctores. Praelati et ecclesiastici minores cum comitatu suo, erant globatim 8.000. Imperator Sigismundus circumdatus erat mille equitibus aliisque ministris; cum eo erant Ludovicus dux Bavariae et omnes principes Imperii. Praeterea Constantiam venerunt circiter 70.000 visitatorum, quos alliciebant curiositas, spes lucri vel expectatio solemnium. Frequentia et splendore quibus celebratum est, necnon et opere magni momenti quod perfecit, concilium Constantiense haberi debet eventus ecclesiasticus inter omnes praestantior durante ultima periodo medii aevi. Triplicem scopum sibi proposuit: *a)* reformationem Ecclesiae in capite et membris; *b)* damnationem errorum Joannis Wiclef et Joannis Hus; *c)* instaurationem unitatis ecclesiasticae. Inter patres concilii, eminuerunt cardinales Petrus de Alliaco, Gulielmus Philastrius et Franciscus Zabarella, atque Joannes Gersonius, cancellarius Universitatis Parisiensis (2).

Claritatis causa, tres distinguuntur *phases* in celebratione concilii: *prima,* in qua intervenit Joannes XXIII, pro praesidentia nominali concilii; ista phasis incipit cum prima sessione (16 novemb. 1414) et terminatur cum depositione Joannis XXIII in sessione duodecima (29 maji 1415). *Altera* est phasis quae initium habuit cum interventu Gregorii XII, ope legatorum Joannis Dominici et Caroli Malatesta, a mense junio anni 1415, et protracta est usque ad electionem Martini V (11 nov. 1417). *Tertia* phasis inchoavit ab electione Martini V; ea durante novus papa praesedit sessionibus concilii usque ad ultimam sessionem, quadragesimam quintam, habitam die 22 aprilis anni 1418 (3).

Quod ad *primam phasim* attinet (16 nov. 1414-29 maji 1415),

---

(1) A. RÖSLER, *Kardinal Joannes Dominici O. Pr.* 1893; J. DOMINICI, *Lucula noctis.* Opera selecta scriptorum O. P., ed. R. COULON. P., 1908.

(2) J. P. MAC GOWAN, *Pierre d'Ailly and the Council of Constance.* Washington, 1936; J. L. CONNOLLY, *John Gerson, reformer and mystic.* L., 1928.

(3) H. VON DER HARDT, *Magnum oecumenicum Constantiense concilium*, 6 t. Francofurti et Lz., 1692-1700; MANSI, t. XXVII-XXVIII; H. FINKE, *Acta Concilii Constanciensis,* 4 t. Mr., 1896-1928; Idem, *Forschungen und Quellen des Konstanzer-Konzils.* Mr., 1889; J. LENFANT, *Histoire du concile de Con-*

jam inde ab inauguratione concilii patuit dissensus quo Joannes XXIII ejusque fautores italici dividebantur a reliqua parte patrum. Joannes XXIII operam dabat ut sua electio pontificia confirmaretur, ope praesertim praelatorum ex Italia qui numerosi advenerant. Sed illustriores doctores, Petrus de Alliaco, Philastrius, Gersonius et alii, tenebant quod pro exstinctione schismatis omnino necessarium erat ut tres papae tunc existentes munus suum abdicarent. Proinde caverunt ne fautores Joannis XXIII praevalerent, et concilium ordinarunt, non secundum principium traditionale superioritatis hierarchicae, sed secundum normam novam repraesentationis democratico-nationalis. Inspirante Petro de Alliaco, jus suffragii concessum est, praeterquam cardinalibus et episcopis praesentibus, procuratoribus episcoporum absentium et abbatibus, etiam delegatis capitulorum, doctoribus theologiae et utriusque juris atque legatis principum.

Praeterea decretum est ut vota emitterentur non individualiter sed *nationaliter*. Ideo concilium divisum est in quatuor nationes: italicam, gallicam, germanicam et anglicam, (1) quae sequenti modo operatae sunt. Ante omnia, sodales cujusque nationis deliberabant; deinde delegati cujusque nationis, clerici vel laici, in consessu particulari, sententiam suam dicebant super quaestionem examinatam ab omnibus sodalibus suae nationis, et istam sententiam communicabant cum delegatis aliarum nationum; postea habebatur congregatio delegatorum omnium nationum pro ulteriori discussione; denique sodales omnium nationum conveniebant in congressum generalem, in quo unaquaeque natio unum tantum poterat ferre suffragium. Ut aliquod decretum admitteretur, requirebatur unanimitas votorum. Postremo, decretum *nationaliter* admissum, *conciliariter* promulgabatur in sessione plenaria concilii.

Ipsum S. Collegium cardinalium non agnoscebatur tanquam corpus distinctum a nationibus, ita ut, initio saltem, unusquisque cardinalis suffragium emittebat cum propria natione. Postea tamen

---

stance, 2 vol. Amstelodami, 1727; L. Tosti, *Storia del concilio di Costanza*, 2 vol. Neapoli, 1883; HC, t. VII, p. 70-584; A. Baudrillart, art. *Constance*, in Dth, t. III; L. Salembier, *Le grand schisme*, op. cit., p. 291 sq.

(1) Istis post depositionem Benedicti XIII, die 26 julii anni 1417, adjuncta est natio hispanica.

5. Collegium obtinuit unum votum collectivum sicut nationes. (1) Tali modo, scilicet attributione unius tantum voti unicuique nationi in suffragatione definitiva, Joanni XXIII nihil profuit frequentia praelatorum italicorum in concilio. Sed etiam particularismus nationalis substituebatur universalitati Ecclesiae catholicae.

Primo tempore, usque ad diem 7 martii anni 1415, Joannes XXIII in quem gravissimus libellus accusationis editus fuerat, se abdicationi paratum declaraverat, si Benedictus XIII et Gregorius XII item facerent. Sed nimis acerbum ei erat abnegare opus quod ipse pro schismate exstinguendo in concilio Pisano compleverat. Praeterea aegre ferebat tutelam imperatoris Sigismundi: quare die 20 martii, veste servili indutus, fugit clam ex Constantia, sperando quod fuga sua finem imponeret concilio. Sed Sigismundus et praecipui doctores impedierunt ne concilium dispergeretur. Insuper, inde a die 26 martii et in quinta sessione (6 aprilis), quinque famosa edita sunt decreta de superioritate concilii super papam.

Duo praecipua decreta tunc promulgata sic sonant: 1) « Sancta synodus Constantiensis primo declarat, quod ipsa in Spiritu sancto legitime congregata, concilium generale faciens, et Ecclesiam catholicam repraesentans, potestatem a Christo immediate habet, cui quilibet, cujuscumque status vel dignitatis, *etiamsi papalis* existat, obedire tenetur in his, quae pertinent ad fidem, ad exstirpationem dicti schismatis, et reformationem dictae Ecclesiae in capite, et in membris. 2) Item declarat, quod quicumque, cujuscumque conditionis, status, dignitatis, *etiamsi papalis,* qui mandatis statutis, seu ordinationibus, aut praeceptis hujus sanctae synodi, et cujuscumque alterius concilii generalis, legitime congregati, super praemissis, seu ad ea pertinentibus, factis, vel faciendis obedire contumaciter contempserit, nisi resipuerit, condignae poenitentiae subjiciatur et debite puniatur » (2).

---

(1) K. ZÄHRINGER, *Das Kardinalskollegium auf dem Konstanzer Konzil bis zur Absetzung Papst Johannes* XXIII. Mr., 1935; POWERS, *Nationalism at the Council of Constance.* Washington, 1928.

(2) H. VON DER HARDT, op. cit., t. IV, p. 81; HC, t. VII parte I, p. 205; C. MIRBT, op. cit. n. 392. Natio italica nullam habuit partem in redactione istorum decretorum, quae primo composita sunt a nationibus gallica, germanica et anglica, die 29 martii, aliquantum modificata sub influxu cardinalis Zabarella die 30 martii, et denique promulgata in sessione plenaria die 6

Interea Joanni XXIII afficta sunt septuaginta quatuor capita accusationis, inter quae erant, praeter omnia peccata luxuriae, simonia, occisio Alexandri V medio veneficii, et negatio immortalitatis animae. Accusatio evidenter exaggerata, quae pro majore parte nullo argumento comprobata est. Sed ejus fuga a concilio in cum concitaverat iram patrum qui, die 29 maji 1415, in sessione duodecima, eum a pontificatu deposuerunt tanquam notorie simoniacum, dissipatorem bonorum ecclesiasticorum et administratorem infidelem Ecclesiae, tam in spiritualibus quam in temporalibus (1).

Post depositionem Joannis XXIII, Constantiae intervenit Gregorius XII, et cum ejus interventu inauguratur *altera phasis* concilii. Erat senex octoginta novem annorum, conscius propriae legitimitatis. Concilium Constantiense hactenus celebratum considerabat tanquam conciliabulum sine valore canonico, praesertim pro parte cui praesederat Joannes XXIII et pro decretis de superioritate concilii super papam. Paratus erat abdicare pontificatum pro bono pacis, sed propria voluntate et sub conditione quod agnosceretur tanquam papa legitimus. Procuratores suos, Carolum Malatesta et cardinalem Joannem Dominici, delegavit, non apud concilium, sed apud imperatorem Sigismundum. Deinde, in sessione plenaria habita die 4 julii anni 1415, Gregorius XII, per legatum suum Joannem Dominici, concilium convocavit, confirmando omnia per ipsum in futurum *agenda*.

Patres Constantienses sine objectione admiserunt istam novam convocationem concilii et confirmationem ejus actorum in futurum, et ita saltem implicite agnoverunt Gregorium XII esse papam legitimum. Deinde, ante concilium tali modo a Gregorio XII canonice constitutum, Carolus Malatesta paucis verbis nomine papae

---

aprilis anni 1415. Isti sessioni adstiterunt septem cardinales, unice, uti declararunt, ad vitandum scandalum et quin approbarerunt applicationes practicas istorum decretorum.

(1) H. Finke, *Zur Charakteristik des Hauptanklägers Johanns XXIII auf dem Konstanzer Konzil*, in *Miscellanea F. Ehrle*, t. III, p 157 sq R. 1924. Trium annorum spatio, Balthasar Cossa, ex-papa Johannes XXIII, in captivitate detentus est a comite Ludovico de Bavaria. Liberatus anno 1418, Martinus V ei primum locum dedit in S. Collegio, cum titulo cardinalis episcopi suburbicarii Tusculi. Obiit Florentiae mense decembri anno 1419.

Notetur quod, inde a principio concilii usque ad finem, patres egerunt de custodia Fidei adversus errores Joannis Wiclef et Joannis Hus, qui prima vice damnati sunt die 4 maii anno 1415. ES, n. 581 sq.

pontificatum deposuit ut unitas in Ecclesia instauraretur, et diploma abdicationis patribus tradidit. Concilium approbavit omnia acta quae Gregorius XII compleverat in terris propriae obedientiae, eumque nominavit cardinalem suburbicarium Portuensem. (1)

Tunc concilium instanter rogavit Benedictum XIII ut ipse etiam abdicaret. Isto scopo, imperator Sigismundus cum quatuordecim delegatis concilii, eum visitarunt Perpiniani, mense augusto anni 1415. Sed obstinatus senex nullo modo cedere voluit eorum instantiis. Quare principes hispanici, qui adhuc pro eo stabant, uti Ferdinandus de Aragonia, et maximus ejus fautor S. Vincentius Ferrerius, eum decurrente anno 1417 dereliquerunt. Denique, die 26 julii ejusdem anni, in trigesima septima sessione plenaria, concilium eum a pontificatu dejectum declaravit tanquam haereticum et schismaticum incorrigibilem atque notorium. (2) Depulsioni suae, Petrus de Luna respondit excommunicando proprios adversarios et declarando totam Ecclesiam cum eo esse super rupem de Peniscola, sicut totum genus humanum cum Noe erat in arca. (3) Comparando tres pontifices quorum amotione via patebat electioni unius papae, chronista concilii von der Hardt jure merito poterat scribere: « Observas in Joanne XXIII miserabile spectaculum, in Gregorio XII mirabile factum, in Benedicto XIII lacrymabile exemplum ».

4. - **Conclusio schismatis electione Martini V.** — Dejecto Benedicto XIII, orta est controversia in concilio de modo procedendi: imperator Sigismundus, qui contendebat supremam directionem concilii, praelati et doctores nationum anglicae et germanicae, asserebant ante omnia absolvendum esse opus reformationis Ecclesiae, dum major pars cardinalium, atque episcopi ex Italia, Gallia et

---

(1) Gregorius XII obiit Recineti die 18 octobris anni 1417.

(2) H. von der Hardt, *Magnum oecumenicum Constantiense concilium*, op. cit., t. IV, p. 1128 sq.; HC, t. VII, parte 1ª, p. 439.

(3) Recesserat cum tribus cardinalibus in castellum inexpugnabile super rupem de Peniscola ad septentrionem Valentiae, in Hispania. Ibi obiit mense maio anni 1423. De sic dictis Clemente VIII et Benedicto XIV, qui post eum a tribus vel quatuor pseudocardinalibus Benedicti XIII electi sunt, nihil referendum est.

In altera phasi concilii, errores Joannis Hus damnati sunt in sessione decima quinta, habita die 6 julii anni 1415.

Hispania, insistebant ut prius eligeretur papa. Interventu Henrici Beaufort, episcopi Wintoniae (Winchester) et avunculi Henrici V regis Angliae, decisum est ut primo fieret electio pontificia et deinde provideretur reformationi Ecclesiae secundum normas praestabilitas. Exinde, in sessione trigesima nona, habita die 9 octobris anni 1417, editum est decretum *Frequens* quo praecipiebatur celebratio *periodica* concilii generalis: proximum concilium haberetur post quinque annos, alterum septem annis postea, et deinde papa deberet oecumenicum convocare concilium *quoque decennio*. Decreto *Frequens,* patres quaerebant instituere in Ecclesia auctoritatem corporativam stabilem, quae praeter papam, et etiam super papam, decerneret de rebus Fidei et morum.

Cum cardinales tunc existentes, numero viginti tres, creaturae essent trium paparum qui sponte vel coacte cesserant concilio, visum est eos insufficienti fulciri auctoritate relate ad electionem novi papae: quare concilium eis adjunxit triginta praelatos, sex pro quaque natione, quibus concessit jus suffragii. (1) Quinquaginta tres electores conclave ingressi sunt die 8 novembris anno 1417, et praeter omnium expectationem, jam post quatriduum unanimo consensu papa eligebatur Otto Colonna, cardinalis diaconus tituli S. Georgii, qui voluit appellari Martinus V (11 novembris). In eo simul laudabantur scientia canonica, amor pacis et modestia.

Tertia phasis concilii, cui praesedit Martinus V, praecipue dedicata est reformationi Ecclesiae. Sed pauca vel nulla erat concordia inter nationes quoad modum quo reformatio ad exsecutionem duci debebat. Ista occasione, Petrus de Alliaco papae obtulit tractatum *De Reformatione Ecclesiae,* in quo habetur propositum generale pro correctione cujusque status ecclesiastici et laici. In sessione quadragesima tertia (21 mart. 1418), praeside ipso Martino V, plurima edita sunt decreta: supprimebantur omnes exemptiones concessae ecclesiis et monasteriis a tempore papae Gregorii XI; istius modi instituta reponebantur sub jurisdictione ordinaria; papa dimittebat fructus ecclesiarum et monasteriorum vacantium, eosque relinquebat his quibus de jure pertinebant; suspensos declarabat omnes clericos simoniace ordinatos; recordabatur beneficia concedi ratione officii: hi qui officium non adimplent, nullum jus habent

---

(1) Post depositionem Benedicti XIII, etiam natio hispanica repraesentata est in concilio.

ad beneficium; quare hi episcopi et abbates qui beneficium percipiebant, quin episcopale vel abbatiale officium adimplerent, monebantur ut quam citius susciperent consecrationem episcopalem, vel benedictionem abbatialem, sub poena privationis officii et beneficii. Decretum revera necessarium, saepe saepius iteratum usque ad plenum saeculum XVI, quia tunc non pauci erant episcopi et abbates sine ordine sacro, et qui proinde nihil curabant ministerium animarum. Item repetita est praescriptio clericis de incessu in veste ecclesiastica. Praeterea, in eadem sessione quadragesima tertia, de mandato papae restringebatur collectio pontificia decimarum.

Simul conclusa sunt concordata inter S. Sedem et Germaniam, Galliam, Hispaniam, Italiam et Angliam, quibus taxae S. Sedi solvendae coarctabantur et minuebatur jus appellationis ad summum pontificem, quo saepe nimis clerici jurisdictionem proprii ordinarii effugiebant. Eodem modo ordinata est collatio pontificia beneficiorum, indulgentiarum et dispensationum, et statutum est ut numerus cardinalium esset moderatus; deberent assumi « de omnibus partibus christianitatis proportionaliter quantum fieri poterit... sic tamen quod numerum viginti quatuor non excedant ». (1) Concilium absolutum est sessione quadragesima quinta, habita die 22 aprilis anni 1418. Martinus V reliquit Constantiam die 15 maji ejusdem anni, et post diuturnam commorationem Mantuae et Florentiae, Romam solemniter ingressus est die 28 septembris anni 1420.

Sub fine istius brevis expositionis historicae de schismate occidentali, mirari debemus quomodo gravior omnium divisionum comprobavit indivisibilitatem Ecclesiae. Institutio mere humana tanto discrimine irreparabiliter discissa remansisset. Ecclesia vero, assistente Christo, non tantum superavit periculum, sed in eo vim suam renovavit. Ita in ipso schismate occidentali reformatio Ecclesiae initium habuit.

---

(1) B. Hübler, *Die Konstanzer Reformation und die Konkordate von 1418.* Lz, 1867; *Raccolta di Concordati in materie ecclesiastiche tra la S. Sede e le autoritá civili,* 1080-1914, ed. A. Mercati, p. 144 sq. R., 1919. Tunc prima vice verbum *concordata* adhibitum est.

Die 22 februarii anni 1418, Martinus V edebat bullas « Inter cunctas » et « In eminentis », quibus damnabantur errores J. Wiclef et J. Hus. In bulla « Inter cunctas » proferebantur interrogationes proponendae sequacibus duorum haeresiarcharum. ES, n. 657 sq.

Quod ad auctoritatem concilii Constantiensis attinet, evidenter oecumenicum non est in prima sua phasi, et decreta tunc promulgata de superioritate concilii super papam nullum habent valorem doctrinalem. Martinus V, licet a principio concilio interfuerit, nunquam approbavit omnia acta concilii, sed in bulla « Inter cunctas », clare indicat ea tantum approbanda esse quae facta sunt in favorem Fidei et ad salutem animarum (1). In eadem bulla, expresse contradicit decretis editis in sessionibus IV et V, quibus asserebatur concilium Constantiense potestatem immediate a Christo habere eique subjacere etiam papam in his quae pertinent ad Fidem. Etenim, in propositiones ab haereticis amplectendas, Martinus V inseruit articulum 24 plane oppositum, scilicet: « Utrum credat, quod papa canonice electus, qui pro tempore fuerit, ejus nomine proprio expresso, sit successor beati Petri, *habens supremam auctoritatem* in Ecclesia Dei ». In constitutione « Moyses vir Dei » (4 sept. 1439) Eugenius IV praedicta decreta concilii rejecit tamquam impia et scandalosa. Quoad alia acta concilii, ea recepit, « absque tamen praejudicio juris, dignitatis et praeeminentiae S. Sedis apostolicae, ac potestatis sibi et in eadem canonice sedenti in persona beati Petri a Christo concessae ». (2)

III.

INSTAURATIO AUCTORITATIS PONTIFICIAE POST DISCEPTATIONEM INTER PAPAM ET CONCILIUM BASILEENSE (1432-1449) (3)

1. - **Rebellio concilii Basileensis adversus Eugenium IV.** — Decreto *Frequens* statutum fuerat in concilio Constantiensi, paulo ante electionem Martini V (9 oct. 1417), ut post quinquennium aliud haberetur generale concilium. Licet in immensum nomen

---

(1) Interrogatio 6 proponenda sequacibus J. Wiclef et J. Hus.
(2) Epistola Eugenii IV ad legatos pontificios in Germania (22 iul. 1446). HC, t. VII, p. 590 sq.
(3) Mansi, t. XXIX-XXXI; HC, t. VII, p. 584 sq.; L. Pastor, *Geschichte der Päpste*, 4 ed., t. I, p. 223 sq. Fr. 1901; Idem, *Storia dei papi*, transl. italica ab A. Mercati, t. I, p. 233 sq. R., 1931; N. Valois, *La crise religieuse du XVe siècle. Le pape et le concile* (1418-1450) 2 vol. P., 1909; L. Pastor, *Ungedruckte Akten zur Geschichte der Päpste*, t. I, p. 15 sq. Fr., 1904.

concilii abhorreret, Martinus V anno 1423 concilium convocavit Papiae, quod cito Senis transferri debuit, ob pestilentiam Papiae saevientem. (1) Sed pauci praelati ibi convenerunt; saepe saepius sessiones occupatae sunt tumultuosis discussionibus de superioritate concilii, de suppressione taxarum et provisionum apostolicarum. Vix potuit, Martinus V dissolvit istum congressum spiritu antipontificio animatum (26 febr. 1424), allegando paucam frequentiam patrum et calamitates temporis. Deinde, novis instantiis principum et praesulum pressus, aliud indixit concilium, Basileae celebrandum, cujus inaugurationem commisit cardinali Juliano Cesarini. (2) Ipse papa mortuus est, die 20 februarii anni 1431, antequam concilium initium haberet. (3)

In conclavi postea habito, cardinales subscripserunt capitulationi qua futurus papa spondebat se nihil acturum magni momenti in gubernatione Ecclesiae nisi de consensu S. Collegii. S. Collegium sibi attribuebat mediam partem redituum Ecclesiae Romanae; futurus papa deberet convocare concilium oecumenicum pro reformatione Ecclesiae, nec istud posset transferre vel dissolvere. (4)

In successorem Martini V electus est cardinalis Gabriel Conqulmarus, vir austerus et pius, ex Ordine Eremitarum S. Augustini, qui sibi nomen sumpsit Eugenii IV. Facile imbuebatur propria sententia et voluntatem suam nullo pretio mutabat. Die 12 martii anni 1431, confirmavit facultates quas Martinus V dederat cardinali Cesarini pro inauguratione concilii Basileensis. Sed primo tempore, pauci praelati et doctores petierunt Basileam, ita ut papae nuntiaretur ibi nihil aliud haberi nisi inane conciliabulum. Cum ipse adversa valetudine impediretur quo minus praesideret concilio habito

---

(1) JOANNES DE RAGUSA *Initium et prosecutio Basileensis concilii*, in *Monumenta conciliorum generalium saeculi XV*, t. I, p. 67 sq. V., 1857.

(2) P. BECKER, *Giuliano Cesarini*, 1431-1444. 1935.

(3) Jure merito celebratur Martinus V tanquam instaurator Urbis et Status pontificii. Praeterea promovit vitam religiosam ope majoris devotionis erga Eucharistiam, protexit S. Bernardinum Senensem et S. Franciscam Romanam, et elegit cardinales omni exceptione majores, uti Dominicum Capranica, Julianum Cesarini et Nicolaum Albergati. Cfr. ejus *Vitae* apud L. A. MURATORI, *Rerum italicarum scriptores ab anno aerae christianae 500 ad 1500*, t. III, parte 2, p. 857 sq.; N. MENGOZZI, *Martino V ed il concilio di Siena*. Senis, 1918.

(4) Prima capitulatio electoralis confecta est anno 1352, in conclavi in quo eligebatur Innocentius VI. Constitutione apostolica « Romanum decet » anni 1692, Innocentius XII prohibuit similes capitulationes.

in civitate tam longinqua, quin consilium peteret a legato Juliano Cesarini, die 12 novembris anni 1431, concilium Basileense dissolvit et pro anno 1433 novum concilium indixit Bononiae, ubi facilius accedere potuissent legati Constantinopolitani et primatus summi pontificis plenius admitteretur. Die 18 decembris sequentis, Eugenius IV per bullas dissolutionem concilii Basileensis et convocationem concilii Bononiensis toti orbi christiano nuntiavit.

Sed interim numerus patrum concilii Basileensis notabiliter creverat, et die 14 decembris prima sessio habita est, in qua lectae sunt Martini V et Eugenii IV litterae convocationis concilii, pro extirpatione haeresium, reconciliatione principum et reformatione morum. Die 23 decembris, nuntius Daniel de Rampi cardinali Cesarini tradidit bullam dissolutionis. Quae cum promulgata esset, acerrimam suscitavit contradictionem patrum, qui, in secunda sessione, die 15 februarii anni 1432, declararunt synodum Basileensem rite ac legitime congregatam esse. Ibi etiam innovarunt decreta Constantiensia de concilii oecumenici potestate a Christo immediate accepta et de ejus super papam auctoritate. In sessione tertia, die 29 aprilis, Basileenses miserunt oratores ad papam, qui eum invitare debebant ut desisteret a proposito dissolvendi concilium et intra tres menses vel ipse veniret, vel legatos cum plena potestate mitteret.

E propria indole, Eugenius IV certo non cessisset oppositioni concilii: sed imperator Sigismundus, principes, cardinales, civitas Venetiarum patria sua, S. Francisca Romana, legatus Cesarini, uno verbo fideles ex omni coetu, papam enixe rogabant ut sineret concilium explere mandatum sibi ante dissolutionem commissum. Pro bono pacis, die 14 februarii anni 1433, Eugenius IV permisit ut concilium prosequeretur celebrationem suam Basileae. Sed die 13 julii, patres intimarunt papae ut infra sexaginta dies, sub poena suspensionis, adhaereret decretis concilii. Papa admisit formulam adhaesionis propositam a cardinali Cesarini, salva auctoritate S. Sedis. Denique, die 15 decembris anni 1433, per bullam «Dudum sacrum», revocavit omnes censuras et suspensiones, quas constitutionibus «Inscrutabilis» et «In arcano» (11 sept. 1433), pronuntiaverat in concilium. Item abrogavit decretum dissolutionis concilii, et agnovit quod istud legitime prosecutum erat operationes suas, pro extirpatione haeresium, pacificatione generali et reformatione ecclesiastica. Sed nullo modo admisit primatum concilii.

E contrario, sodales concilii per fas et nefas pontifici imponere volebant propriam superioritatem. Quasi essent suprema auctoritas et quin de papa curarent, plurima decreta promulgarunt pro reformatione Ecclesiae in capite et in membris: poenas edixerunt in clericos concubinarios, praescripserunt celebrationem regularem synodorum in dioecesibus et provinciis ecclesiasticis, mercatus et spectacula profana removerunt e locis sacris. Sed cum concilium simul affirmabat proprium principatum super papam, et mutabat constitutionem hierarchicam Ecclesiae tribuendo simplicibus doctoribus, etiam laicis, jus eam regendi, ipso facto decreta in se utilia et necessaria, lata a concilio quod aperte rebellabat adversus supremum caput Ecclesiae, nullo modo approbari poterant a papa.

Motu proprio, in sessione quarta, die 20 junii 1432, Basileenses promulgarunt decretum de celebratione conclavis vacante sede apostolica, de nominatione cardinalium, de gubernatione Status pontificii. Prohibuerunt ne papa haberet plus quam viginti quatuor cardinales, ne crearet nepotes suos nisi de consensu plurium cardinalium. Insuper, decreto diei 9 junii anni 1435, suppresserunt annatas, minuta et communia servitia atque taxas beneficiales quae hactenus tribuebantur S. Sedi. Suppressio eo odiosior quod anno anteriore, mense junio, papa relinquere debuerat Romam et Statum pontificium ob violentum tumultum ibi ortum, et exinde omni subsidio oeconomico privabatur. Tanto studio antipontificio movebantur, ut omni modo S. Sedem humiliare et ejus auctoritatem diminuere quaererent. Item, Basileenses proprio nomine tractarunt cum hussitis pro eorum submissione, et cum orientalibus pro eorum regressu ad unitatem Ecclesiae. (1)

2. - **Definitio primatus romani pontificis.** — Pro discussione unionis Graecorum aliorumque orientalium, Eugenius IV ope legatorum suorum concilio proposuerat civitatem italicam, ubi orientales convenirent cum Latinis. Vero, major pars Basileensium, ducti a cardinali gallico Ludovico Aleman, tenebant congressum istum celebrandum esse vel Basileae, vel Avenione, vel in aliqua civitate Sabaudiae (7 maii 1437). Cum papa noluisset assentire eis, eum

---

(1) A. BAUDRILLART, art. *Bâle*, in Dth, t. II; E. GÖLLER, *Baseler Konzil*, in LTK, t. II; A. M. JACQUIN. *Bâle (concile de)*, in DHE, t. VI

insimularunt inertiae in ecclesiasticis rebus pertractandis, simoniae, aliorumque criminum, eumque monuerunt ut intra sexaginta dies ante eos compareret (31 jul. 1437). Tantae insolentiae papa respondit transferendo concilium a Basilea Ferrariam, per bullam « Doctoris Gentium » (18 sept. 1437). Initio anni sequentis, die 9 januarii, cardinalis Cesarini reliquit Basileam et petiit Ferrariam, ubi die praecedenti concilium inauguratum fuerat. Unus tantum cardinalis remansit Basileae, Ludovicus Aleman, quo praeside, die 24 januarii anni 1438, sodales concilii schismatici poenam suspensionis in Eugenium IV pronuntiaverunt. (1)

Praeter cardinalem Aleman, archiepiscopum Arelatensem, Basileae remanserant episcopi, plus minusve decem, et tercenti theologi et canonistae, monachi et fratres mendicantes. Istorum conciliabulum agnoscebatur adhuc ab aliquibus principibus, in Gallia et in Germania, quia decreta ediderat quibus eorum auctoritas augebatur, praesertim quoad provisionem beneficiorum. (2) Pragmatica sanctio Bituricis anno 1438 in concilio nationali pro Gallia confecta, qua Ecclesia gallica constituebatur sub auctoritate regia, praesertim quoad provisionem beneficiorum, *placet* et *exsequatur*, inspiratur, in viginti tribus articulis quibus constat, decretis pro reformatione editis a concilio Basileensi in aperta contradictione cum papa. Per istam pragmaticam sanctionem, gallicanismus, scilicet constitutio Ecclesiae nationalis sub auctoritate absoluta regis, introducebatur modo officiali in Galliam cum patrocinio concilii Basileensis. (3)

Caeca obstinatione, Basileenses perseverarunt in rebellione sua adversus Eugenium IV, usque ad ultimam conclusionem logicam, scilicet usque ad schisma et electionem antipapae. Die 16 maii 1439, tanquam « veritates fidei catholicae » tres articulos sequentes promulgarunt: 1) concilium generale superat auctoritatem papae; 2) pa-

---

(1) G. Pérouse, *Le cardinal Aleman*. P., 1904.

(2) Imperator Sigismundus, actione pii et docti Ambrosii Traversari, Renatus Andegavensis rex Neapolis et ipse Carolus VII rex Galliae, post 1437 non amplius concilio Basileensi faverunt.

(3) Pragmatica sanctio Bituricensis nunquam a S. Sede approbata est. Anno 1510 in ejus locum substitutum est concordatum conclusum inter Franciscum I regem Galliae et papam Leonem X. Cfr. N. Valois, *Histoire de la pragmatique sanction de Bourges*. P., 1906; HC, t. VII, p. 1053 sq., t. VIII, p. 475 sq.; Dth, t. XII, 2780; C. Mirbt, n. 398.

pa non potest, sine ipsius concilii consensu, transferre, vel suspendere, vel dissolvere concilium legitime congregatum; 3) qui istas propositiones pertinaciter impugnat, haereticus est (1). Die 25 junii, in Eugenium IV sententiam depositionis tulerunt, et die 30 octobris, damnarunt constitutionem « Moyses vir Dei » qua papa die 4 septembris depositionem suam reprobaverat. Denique, die 5 novembris ejusdem anni 1439, collegium electorale quod constabat unico cardinali Ludovico Aleman et triginta duobus viris diversarum nationum, scilicet undecim episcopis, septem abbatibus, quinque theologis et novem canonistis, papam elegit principem Amadeum VII Sabaudiae, qui postquam per quadraginta annos ducatum Sabaudiae gubernaverat, recesserat Ripaliae ad lacum Lemanum. Viduus, et pater novem filiorum, bene moratus sed laicus scientiae theologicae ignarus, dux Amadeus pecuniosus erat et cum plurimis principibus cognatione conjunctus: opes ejus ambibant Basileenses, ut solveret eorum debita; praeclaram et amplissimam cognationem ejus, ut lucrarentur sequaces. Sed e contrario, debita creverunt et sequaces diminuerunt (2). Antipapa ab eis electus sibi nomen sumpsit Felicis V; fuit ultimus antipapa.

Ita, a conciliabulo Pisano ad synodum Basileensem, sine interruptione conspicua pars praelatorum et doctorum rebellant adversus papas qui nolunt admittere primatum concilii super summum pontificem. Talis modus agendi considerandus est in ambitu doctrinali istius temporis. Ante omnia, notandum est potestatem pontificiam hactenus in nullo concilio plene et expresse in omni sua extensione et consequentia definitam fuisse. In concilio II Lugdunensi (1274), oecumenico XIV, definitum est romanam Ecclesiam primatum et principatum obtinere super universam Ecclesiam catholicam et habere praerogativam in generalibus conciliis. Sed controversiae inceptae saeculo XIII de potestate pontificia, ab aliis, praesertim in Italia et Hispania, magno fervore extensa, ab aliis, uti in Gallia et Germania, cum anxia invidia restricta, magnam confusionem creaverant apud theologos.

Experimentum magni schismatis, decreta ista occasione promulgata, praelatos et doctores plurimum in opinione firmaverant quod

---

(1) P. Lazarus, *Das Basler Konzil*. B., 1912; C. Mirbt, op. cit., n. 399.
(2) H. Manger, *Wahl Amadeos von Savoyen zum Papet*. Marburg, 1901; A. Eckstein, *Zur Finanzlage Felix V und das Basiler Konzil*. B., 1923

pro salute Ecclesiae, concilium generale, credentium coetum repraesentans, debebat esse supra papam. Isti opinioni adhaeserunt, saltem aliquo tempore, viri praeclari uti Julianus Cesarini, Nicolaus de Cusa, Nicolaus de' Tudeschi, archiepiscopus Panormitanus, Aeneas Silvius Piccolomini, futurus papa Pius II. Omnes isti proculdubio in bona fide erant, uti ipse cardinalis Ludovicus Aleman, cujus impulsione anno 1439 proclamatae sunt tres novae « veritates fidei catholicae », sed qui de cetero eminebat pietate et virtute, ita ut Clemens VII anno 1527 confirmavit ejus cultum in pluribus dioecesibus Galliae meridionalis.

Istorum sententiae de superioritate concilii, ipsum concilium oecumenicum Florentinum, cui praesidebat Eugenius IV, opposuit solemnem definitionem supremae auctoritatis summi pontificis « quemadmodum etiam in gestis oecumenicorum conciliorum et in sacris canonibus continetur ». Hoc factum est in bulla « Laetentur caeli » (6 jul. 1439) qua promulgabatur unio cum Graecis. Ibi papa declarabatur primatum tenens in universum orbem terrarum, successor beati Petri et verus vicarius Christi, totius Ecclesiae caput et omnium christianorum pater et doctor, cum plena potestate pascendi, regendi ac gubernandi universalem Ecclesiam (1). Sane non confestim definitio primatus papae tanquam articulus Fidei ubique admissa est. Sed saltem recta doctrina catholica, modo authentico a vero concilio oecumenico in unione cum papa, promulgabatur adversus opinionem erroneam editam a pseudoconcilio schismatico.

In ista acerrima disceptatione inter Basileenses et S. Sedem, admiranda est firmitas qua Eugenius IV tuitus est jura summi pontificatus. Jam anno 1433 scribebat ad Franciscum Foscarini ducem Venetiarum: « Potius hanc apostolicam dignitatem et vitam insuper posuissemus, quam voluissemus esse causam et initium, ut pontificalis dignitas, et Sedis apostolicae auctoritas submitteretur concilio contra canonicas omnes sanctiones: quod nunquam antea, neque aliquis nostrorum praedecessorum fecit, neque ab illo exstitit requisitum » (2). Usque in finem, fortissimus papa rejecit decreta de superioritate concilii.

Praeterea, consilio et opera virorum qui eum superabant habilitate et experientia negotiorum, uti Julianus Cesarini, Joannes Car-

---

(1) ES, n. 694; C. MIRBT, op. cit., n. 400.
(2) O. RAYNALDI, *Annales ecclesiastici*, ad ann. 1433, n. 19.

vajal, Thomas Parentucelli et Nicolaus de Cusa, legati pontificii, et Aeneas Silvius Piccolomini tunc secretarius Frederici III Romanorum regis, Eugenius IV tractare coepit cum principibus germanicis ut relationes supremae auctoritatis ecclesiasticae ad potestatem temporalem mutuo consensu ordinarentur. Istis tractationibus pedetentim obtinuit adhaesionem totius Germaniae, dum pseudoconcilium Basileense, anno 1443 Lausanae translatum, in dies declinabat et viam quaerebat absolvendi propriam miseram existentiam, salvando saltem speciem decoris.

Negotiationibus feliciter ad exitum ductis, Eugenius IV diebus 5-7 februarii anni 1447 edebat quatuor bullas, appellatas *Concordata principum*, quibus annuebat convocationi concilii oecumenici in partibus Germaniae, permittebat ut natio germanica uteretur aliquibus decretis concilii Basileensis, sedibus suis restituebat archiepiscopos Trevirensem et Coloniensem, atque concedebat aliqua indulta Germaniae (1). Paucis diebus postea, 23 februarii, Eugenius IV vita decedebat Romae, dum oratores germanici, ad pedem ejus lecti prostrati, jurabant se in obedientia romana mansuros. Die 8 martii, cathedram S. Petri ascendebat cardinalis Thomas Parentucelli de Sarzana, qui sibi nomen sumpsit Nicolai V (1447-1455) (2). Jam die 28 martii confirmabat *Concordata principum*, et die 17 februarii anni 1448, legati ejus Vindobonae componebant pacta cum principibus germanicis, concordatum scilicet Vindobonense, quo praesertim ordinatae sunt quaestiones collationis beneficiorum et taxarum ecclesiasticarum in favorem principum, saltem sub respectu nummario. Tali modo instaurata est concordia inter Germaniam et S. Sedem (3).

Antipapa Felix V, jam anno 1442 in solitudinem recesserat. Tam ipse quam ejus fautores percipiebant causam eorum finitam esse et

---

(1) *Raccolta di Concordati su materie ecclesiastiche tra la S. Sede e le autorità civili*, ed. A. MERCATI, p. 168 sq. R., 1919. Archiepiscopi Trevirensis et Coloniensis, Sirk et Mörs, depositi fuerant ab Eugenio IV, quia aperte obsecuti erant antipapae Felici V. Deinde regressi sunt in obedientiam papae legitimo, et in officium suum redintegrati.

(2) L. PASTOR, *Geschichte der Päpste*, op. cit., t. I; L. ROSSI, in *Rivista di scienze storiche*, 1906, p. 241 sq.; K. PLEYER, *Die Politik Nikolaus V*. Stuttgart, 1927.

(3) *Raccolta di Concordati*, op. cit., p. 177 sq.; C. MIRBT, op. cit., n. 403. Concordatum Vindobonense viguit usque ad saecularisationem bonorum ecclesiasticorum in Germania, anno 1803.

nihil aliud remanere nisi submissionem. Die 7 aprilis anni 1449, Felix V abdicavit et die 19 ejusdem mensis, pauci superstites pseudoconcilii Thomam Parentucelli, dictum Nicolaum V, qui reapse jam a duobus annis munere pontificio legitime fungebatur, in papam agnoverunt. Basileenses ingloriose evanescebant in reprobatione publica, postquam per plures annos errorem et rebellionem seminaverant in Ecclesia (1).

Praecipue, auctoritatem pontificiam diminuerunt in existimatione cleri inferioris et principum. Theologos et canonistas corroborarunt in mente democratica et in voluntate imponendi propriam sententiam tam papae quam hierarchiae episcopali. Principibus monstrarunt viam majoris interventus in negotiis ecclesiasticis propriae regionis, et ita contribuerunt diffusioni ideae organizationis nationalis Ecclesiae. Concilium Basileense initio certo legitimum erat, quia convocatum a Martino V et Eugenio IV. Intentione solum, non de facto, oecumenicum fuit, quia ipsi interfuerunt tantum paucissimi episcopi, quia jus suffragii in eo habuerunt hi quibus, nec jure nec traditione, competebat, scilicet theologi, canonistae minores, et etiam laici qui non pertinebant ad Ecclesiam docentem. Praeterea, legati pontificii, ob tumultum et machinationes clericorum, praepediti sunt a directione effectiva concilii: uno verbo, isti defuit vera repraesentatio universalis Ecclesiae, tam in capite quam in membris, quin loquamur de aperta ejus seditione, de ejusque opere schismatico post translationem concilii Ferrariae (18 sept. 1437).

3. - Vita christiana et doctrina catholica in medio certaminum et errorum.
— Sub fine brevis expositionis historicae de vicissitudinibus adversis Ecclesiae durante translatione S. Sedis in Avenione (1305-1376), schismate occidentali (1378-1417) et controversia inter summum pontificem et concilium de auctoritate suprema (1432-1449), notamus duo facta generalia, quae clare elucent ex ista expositione, et quorum consideratio inserviet etiam studio epochae modernae: *a*) factum *perpetuitatis* Ecclesiae; *b*) factum *utilitatis* errorum pro definitione rectae doctrinae catholicae.

Perpetuitas Ecclesiae provenit ab ejus divino Fundatore, qui ei suam perennem assistentiam promisit. Hic et nunc, saepe saepius, ista assistentia non immediate discernitur. Assistentia divina nullo modo

---

(1) P. Roth, *Das Basler Konzil*, 1431-1448. Bernae, 1931.

significat quod Deus pro opere suo in Ecclesia perficiendo non adhibet nisi operarios sanctos et perfectos. Deus relinquit libertatem causis secundis, scilicet hominibus, qui nonnunquam potius amore proprio quam amore Dei moventur. Non obstante imperitia vel indignitate operariorum, Ecclesia superat pericula et discrimina quae societatem mere humanam jamdiu a fundamentis everterent.

Saeculo IX, e ruina domus Carolingiae, cum qua Ecclesia plurimum in Occidente intime unita erat, gravem jacturam patitur, sed non periit. A saeculo IX ad saeculum XI, consummatur separatio majoris partis Ecclesiae orientalis a centro unitatis Fidei. Damnum istud reparatur conversione novorum populorum et praeterea, inde a saeculo XII, Ecclesia magnificam explicat actionem pro defensione orbis christiani adversus sequaces Mahumeti, pro apostolatu inter infideles, pro scientia theologica et arte christiana, atque splendida praefert exempla sanctitatis in omni coetu et in omni natione: S. Gregorius VII, defensor jurium S. Sedis, S. Petrus Damiani, reformator morum cleri, fundatores Ordinum religiosorum, S. Bernardus, S. Franciscus et S. Dominicus, S. Ludovicus IX, exemplar regum, S. Elisabeth Hungariae et plurimi alii. Interea, Ecclesia turbatur asperrima contentione de investituris et de principatu potestatis spiritualis papae super potestatem imperialem vel regiam.

Postea, in Occidente, Ecclesia uno saeculo cum dimidio (1304-1449), probatur translatione S. Sedis in Galliam, divisione hierarchiae durante schismate, controversia superioritatis concilii super summum pontificem. Similis crisis interna proculdubio quodcumque regnum temporale diruisset, vel saltem ejus constitutionem mutasset. E contrario, in Ecclesia catholica, ex isto profundo et diuturno discrimine, exit solemnis definitio dogmatica primatus romani pontificis et plenitudinis ejus potestatis in Ecclesiam universalem. Fides corroboratur, vita vere christiana sese manifestat devotione in Christum et Mariam, atque operibus caritatis. Etenim, eodem tempore conficitur libellus aureus *De Imitatione Christi* (primo dimidio saeculi XV), diffunditur recitatio S. Rosarii, multiplicantur catechismi pro instructione fidelium, eriguntur Montes pietatis, et magni praedicatores, uti S. Vincentius Ferrerius et S. Antoninus Florentinus, S. Bernardinus Senensis et S. Joannes de Capistrano, turbas innumeras auditorum convertunt.

Quare, in ista gravissima crisi interna Ecclesiae, tanta adhuc inveniuntur signa fervoris, sanctitatis et apostolatus, dum humane loquendo, tota vita catholica debuisset submergi fluctibus divisionis, erroris et rebellionis? Quia, tam in fortuna adversa quam in prospera, plenitudo vitae Christi semper adest in Ecclesia, et semper agit in animis fidelium qui perfecte Christo adhaerere cupiunt. Fideles isti saepe saepius numerosiores inveniuntur tempore probationis quam tempore prosperitatis, quia tempore probationis magis sentitur necessitas excipiendi in semetipso omnem virtutem et plenam vitam Christi, quae sunt, tam pro universa Ecclesia quam pro singulis fidelibus, essentia propriae vitae, fons omnis sanctitatis, initium et finis omnis instaurationis et omnis apostolatus.

Perpetuitas ergo Ecclesiae, tempore adverso sicuti tempore prospero, basim suam indestructibilem habet in Christo, qui vivit in animis fidelium. Hoc testatur historia: « Sponsor Deus, historia testis », uti scribebat anno 1883 Leo XIII in sua Epistola *De Studiis historicis* ad cardinales Pitra, de Luca et Hergenroether.

Praeterea ex praefata expositione elucet *utilitas errorum* pro definitione rectae doctrinae catholicae. Istam utilitatem in pluribus locis jam notabat S. Augustinus, e. g. in *De Civitate Dei*, lib. XVI, cap. 2: « Multa quippe ad fidem catholicam pertinentia, dum haereticorum calida inquietudine exagitantur, ut adversus eos defendi possint, et considerantur diligentius, et intelliguntur clarius, et instantius praedicantur, et ab adversario mota quaestio discendi existit occasio ». Et etiam in *Sermone* 98 de tempore: « Idcirco fidem catholicam contradicentium obsidet impugnatio, ut fides nostra non otio torpescat, sed multis exercitationibus elimetur ». S. Augustinus recordabatur verbi S. Pauli, in I *Cor*. XI, 19: « Oportet et haereses esse, ut et qui probati sunt manifesti fiant in vobis ».

Praesertim durante schismate in Occidente, errores et haereses multiplicantur, tam circa constitutionem fundamentalem Ecclesiae quam circa doctrinam et cultum: errores et haereses quae saeculo sequenti in unum corpus redacta sunt a fautoribus reformationis protestanticae. Ut unum tantum sumatur exemplum: Pisis, Constantiae, Basileae, pars longe major patrum adhaerebat sententiae de superioritate concilii super papam. Eadem sententia repetitur ab aliquibus patribus in concilio Tridentino, affirmatur in sic dictis *Libertatibus* Ecclesiae gallicanae editis anno 1682, et servat defensores usque ad concilium Vaticanum.

Sed eodem tempore recta doctrina catholica de primatu pontificis clarius et plenius definitur: in concilio oecumenico Florentino declaratur romanum pontificem in universum orbem tenere primatum, totius Ecclesiae caput et omnium christianorum patrem et doctorem existere, cum potestate pascendi, regendi ac gubernandi universalem Ecclesiam; initio concilii Tridentini (1545), propositio fautorum theoriae de superioritate concilii, ut concilium appellaretur « Sacrosancta Tridentina synodus *universalem Ecclesiam repraesentans* », omissa mentione summi pontificis, non admittitur, sed secundum primaevam traditionem, papae praesederunt concilio ope legatorum; denique, in sessione IV concilii Vaticani (18 jul. 1870), primatus romani pontificis definitus est in omni sua consequentia: « Quare a recto veritatis tramite aberrant, qui affirmant, licere ab judiciis romanorum pontificum ad oecumenicum concilium tanquam ad auctoritatem romano pontifice superiorem appellare (cap. 3) ». Proinde proclamabatur romani pontificis infallibile magisterium.

Ita, e consideratione opinionum a vera doctrina aberrantium, sive in epocha antiqua, sive in aetate media vel moderna, semper eadem patet conclusio: nullus error, nulla haeresis, unquam abstulit modo definitivo ne minimam quidem partem a deposito doctrinali Ecclesiae; sed omnis error, omnis haeresis semper in ultima re contribuit majori et clariori definitioni dogmatis.

CAPUT QUINTUM
REFORMATIO PROTESTANTICA

Summarium. — I. Conditiones generales Ecclesiae in Occidente, praesertim in Germania, saeculo XV: 1) Vita religiosa: *a*) Motus « Modernae Devotionis »; *b*) Manifestationes Fidei. 2) Status politico-socialis Germaniae. 3) Abalienatio moralis et intellectualis ab Ecclesia. Exaltatio nationalis. - II. Reformatio protestantica in Germania: 1) Curriculum vitae Martini Lutheri et constitutio Ecclesiae lutheranae status. 2) Doctrina lutherana: *a*) de justificatione, *b*) de Ecclesia, *c*) de Fide III. Calvinismus: 1) Joannes Calvinus ejusque expositio systematica theologiae propriae. 2) Constitutio theocratica Ecclesiae calvinisticae. - IV. Anglicanismus: 1) Causae longinquae defectionis Angliae a Fide. 2) Schisma Henrici VIII. 3) Introductio officialis reformationis protestanticae in Angliam, post annum 1547: *a*) Constitutio liturgico-doctrinalis novi cultus; *b*) actio politico-religiosa adversus catholicismum; *c*) apostolatus catholicus in medio persecutionis. 4) Renascentia catholica in Anglia, ab initio saeculi XIX. - V. Dispersio doctrinae protestanticae et adspirationes ad unionem, hodierno tempore.

1.

CONDITIONES GENERALES ECCLESIAE IN OCCIDENTE (1).

Reformatio protestantica, majus et diuturnius periculum cui objecta est Ecclesia in Occidente durante epocha moderna, non de repente exorta est, sed causas suas longinquas habet, ex una parte in declinatione auctoritatis pontificiae, relaxatione morali et nimia sollicitudine bonorum temporalium quae manifestabantur in Ecclesia sub fine medii aevi, ex alia parte, in motu reformationis anticatholicae quem, saeculis XIV et XV, suscitarunt Joannes Wiclef et Joannes Hus. Isti sunt praecipui et directi praecursores reformationis protestanticae saeculi XVI.

Joannes Wiclef (1329-1384), erat professor theologiae in universitate Oxoniensi. Circa annum 1370 reprobare incepit possessio-

---

(1) P. IMBART DE LA TOUR, *Les origines de la Réforme*, t. II. *L'Eglise catholique, la crise et la renaissance*. P., 1909; G. VON BELOW, *Die Ursachen der Reformation*. Mn. et B., 1917; A. GASQUET, *The Eve of the Reformation*. Lo., 1909; H. DENIFLE-A. WEISS, *Luther und Luthertum*, t. II. *Die Vorbereitungen auf die Reformation*. Moguntiae, 1909.

nem bonorum temporalium ab Ecclesia, vitam Ordinum mendicantium et totius cleri. Istis opponebat sequaces suos clericos et laicos, qui « pauperes sacerdotes » appellabantur, et circuibant nudis pedibus atque rudi tunica induti, denuntiando mala, scilicet cupiditatem, ambitionem aliaque vitia papae et praelatorum, quibus secundum eos, Ecclesia evertebatur. Isti « pauperes sacerdotes » constituerunt sectam *Lollardorum* quae in Anglia centrali brevi tempore multum profecit.

Opus princeps in quo Joannes Wiclef doctrinam suam exposuit, est *Trialogus*. Praedicabat fatalismum, et proinde etiam praedestinatianismum absolutum: alii praedestinati sunt ad gloriam, et ideo peccatum eis nullum damnum inferre potest; alii infallibiliter reservantur damnationi et istis nihil prosunt orationes et bona opera. Doctrina ejus de constitutione Ecclesiae nititur in ejus praedestinatianismo: Ecclesia constat communitate invisibili praedestinatorum. S. Scriptura est unicus fons Fidei, fundamentum praedicationis et directorium in negotiis temporalibus. Omnis electus a Deo, ipso facto est sacerdos, sine ordinatione sacramentali. Officium capitale sacerdotii est praedicatio Evangelii. Papa non est verum caput Ecclesiae, sed potius Antichristus: hi qui cum eo cooperantur, praesertim monachi et fratres mendicantes, in statu peccati vivunt. Ecclesia reduci debet ad paupertatem apostolicam: propterea principes saeculares licite eam spoliare possunt bonis temporalibus. Praeterea Wiclef rejiciebat sacramenta confirmationis et extremae unctionis. Quoad S. Eucharistiam, negabat transsubstantiationem et praesentiam realem, admittendo praesentiam moralem tantum. Reprobabat etiam indulgentias, coelibatum et juramenta quae fiunt ad corroborandum humanos contractus et commercia civilia (1).

In hisce erroribus plurima habentur capita quae repetita sunt a reformatoribus protestanticis saeculo XVI: S. Scriptura unicus fons Fidei; Ecclesia vera, communitas invisibilis electorum; papa usurpator et Antichristus; nullitas sacramentorum, negatio praesen-

---

(1) J. GAIRDNER, *Lollardy and the Reformation in England*, 4 vol. Lo., 1908-1913; G. M. TREVELYAN, *England in the age of Wycliffe*, ed. 4, Lo., 1909. Opera latina J. Wiclef edita sunt a *Wyclif Society*. Lo., 1883-1922; scripta anglica a TH. ARNOLD, Lo., 1869-1871 et a F. MATTHEW, Lo., 1880; B. WORKMANN, *John Wiclif, A Study of the English Medieval Church*, 2 vol. O., 1926; R. S. ARROWSMITH, *The Prelude to the Reformation*, Lo., 1923; H. M. SMITH, *Pre-Reformation in England*. NY. 1938

tiae realis et valoris indulgentiarum; spoliatio bonorum ecclesiasticorum licita.

Joannes Hus (1370-1415), rector universitatis Pragensis, errores Joannis Wiclef aptavit circumstantiis politicis et socialibus Bohemiae, ubi magna erat contentio inter indigenas Cechos, et immigratos Germanos ac Polonos, atque injusta vigebat inaequalitas inter dominos, sive ecclesiasticos sive laicos, et miseros servos. Joannes Hus ergo, non tantum fecit partes defensoris Cechorum et reformatoris Ecclesiae in sensu nationali et sociali, denuntiando abusus maxima cum violentia, sed inde ab anno 1409 errores doctrinales Joannis Wiclef aperte professus est, verbo et scripto.

Praecipuum ejus opus est tractatus *De Ecclesia,* in quo docebat summum pontificatum esse institutionem humanam; leges pontificias valere tantum in quantum concordarent cum S. Scriptura. Judicare autem si et in quantum concordant cum S. Scriptura, spectat ad unumquemque fidelem : ergo Hus admittebat liberum examen pro definitione concordiae inter legem ecclesiasticam et S. Scripturam. Affirmabat oppositionem existere inter Ecclesiam visibilem fidelium quae gubernatur a papa, et communitatem invisibilem praedestinatorum quae directe regitur a Christo, et cujus sacerdotes nullam aliam regulam sequi debent nisi legem Christi et S. Scripturam. Errores duorum haeresiarcharum pluries damnati sunt in concilio Constantiensi (1415-1418) (1).

Praeterea, ut intelligatur facilis successus quem reformatio protestantica obtinuit saeculo XVI, ratio habenda est cum opere assiduo et violento pro constitutione Ecclesiae nationalis sub regimine absoluto principum, quod tunc in pluribus regionibus, uti in Germania, in Anglia et in Scandinavia, ad exitum deductum est. Declinatio interna Ecclesiae reformationem anticatholicam tantum *possibilem* reddidit, dum *actio externa* principum saecularium istam reformationem a mera possibilitate reapse ad effectum deduxit. Non

---

(1) L. SALEMBIER, *Le grand schisme d'Occident,* op. cit , p 323 sq ; JOH. HUS, *Opera omnia* ed. a W. FLAJSHANS, 3 vol. Pragae, 1903-1908; J. LOSERTH, *Hus und Wiclif,* ed. 2. Mn., 1925; D. SCHAFF, *John Huss.* NY, 1915; J. HERBEN, *John Hus and his followers.* Lo., 1926; A. HAUCK, *Studien zu J. Hus.* Lz., 1916; P. MARCELLE, art. *Hus et Hussites* in Dth, t. VII; HC, t. VII p. 110 sq.; J. R. STEJSKAL, *Le procès de J. Hus.* P., 1923; E. AMANN in Miscellanea F. Ehrle, t. I. R., 1924; A. NEUMANN, *Die katholischen Märtyrer der Hussitenzeit.* Pragae, 1930.

obstante debilitatione interna Ecclesiae, reformatio protestantica nunquam ad totam nationem in Germania, in Anglia, in Scandinavia et alibi extendi potuisset, si ipsi principes eam non fecissent rem suam, ambitione potius quam zelo religioso.

1. - **Vita religiosa decursu saeculi XV.** — Uti jam videbamus, translatio S. Sedis in Galliam, impugnatio auctoritatis pontificiae a parte Marsilii Patavini et Gulielmi Ockham, magnum schisma in Occidente, et contentio concilii cum papa, debilitaverant Ecclesiam, introducendo in eam germina divisionis et rebellionis. Praeterea, in ipsa Ecclesia, incipiendo a Curia romana, praelati et clerici aliqui, altero dimidio saeculi XV, a studio aesthetico et litterario antiquitatis profanae transierant ad imitationem morum paganorum, et nihil aliud cupiebant nisi voluptates, honores et bona terrena. A Sixto IV ad Leonem X (1471-1521), Renascentia pagana expanditur in Curia romana: papae saepius favebant nepotibus et magis curabant negotia temporalia quam ministerium spirituale; licentia morum publice exhibebatur, etiam a praelatis altissimae dignitatis. Vita mundana in Curia romana ubique denuntiabatur in Occidente, vel in scandalum vel in excusationem propriae mollitiae.

Attamen, exaggeranda non est licentia morum apud clerum istius temporis, nec in Urbe nec in orbe. Saepe saepius chronistae, praedicatores paenitentiales et praesules reformationi addicti, ob paucorum malitiam omnes accusant clericos (1). Etiam in synodis et in actis visitationis dioecesium, quasi exclusive notantur abusus, quin referantur opera bona peracta. Reapse, ipso fatente Luthero, major pars cleri ducebat vitam honestam et devotam. Sed deerant media sufficientia pro institutione spirituali clericorum: seminaria nondum existebant. Juvenes nimia facilitate admittebantur ad ordines sacros; clerici plurimi, presbyteri et canonici, magno exponebantur periculo otii, cum eis nullum imponeretur opus nisi celebrare missam et cantare officium (2).

---

(1) Ita Bernardus a Gasconia exclamabat in concilio Constantiensi: « Curia romana non est curia divina sed diabolica... Totus fere clerus diabolo est subjectus ». Cfr. H. DENIFLE - A. WEISS, *Luther und Luthertum*, op. cit., t. II, p 24.

(2) J. LÖHR, *Methodisch-kritische Beiträge zur Geschichte der Sittlichkeit des Klerus besonders der Erzdiöse Köln am Ausgang des Mittelalters*. Mr., 1910; FR. OEDIGER, *Um die Klerusbildung im Spätmittelalter*, in *Historisches Jahrbuch der Görresgesellschaft*, t. 50, 1930, p. 145.

a) *Motus « Devotionis modernae ».* Sed eodem tempore non deerant qui omni zelo incumbebant in scientiam ecclesiasticam et altiori contemplationi mentem applicabant. Inter praecipuos cultores theologiae recensendi sunt: Joannes Capreolus (+ 1495) et Thomas de Vio, Cajetanus (+ 1534). Vitam mysticam intense coluerunt: in Italia, Catharina Bononiensis (+ 1463) et Catharina Fieschi e Janua (+ 1510), in Anglia, Juliana a Norwich; in Germania, mirabilis turba « Amicorum Dei », inter quos eminebant Tauler, Suso, auctor anonymus *Theologiae germanicae,* Ludolphus Saxo et Otto Passaviensis.

In regione Belgica, plures referri possunt scriptores rei mysticae uti Joannes Ruysbroeck ejusque *Bonus cocus* Joannes van Leeuwen, Dionysius Carthusianus, Doctor ecstaticus, et franciscanus Henricus Herp. Sed magis juvat brevi considerare motum « Devotionis modernae » tunc ortum in partibus occidentalibus Europae, quia ibi multum valet pro solida institutione humana et christiana.

Initiator istius motus fuit Gerardus Grote, hollandus, qui vivebat altero dimidio saec. XIV, et mortuus est eodem anno ac Wiclef, scil. 1384, aetatis suae 44. Postquam renuntiatus fuisset magister artium Parisiis, valedixit suis beneficiis, ut sese dedicaret poenitentiae et praedicationi. Diaconus ordinatus quadragesimo anno aetatis suae, quatuor suos ultimos annos impendit in apostolatu verbo, scripto et opere, in praecipuis civitatibus Hollandiae. Inculcabat necessitatem vitae interioris, impugnabat tam clericos qui male vivebant quam haereticos qui fideles ad errorem et rebellionem provocabant, uxoratos hortabatur ad vitam conjugalem vere christianam, et super omnia docebat sancto exemplo vitae suae (1).

Brevi tempore, Gerardus Grote plures discipulos lucratus est, qui motum ab eo creatum ampliarunt. Iste motus non violentus erat, non exprimebatur manifestatione populari externa. Adspirabat ad devotionem internam tranquillam, procul a rumore mundi. Non solum diffusus est in ambitu claustrali et in septo domestico, sed etiam ortum dedit institutioni *Fratrum et Sororum de vita communi* vel *ho-*

---

(1) GERARDI MAGNI *Epistolae,* ed. W. MULDER, Antwerpen, 1933; J. M. E. DOLS, *Bibliographie der Moderne Devotie.* Nijmegen 1941; A. HYMA, *The Christian Renaissance. A history of the « Devotio Moderna ».* Grand Rapids, Michigan, 1924. Cfr. etiam *Nederlandsch Archief voor Kerkgeschiedenis,* t. XIX, 1926, p. 276 sq.; G. BONET-MAURY (in sensu protestantico), *Gerard de Groote. Un précurseur de la Réforme au XIV siècle.* P., 1878.

nae voluntatis, quae mediam viam tenet inter associationem laicalem et ordinem religiosum. Sodales istius novae congregationis non pronuntiabant vota perpetua et ad libitum poterant regredi ad saeculum. Sed toto tempore quo remanebant in congregatione, Fratres et Sorores de vita communi debebant vivere in obedientia, sine proprio et in castitate. In ea sacerdotes numerosiores erant, sed non deerant conversi et familiares.

Progredi in veritate cordis, mentem applicare in orationem, lectionem spiritualem et meditationem, opus dare labori manuali et corpus macerare vigiliis et jejuniis: en finis quem sibi proponebant. Pro labore manuali, clerici praecipue incumbebant in transcriptionem codicum (1).

Praeter bonum exemplum vitae interioris quod dederunt Fratres de vita communi, magnum etiam acquisierunt meritum procurando *educationem et instructionem* juvenum, vel in scholis propriis, vel in scholis municipalibus et capitularibus. In istis scholis impertiebant institutionem praeparatoriam ad studia universitaria, tradendo arithmeticam, geometriam et astronomiam. Praeterea explanabant S. Scripturam, doctrinam Patrum et morum disciplinam. In viis spiritualibus dirigebant juvenes ad sacerdotium adspirantes quos excipiebant in collegiis ad hoc instructis. Ita Fratres de Vita communi explicarunt efficacem operam educativam, tempore quo seminaria nondum existebant, in Hollandia ubi domus eorum erant 15, in Belgio (9 domus), in Germania (18), in Polonia. Mille circiter alumni frequentabant scholas Fratrum in Zwolle (Hollandia); duo millia ducenti in Deventer, item in Hollandia. Multi homines docti et illustres ab eis primam institutionem acceperunt: Thomas a Kempis, Copernicus, astronomus polonus, Nicolaus de Cusa, auctor tractatus capitalis *De docta ignorantia,* famosus humanista Erasmus Roterodamensis, Adrianus ab Utrecht, futurus papa Adrianus VI. Anno 1468, Gabriel Biel, major magister theologiae in Germania, nomen dedit congregationi Fratrum de vita communi.

Fratres isti intime uniti erant cum congregatione canonicorum regularium S. Augustini de *Windesheim* (prope Zwolle) quae saeculo

---

(1) E. BARNIKOL, *Studien zur Geschichte der Brüder vom gemeinsamen Leben.* Tübingen, 1917; J. DE JONG, *Handboek der Kerkgeschiedenis,* ed. 3. t. II, p. 412 sq. Utrecht, 1936; L. J. ROGIER, *Geschiedenis van het Katholicisme in Noord-Nederland in de* 16e *en de* 17e *Eeuw,* t. I, ed. 2, p. 102 sq. Amsterdam, 1947.

XV maxime floruit (1). Haec congregatio numerabat circiter centum monasteria in Europa occidentali. Unacum Fratribus de vita communi, canonici de Windesheim sunt praecipui initiatiores methodi vitae spiritualis quae jam a principio appellata est *Moderna devotio*.

Moderna devotio orta est ex oppositione speculationi nimis subtili quae saec. XIV-XV praevalebat in theologia et contemplationi nimis intellectuali divinae essentiae, unionis animae cum Deo, quam proponebat schola mystica Germaniae, praesertim opere magistrorum ex Ordine Praedicatorum, inter quos excellebant Eckhartus, Tauler et Suso. *Moderna devotio* per viam simpliciorem quaerebat pervenire ad Deum: non speculatione, nec sublimi contemplatione, sed reformatione interiori. Ad hanc obtinendam dimittebat sapientes disputationes et proponebat *media practica*: fugam peccati, deditionem perfectam et humilem animae divinae voluntati, imitationem Christi, qui est fons et exemplum omnis sanctitatis. Eo tendit ut christianus in vita sua quotidiana agat cum fide, cum plena conscientia finis supernaturalis vitae, quin curet de eo sapienter disserere. « Non confidamus in proprio ingenio, sed in sensu et in scientia Christi ». Notae peculiares Modernae devotionis clare exponuntur in lib. I de *Imitatione Christi*, e. g. ubi legitur: « Opto magis sentire compunctionem, quam scire ejus definitionem » (cap. I). « Quiesce a nimio sciendi desiderio, quia magna ibi invenitur distractio et deceptio » (cap. II). « Quid curae nobis de generibus et speciebus? » (cap. III). « Quid prodest tibi, alta de Trinitate disputare, si careas humilitate, unde displiceas Trinitati... Si scires totam Bibliam exterius et omnium Philosophorum dicta: quid tibi prodesset, sine caritate Dei et gratia? » (cap. I).

Libri quatuor *de Imitatione Christi* proveniunt ex ambitu spirituali canonicorum regularium de Windesheim: cum majore probabilitate tribuuntur Thomae Hemerken (Malleolus) a Kempen in Rhenania (1379-1471), qui praeter annales et scripta indolis hagiographicae, uti Vitam S. Lidwinae de Schiedam, exaravit etiam tractatus ad interna trahentes, *Soliloquium animae, De tribus tabernaculis, Orationes et Meditationes de Vita Christi*, qui similitudine ad *Imitationem Christi* accedunt. Ubique percipitur idem deside-

---

(1) Busch, *Chronicon Windeshemense - Liber de reformatione monasteriorum*, ed. K. Grube. Halle, 1887.

rium: sedere in angulo solitario cum pio libello, tacere et loqui cum Deo (1).

Res revera paradoxalis! Opusculum quod nulli cedit cupiditati vel passioni humanae, sed omnibus aperte obstat, quod non stilo eleganti et classico, sed inculto humilique conscriptum est, saepius quam ullus liber profanus, tremillies et ultra, spatio quinque saeculorum latine editum et translatum est quasi in omnes linguas. Diffusio tam universalis, non solum apud catholicos, sed etiam apud acatholicos omnis confessionis, explicatur facto quod aureum opusculum simul satisfacit christiano perfectioni studenti et non-christiano pacem animae in adversis quaerenti.

Libri IV de *Imitatione Christi* viam mediam tenent, et omnem excessum vitant, tam speculationis nimis altae, quam expressionis nimis affectivae. Sane, non praebet summam completam et bene ordinatam vitae spiritualis, sed fasciculum suavem *Admonitionum* et adagiorum utilium ad vitam spiritualem, ad internam consolationem et ad devotionem erga Sacramentum Altaris. Doctrina ibi expressa tono ingenuo et simplici, est doctrina profunda et severa completae abnegationis personalis et perfectae submissionis voluntati divinae. Auctor tanto persuasu dulce jugum Christi describit et pacem praedicat quam anima in Christo invenit, ut lector invincibiliter trahitur ad istud jugum accipiendum, et etiam ad tolerandum patienter omnes tribulationes praesentis vitae. Ita jam a

---

(1) A. DUBARAT, *De l'auteur de l'Imitation de Jésus-Christ. Thomas a Kempis.* St. Martin de Pau, 1936; G. CLAMENS, *La dévotion à l'humanité du Christ dans la spiritualité de Thomas a Kempis.* Lu., 1931.

Usque ad initium saeculi XVII, nulla controversia facta est circa attributionem *Imitationis Christi* Thomae a Kempis. Inde a saec. XVII aliqui illud opus tribuerunt Joanni Gersen abbati monasterii O.S.B. Vercellis, saec. XII-XIII; alii Joanni Gersonio cancellario Universitatis Parisiensis, saec. XV; alii canonico regulari germanico Ordinis S. Augustini qui 30 circiter annis vivebat ante Thomam a Kempis. Nunc autem quasi omnes probatiores auctores tenent auctorem esse Thomam a Kempis, eumque libros *de Imitatione Christi* conscripsisse circa 1424-26. Jam manuscriptum Cameracense *Imitationis,* ex 1438, Thomae tribuit hunc tractatum. In Bibliotheca nationali Bruxellis servatur exemplar autographum *Imitationis* et aliorum scriptorum Thomae, cum signatura auctoris. Etiam Joannes Busch in *Chronicon* Windeshemensi (1464) *Imitationem Christi* adscribit Thomae a Kempis. Adsunt praeterea criteria interna, quoad mentem et linguam, quae revelant scriptorem pertinere ad genus neerlandicum et ad familiam Windeshemensem, e quibus proveniunt prima exemplaria *Imitationis Christi.*

quinque saeculis libellus immortalis turbae innumerae lectorum lucem et solatium attulit in dubio et moerore, ac viam securam ostendit ad fiduciam in solum Deum.

Ut vitam interiorem efficacius promoverent inter laicos et religiosos, Fratres de vita communi et canonici regulares de Windesheim vulgarunt medium practicum eam obtinendi, scil. *meditationem methodicam* quotidie faciendam hora stabilita, cum obiecto praeordinato, cum propositione veritatum et affectuum quibus mens et cor melius moverentur (1). In Regulis monasticis antiquis nullum tempus fixum reservatum erat meditationi: orationes orales, recitatio officii divini in choro et lectio S. Scripturae suggerebant notiones et sensus quibus monachi spiritualiter occupabantur durante die. Carthusiani sunt primi qui sese dedicarunt meditationi tanquam *exercitio speciali,* praesertim opere *Scala Paradisi,* tractatus pro meditatione compositus in Magna Chartusia (Grande Chartreuse) prope Grenoble (c. 1140). Etiam Fratres Minores incumbebant in meditationem systematicam: scripta ascetico-mystica franciscani Davidis ab Augsburgo (+1272) inservierunt fautoribus *Devotionis modernae* (2).

Fratres de vita communi et canonici regulares de Windesheim plures tractatus meditationis composuerunt: Gerardus Grote scripsit *De quatuor generibus meditabilium* pro festo Nativitatis Domini; Gerardus de Zutphen, *De spiritualibus ascensionibus;* Florentius Radewijns, *Tractatulum de extirpatione vitiorum;* Wessel Gansfort, *Scalam meditatoriam;* Joannes Mauburnus (Mombaer) e Bruxellis, *Rosetum exercitiorum spiritualium,* quod praebet copiam exercitiorum spiritualium cum citationibus ex Patribus aliisque scriptoribus asceticis (3). Meditatio methodica tunc etiam introducta est in Italiam, in Hispaniam et in Galliam. In Italia, praecipuus promotor fuit Lu-

---

(1) P. WATRIGANT, *Quelques promoteurs de la méditation méthodique au XV siècle.* Enghien, 1919; Idem, in *Revue d'ascétique et de mystique,* 1922-23.

(2) SYMPHORIEN DE MONS, *L'influence spirituelle de S. Bonaventure et l'Imitation de Jésus-Christ de Thomas a Kempis,* in *Etudes Franciscaines,* 1921-1923; C. SMITS, *David van Augsburg, Collectanea Franciscana Neerlandica,* t. I, 1927.

(3) K. C. DE BEER, *Studie over de spiritualiteit van Geert Groote.* Nijmegen, 1936; J. VAN ROOY, *Gerhard Zerbolt van Zutphen.* Nijmegen, 1936; P. DEBOUGNIE, *Jean Mombaer de Bruxelles.* L., 1928.

dovicus Barbo, abbas benedictinus S. Justinae in Padua, qui scripsit *Modum meditandi;* Garcia Cisneros, abbas monasterii Dominae Nostrae de Montserrat in Catalonia, tractatum Gerardi de Zutphen *De spiritualibus ascensionibus* divulgavit. Ipse Cisneros, conscribendo *Ejercitatorio de la vida espiritual,* initio saec. XVI, multa loca desumpsit e tractatu *De spiritualibus ascensionibus* Gerardi a Zutphen et ex *Roseto exercitiorum spiritualium* Joannis Mauburni. S. Ignatius de Loyola, qui vere ineunte anno 1522 in sanctuarium Dominae Nostrae de Montserrat aliquantum recessit, cognovit *Exercitatorium vitae spiritualis* conscriptum a Garcia Cisneros.

Quod ad educationem juventutis et introductionem Meditationis methodicae atque exercitiorum spiritualium attinet, Fratres de vita communi et Canonici regulares de Windesheim praeludium praebuerunt operi peracto a S. Ignatio de Loyola ejusque Societate. In silentio, studio et oratione fautores *Devotionis modernae* praepararunt, jam a saec. XV, aliqua pretiosa experimenta quibus saec. XVI perficeretur reformatio catholica, ope educationis humanae et religiosae juventutis, necnon vitae interioris. Verum est, scopus principalis Fratrum de vita communi et Canonicorum regularium de Windesheim erat sanctificatio propria in solitudine. Exinde non multum incubuerunt in salutem animarum medio apostolatus, ut fecerunt Ordines religiosi saec. XVI. Modicae ergo auctoritatis fuerunt apud turbas, sed plurimum valuerunt in coetu delectorum virorum.

b) *Manifestationes Fidei.* Fides adhuc viva erat, tam apud clerum quam apud populum, uti demonstrant fervor et frequentia quibus habita sunt jubilaea anni sancti, anno 1450 sub Nicolao V, anno 1475 sub Sixto IV, et anno 1500 sub Alexandro VI. Iste modo definitivo stabilivit ritum celebrationis Anni sancti, cui ipse praesedit cum magna pompa et pietate, anno 1500, aperiendo portam sanctam basilicae S. Petri. Jussit ut ista basilica aperta remaneret die ac nocte et mandavit cardinalibus et praelatis Curiae ut per totum Annum sanctum remanerent in Urbe, etiam durante aestate, et assisterent omnibus cerimoniis quibus interesset papa. Ipse Alexander VI complevit visitationes basilicarum, die 13 aprilis anni 1500, cum magnifico comitatu principum, legatorum regum et cardinalium (1).

---

(1) V. PRINZIVALLI, *Gli Anni Santi* (1300-1925), p. 51 sq. R., 1925; P. BREZZI, *Storia degli Anni Santi,* p. 98 sq. M., 1949.

Sub influxu Renascentiae, cerimoniae religiosae tam in Urbe quam in aliis civitatibus Italiae magno splendore celebrabantur.

Fructus sanctitatis non deerant saeculo XV, uti demonstrant quinquaginta circiter beatificationes et canonizationes quae isto saeculo habitae sunt. Ubique in vita populari, notantur indicia fervoris christiani: e. g., spatio quinquaginta annorum, ab anno 1470 ad annum 1520, fere centum compilationes canticorum piorum editae sunt in Germania, in lingua vulgari. Abundant libri pro instructione christiana, legendae sanctorum, Bibliae pauperum cum figuris, collectiones exemplorum pro aedificatione, libri quibus titulus *Speculum humanae salvationis, Hortulus animae, Ars moriendi,* in lingua latina et in lingua vulgari. Ipsae *Saltationes mortuorum,* depictae in ecclesiis, in coemeteriis, in libris, monstrant salutarem cogitationem mortis occupasse mentes christianorum (1).

Item multiplicantur editiones et translationes, sive integrae, sive partiales, S. Scripturae: ab anno 1466 ad annum 1521, in sola Germania typis imprimuntur viginti translationes completae Bibliae; in Gallia, translatio gallica « Bible historiale » confecta in medio aevo, editur Lugduni anno 1477; decem annis postea, canonicus Joannes de Rély, publici juris facit translationem gallicam quam anno 1291 egerat Guiart Desmoulins, et ista translatio septem vicibus iterum editur ab anno 1487 ad annum 1521. Anno 1471, notantur duae translationes italicae, editae Venetiis; anno 1477, translatio neerlandica quasi completa, in civitate Delft; anno sequenti, translatio catalonica edita Valentiae. Praeterea numerosissimae sunt editiones et translationes partiales, dictae *Plenaria,* in quibus habebantur evangelia et epistolae anni liturgici (2). Haec sufficienter probant meritum diffusionis S. Scripturae inter fideles nullo modo tribui posse reformationi protestanticae.

---

(1) E. gr. *Der Doten dantz mit figuren. Clage und Antwort schon von allen staten der welt,* ed. probabilius Coloniae Agrippinae, anno 1485, nova ed. facsimile Lz., 1922; J. Huizinga, *L'autunno del Medio Evo,* transl. ital. a B. Jasink. F. 1944.

(2) In Anglia, post translationem S. Scripturae factam a Joanne Wiclef cum intentione promovendi proprios errores, auctoritas ecclesiastica adversata est diffusioni S. Scripturae in lingua vulgari, quae ante Wiclef ibi etiam admittebatur. F. A. Gasquet, *The old English Bible and other essays.* Lo., 1897; M. Deanesly, *The Lollard Bible and other Medieval Biblical Versions.* Cambridge, 1920; P. Janelle, *L'Angleterre catholique à la veille du schisme,* p. 16 sq. P., 1935.

2. - **Status politico-socialis Germaniae.** — Ab auctoribus acatholicis facile asseritur reformationem protestanticam ortam et vulgatam esse ex legitima rebellione conscientiae christianae adversus corruptionem Ecclesiae romanae. Reapse, Ecclesia catholica nullo modo egebat apostasia et rebellione ut reformaretur. Si apostasia Martini Lutheri et rebellio quam promovit, initium dederunt separationi magnae partis populi germanici ab unitate Fidei et constitutioni stabili communitatis protestanticae, hoc ante omnia debetur circumstantiis politicis et socialibus atque elementis seditiosis sub triplici respectu: religioso, intellectuali et nationali, quae jam ante Lutherum existebant in Germania (1).

Sub fine saeculi XV, spiritus independentiae et anarchiae praevalebat in societate germanica, ab altiore gradu ad gradum infimum. Imperator erat primus princeps, sed non habebat potestatem supremam in toto imperio. Numerosissimi erant principatus plus minusve autonomi. Praeter imperatorem, erant dynastiae potentes, quae inter se contendebant primatum: Habsburg in Austria, Hohenzollern in Brandenburgo, Wittelsbach in Bavaria et Palatinatu, Wettin in Saxonia, Zähringen in Württemberg. Circiter quinquaginta episcopi et quadraginta abbates simul habebant potestatem temporalem. Immediate pendebant ab imperatore; sed cum imperator eos protegere non valebat, principes laici vicini eorum bona appetebant. Fortior opprimebat debiliorem secundum adagium: Macht macht Recht = Potestas creat jus.

Nobiles gradus inferioris, simplices equites, arma sua suorumque sequacium praestabant principi majus stipendium offerenti, et sine intermissione pugnabant. In civitatibus saepe saepius praevalebat spiritus invidiae et rebellionis in principes. Agricolae, qui nonnunquam oppressi jacebant, aliquoties viribus unitis dominos impetebant, qui terras suas inique occupaverant. Spatio viginti quinque annorum initio saeculi XVI, agricolae germanici quinquies rebella-

---

(1) A. Baudrillart, *L'Eglise catholique, la Renaissance, le Protestantisme*, op. cit., p. 121; F. Guiraud, *L'Eglise romaine et les origines de la Renaissance*, ed. 5, p. 1921; Scheuber, *Kirche und Reformation*. Einsiedeln, 1916; J. Lortz, *Geschichte der Kirche in Ideengeschichtlicher Betrachtung*, ed. 2, p. 232 sq. Mr. 1933; Idem, *Die Reformation in Deutschland*, t. I. Fr., 1939.

verant adversus oppressores suos (1). Tam anarchia politica, quam injustitia socialis, praesertim in classem numerosam agricolarum, viam parabant imminenti revolutioni in Germania. Die 8 februarii anni 1520, princeps elector archiepiscopus Moguntinus, Albertus a Brandenburgo, scribebat ad juvenem imperatorem Germaniae, Carolum V: « Tale universae Germaniae incendium perspicimus, quale nullis ante temporibus auditum arbitramur » (2).

Ista revolutio politico-socialis, quae erat inevitabilis, attulit secum etiam apostasiam a Fide, quia praeter anarchiam politicam et injustitiam socialem, habebantur etiam germina seditionis religiosae, et quia vir qui praecipuus incitator revolutionis fuit in Germania saeculo XVI, Martinus Lutherus, ante omnia reformator *religiosus* erat. Iste elementa rebellionis, jam antea existentia in vita religiosa, intellectuali et nationali, in unum redegit et expressit modo qui melius respondebat animo rebellium. Ita saltem factum est initio, quando rebelles considerabant revolutionem tanquam motum nationalem pro renovatione Germaniae sub triplici respectu politico, sociali et religioso. Postea, scilicet devictis rusticanis anno 1525, remansit sola reformatio religiosa et intervenerunt principes, qui in propriis statibus imposuerunt Ecclesiam pseudoreformatam quia favebat eorum cupiditati et ambitioni.

3. - **Abalienatio moralis et intellectualis ab Ecclesia catholica.** — Germina rebellionis anticatholicae jam ante Lutherum existentia in vita religiosa, intellectuali et nationali Germaniae, praecipue erant, *a*) sub respectu *religioso*: *abalienatio* spiritualis partis cleri et laicatus a S. Sede et ab auctoritate episcopali. In comitiis imperialibus Wormatiae habitis anno 1521, plurima emittebantur *gravamina* nationis germanicae adversus curiam romanam et clerum, ut quam citius reformarentur. Habebantur adhuc sectatores secreti motus medioevalis pro instauratione paupertatis apostolicae, et Joannis Hus. Plurimi non amplius sperabant quod hierarchia ecclesiastica perficeret reformationem, et proinde istam quaerebant

---

(1) K. J. FUCHS, *Der Untergang des Bauernstandes und das Aufkommen der Gutsherrschaften*. Argentorati (Strasburgo), 1888; J. JANSSEN-L. PASTOR, *Geschichte des deutschen Volkes seit dem Ausgang des Mittelalters*, t. I-II.

(2) A. BAUDRILLART, *L'Eglise catholique*, op. cit. p. 121.

extra auctoritatem hierarchicam. Jam multi credebant melius esse sequi Christum sine tramite Ecclesiae.

b) In vita *intellectuali* praevalebat *humanismus* (1) cum invectione methodi rationalis et criticae, cujus Erasmus fuit praecipuus promotor (2). Humanistae praedicabant recursum exclusivum ad S. Scripturam et ad Patres, dum traditiones et institutiones Ecclesiae, e. g. Ordines religiosos, cultum reliquiarum, peregrinationes, severo subjiciebant examini. Doctrinam christianam considerabant in relatione ad sapientiam antiquam. Theologiam scholasticam tanquam obsoletam deridebant. *Disputatio de usu scriptorum talmudicorum* (1511-1520) monstravit quanta repugnantia plures humanistae germanici excitabantur in theologos traditionalistas. Joannes Pfefferkorn, judaeus ad fidem catholicam conversus, verbo et scripto asserebat judaeorum libros, etiam talmudicos (3), destruendos esse quia judaeos impediebant a conversione ad christianismum. E contra humanista Joannes Reuchlin, professor linguae graecae et hebraicae in Ingolstadt, usum librorum talmudicorum acriter defendit opere cui titulus *Augenspiegel*: Speculum oculorum. Cum in isto opere nimio favore prosequebatur judaeos, facultas theologica universitatis Coloniensis istud damnavit et inquisitor Coloniensis, Jacobus Hoogstraeten, O. P., causam canonicam intulit in Reuchlin.

Ista occasione usi sunt humanistae antiecclesiastici ut violentia inaudita aggrederentur theologos, e. g. Ortwin et Gratium, qui rectam defendebant doctrinam, et una cum eis, theologiam scholasticam, clerum, institutiones ecclesiasticas et ipsum papam. Isto scopo ediderunt *Epistolas obscurorum virorum* (1515-1517), conscriptas a Croto Rubeano et praesertim, pro secunda parte quae est

---

(1) Humanismus est elementum litterarium et scientificum magni motus Renascentiae (1458-1521), pro renovatione culturae generalis in litteris, scientiis, artibus, ordine politico-sociali, secundum exempla classica antiquitatis paganae. In Italia, Renascentia habuit expressionem praecipuam in artibus, in vita morali et in actione politica. Extra Italiam, in Germania, Anglia, Gallia, Neerlandia et Hispania, Renascentia sese magis expressit modo *humanistico*, scilicet, studio litteraturae, philosophiae et theologiae. J. BURCKHARDT, *La civiltà del Rinascimento in Italia*, ed. 4, F. 1940; G. TOFFANIN, *Storia dell'Umanesimo*. Napoli, 1933.

(2) J. HUIZINGA, *Erasmo*. T. 1941.

(3) *Talmud*: collectio traditionum rabbinicarum orta saeculo II post Christum, quae a judaeis partim admittebatur, partim rejiciebatur.

infamior (1517), ab Ulrico Huttenio (1488-1523) (1). Quoad stilum et quoad spiritum, *Epistolae obscurorum virorum* perfecte praeludunt impudentibus scriptis antiromanis Martini Lutheri (2).

c) In vita *nationali* habebatur motus pro exaltatione Germaniae, cum nota diffidentiae, imo inimicitiae, quoad S. Sedem. Origines longinquae hostilis animi Germanorum in S. Sedem, quaerendae sunt in contentione pluries saeculari Imperii cum Sacerdotio, a disceptatione de investituris usque ad concordatum anno 1448, conclusum Vindobonae. Praesertim a tempore Frederici II, (1214-1250), fautores auctoritatis imperialis papam aggressi sunt libellis quibus eum describebant tanquam inimicum traditionalem Imperii. Ista scripta adhibita sunt a nationalistis germanicis saeculi XVI, qui iterum proclamarunt «quod revera imperialis felicitas, papali semper impugnatur invidia » (3).

Scriptor qui initio saeculi XVI majore impetu irruit in papam, est praefatus Ulricus Huttenius. Typis quos habebat in proprio castello Steckelberg prope Fuldam, ipse impressit plures libellos diffamatorios in S. Sedem: *Febris secunda, Inspicientes, Vadiscus dialogus vel Trias Romana,* postea in Ebernburg edidit *Bullicida, Monitor I et II, Praedones.* Papam dicebat caput praedonum: animum germanicum asserebat invincibiliter repugnare a mente romana. Libellis suis Huttenius vehementer fovit spiritum rebellionis Germanorum in S. Sedem.

Jam ante Lutherum ergo, habebantur in Germania elementa seditiosa sub triplici respectu: religioso, intellectuali et nationali.

---

(1) A. BOEMER, *Epistolae obscurorum virorum,* t. I-II. Heidelberg, 1924; P. KALKHOFF, *Ulrich von Hutten und die Entscheidungsjahre der Reformation,* 1920; D. CANTIMORI, *Hutten ed i rapporti tra Rinascimento e Riforma.* Pisis, 1930.

(2) Romae, *Epistolae obscurorum virorum - Dunkelmännerbriefe,* damnatae sunt anno 1517; anno 1520 a Leone X etiam prohibitus est *Augenspiegel* Joannis Reuchlin.

(3) S. SCHARDIUS, *Hypomnema de fide, observantia et benevolentia Pontificum Romanorum erga Imperatores Germanicos,* in *Petri de Vineis Epistolarum... Libri VI,* nova ed. a J. R. ISELIO, t. II, p. 209 Basileae, 1740. Reapse est expositio partialis et ironica factorum quibus Schardius (1535-1573) probare vellet malevolentiam S. Sedis in Imperium.

Sub respectu religioso, ista elementa reducebantur ad odium in pontificatum romanum, ad impetum pseudo-mysticum pro justificatione sola fide, et ad biblicismum integralem. Omnia ista elementa seditionis in Ecclesia et in Statu, habita ratione cum anarchia politica et sociali qua simul turbabatur Germania, poterant praecipitem dare totam nationem in eversionem, si aliquis turbarum auctor omnia ista elementa sparsa in unum redigeret, eaque exprimeret tali modo ut cum eis excitaret in tota natione ab altiore gradu ad infimum, motum collectivum pro constitutione novi ordinis socialis, nationalis et religiosi. Hoc fecit Martinus Lutherus.

II.

REFORMATIO PROTESTANTICA IN GERMANIA (1)

1. - **Curriculum vitae Martini Lutheri et constitutio Ecclesiae lutheranae status.** — In vita Martini Lutheri, (1483-1546), quatuor distinguuntur phases: *prima* est phasis juvenilis, a natalibus usque ad peregrinationem romanam (1483-1511); *altera* est phasis praeparationis interioris reformatoris religiosi (1511-1517) in *tertia* phasi Lutherus aperte deserit Ecclesiam catholicam et reformationem in vita et doctrina propagat in Germania (1517-1525); in *quarta* phasi, quae transgreditur curriculum vitae Lutheri, stabilitur constitutio politica reformationis lutheranae sub auctoritate absoluta principum (1525-1555).

1) *A natalibus ad peregrinationem romanam* (1483-1511). Martinus Lutherus natus est in parva civitate Eisleben in Saxonia, die 10 novembris anni 1483, e familia rusticana; pater ejus Joannes erat fossor ad metalla. A genitoribus dure educatus est: saepius verberatus a patre, a matre flagellatus usque ad sanguinem quia nucem sumpserat, annos infantiae transegit inter metum superstitiosum diaboli et obsessionem maleficarum (2). Primam scholam frequentavit in Mansfeld; anno 1496 petiit Magdeburgum, anno 1498 Eisenach, ubi incubuit in studium linguae latinae. Subsistentiae suae providebat cantando per vias et petendo: « panem propter Deum ». Anno 1501, exceptus est in contubernio universitatis Erfordiae, ubi studuit philosophiae et anno 1505 promotus est magister artium.

---

(1) J. Lortz, *Geschichte der Kirche*, op. cit., p. 240 sq.; Idem, *Die Reformation*, op. cit.; H. Denifle, *Luther und Luthertum in der ersten Entwicklung*, 2 vol. Moguntiae, 1904, 1909; H. Grisar, *Luther*, 3 vol. Fr. 1911-1912; Idem, *Martin Luthers Leben und sein Werk*, 2 ed., Fr. 1927; translatio gallica a Ph. Mazover, *Martin Luther, sa vie et son oeuvre*. P., 1931; translatio italica ab A. Arrò, *Lutero sua vita e sue opere*. P., 1933; J. Paquier, *Luther*, in Dth, t. IX; F. Duynstee. *Maarten Luther in de kritiek*, 3 vol. Tilburgi, 1927-1928; B. Gabba, *Lutero*. Bergomi, 1926.

(2) J. Janssen, *L'Allemagne et la Réforme*, t. VIII. *La civilisation en Allemagne depuis la fin du moyen âge jusqu'au commencement de la guerre de Trente ans*, transl. ab E. Paris, p. 551 sq. P. 1911.

Erat indole melancholica et conscientiâ anxiâ; saepe cogitabat de modo quo melius salvaret animam suam et facile propendebat in desperationem. Die 2 julii anni 1505, cum a Mansfeld regrediebatur Erfordiam, violenta tempestate perterritus et fulgure in terram projectus, S. Annae votum fecit amplectendi vitam monasticam, si salvaretur. Licet tali voto, terrore irresistibili emisso, nullo modo obligaretur, jam die 17 julii ingressus est Erfordiae monasterium Eremitarum S. Augustini de stricta observantia. Sacerdos ordinatus anno 1507, studuit theologiae in universitate Wittenbergensi, et anno 1509 nominatus est sententiarius, scilicet commentator *Summae Sententiarum* Petri Lombardi in schola sui monasterii Erfordiae.

Autumno anni 1510, a confratribus suis missus est Romam ut eorum nomine defenderet causam observantiae apud curiam sui Ordinis et apud ipsam S. Sedem. Romae quatuor hebdomadis moratus est in conventu sui Ordinis. Pro causa observantiae nihil obtinuit cum non haberet mandatum eam tractandi a proprio superiore Joanne Staupitz, sed tantum a confratribus suis. Visitavit septem basilicas et catacumbas, genuflexus ascendit Scalam sanctam, lucratus est indulgentias et veneratus est reliquias, inter quas citat laqueum quo Judas se suspendit. Voluisset etiam facere confessionem generalem totius vitae, sed noluit cum, ita deinde scripsit, nullum invenisset confessarium idoneum.

2) Ab anno 1511 ad annum 1517, perficitur in Luthero *praeparatio interior reformatoris religiosi*. Sub fine anni 1511, missus est ad conventum sui Ordinis in Wittenberg. Ab isto momento usque ad finem vitae suae (1546), Wittenberg fuit centrum principale actionis Lutheri. Autumno anni 1512 promotus est doctor in theologia, et paulo post nominatus professor S. Scripturae in universitate Wittenbergensi. Ibi ab anno 1513 ad annum 1519 vicissim commentavit Psalmos, necnon Epistolas S. Pauli ad Romanos, ad Galatas, ad Hebraeos et ad Titum (1). In his commentariis componendis, quoad doctrinam de gratia, pendet a magistris sui Ordinis qui liberum arbitrium restringebant, et etiam movetur anxietate in-

---

(1) P. LAGRANGE, *Le Commentaire de Luther sur l'Epître aux Romains*, in *Revue Biblique*, t. XII, 1915, p. 456 sq.; A. FRIEDENSBURG, *Geschichte der Universität Wittenberg*. Halle, 1917; K. BAUER, *Die Wittenberger Universitätstheologie und die Anfänge der Reformation*. Tubingae, 1928.

teriore et persuasione propriae impotentiae moralis. Praeterea, medio anno 1516, ipse refert sibi raro superesse tempus celebrandi missam et recitandi horas canonicas. In lectionibus suis in universitate Wittenbergensi, denuntiabat indignitatem papae et superiorum ecclesiasticorum, et docebat hominem non esse liberum, necessario velle et facere malum, atque pro gratia accipienda requiri tantum praedestinationem ab aeterno a Deo.

3) Exinde modo securo ducebatur *ad manifestandum palam doctrinam et actionem suam pro reformatione,* in aperta rebellione adversus S. Sedem: est nota peculiaris *tertiae phasis* ejus exsistentiae (1517-1525), quae est decisiva tam pro vita sua privata et opere suo individuali, quam pro constitutione suae reformationis sub patrocinio principum saecularium. Occasio ejus rebellionis fuit promulgatio indulgentiae pro aedificatione basilicae S. Petri in Urbe. Cardinalis Albertus a Brandenburgo, princeps humanista potius quam pastor animarum, qui cumulabat beneficia episcopalia Moguntiae, Magdeburgi et Halberstadt, praedicatorem indulgentiae in dioecesi Moguntina delegaverat Dominicanum Tetzel. Theologus mediocris sed fervidus concionator popularis, iste dicebatur docuisse sola oblatione eleemosynae pro basilica S. Petri, sine contritione et statu gratiae, *immediate et infallibiliter* liberari animas e purgatorio. Apud vulgus diffundebatur adagium: « *Sobald das Geld im Kasten klingt, die Seele aus dem Fegfeuer springt* » (1).

Exaggerationes istius generis Luthero speciem praebuerunt manifestandi aperte propriam doctrinam. Die 31 octobris anni 1517, ad portam ecclesiae castelli Wittenbergensis, dedicatae Omnibus Sanctis et ideo reliquiis omnis generis refertae, affixit 95 theses in lingua latina, in quibus non solum confutabat exaggerationes praedicatoris Tetzel in materia indulgentiarum, sed etiam impugnabat doctrinam Ecclesiae de thesauro suo spirituali, de efficacitate indulgentiae et de reversione meritorum in favorem defunctorum. Praeterea, sine reverentia loquebatur de auctoritate pontificia (2). Tetzel

---

(1) « Simul atque pecunia sonat in capsa, anima evadit purgatorium ». Cfr. N. PAULUS, *Johann Tetzel, der Ablassprediger.* Moguntiae, 1899; Idem, *Die deutschen Dominikaner im Kampf gegen Luther.* Fr. 1907.

(2) Operum M. Lutheri habentur septem editiones completae, quarum prima est editio Wittenbergensis, eo vivente incepta, in 19 vol. 1539-1558; ultima et magis critica est editio anno 1883 incepta in Weimar, quae completa erit in 100 circiter voluminibus. J. LORTZ, *Die Reformation,* t. II, p. 315;

ejusque confrater Silvester Prierias, magister sacri palatii, atque Joannes Eckius, professor in Ingolstadt, illico responderunt assertionibus Lutheri.

In comitiis imperialibus Augustae Vindelicorum, cardinalis Cajetanus frustra conatus est eum inducere ad retractationem, mense octobri anni 1518. Die 28 novembris 1518, Lutherus appellabat concilium generale ut, si necessarium esset, etiam adversus papam fallibilem, sed secundum S. Scripturam, definiret rectam doctrinam. Tam Lutherum quam ejus sequacem Andream Bodenstein a Karlstadt, Joannes Eckius confutavit in disputatione publica habita Lipsiae (27 junii - 16 julii 1519). Denique, post nimiam expectationem, die 15 junii anni 1520, Leo X edidit bullam « Exsurge Domine », qua damnabantur 41 errores M. Lutheri (1). Iste superbe restitit papae tribus scriptis eodem anno 1520 publici juris factis: a) *An den Christlichen Adel Deutscher Nation*, scilicet: *Nobilibus christianis nationis germanicae;* b) *De captivitate babylonica Ecclesiae praeludium;* c) *De libertate hominis christiani*, latine et germanice.

In istis libellis, Lutherus affirmabat omnes homines habere jus interpretandi S. Scripturam; nullum obstaculum opponi posse libertati fidelium; orbem christianum a dominatione romana liberandum esse. Die 10 decembris anni 1520, propriis manibus combussit bullam « Exsurge Domine », praesentibus professoribus et alumnis universitatis Wittenbergensis. Excommunicatus die 2 januarii anni 1521, unacum fautoribus suis, insuper ab imperatore Carolo V exsilio affectus edicto Wormatiensi (26 maji 1521), princeps elector Fredericus de Saxonia ei tutum procuravit asylum in Wartburg. De ce-

---

S. Ritter, *Le tesi di Lutero sull'indulgenza*, in *Vita e pensiero*, t. VI, 1917, p. 653 sq.; C. Mirbt, *Quellen zur Geschichte des Papsttums und des Römischen Katholizismus*, op. cit., n. 411, 415. Notentur e. g. inter theses Lutheri, 27. Hominem praedicant, qui statim, ut iactus nummus in cistam tinnuerit, evolare dicunt animam. — 50. Docendi sunt christiani, quod si papa nosset exactiones venalium praedicatorum, mallet basilicam S. Petri in cineres ire, quam aedificari, cute, carne et ossibus ovium suarum. 62. Verus thesaurus Ecclesiae est sacrosanctum evangelium gloriae et gratiae Dei. — 86. Cur papa, cujus opes hodie sunt opulentissimis Crassis crassiores, non de suis pecuniis magis, quam pauperum fidelium, struit unam tantummodo basilicam S. Petri?

(1) ES. n. 741.

tero, numerus ejus fautorum crescebat in dies: Karlstadt, Amsdorf, sacerdotes, professores universitatis Wittenbergensis; Link et Lang, priores Ordinis S. Augustini; Dominicanus Butzer, Norbertinus Bugenhagen, aliique ex Ordinibus religiosis; Oecolampadius, Agricola, Zwinglius; humanistae Crotus Rubeanus, Huttenius et Justus Jonas; denique major omnium, Melanchthon (1497-1560), laicus, professor linguae graecae in universitate Wittenbergensi, Lutheri fidelis amicus et validus cooperator pro expositione systematica doctrinae reformatae.

Omnes isti, sub impulsu Lutheri, fervide contribuerunt rebellioni anticatholicae in Germania, praedicatione in lingua vulgari, canticis, et diffusione libellorum, quos artifices faceti, uti Lucas Cranach senior et Holbein junior, illustrabant imaginibus satiricis de papa, praelatis et monachis. Massa populi germanici ad doctrinam Lutheri trahebatur praecipue facili doctrina de sola fide necessaria ad salutem, necnon suppressione praeceptorum Ecclesiae, jejunii, confessionis, et relaxatione vinculi matrimonialis.

E parte catholica surrexerunt plures scriptores qui errores Lutheri impugnarunt: in sola Germania citantur 260 ante concilium Tridentinum. Illustrior est praedictus Joannes Eckius, cujus majus opus est *Enchiridion locorum communium adversus Lutheranos* (1525). Thomas Murner, ex Ordine S. Francisci, fuit invincibilis derisor Lutheri in lingua germanica (1). Ipse Erasmus anno 1522 adversus Lutherum conscripsit *De libero arbitrio diatribe*. In Italia eminuerunt cardinalis Cajetanus ejusque confrater Ambrosius Catharinus, qui sex mensibus post condemnationem errorum Lutheri, edidit *Apologia pro veritate catholicae Fidei* (1520) (2). In Anglia, Henricus VIII, anno 1521, contra Lutherum scripsit librum *Assertio septem Sacramentorum*, quo sibi a Leone X meruit titulum *Defensoris Fidei*. Anno 1525, S. Joannes Fisher, episcopus Roffensis, edidit *Assertionum Regis Angliae adversus Lutheri Captivitatem Babylonicam Defensio*, et postea alios tractatus adversus Lutherum et Oecolampadium.

---

(1) E. g. opere suo *Von dem grossen Lutherischen Narren*, 1522. Cfr. M. Sondheim, *Die Illustrationen zu Murners Werken*, in *Elsass-Lothringisches Jahrbuch*, 1933, p. 5 sq.

(2) F. Lauchert, *Die italienischen literarischen Gegner Luthers*. Fr., 1912. In Italia, confutatio haeresis lutheranae in lingua vulgari anno 1532 concin-

Sed tota Germania, jam diu turbata anarchia politico-sociali et appetitionibus seditiosis, motu quasi irresistibili excitabatur spiritu rebellionis. Circa annum 1520, Lutherus plerumque apparebat populo tamquam propheta temporum novorum, nuntius vitae christianae reformatae. Nondum cogitabat de Ecclesia propria fundanda, quia sperabat *totam* Germaniam componi posse in unam communitatem liberam, directam a solo Spiritu Sancto, secundum principia justificationis per solam fidem, et liberae interpretationis S. Scripturae, independenter ab omni magisterio doctrinali Ecclesiae.

Verum, jam in ipso principio suae reformationis (1517-1525), in sinu suae communitatis ortae sunt dissensiones: alii, ut Karlstadt et Zwinglius, celebrabant coenam sub utraque specie; alii, ut Münzer, invocando revelationem divinam immediatam, praedicabant destructionem omnium impiorum et constitutionem electorum sub regimine communistico. Praeterea, Lutherus cito percepit extensionem suae reformationis ad totam Germaniam impossibilem fore ob resistentiam catholicorum. Quare, ut opus suum defenderet a dissolutione interna et ab oppositione externa, recursum habuit ad principes saeculares, *primo* tanquam ad *protectores* religionis reformatae, *secundo* tanquam ad *rectores supremos*. Sed ipso facto, libertas quam tanta violentia repetierat adversus tyrannidem romanam, jam evanescere incipiebat sub actione brachii saecularis (1).

Principalis occasio interventus principum saecularium in gubernatione Ecclesiae reformatae, fuit *bellum rusticorum*, excitatum ab anabaptista Münzer et a parocho apostata Hubmaier. Hoc bellum annis 1524-25 plures partes Germaniae penitus evertit, praesertim Sueviam, ubi incepit, Saxoniam, Thuringiam et Franconiam. Rustici oppressi rebellarunt adversus dominos laicos et ecclesiasticos (2). Volebant esse liberi et aequales in vita sociali et religiosa;

---

nata est a P. Joanne a Fano, ex Fr. Minoribus Observantiae: *Opera utilissima vulgare contra le pernitiosissime heresie Lutherane per li simplici*. Bononiae.

(1) H. Böhmer, *Studien zu Thomas Münzer*. Lz. 1922; L. Walter, *Th. Münzer et les luttes sociales à l'époque de la Réforme*. P., 1927; L. Cristiani, *Du luthéranisme au protestantisme. Evolution de Luther de* 1517 *á* 1528. P., 1911.

(2) In sola Franconia destruxerunt circiter ducenta castella et monasteria. Cfr. W. Stoltze, *Bauernkrieg und Reformation*. Lz. 1926. H. von Schubert, *Revolution und Reformation im 16 Jahrhundert*. Tubingae, 1927; Pollard, *The Peasants War*, in *Cambridge Modern History*, t. II, 1904.

ideo exigebant suppressionem decimarum et privilegiorum nobilium quoad venationem et piscatum, ac invocabant principia proclamata a Luthero de necessitate abolendi hierarchiam episcopalem, quae detinebat etiam auctoritatem temporalem, de libera praedicatione et sacerdotio communi quod competebat toti sodalitati fidelium.

Adversus rusticos, principes constituerunt foedus quo rebellionem domare potuerunt, die 15 maji anni 1525: in repressione, quinquaginta millia rusticorum occisi sunt. In conflictu, Lutherus aperte stetit pro principibus; timebat ne rustici, si triumphum egissent, ordinarent reformationem in sensu communistico, cum detrimento propriae auctoritatis. Quare principes vehementer hortatus est ut rebellionem sine misericordia frangerent, in libello *Wider die mörderischen und raüberischen Rotten der Bauern*: *Adversus turmas homicidas et depraedatorias rusticorum* (2 maji 1525).

Ab hoc momento incepit interventus assiduus principum saecularium in organizatione regionali Ecclesiae reformatae. Ut opus suum stabile redderet, Lutherus id commisit potestati absolutae principum Germaniae, e quibus plurimi eo libentius pseudoreformationem amplexati sunt, quod ex ea amplissimum incrementum politicum et oeconomicum, confiscatione bonorum ecclesiasticorum, obtinuerunt. Ita Lutherus, qui cum tanta superbia auctoritatem supremam S. Sedis rejecerat, reformationem suam, sic dictam liberam, servili animo tradebat principibus, e quibus plures minime gentium curabant puritatem religionis christianae, sed tantum propriam fortunam et ambitionem: Philippus de Hassia (1504-1567), major inter principes lutheranos, quindecim primis annis post apostasiam, una tantum vice coenae particeps fuerat et publice vivebat in adulterio. Albertus de Brandenburgo (1499-1568), magnus magister Ordinis Teutonici et ideo ex voto obligatus ad coelibatum, uxorem duxerat, atque cum auxilio aliorum equitum et praelatorum Ordinis Teutonici, ducatum Borussiae, qui pertinebat ad istum Ordinem, confiscaverat, et tali iniquo modo factus est princeps saecularis et protector reformationis lutheranae in Borussia (1).

Ista sua humili deditione principibus, Lutherus inde ab anno 1525 declinare incepit in aestimatione populi Germanici. Initio, vi-

---

(1) *Philipp « der Grossmütige »*, in LTK, t. VIII, 227; H. Lang, *Die Einführung der Reformation in Preussen*, in *Neue Kirchliche Zeitschrift*, 1925, p. 845 sq.

debatur propheta missus a Deo pro Ecclesia a captivitate Babylonica liberanda, immemor rerum suarum, unice intentus reformationi christianae. Anno 1525, sic dictus nuntius vitae evangelicae mutatur in adulatorem principum et in maritum monialis apostatae: etenim, die 13 junii, sibi matrimonio junxit Catharinam a Bora, monacham Cisterciensem foedifragam. Ipso tempore quo Germania lugebat plurima millia filiorum qui perierant in bello rusticorum, Lutherus asserebat se ab ipso Deo inductum esse ad nuptias. Exinde, ex concessione Joannis principis electoris Saxoniae, cum uxore sua occupavit monasterium sui Ordinis in Wittenberg. Ipsi ejus fautores, uti Hamman von Holzhausen, Melanchthon et Camerarius, plangebant ejus lapsum moralem. Lutherus apostasiam suam consummabat quaerendo in unione sacrilega cum moniali infideli solatium angoris quo cruciabatur (1).

4) In quarta phasi vitae Lutheri, ejus *reformatio modo definitivo stabilitur sub auctoritate absoluta principum*. Ista phasis rectius protrahitur usque ad pacem religiosam conclusam inter catholicos et protestantes Augustae Vindelicorum anno 1555 (2). Durante ista phasi, ordinantur Ecclesiae nationales lutheranae sub potestate saeculari, secundum principium: « Cujus regio, illius et religio ». Principes sequaces Lutheri, anno 1531, prima vice foedus armatum inierunt in parva civitate Schmalcalda, in Hassia; praeterea, adversus Carolum V et principes catholicos Germaniae, auxilium petierunt principum extraneorum, praesertim Francisci I regis Franciae. Tali modo auxerunt propriam potentiam politicam et affirmarunt propriam independentiam in re religiosa, quin principes catholici hoc potuissent impedire (3).

---

(1) H. Grisar, *Lutero, la sua vita e le sue opere*, transl. A. Arrò, op. cit., p. 278 sq.; art. *Luther*, ab A. Bigelmair, in LTK, t. VI, 721 sq. Ex unione Lutheri cum Catharina de Bora tres filii et duae filiae nati sunt inter annum 1526 et annum 1534.

(2) Nomen *protestantium* datum est anno 1529 principibus lutheranis qui in comitiis imperialibus eo anno Spirae habitis, *protestati* sunt adversus prohibitionem propagandi doctrinam reformatam in propriis statibus, quam ibi promulgarunt principes catholici de mandato imperatoris Caroli V. Decursu temporis, nomine *protestantium* designati sunt omnes fautores reformationis anticatholicae.

(3) L. Pastor, *Storia dei Papi*, t. IV, parte 2, t. V. R., 1929-1931; A. v. Harnack, *Martin Luther und die Grundlegung der Reformation*. B., 1928.

Opus pro organizatione reformationis lutheranae sub auctoritate principum, jam inceptum est inde ab anno 1525, a principe electore Joanne in Saxonia, a Philippo II in Hassia et ab Alberto a Brandenburgo in Borussia. Quisque princeps reformatus fit brevi tempore dominus absolutus religionis reformatae in proprio statu. Ipse decernit qualem confessionem religiosam subditi sui profitebuntur et prohibet exercitium cujuscumque alius confessionis (1). Administrat communitatem christianam ejusque bona, nominat praedicatores, expellit sequaces confessionis prohibitae, et castigat adversarios Ecclesiae status. Ad talem methodum Lutherus confugit ut cohiberet perturbationem doctrinalem et licentiam moralem quae profluebant e funesto principio liberi examinis. Ab anno 1530, ipse haeresiarcha invocabat poenam mortis in sectatores suos nimis logicos, uti anabaptistas, quos dicebat haereticos.

Apud principes, Lutherus valebat tanquam interpres novae fidei: isto scopo scripsit magnum et parvum *Catechismum* (1529). Anno sequenti, Melanchthon compilavit *Confessionem Augustanam*, a Luthero approbatam, in qua doctrina protestantica exponebatur in 21 articulis, quos principes lutherani imposuerunt in propriis statibus (2). Quo principes reformati fortiores fiunt, eo majore rigorirismo imponunt lutheranismum cum exclusione catholicismi. Sic vicissim factum est in Wurttemberg (1534), Saxonia (1539), Brandenburg (1539), Mecklenburg (1547). Culmen servitutis Lutheri, Buceri et Melanchthonis erga principes, ostenditur in quaestione de bigamia Philippi de Hassia, cui tres coriphaei reformationis permise-

---

(1) Circa annum 1525, praeter confessionem lutheranam, in Germania meridionali et in Helvetia diffusa erat confessio Zwingliana, praedicata a Zwinglio, (1484-1531) parocho apostata Tiguris (Zurich). A Luthero praecipue differebat quoad doctrinam Eucharistiae: Lutherus admittebat praesentiam realem Christi ipso momento communionis, dum Zwinglius coenae tribuebat tantum valorem symbolicum commemorationis mortis Christi et confessionis fidei: verba *Hoc est corpus meum*, intelligebantur sensu: Hoc *significat* corpus meum. J. P. WHITNEY, *The helvetic Reformation*, in *The Cambridge Modern History*, t. II, 1904.

(2) In *Confessione Augustana*, fallaciter asseritur doctrinam protestanticam nihil continere « quod discrepet a Scripturis vel ab Ecclesia catholica vel ab Ecclesia romana, quatenus ex Scripturis nota est ». Discussio tantum erat de paucis quibusdam abusibus qui enumerantur in parte altera *Confessionis*: communio sub una specie, lex coelibatus, praeceptum confitendi peccata,

runt ut praeter matrimonium publicum, contraheret matrimonium secretum conscientiae 10 dec. 1539 (1).

Ordinatio communitatis reformatae in Ecclesiam status, sub respectu *externo* procuravit ei existentiam *stabilem* sed eam non impedivit a dissolutione *interna*, producta ex conclusionibus practicis quas fautores lutheranismi trahebant e duobus principiis fundamentalibus pseudoreformationis, de justificatione per solam fidem et de libera interpretatione S. Scripturae. Si sola fides sufficit ad justificationem, parum refert si opera bona adimplentur vel non. Si peccatur fortiter, sufficit credere fortius, ut peccata actu fidei remittantur: ita scribebat Lutherus ad Melanchthonem die 1 augusti anni 1521.

Insuper, si fontes pro vita et doctrina christiana *libere* interpretari licet, independenter ab omni auctoritate universaliter admissa, tunc unusquisque potest creare sibi fidem quae magis placet, admittere vel rejicere ad libitum puncta doctrinae et libros sacros, tunc etiam constitutio doctrinae in unum corpus theologicum, impossibilis evadit. Ipse Lutherus jam annis 1525-1529 agnoscebat tot adesse sectas et fides quot erant capita, et rusticos, cives et nobiles decies pejores esse sub luce Evangelii quam sub papatu. Ejus reformatio nullo modo attulit pacem religiosam Germaniae, ne in hisce quidem partibus ubi reformatio triumphavit, sed eas magis turbavit, sive opere proprio, sive opere turbarum auctorum qui ex ea orti sunt: anabaptistae, prophetae regni Dei, fanatici exaltati appellati *Schwärmer*, libertini, antinomistae, omnes rebelles simul Luthero et Ecclesiae catholicae.

Ille, qui omnem auctoritatem hierarchicam destruxerat, jam non poterat invocare auctoritatem propriam ut eam imponeret fautoribus. De cetero, ut sibi adventat senectus, ita festinatur occasus praestantiae suae moralis et crescit sollicitudo materialis vitae. Extremis annis vitae suae, reformator videtur vir delusus, paterfami-

---

praeceptum jejunii, vota religiosa, auctoritas episcopalis. Cfr. *Confessio Augustana, Gedenkbuch.* Lz., 1930; E. BÖMINGHAUS, *Die Augsburger Konfession. Nach vierhundert Jahren,* in *Stimmen der Zeit,* t. 120, 1931, p. 275.

(1) In praemium sui consensus, Lutherus accepit a principe Philippo amplissimum cadum vini. H. GRISAR, *Lutero,* op. cit., p. 484.

lias immersus in curis temporalibus potius quam apostolus inspiratus, qui interdum recordatur missionis suae sic dictae evangelicae.

Unicum adhuc ei remanet solatium: eructare imprecationes in seminatores zizaniae, et magis adhuc in papam, quem usque ad ultimum diem odio inveterato prosecutus est. Eum appellabat « Antichristum », « Satanam », « hominem diabolicum ». Non probatur sibi praeparasse epitaphium in quo scriptum erat: *Pestis eram vivus, moriens ero mors tua, papa*. Quando, die 26 februarii anni 1537, reliquit Schmalcaldam ubi graviter laboraverat calculis, amicos benedixit dicendo: « Dominus vos impleat odio papae ». Anno 1545, quo inaugurabatur concilium Tridentinum, ultimum scriptum in papam vulgavit: *Adversus papatum Romae a diabolo fundatum* (1). Forsitan praesentiebat novam vitam catholicam e concilio sub forti directione Pauli III orituram. Paralysi cardiaca percussus, obiit in Eisleben die 18 februarii anni 1546; sepultus est in ecclesia castelli Wittenbergensis die 22 februarii, dum Ecclesia catholica celebrabat festum cathedrae S. Petri, scilicet Petrum fundamentum Ecclesiae (2).

Post mortem Lutheri, principes ejus sectatores remanserunt uniti ex ambitione politica. Proditione in Carolum V, pacto cum rege christianissimo Galliae, Henrico II, diuturno bello civili, obligarunt imperatorem ejusque fratrem Ferdinandum regem Romanorum ad pacem componendam cum eis Augustae Vindelicorum, anno 1555. Pace Augustana, sanciebatur divisio religiosa Germaniae in duas confessiones christianas: confessionem catholicam et confessionem lutheranam tunc appellatam confessionem Augustanam. Omnes aliae confessiones excludebantur e tractatu. Inter duas dictas confessiones ordinabatur pax secundum principium: *cujus regio, illius et religio*. Quisque princeps, quaeque auctoritas saecularis autonoma, haberet *jus reformandi,* scilicet determinandi religionem quam proprii subditi deberent confiteri; qui nolebant obsequi, exulandi erant.

---

(1) *Wider das Papsttum zu Rom vom Teufel gestifft.* Eodem anno denuo edidit novem incisiones confectas a Luca Granach, quibus modo vulgarissimo deridebatur papatus, sub titulo *Abbildung des Papsttums durch Dr. M. Luther.* Wittenberg, 1545.

(2) H. GRISAR, *M. Lutero,* op. cit., p. 539.

Principes et civitates liberae confessionis lutheranae, virtute Pacis Augustanae, poterant conservare bona ecclesiastica confiscata a principio revolutionis religiosae usque ad annum 1552. In regionibus gubernatis a principibus lutheranis, suspendebatur jurisdictio episcoporum catholicorum. Praescribebatur *reservatum ecclesiasticum*, secundum quod praelati aliique beneficiarii qui amplecterentur reformationem lutheranam, perderent dignitatem, beneficium et territorium, si domini temporales erant: sed ista praescriptio plurimum exsecutioni mandata non est. Praeterea ordinabatur ut in statibus ecclesiasticis, communitates lutheranae, quae jamdiu ibi existebant, tolerarentur et ut ambae confessiones iisdem juribus fruerentur in civitatibus liberis Imperii uti Francofordia et Hamburgum (1).

Pace Augustana, confirmabantur gravia damna quae Ecclesia catholica a triginta annis in Germania passa erat. Primo violentissimo impetui reformationis protestanticae, Ecclesia nimis debiliter repugnaverat. Usque ad medium saeculum XVI laborabat crisi torporis et pusillanimitatis, qua protestantes facilius potuerunt extendere propriam dominationem. E multitudine habitantium 20.000.000 hominum, 14.000.000 circiter adhaerebant protestantismo (2).

Sed jam a medio saeculo XVI repetita est reformatio catholica, antea incepta, quam tunc omni zelo promoverunt Patres e Societate Jesu, praeeunte S. Petro Canisio, sub directione Ottonis Truchsess, episopi Augustani (+1573), et cum auxilio principum Bavariae Alberti V et Gulielmi V. In urbe Roma, papa Gregorius XIII speciali modo incubuit in reformationem catholicam Germaniae: commissioni cardinalium pro negotiis istius regionis, jam fundatae a Pio V, novum vigorem infudit; stabilivit nuntiaturas apud imperatorem Rodulphum II, Coloniae Agrippinae et Graecii (Gratz); instauravit collegium Germanicum; ampliavit collegium Romanum et adjuvit fundationem collegiorum Jesuitarum in Germania. Inde a fine saeculi XVI, Jesuitis se junxerunt Fr. Minores Capuccini, et se praesertim dedicarunt praedicationi, cum magno successu apud populum (3).

---

(1) C. Mirbt, *Quellen zur Geschichte des Papsttums*, op. cit., n. 437.
(2) *Zeitschrift für katholische Theologie*, 1925, p. 159.
(3) De fraterna cooperatione Jesuitarum et Capucinorum in Helvetia scribebat S. Petrus Canisius die 9 aprilis 1590: « Gaudemus insuper bonos fratres Capucinos in Belgium introductos, Antuerpiae et Bruxellae non sine

Actione politica et religiosa a parte catholica, initio saeculi XVII, positio religionis traditionalis notabiliter mutata erat in melius. Catholici praevaluerunt iterum in Bavaria, in Rhenania et Westphalia, in Austria atque in terris haereditariis domus de Habsburgo. Anno 1609, duodecim principes catholici foedus inierunt pro defensione religionis catholicae: Maximilianus de Bavaria (+ 1651), cui adstabat S. Laurentius a Brundusio, et Ferdinandus II de Styria, futurus imperator (1619-1637), magna pietate et invicta fortitudine causam verae Fidei ab aggressionibus protestantium vindicarunt (1). Ita factum est anno 1618, quando protestantes templa aedificarunt in territoriis archiepiscopi Pragensis et abbatis de Braunau, non obstante prohibitione imperiali. Cum imperator Matthias mandasset ut templa ista vel everterentur, vel clauderentur, protestantes Bohemiae rebellarunt, castellum Pragense occuparunt et archiepiscopum ac Jesuitas expulerunt (23 maji 1618).

Exinde bellum ortum est quod dicitur *Triginta annorum;* inceptum anno 1618 ob causam religiosam praedictam, ab anno 1625 mutatum est in conflictum politicum internationalem ob interventum cardinalis de Richelieu primi ministri Galliae, et Gustavi Adulphi regis Sueciae, qui auxilium praestiterunt protestantibus ut deprimerent dynastiam de Habsburgo. Bello isto, Germania devastata est usquedum, anno 1648, belligerantes pacem confecerunt Monasterii in Westphalia. Tractatus ibi conclusus sanxit debilitationem politicam et divisionem religiosam Germaniae: Gallia servavit partem Lotharingiae et Alsatiae, confoederatio helvetica et respublica neerlandica modo officiali separatae sunt ab imperio et ab omni relatione ad dynastiam habsburgicam; Germania, divisa in principatus independentes, non amplius habebat unitatem politicam.

Sub respectu religioso, virtute tractatus Monasteriensis pax Augustana extensa est ad calvinistas; *reservatum ecclesiasticum* appli-

---

fructu versari, quemadmodum in Helvetia quoque commendantur, ut nostros prope modum obscurent, vel octo in locis gratissimi catholicis ». PETRI CANISII, S, J., *Epistulae et Acta,* ed. O. BRAUNSBERGER, t. VIII, p. 306. Fr., 1923; BONAVENTURA V. MEHR, *Das Predigtwesen in der Kölnischen und Rheinischen Kapuzinerprovinz im 17. und 18. Jahrhundert.* R., 1945.

(1) S. LAURENTII A BRUNDUSIO O.F.M. Cap. *Opera Omnia,* vol. II, pars I *Hypotyposis M. Lutheri,* pars II *Hypotyposis Ecclesiae et Doctrinae Lutheranae,* pars III *Hypotyposis Polycarpi Laiseri.* Patavii, 1930-1933.

cabatur praelatis catholicis qui apostataverant ab anno 1624; *jus reformandi* non poterat applicari dissidentibus qui jam ante annum 1624 in aliquem statum admissi fuerant. Praeterea decretum est ut in terris hereditariis domus de Habsburgo, in Austria, Tyrolo et in parte Silesiae, sola admitteretur religio catholica (1). Ab hoc tempore proportio inter catholicos et protestantes in Germania fere eadem remansit usque ad nostra tempora: una tertia pars multitudinis christianae habitantium profitetur Fidem catholicam, duae circiter partes adhaerent variis confessionibus protestanticis. Sed distributio catholicorum et protestantium in Germania plane mutata est inde a deportationibus Germanorum e partibus nunc a Polonis occupatis versus Germaniam occidentalem.

2. - **Doctrina Lutherana**. — Doctrina Martini Lutheri potissimum agit de tribus quaestionibus sequentibus: *a*) De justificatione; *b*) de Ecclesia; *c*) de Fide. Secundum doctrinam catholicam, pro justificatione et salvatione, requiritur cooperatio voluntatis humanae in adultis cum gratia divina; in Ecclesia habetur, ex institutione Christi, hierarchia cui praeest summus pontifex cum potestate pascendi, regendi ac gubernandi universalem gregem fidelium; denique in actu Fidei, in adhaesione veritati revelatae, intervenit ratio.

E contrario, secundum Lutherum, duo elementa quibus constant istae quaestiones fundamentales, plane separantur et opponuntur, quasi nullam haberent relationem ad invicem: in justificatione, omnis efficacitas tribuitur gratiae, nulla voluntati; in constitutione Ecclesiae, communitas fidelium violenter separatur a suo capite visibili, a summo pontifice, constituto ab ipso Christo; in actu Fidei, nulla pars conceditur rationi. Reformator germanicus religionem christianam fundare quaerit exclusive super gratiam divinam sine concursu liberae voluntatis humanae, super communitatem christianam sine primatu pontificio, super Fidem sine concursu rationis.

---

(1) C. Mirbt, *Quellen zur Geschichte des Papsttums*, op. cit., n. 518; J. Schmidlin, *Die kirchliche Zustände in Deutschland vor dem Dreissigjährigen Krieg*. Fr., 1908; A. Gindely, *Geschichte des Dreissigjährigen Krieges*, 4 vol. Pragae, 1869-1880; F. Callaey, *La physionomie spirituelle de F. Chigi (Alexandre VII) d'après sa correspondance avec le P. Charles d'Arenberg, Fr. Min. Capucin*, in Miscellanea G. Mercati, t. V, p. 451 sq., R.,

Quod ad doctrinam: *a*) de *justificatione* attinet, docebat Lutherus quod homo *nihil* potest facere pro salvatione propria; Deus *omnia* facit (1). Peccato originali, natura humana modo irreparabili corrupta est, et nihil aliud producere potest nisi peccatum. Peccatum originale consistit in concupiscentia, in inclinatione ad malum; etiam motus involuntarii concupiscentiae sunt peccata, repetebat Lutherus post plures doctores medii aevi, uti Petrum Lombardum et Hugonem a S. Victore. S. Thomas e contrario, docet concupiscentiam esse inclinationem facultatum et sensuum hominis in propriam activitatem naturalem, cum delectatione inhaerenti tali activitati: per se, haec inclinatio non est peccatum, dummodo non adversetur legi. Concupiscentia est elementum materiale peccati originalis; elementum formale consistit in privatione gratiae sanctificantis (2).

Secundum Lutherum, *liberum* arbitrium non existit; homo habet tantum *servum* arbitrium. In tractatu *De servo arbitrio* (1525), docet quod homo nulla libertate gaudet sub respectu morali: dirigitur vel a Deo, vel a Satana. Voluntas humana stat velut jumentum inter duos equites: Deum et Satanam. Si Deus voluntati humanae insidet, homo vult et vadit sicut Deus vult; si Satanas voluntati humanae insidet, homo agit sicut vult Satanas (3).

Quomodo, secundum Lutherum, salvatur homo? Fide in Christum. Christus adimplevit legem pro nobis et satisfecit pro omnibus

---

1946; K. EDER, *Die Geschichte der Kirche im Zeitalter des konfessionellen Absolutismus* (1555-1648). Vi., 1949.

(1) Doctrina Lutheri sparsa invenitur in ejus numerosis scriptis. De justificatione agit jam in suo tractatu *De libertate hominis christiani* (1520). Tota doctrina exponitur in 21 primis art. Confessionis Augustanae a Ph. Melanchthon compilatae (1530) et defenditur in *Apologia Confessionis Augustanae* ab eodem conscripta (1530). Praeterea, idem Melanchthon composuit: *Loci communes rerum theologicarum seu hypotyposes theologicae* (1521-1559), quod est opus princeps theologiae lutheranae.

(2) *Summa theologica*. Prima secundae, quaest. 81-83; *De malo*, quaest. 4-5.

(3) Haec theoria de servo arbitrio practice suppressa est praesertim sub influxu Melanchthonis. E contra Calvinus eam systematice explicavit et conjunxit cum certitudine praedestinationis. Cfr. K. ALGERMISSEN, art. *Luthertum*, in LTK, t. VI, col. 732 sq.: « Deus omnia incommutabili et aeterna infallibilique voluntate et providet et proponit et facit; hoc fulmine sternitur et conteritur penitus liberum arbitrium » (ex *De servo arbitrio*). K. ALGERMISSEN, *Konfessionskunde*, p. 758 sq. Hannover, 1939; transl. ital. *La Chiesa e le Chiese*. Brescia, 1942.

peccatis nostris. Fide in Christum, quam Deus excitat in christiano sine ulla cooperatione ipsius christiani, merita Christi applicantur christiano, eique conceditur gratia divina. Fides haec distinguitur a fide dogmatica, non consistit in acceptatione veritatis revelatae, sed in *fiducia indefinita in Christo*, in « fide fiduciali », ut dicit Lutherus. Christianus primo debet experiri quod lex ei data est a Deo ut perderet omnem fiduciam in semetipso, quia ei omnino *impossibile* est observare legem; perdita omni fiducia in semetipso, assumitur a sanctitate Dei in Christo, in ea justificatur et salvatur. Per gratiam Christi, christianus non justificatur *interius,* sed ejus peccata cooperiuntur *exterius. Interius,* christianus semper remanet peccator (1). Opera bona non necessaria sunt ad salvationem; imo impossibilia sunt, quia homo intrinsece semper remanet peccator. Qui confidit in propriis operibus, diminuit fiduciam in meritis Christi. Justificatio christiani per fidem in Christo, uno tantum perditur peccato: peccato *incredulitatis* in merita et justitiam Christi (2).

Theoria lutherana de justificatione per solam fidem, directe opponitur doctrinae catholicae, juxta quam pro justificatione requiritur cooperatio elementi divini, gratiae, et elementi humani, liberae voluntatis, in adulto, (sicut in ipso actu Redemptionis, Christus agit tanquam Deus et tanquam homo, et Ecclesia, quae Redemptionem humano generi administrat, fungitur actione combinata elementi divini et humani). Ecclesia catholica non praescribit tantum christiano *fidem* in doctrinam et opera Christi, sed etiam *obsequium practicum erga* doctrinam Christi et *imitationem* ejus operum. In doctrina catholica, Deus intra hominem *cum* homine operatur; secundum Lutherum, Deus tantum operatur *extra* hominem sine *homine;* Lutherus rumpit vinculum inter divinum et humanum.

Theoria Lutheri de invincibilitate concupiscentiae et de superfluitate bonorum operum ob justificationem per solam fidem, vim

---

(1) « Haec fides specialis, qua credit unusquisque sibi remitti peccata propter Christum et Deum placatum et propitiatum esse propter Christum, consequitur remissionem peccatorum et justificat nos ». (Ex *Apologia Confessionis Augustanae,* IV, 45).

(2) « Homo christianus etiam volens non potest perdere salutem suam quantiscumque peccatis, nisi nolit credere; nulla enim peccata eum possunt damnare nisi sola incredulitas ». (Ex Lutheri *De captivitate babylonica Ecclesiae praeludium*).

nefastam exercuit super vitam moralem lutheranorum. Ipsum matrimonium Lutherus diminuit in existimatione suorum sectatorum: etenim id considerat ante omnia, non tanquam unionem conjugalem pro suscipienda prole, eaque educanda in servitio et amore Dei, ut facit Ecclesia catholica, sed tanquam medium pro sedanda concupiscentia: homo eget matrimonio sicut eget victu et vestitu. Admittit divortium cum novis nuptiis in casu adulterii, derelictionis unius partis ab alia, discrepantis indolis conjugum et denegationis debiti conjugalis. In casu diuturnae infirmitatis unius conjugis, secundum Lutherum alii conjugi licitum est satisfacere concupiscentiae extra matrimonium. Lutherus asserebat feminam unice destinari sive matrimonio, sive prostitutioni (1).

E theoria de justificatione per solam fidem, sequuntur quasi omnes alii errores Lutheri, uti negatio purgatorii, indulgentiarum, et cultus sanctorum. Etenim, justificati per solam fidem in Christum jam nulla purgatione egent, nec indulgentiis adjuvari possunt hi qui jam a Christo justificati sunt. Praeterea, cultus sanctorum superfluus est, quia sola mediatio Christi sufficit. Duo tantum retinet sacramenta: baptismum et coenam, quae non conferunt gratiam, sed tantum sunt *signa* gratiae divinae et justificationis. In coena, Lutherus negat transsubstantiationem, sed admittit praesentiam realem Christi in Eucharistia ipso momento S. Communionis. Missa non habet valorem sacrificii et oblationis: unum tantum valet sacrificium cruentum a Christo oblatum in monte Calvario. Lutherus commendat confessionem in quantum affert solatium animae.

b) Quaestio de *Ecclesia* in doctrina Lutheri. Sicut negavit cooperationem inter gratiam et liberam voluntatem in opere *justificationis,* ita Lutherus etiam rejecit in constitutione Ecclesiae, hierarchiam, supremum magisterium summi pontificis ejusque mandatum communicandi opus Redemptionis cum toto genere humano (2). Supremo magisterio summi pontificis, substituit principium *liberi examinis* individualis cum theoriis adnexis de Ecclesia invisibili, quae est *communitas omnium fidelium,* de *sacerdotio communi omni-*

---

(1) H. GRISAR, *Lutero,* op. cit., p. 480; W. BRAUN, *Die Bedeutung der Concupiscenz in Luthers Leben und Lehre,* B., 1908; O. DITTRICH, *Luthers Ethik in ihren Grundzügen.* Lz., 1930.

(2) In libello *An den Christlichen Adel Deutscher Nation von des Christlichen Standes Besserung*: Nobilibus nationis germanicae de reformatione sta-

bus fidelibus. Non admittit institutionem intermediam inter Deum et fidelem. Secundum Ecclesiam catholicam, S. Scriptura et Traditio sunt fontes Fidei, qui declarantur a magisterio infallibili Ecclesiae. Secundum Lutherum, S. Scriptura est unicus fons fidei, quam quisque christianus potest et debet libere interpretari.

Proinde repudiat totam hierarchiam ecclesiasticam: summum pontificem, episcopos, sacerdotes. Ipsa fides omnes fideles sacerdotes facit: « Der Glaube ist das rechte priesterliche Amt, das uns alle zu Pfaffen und Pfäffinnen macht: Fides est verum officium sacerdotale quod nos omnes facit sacerdotes et sacerdotissas » (1). Hoc sacerdotium inspiratur ab aequo jure interpretandi S. Scripturam quod Lutherus tribuit cuique fideli et a negatione structurae externae Ecclesiae. Sacerdotium universale repugnat universalitati catholicae, qua eadem Fides communis est omnibus fidelibus, et ubique eodem modo proponitur ab eodem magisterio infallibili Ecclesiae. Tota reformatio lutherana tendit ad affirmationem individualismi in sensu nationalismi germanici: *ego* lutheranus creat propriam justificationem fide fiduciali in Christum; idem *ego* propriam fidem definit libera interpretatione S. Scripturae. Nulla auctoritas universalis suprema ordinat vel temperat individualismum lutheranum.

Quo magis Lutherus derelinquit universalitatem Ecclesiae catholicae, eo magis sese convertit ad messianismum germanicum. Nationi germanicae assignat missionem liberandi christianos a papatu et a superstitione romana. Nihil mirum inde si protestantes eum celebrarunt, usque ad adventum socialismi nationalis, tanquam prototypum germanicum. Etenim in hoc maxime valuit Lutherus, quod fuit excitator superbiae nationalis adversus sic dictum despotismum pontificium.

De cetero, varia tentamina definiendi doctrinam lutheranam in confessione dogmatica, in formula ab omnibus admittenda, defecerunt ob individualismum et liberum examen. Sub respectu doctri-

---

tus christiani (1520), Lutherus principes et nobiles excitabat ut Germaniam liberarent a tyrannide papali et institutionem christianam renovarent super basim interpretationis S. Scripturae et disciplinarum utilium, expellendo e scholis tam Aristotelem quam Petrum Lombardum. Paucis diebus, 4000 exemplarium istius libelli vendita sunt.

(1) In sermone de Novo Testamento, scilicet de S. Missa: *Sermon von dem neuen Testament d. i. von der heilige Messe* (mense aprili 1520).

nali, lutheranismus fluctuat inter *pietismum* et *rationalismum*. Pietismus sequitur proprium affectum religiosum et paulum curat de definitionibus dogmaticis; rationalismus, qui est logica et ultima consequentia liberi examinis, omne dogma, omnem theologiam positivam repudiat, et veritatem religiosam inquirit ope unius rationis individualis. Sic logice fit transitus ad tertiam quaestionem fundamentalem *de parte rationis in actu fidei.*

c) Etiam in tertia quaestione fundamentali, de *parte rationis* in actu fidei, Lutherus complevit operam dissolutricem, separando fidem a ratione, opponendo alteram alteri. Secundum doctrinam catholicam, habetur congrua cooperatio inter Fidem et rationem, sicut inter gratiam et naturam. Fides supponit rationem: « Naturalis ratio subservit fidei » (1). Quare magni scholastici medii aevi adhibuerunt philosophiam aristotelicam in servitio fidei. E contrario, Lutherus rationi omnem partem negat in actu fidei. Actus fidei totaliter *irrationabilis* est: Deo dari debet fides *caeca*. Ratio ducit ad superbiam et directe adversatur fidei. Inde irae Lutheri in Aristotelem et in theologiam scholasticam quae philosophiam adhibet in servitio fidei. Lutherus rationem pejoribus injuriis aggreditur; eam vicissim appellat: « Närrin Vernunft »: fatuam rationem; « Erzfeindin des Glaubens »: inimicam capitalem fidei; « Teufelsbraut »: sponsam diaboli, etc. (2).

Tali modo Lutherus complevit opus dissolutionis doctrinalis in tribus quaestionibus fundamentalibus de justificatione, de Ecclesia, de actu Fidei. Abrupit unionem, ab ipso Deo stabilitam, inter vitam naturalem et supernaturalem. Universali et identicae Fidei catholicae ab *uno magisterio* infallibili propositae, opposuit individualismum religiosum et liberam interpretationem fontis fidei, necnon exaltationem nationalismi germanici.

---

(1) S. THOMAS, *Summa theologica,* I, questio I, art. 8 ad 2.
(2) J. MARITAIN, *Trois Réformateurs.* P., 1945; H. GRISAR, *Luther,* op. cit., t. I, p. 126, t. III, p. 836.

III.

CALVINISMUS (1).

1. - Joannes Calvinus ejusque expositio systematica theologiae propriae. — Sicut Wittenberg in Germania, ita civitas Gebennensis (Geneva) in Helvetia gallica magnun centrum fuit unde, sub impulsu potenti Joannis Calvini, reformatio anticatholica diffusa est in plures regiones Europae occidentalis. Etiam ibi, sicut in Germania, status politicus praeexsistens favit introductioni renovationis protestanticae.

Gebennis sedes episcopalis erat ab anno circiter 400. Anno 1154, episcopus Gebennensis factus est princeps S. Romani Imperii, ita ut esset simul dominus spiritualis et temporalis. Sed comites Sabaudiae, ope nominationis episcoporum e propria familia, quaesierunt redigere Gebennas in suam ditionem. Inde orta est, a saeculo XII, aspera et diuturna contentio comitum Sabaudiae et episcoporum Gebennarum cum civibus istius civitatis. Ut libertatem servarent, cives Gebennarum decursu saeculi XV foedus inierunt cum Berna et Friburgo in Helvetia. Denique, anno 1531, cum auxilio solius Bernae, Gebennenses tutelam episcopalem et sabaudicam a se depulerunt.

Verum, Berna non tantum adjuvit Gebennas in pugna pro libertate, sed ei etiam suasit ut admitteret reformationem protestanticam quam Berna acceperat operâ Zwinglii. Ita Gebennenses, initio saltem, inclinarunt in protestantismum ut melius affirmarent independentiam ab episcopo et a principe Sabaudiae. Anno 1532, episcopus, Petrus de la Baume, reliquit civitatem et sedem fixit Annecii; anno 1535, reformator Gulielmus Farel obtinuit ut prohiberetur celebratio missae, et anno sequenti, cives Gebennenses ejurarunt religionem catholicam. Tunc ad eos venit, enixe invitatus a Farel, Joannes Calvinus.

---

(1) *Opera omnia* J. CALVINI, in *Corpus reformatorum*, t. XXXIX -LXXXVII, ed. BAUM, CUNITZ et REUSS. Brunswick, 1863-1900; E. DOUMERGUE (calvinista), *Jean Calvin ,les hommes et les choses de son temps*. 7 vol. Lausanae et P.,1899-1927; A. BAUDRILLART, art. *Calvin et Calvinisme*, in Dth, t. III; F. BRUNETIÈRE, *L'oeuvre de Calvin*, in *Discours de combat*, nouvelle série, P., 1903; B. B. WARFIELD, *Calvin and Calvinism*. Lo., 1931; J. MACKINNON, *Calvin and the Reformation*. Cambridge, 1936.

Natus Novioduni in Gallia die 10 julii anni 1509, Joannes Calvinus ab anno 1523 studuit grammaticae et dialecticae in universitate Parisiensi; anno 1529, petiit universitatem Aurelianensem, deinde Bituricensem, ut operam daret studio juris. Anno 1531, regressus est Parisios, ubi probabilius cognovit opera Lutheri quae tunc in linguam gallicam translata fuerant a Ludovico de Berquin. Suspectus haeresis lutheranae, una cum amico suo Nicolao Cop, rectore universitatis Parisiensis, reliquit Galliam anno 1534 et refugium quaesivit Argentorati et Basileae (1).

In ea civitate, vix viginti septem annos natus (1536), conscripsit opus suum capitale: *Christianae religionis Institutio*, quod ipse decursu vitae suae, auctum et correctum, pluries denuo edidit et concinne in linguam gallicam transtulit: *Institution chrétienne* (2). Eodem anno Gebennas venit, et confestim ibi voluit ordinare communitatem Gebennensem secundum proposita sua; e civitate pulsus anno 1538 sub influxu factionis Bernensis quae repugnabat rigorismo calvinistico, anno 1541 Calvinus Gebennae revocatus est a fautoribus suis. Ab isto tempore usque ad mortem suam die 27 maji anni 1564, Calvinus omnes vires suas indefesse dedicavit stabili constitutioni reformationis suae (3).

In calvinismo considerandae sunt: a) *doctrina* directa versus servitium et honorem Dei medio bonorum operum; b) *constitutio theocratica* communitatis sub regimine presbyteriali, scilicet sub gubernio absoluto consilii ecclesiastici electi a communitate fidelium.

a) *Doctrina*. Apud Calvinum habetur expositio systematica theologiae propriae, logice usque ad ultimas consequentias deductae, cum directione suprema, non versus individuum ut apud Lutherum, sed versus Deum ejusque servitium et honorem, medio

---

(1) In juventute, scilicet annis 1521 et 1527, Calvinus, clericus minoratus, beneficia ecclesiastica obtinuerat quibus studia sua perficere potuit. Anno 1534 beneficia sua dimisit. Cfr. J. PANNIER, *L'enfance et la jeunesse de Calvin*. Tolosae, 1909; *Recherches sur la formation intellectuelle de Calvin, Cahiers de la Faculté prot. de Strasbourg*, n. 24.1935.

(2) P. IMBART DE LA TOUR, *Les origines de la Réforme*, t. IV. *Calvin et l'Institution chrétienne*. P., 1935; V. CARRIÈRE, in *Revue d'histoire de l'Eglise de France*, 1934, p. 37 sq.

(3) Anno 1540, durante exilio Argentorati, uxorem duxit viduam Idelletam de Büren.

bonorum operum. Calvinismus essentialiter activus et practicus est, lutheranismus magis speculativus et pietismo deditus. S. Scriptura, asserit Calvinus, est unica regula fidei; sed in dubio de interpretatione S. Scripturae, explanatio Calvini est unica vera ab omnibus calvinistis sequenda (1). Anarchiae religiosae quae necessario profluit e principio liberi examinis, viam claudit determinando puncta fidei quae omnes sectatores sui cum juramento profiteri debent. Isto scopo, Calvinus anno 1536 edidit *Articulos de regimine Ecclesiae* et anno sequenti, catechismum et confessionem fidei: *Instruction et Confession de Foi*.

Homo justificatur *sola fide*. Per propriam naturam suam totaliter peccato originali corruptam, homo incapax est perficiendi aliquam actionem bonam. Libera voluntas jam non existit: homo necessario agit vel sub influxu gratiae vel unice sub influxu peccati ubi non habetur influxus gratiae (2). Per fidem qua justificatur, fidelis acquirit certitudinem propriae salvationis. Sed exinde Calvinus nullo modo concludit opera bona non esse necessaria. E contrario, docet opera bona esse *signa objectiva* praedestinationis, quae propterea *necessario* debent peragi a fidelibus ex amore et gratitudine erga Deum. Tali modo Calvinus impedivit quominus principium justificationis sola fide suos asseclas duceret ad indifferentismum et ad licentiam moralem, ut saepe evenit apud lutheranos.

Cum duobus principiis liberi examinis sub magisterio Calvini et justificationis per solam fidem cum complemento bonorum operum, Calvinus stricte conjunxit tertium principium quod est cardo theologiae calvinisticae: principium *praedestinationis absolutae*. Deus, secundum Calvinum, edidit ab aeterno « decretum horribile » « quo apud se constitutum habuit, quid de unoquoque homine fieri vellet. Non enim pari conditione creantur omnes: sed

---

(1) Affirmat quod Deus ei dedit gratiam affirmandi hoc quod bonum vel malum est. *Opera omnia*, op. cit., t. XIV, p. 543.

(2) *Institution chrétienne*, Livre II, chap. II: « Que l'homme est maintenant dépouillé de franc arbitre et misérablement assujetti à tout mal... » N. 6: « C'est une chose résolue que l'homme n'a point libéral arbitre à bien faire, sinon qu'il soit aidé de la grâce de Dieu et de grâce spéciale qui est donnée aux élus tant seulement, par régéneration ». Chap. III, n. 5: « La nature de l'homme est si perverse qu'il ne peut être ému, poussé ou mené sinon au mal ».

aliis vita aeterna, aliis damnatio aeterna praeordinatur » (1). Praedestinationi absolutae, Calvinus nullam aliam causam assignat nisi voluntatem Dei.

Ope istius theoriae, Calvinus fautoribus suis infudit convictionem propriae praestantiae ex facto eorum *electionis* ad vitam aeternam, cum talis electio a Deo elargiatur tantum minimo numero hominum. Secundum Calvinum, omnes populi qui vivebant ante Christum, excepto populo Israel, damnati sunt; item omnes populi viventes post Christum et qui nunquam doctrinam Evangelii audierunt; item omnes qui Evangelium audierunt sed non acceperunt in spiritu renovationis protestanticae (isti ultimi sunt 80 super 100 secundum Calvinum) (2). A fortiori, paucissimi qui per justificationem sola fide et per bona opera semetipsos electos sentiunt, *magna perficere* debent in honorem Dei qui eos elegit.

Hic iterum calvinismus differt a lutheranismo. In lutheranismo, magis praevalet praeoccupatio de propria justificatione et salute quam de servitio Dei, dum calvinismus magis studet Deo qui justificat. Intendere in servitium et honorem Dei, cum rigore et spiritu timoris Antiqui Testamenti, debet esse primum officium calvinistarum. Inde notatur apud eos fortis animus agendi et persecutionem ferendi pro causa Dei, cum plena convictione propriae praedestinationis ad gloriam et damnationis adversariorum. Hoc praesertim manifestarunt in Gallia, ubi, non obstante severa repressione edicta a rege Henrico II (1547-1559), confessionem suam audacter affirmarunt. Totam vitam publicam et privatam reformare volebant: mores, actionem politicam, rem oeconomicam, secundum ordinationes Dei a Calvino promulgatas (3).

Etiam quoad cultum, calvinismus discrepat a lutheranismo.

---

(1) *Christianae religionis Institutio,* Libro III, cap. XXI. In lutheranismo, praedestinatio absoluta non admittitur tanquam dogma capitale; Zwinglius, humanista, docebat quod infideles possunt salvari.

(2) *Institution chrétienne,* Livre III, chap. XXX, n. 7: « Dieu ne donne point l'esprit de régénération à tous ceux auxquels il offre sa parole pour s'allier avec eux. Ainsi, combien qu'ils soient conviés extérieurement, ils n'ont point la vertu de persévérer jusqu'à la fin ».

(3) L. Romier, *Les origines politiques des guerres de religion,* 2 vol. P., 1913-14; *Le royaume de Catherine de Médicis. La France à la veille des guerres de religion,* 2 vol. P., 1922.

In cultu lutherano servantur adhuc aliqua elementa cultus catholici e. g. imagines sanctorum, altare, candelae et paramenta sacra pro celebratione coenae. E contrario, Calvinus e cultu suo penitus expulit omnem memoriam catholicam romanam, et imagines prohibuit tanquam signa idolatriae. In cultu calvinistico, nulla admittitur expressio artis religiosae. Dum lutherani coenam habent in quaque congregatione religiosa, calvinistae eam celebrant tantum quater in anno. Alia eorum exercitia religiosa sunt: praedicatio, oratio et cantus psalmorum.

Calvinus repudiat praesentiam realem Christi in Eucharistia; secundum eum, coena est commemoratio passionis et mortis Christi atque donum gratiae, quo fidelis *spiritualiter* unitur cum Christo et modo speciali accipit virtutem Christi. Tres primi duces reformationis ergo, Lutherus, Zwinglius et Calvinus, diverse sentiunt circa quaestionem essentialem praesentiae Christi in Eucharistia: Lutherus admittit praesentiam realem Christi tantum *momento communionis;* Zwinglius docet quod Christus in coena solum *symbolice* praesens est: coena *significat* commemorationem mortis Christi et valet tanquam confessio fidei; Calvinus denique tenet quod momento communionis datur *praesentia spiritualis* Christi, cujus corpus remanet in coelo (1).

b) *Constitutio theocratica communitatis calvinisticae.* Doctrinam suam, in propria auctoritate dogmatica fundatam, cum elemento essentialiter activo: bonis operibus pro gloria Dei, et cum stimulo praedestinationis absolutae, Calvinus non tantum modo systematico, claro et logico *exposuit,* sed etiam cum maxima severitate *imposuit* ope *constitutionis theocraticae* qua firmavit communitatem suam (2).

Etenim Calvinus ecclesiam suam ordinatam voluit, non sub auctoritate absoluta principum saecularium, ut Lutherus, sed sub regimine theocratico. Inde ab anno 1541, cum perseverantia indefessa et rigore implacabili prosecutus est Gebennis constitutionem status christiani secundum normas quas, eodem anno, pu-

---

(1) Calvinus praeter coenam, admittebat baptismum, qui, sicut coena, electis tantum confert gratiam. Ante coenam, fideles debebant in conspectum Calvini venire, quasi in modum confessionis.

(2) E. Choisy, *La théocratie à Genève au temps de Calvin.* Genevae, 1897; G. Goyau, *Une ville-église, Genève* (1535-1907) 2 vol. P., 1919.

blici juris fecerat in codice appellato *Ordinationes Ecclesiasticae: Ordonnances Ecclésiastiques*, quibus anno sequenti adjunxit novam editionem *Catechismi*.

Pro gubernatione civitatis-ecclesiae Gebennensis, Calvinus instituit quadruplicem seriem ministrorum qui eligebantur a coetu fidelium, suggerente Calvino: 1) pastores; 2) doctores; 3) seniores; 4) diaconos. Pastoribus commisit praedicationem, administrationem sacramentorum et curam de disciplina ecclesiastica (1); primum erant quinque, deinde viginti et formabant « la vénérable compagnie ». Doctoribus spectabat institutio juventutis. Seniores, qui erant laici et numero duodecim, observare debebant doctrinam et mores singulorum civium, hortari negligentes et corrigere transgressores *Ordinationum*. Una cum pastoribus, seniores formarunt *Consistorium*, tribunal quod adunabatur quaque feria quinta et de omnibus delictis, publice vel privatim commissis, judicium ferebat. Denique, diaconi debebant providere administrationi temporali civitatis atque adsistentiae pauperum et aegrotorum.

Regimen theocraticum civibus Gebennarum injunctum est, non in spiritu caritatis Novae Legis, sed in spiritu timoris Antiqui Testamenti, ita ut dimidia saltem pars multitudinis habitantium civitatem reliquerit, ut effugeret jugum intolerabile Calvini. Theatrum, chorae, chartulae lusoriae, luxus in vestitu, potationes in tabernis, lauta convivia, omnia haec a Calvino prohibita sunt. Delatio facta est obligatoria, etiam a parte filiorum et servorum; senioribus jus erat perquirendi domos. In peccatores publicos edicebantur poenae severissimae: blasphemia, adulterium, idolatria, haeresis puniebantur morte. Gebennis, ubi tunc vivebant circiter 13.000 incolarum, durante gubernatione Calvini, annis 1542-1564, exsecutioni mandatae sunt 58 sententiae capitales et 76 sententiae exilii.

Calvinus ergo, qui maxima arrogantia negabat dogmata Ecclesiae catholicae, nullam tolerabat discussionem propriae doctrinae, et extremo rigore puniebat omnes qui ei audebant contradicere. Petrus Ameaux, quia dixerat Calvinum usurpasse auctoritatem tanquam episcopum, publice debuit veniam petere; Sebastia-

---

(1) Secundum *Ordonnances Ecclésiastiques*, pastores debebant « endoctriner, admonester, exhorter et reprendre tant en public comme en particulier, administrer les sacrements ».

nus Castellio, e Gebennis expulsus est quia affirmaverat *Canticum Canticorum* non esse inspiratum; item medicus Hieronymus Bolsec, quia non admittebat praedestinationem absolutam; Jacobus Gruet, qui scriptum injuriosum in Calvinum composuerat anno 1547, decollatus est (1547); denique, medicus hispanicus, Michael Servet, anno 1553 ad poenam ignis damnatus est quia negaverat dogma Trinitatis, et de Christo aeterno non eodem modo ac Calvinus scripserat. Servet utebatur expressione: Jesus filius Dei *aeterni*, dum Calvinus imponebat formulam suam: Jesus filius *aeternus* Dei (1). Tenacitate indomabili, Calvinus omnem resistentiam, sive civilem sive religiosam, fregit et ultimis decem annis vitae suae (1555-1564) in ditione sua absoluta tenuit civitatem-ecclesiam Gebennensem.

Tali modo Calvinus, et post eum ejus sectatores, hugenoti in Gallia, puritani in Anglia, presbyteriani in Scotia, inaugurarunt ordinationem propriae ecclesiae sub potestate absoluta consistorii, quod nomine Dei et pro ejus honore communitatem gubernabat. Est regimen theocraticum in quo status subditur ecclesiae: ecclesia est anima et centrum status. Finis status est simul religiosus et moralis ac oeconomicus et politicus. Sub directione pastorum, principes debent extendere cultum calvinisticum et destruere idolatriam, scilicet catholicismum.

Constitutionem status theocratici Gebennensis Calvinus complevit fundatione *Academiae* pro institutione theologica pastorum (1559) (2). In rectorem Calvinus ei praefecit reformatum gallicum Theodorum de Beza (+ 1605), qui post Calvinum gubernavit Genevam. Calvinus ibi docuit theologiam; mille et amplius auditores sequebantur ejus lectiones, et, eo vivente, plusquam 120 pastores, ab eo formati, in Galliam missi sunt. Talis fuit felix successus academiae Gebennensis, ut multitudo habitantium civitatis brevi tempore creverit usque ad 20.000 millia animarum. Exinde ortae sunt plures academiae calvinisticae in Gallia, in locis Orthez, Saumur, Montauban et Die.

Opera sua indefessa, lectione, sermone, commercio epistolari amplissimo, quae confirmabat exemplo vitae austerae, Calvinus

---

(1) Bouquette, *L'inquisition protestante. Les victimes de Calvin*. P., 1906.

(2) C. Bourgeaud, *L'Académie de Calvin*. Genevae, 1900.

fortiter promovit diffusionem reformationis anticatholicae (1). Anno 1561, in Gallia jam existebant 2150 communitates calvinisticae; in Neerlandia, calvinismus factus est religio praevalens altero dimidio saeculi XVI et tunc temporis atrociter persecutus est presbyteros catholicos, uti in locis Gorcum et Alkmaar; in Scotia, fanaticus Joannes Knox (+ 1572), sacerdos catholicus apostata, secundum exemplar Calvini, cui anno 1554 adhaeserat, asseclis suis inculcavit spiritum stricte puritanum (2). Anglia admisit calvinismum sub regno Eduardi VI (1547); ab Anglia error transiit in Status Unitos Americae septentrionalis. Etiam in Europa centrali et orientali, Bremae, in Brandenburgo et in Palatinatu, in Polonia et in Hungaria, organizatae sunt communitates calvinisticae. Et ubicumque praevaluerunt sectatores Calvini, praesertim saeculis XVI et XVII, acerrime impugnarunt « idolatriam » catholicam, ita ut, hoc tempore saltem, vexatio catholicorum revera dici potest forma praecipua calvinistarum pro servitio et honore Dei. Etenim, usque ad saec. XIX, calvinistae, qui contendebant vivere et agere ad majorem Dei gloriam, pauco vel nullo movebantur zelo animarum, paucam vel nullam curam de sorte spirituali infidelium demonstrabant. Inde a saec. XIX, communitates calvinisticae Angliae et Hollandiae, stimulatae exemplo methodistarum, modo methodico inceperunt propagare propriam doctrinam in coloniis.

---

(1) A. L. HERMINJARD, *Correspondance des Réformateurs dans les pays de langue française*, 9 vol. P., 1866-1897.

(2) A. MEZGER, *J. Knox et ses rapports avec Calvin*. Montauban, 1905; A. VAN SCHELVEN, *Het Calvinisme gedurende zijn bloeitijd. Genève-Frankrijk*. Amsterdam, 1943; RHE. XL, 1945, p. 285, L. J. ROGIER, op. cit. t. I, p. 157 sq. 403 sq.

IV.

ANGLICANISMUS (1).

1. - Causae longinquae defectionis Angliae a Fide. — Defectio Angliae a Fide catholica eo major calamitas fuit pro Ecclesia, quo maxime contribuit victoriae definitivae protestantismi in Europa septentrionali, ejusque introductioni in ambitum internationalem. Etenim, ab altero dimidio saeculi XVI, Anglia, una cum Hollandia, effectae sunt magnae potentiae coloniales, et ipso facto juvarunt diffusionem protestantismi extra Europam, in partibus Americae et Asiae quas ditioni suae subjecerunt.

Saeculo XVI, aggressiones Joannis Wiclef in papam et clerum, ejusque errores de S. Scriptura unico fonte fidei, de Ecclesia constituta a communitate invisibili praedestinatorum, hinc illinc adhuc movebant animos adversus S. Sedem et hierarchiam. Anno 1521, quingenti circiter lollardi de mandato concilii Londinensis, in carcerem detrudebantur. Praeterea, relationes populi et cleri anglici ad S. Sedem rarae potius et remissae erant, non tantum ob distantiam quantum ob auctoritatem absolutam qua monarchia anglica statuebat in re ecclesiastica, quin recurreret ad Romam. Anno 1426, Martinus V lamentabatur regem Angliae tanta intolerantia sibi jurisdictionem ecclesiasticam attribuisse quasi Christus eum, et non papam, in Vicarium suum constituisset (2).

Attamen initio saeculi XVI, non notabantur in Anglia, sub respectu religioso vel intellectuali, adspirationes seditiosae directe anti-

---

(1) J. Lingard, *History of England,* nova ed. ab H. Belloc. Lo., 1920 sq.; J. Gairdner, *The English Church in the sixteenth Century from the accession of Henri VIII to the death of Mary.* Lo., 1904; L. Pastor, *Geschichte der Päpste,* op. cit., t. IV-V; G. Burnet, *The history of the Reform of the Church of England.* Lo., 1903; J. Trésal, *Les origines du schisme anglican* (1509-1571), 3 ed. P., 1923; O. A. Marti. *Economic causes of the Reformation in England.* New York, 1929; G. Constant, *La Réforme en Angleterre. Le schisme anglican. Henri VIII.* P., 1930; P. Janelle, *L'Angleterre catholique à la veille du schisme.* P., 1935; R. S. Arrowsmith, *The prelude to the Reformation, Study of English Church Life.* L., 1923.

(2) W. Capes, *The English Church in the fourteenth and fifteenth Centuries.* L., 1909; G. M. Trevelyan, *England in the age of Wycliffe,* ed. 4. Lo., 1909; W. Langland, *The Vision of Piers Plowman,* ed. H. W. Wells. Lo., 1935.

catholicae sicut in Germania. Ibi etiam florebat humanismus, sicut in Italia, in Germania et in Gallia, sed plurimum cum nobili intentione promovendi institutionem humanam et christianam ac reformationem vere catholicam. Praecipui fautores humanismi in Anglia sincere catholici erant: Joannes Colet, sancti Joannes Fisher et Thomas Morus. Joannes Colet (1466-1519), professor S. Scripturae in universitate Oxoniensi et decanus ecclesiae S. Pauli Londinii, Florentiae frequentaverat scholam neoplatonicam Marsilii Ficini et reformatorem religiosum Hieronymum Savonarolam. Commendabat lectionem S. Scripturae et exemplum Jesu atque Apostolorum. Prope ecclesiam S. Pauli, anno 1508 erexit scholam in qua formabat mentem puerorum ope litteraturae sacrae et profanae, eorumque voluntatem, ope persuasionis, sine adjutorio castigationis corporalis (1).

Joannes Fisher (1469-1535), aequo fervore incubuit in studium litterarum et in ministerium sacerdotale: eodem anno 1504 factus est cancellarius universitatis Cantabrigensis et episcopus Roffensis. Sicut confutavit inde a principio errores Lutheri et Oecolampadii, ita etiam sine haesitatione adversus Henricum VIII defendit indissolubilitatem matrimonii et primatum papae. Deliciae ejus erant: **sublevare pauperes et vivere cum libris in amplissima sua bibliotheca.** Anno 1516, quadragesimo septimo aetatis suae, inspirante Erasmo didicit linguam graecam: anno sequenti jam legebat epistolas Sancti Pauli in textu graeco edito ab Erasmo. Eruditione sua, austeritate vitae, caritate et fortitudine, Joannes Fisher eminebat inter episcopes Angliae (2).

Inter laicos, primum locum tenebat Thomas Morus (1478-1535): poëta, orator, philosophus, jurista, rei publicae peritus et super omnia christianus laetae indolis, magnae pietatis et vivae fidei. Domus Mori in Chelsea erat domicilium musarum, artium et virtutum, ubi magnus humanista, « ad amicitiam natus » secundum expressionem Erasmi, familiariter excipiebat amicos suos: Joannem Colet, ejus confessarium, hellenistas Crocyn et Guglielmum Lily,

---

(1) J. H. LUPTON, *The influence of Dean Colet upon the Reformation of the English Church*. Lo., 1893; G. CONSTANT, *The Reformation*, transl. anglica, t. I, p. 18. Lo., 1934; F. MARRIOT, *The Life of John Colet*. Lo., 1933.

(2) R. L. SMITH, *Vita dei Santi Martiri G. card. Fisher e T. More*, transl. italica. Isola del Liri, 1935; F. VAN ORTROY, *Vie du B. Martyr J. Fisher*, AB, t. X et XII, 1891 et 1893.

Linacre, qui fuerat ejus professor, pictorem Holbein juniorem et ipsum Erasmum. Inter opera Mori, saepe refertur *Utopia* (1516), in qua facete describit statum idealem Insulae irreperibilis, in qua homines diriguntur solo lumine rationis, quasi voluisset comparationem instituere inter societatem utopicam et societatem anglicam, quae licet accepisset donum Revelationis christianae, magis indulgebat abusibus et vitiis quam societas utopica sola ratione ducta (1).

Alii adhuc possent citari eximii cultores litterarum et protectores artium, uti Stephanus Gardiner, episcopus Wintoniae et cardinalis Thomas Wolsey, cancellarius regni, qui monstrant initio saeculi XVI non defuisse apud clerum et laicatum anglicum viros omni doctrina egregie excultos. Deerat potius, ex parte cleri, libertas apostolica et zelus pastoralis.

Anno 1518, cardinalis Thomas Wolsey, cancellarius Henrici VIII, a Leone X nominatus fuerat legatus pontificius perpetuus in Anglia. Ipso facto, cum simul esset cancellarius regis et legatus papae, et plene deditus voluntati Henrici VIII, negotia ecclesiastica tractabat ad beneplacitum regis (2). Auctoritati absolutae principis in re ecclesiastica plures favebant legisperiti et professores, uti Thomas Cranmer, ex universitate Cantabrigensi; multi voluissent ut rex gubernaret Ecclesiam in spiritu decretorum Clarendonii (1164) (3). Inter episcopos, plurimi erant aulici et mundani, unice intenti ad servandum et augendum favorem regium. Anno 1519, Joannes Fisher exclamabat in synodo nationali: « Quis enim ferat eos qui de humilitate, sobrietate, et contemptu mundi verba faciunt, superbiam, fastum, vestium splendorem et deliciarum omnium affluentiam consectari » (4). Ipse Fisher erat unus e raris episcopis anglicis qui cu-

---

(1) C. E. Shebbeare, *Th. More a Leader of the English Renaissance*. Lo., 1930; E. M. Routh, *Th. More and his friends*. O. 1934; H. Brémond, *Le B. Thomas More*, coll. *Les Saints*, ed. 5. P., 1920; N. Harpsfield, *Thomas More*. Lo., 1932; W. E. Campbell, *More 's Utopia and his Social Teaching*. Lo., 1930.

(2) H. Belloc, *Wolsey*. Lo., 1930; G. Cavendish, *The life and death of Th. Wolsey*. Lo., 1930; A. F. Pollard, *Wolsey*, ed. 2. Lo., 1929; P. Janelle, op. cit. p. 56 sq.

(3) Cfr. cap. III praesentis vol., p. 200 sq.

(4) AB, t. X, 1891, p. 255, n. 2, p. 257 sq.; B. Camm, *Lives of the English Martyrs declared Blessed by Pope Leo XIII*, t. I. Lo., 1914. Adversus M. Lutherum, J. Fisher publici juris fecit anno 1525 *S. Sacerdotii defensio*, ed. in *Corpus Catholicorum*, fasc. 9, Mr., 1929.

rabat gregem suum: sedem suam Roffensem, quae pauperior erat in tota Anglia, nunquam relinquere voluit pro alio beneficio. Anno 1530, erat unus e tribus episcopis, qui residebant in propria dioecesi; omnes alii, vel vivebant in aula regia, vel intendebant ad negotia propria. Ipse cardinalis Wolsey, qui cumulabat beneficia episcopalia, dabat exemplum vitae luxuriosae, magis deditae mundo et regi quam Ecclesiae et Deo.

Relaxatio unionis cum Roma, vita saecularis et nimia submissio absolutismo monarchico, proculdubio debilitaverant vim moralem cleri et debent recenseri inter *causas latentes longinquas*, quae possibilem reddiderunt separationem Angliae a centro Fidei catholicae. Si hierarchia episcopalis Angliae stricte unita fuisset cum S. Sede, in spiritu libertatis apostolicae et fervoris pastoralis, Henricus VIII eam nunquam complicem habuisset, nec in approbatione sui divortii, nec in proclamatione suae suprematiae ecclesiasticae.

Quod ad defectionem Angliae a Fide catholica attinet, notandum est eam non eodem modo perpetratam esse in Anglia ac in Germania, in Helvetia et in Scandinavia, scilicet praedicatione aperta errorum doctrinalium de justificatione, de libero examine, de praedestinatione absoluta. In Anglia, defectio a Fide catholica incepit cum schismate quod movit rex tyrannicus et sensualis, Henricus VIII; postea, schismati, successores Henrici VIII adjunxerunt errores e lutheranismo et calvinismo; et sic a schismate transitus factus est ad haeresim, ad reformationem anglicanam. Quare, in historia defectionis Angliae a Fide catholica, duae distinguendae sunt phases: phasis *schismatica* et phasis *haeretica*.

2. - **Schisma Henrici VIII.** In parte altera regni Henrici VIII, (1531-1547), Anglia a proprio gubernio modo violento compulsa, abrupit unionem cum Roma, negando primatum et universalitatem auctoritatis pontificiae, sed conservando alia dogmata religionis catholicae. Henricus VIII, natus anno 1491, filius junior Henrici VII, in infantia sua destinabatur ad statum ecclesiasticum, et ideo studiis sacris incubuit in universitate Oxoniensi. Sed cum frater ejus major, Arthurus, heres throni, mortuus esset anno 1502, Henricus thronum ascendit post obitum patris, anno 1509 (1).

---

(1) *Calendar of letters and papers foreign and domestic, of the Reign of Henry VIII*, ed. J. BREWER et J. GAIRDNER, 21 vol. Lo., 1862-1910; A. POL-

Multae in juvene Henrico VIII erant praeclarae dotes et virtutes: aptus gubernio, auctoritatem suam in regno corroboravit, et extra regnum potentiam Angliae auxit, modo habili aequipondium servando inter Imperium germanicum, Hispaniam et Galliam. Religionem catholicam optime cognoscebat, eique addictus erat, uti probat ejus tractatus *Assertio septem sacramentorum* adversus Lutherum. In cap. II hujus tractatus, pronuntiabat eos peccare damnabiliter quicumque papae non obtemperarent. Colebat litteras, protegebat artes, et quaerebat societatem humanistarum. Sed superbia elatus, ad suum arbitrium libidinemque suam agebat omnia. Tanquam dominus absolutus regnabat in Anglia tam in spiritualibus quam in temporalibus, et nullum tolerabat obstaculum, nec voluntati nec passioni suae.

Duodeviginti annis post suum legitimum matrimonium cum Catharina de Aragonia (1526), voluit obtinere a papa ut matrimonium suum, e quo nata erat filia Maria, nullum declararet. Refertur tamen Henrico VIII jam a 1514 adfuisse propositum contrahendi alias nuptias, ut haberet heredem masculinum. Cupiit postea inire novas nuptias cum juvene domicella honoris reginae, Anna Boleyn, cujus sororem, Mariam, jam cognoverat. Sed Anna Boleyn nolebat cedere amori regis, nisi antea fieret ejus legitima uxor. Exinde Henricus VIII cogitare coepit de dissolutione sui matrimonii, quod amici sui, inter quos dux de Norfolk, avunculus Annae Boleyn, dicebant invalidum ob impedimentum dirimens affinitatis in primo gradu. Etenim, Catharina de Aragonia primo matrimonio juncta fuerat ipsi fratri majori Henrici VIII, Arthuro, qui ante consummatum matrimonium obierat (1501). Sed Julius II novos sponsos, Henricum VIII et Catharinam de Aragonia, dispensaverat ab impedimento affinitatis in primo gradu (26 dec. 1503). Proinde Henricus Catharinam uxorem duxerat anno 1509. Non videtur eum expressisse dubium circa validitatem ejus matrimonii, nisi postquam flagraret desiderio Annae Boleyn (1527) (1).

LARD, *Henry VIII*. Lo., 1903; aliae biographiae a F. HACKETT, Lo., 1930 et C. WOOD, Lo., 1931, in lingua anglica; G. CONSTANT, *The Reformation in England*, t. I, *The English Schism, Henry VIII*, transl. anglica a R. E. SCANTLEBURY. Lo., 1934.

(1) Henricus VIII ejusque fautores allegabant Librum *Levitici*, XVIII, 16, XX, 21, quo fratri prohibebatur matrimonium cum uxore fratris defun-

Clementi VII non deerat bona voluntas satisfaciendi Henrico VIII si primum matrimonium invalidum fuisset. Anno 1529, mandavit cardinalibus Campeggio et Wolsey, ut negotium tractarent. Ante eos, et in praesentia regis, Joannes Fisher defendit indissolubilitatem matrimonii Henrici VIII et reginae Catharinae. Quae cum a legatis ad papam appellasset, Clemens VII totam causam ad se advocavit, eodem anno 1529. Inde irae Henrici VIII, qui voluisset ut res solveretur Londinii, cum docili concursu cardinalis Wolsey et universitatum Oxoniensis et Cantabrigensis: ab ipso momento quo papa causam matrimonii repetiit ad tribunal S. Sedis, Henricus VIII, tyrannide simul et libidine ductus, concepit propositum stabiliendi propriam auctoritatem *supremam* in Ecclesia Angliae.

Anno 1529, cardinalem Wolsey deposuit ab officio cancellarii, quia non impedierat quominus causa sua ad Curiam romanam transferretur. Brevi tempore post dejectionem suam, 29 novembris 1530, Wolsey mortuus est dicendo: « Si servissem Deo eadem diligentia qua obsecutus sum regi, non me derelinqueret in senectute ». Die 25 octobris anno 1529, in palatio regio Greenwich, sigillum regni traditum fuerat novo magno cancellario: Thomae Moro. Sed eodem tempore, Henricus VIII in servitium suum assumebat duos viros ambitiosos et viles, qui regi omni arte adstiterunt, sive ut dominaretur in Ecclesia anglica, sive ut satisfaceret impuro suo amori: Thomam Cranmer et Thomam Cromwell (1).

Die 11 februarii anni 1531, Henricus VIII obtinuit ut clerus eum agnosceret « Ecclesiae et cleri anglicani singularem protectorem unicum et supremum dominum, et quantum per Christi legem licet, etiam supremum caput ». Cum Thomas Morus a rege dissentiret quoad ejus suprematiam ecclesiasticam et quoad ejus divortium, die 16 maji anni 1532, deposuit officium magni cancellarii. Rex ei suffecit Thomam Cromwell. Eodem anno, annatae pontificiae suppressae sunt in Anglia. Quin expectaret sententiam pontificiam, Hen-

---

cti. Sed Julius II amplissimam dispensationem concesserat super omne impedimentum etiam in casu consummationis matrimonii antea contracti ab Arthuro fratre Henrici VIII cum Catharina ab Aragonia. De cetero, si Henricus VIII solutus fuisset, ejus matrimonium cum Anna Boleyn impeditum esset ob copulam quam habuerat cum Maria, sorore Annae. Textui *Levitici* comparari potest *Liber Deuteronomi*, XXV, 5-6.

(1) S. Ehses, *Römische Dokumente zur Geschichte der Ehescheidung Heinrichs VIII*. Pdb., 1893; C. Bémont, *Le premier divorce de Henri VIII*.

ricus VIII secrete matrimonium iniit cum Anna Boleyn 25 januarii anno 1533; die 23 aprilis ejusdem anni, Thomas Cranmer, promotus archiepiscopus Cantuariensis, matrimonium regis cum Anna Boleyn validum declaravit.

Iniquae huic sententiae Clemens VII respondit declarando regem in excommunicationem incurrisse ob repudium inflictum sponsae legitimae et ob nuptias attentatas cum Anna Boleyn (1) (jul. 1533). Denique, die 23 martii anni 1534, Clemens VII matrimonium Henrici VIII cum Catharina de Aragonia validum declarabat. Sed sententia papae non mutavit animum regis, nec diminuit ejus auctoritatem: ministri ejus, nobiles, episcopi, deputati pro majore parte ei in omnibus morem gerebant. Die 3 novembris 1534, parlamentum a rege pressum edidit *Actum suprematiae,* quo Henricus VIII proclamatus est caput Ecclesiae anglicae, cum potestate ordinaria etiam in materia doctrinali. Omnes subditi eum tanquam talem agnoscere debebant: hi qui negarent, punirentur ut rei perduellionis. Tali modo Henricus VIII reconciliationi cum S. Sede omnem aditum claudebat et consummabat schisma, cui paulatim volens nolens adhaesit natio anglica (2).

Die 23 martii anni 1534, camera dominorum ediderat *Actum successionis,* quo Elisabetha, filia nata die 7 septembris anni praecedentis ex unione Henrici VIII cum Anna Boleyn, declarabatur heres throni: omnes Angli debebant jurare istum Actum, quo iterum repudiabatur auctoritas pontificia. Rex commisit excercitium supremae suae auctoritatis in rebus ecclesiasticis magno cancellario Thomae Cromwell, qui summâ astutiâ et crudelitate officio suo functus est. Visitatores regii peragrarunt regnum et a clero saecula-

---

P., 1917; A. F. POLLARD, *Thomas Cranmer and the English Reformation.* Lo., 1926; R. B. MERRIMAN, *Life and Letters of Thomas Cromwell.* O., 1902; G. CONSTANT, *La réforme en Angleterre,* op. cit., p. 82 sq., p. 592 sq. Cranmer erat capellanus familiae Boleyn; lutheranus in corde suo, licet sacerdos matrimonium clandestinum contraxit cum nepte Andreae Osiandri, famosi pseudo-reformatoris Borussiae (1498-1552).

(1) Simul cum rege, Anna Boleyn et Cranmer declarabantur excommunicati, donec resipiscerent.

(2) S. Sedes longanimiter egit erga Henricum VIII: mense decembri anni 1538 tantum, Paulus III excommunicationem in eum promulgavit, eumque a dignitate regia depositum declaravit.

ri ac a religiosis requisierunt juramentum *suprematiae* et *successionis,* sub poena mortis (1).

Ita ab anno 1534 incepit violenta persecutio adversus eos qui asserebant primatum summi pontificis ejusque supremam auctoritatem in Ecclesiam anglicam, et nolebant agnoscere, tanquam validum matrimonium, unionem adulteram ab Henrico VIII cum Anna Boleyn contractam. Inter illustriores assertores suprematiae pontificiae et indissolubilitatis matrimonii, qui tunc martyres obierunt, recensendi sunt: Carthusiani Londinii (4 maji - 19 junii 1535); Joannes Fisher, die 20 maji anni 1535 cardinalis creatus a Paulo III, die 22 junii ejusdem anni capitis poenam pertulit cantando *Te Deum;* Thomas Morus, qui, uti dicebat uxori suae, noluit perdere vitam aeternam pro viginti annis quos adhuc potuisset transigere in hac vita cum gratia regis, sed cum jactura debitae obedientiae summo pontifici (6 julii 1535); Joannes Forest, Franciscanus strictae observantiae, in carcerem detrusus, una cum quinquaginta confratribus suis, mense junio anni 1534, et igne lente combustus die 22 maji anni 1538. Exinde in martyrologio anglico numerosa alia inscripta sunt nomina confessorum ex omni coetu qui mortem praetulerunt apostasiae (2).

Praeterea, ab anno 1535 incepit confiscatio monasteriorum: primum suppressae sunt domus religiosorum qui renuerant praestare juramentum suprematiae, e. g. Franciscanorum strictae obser-

---

(1) Religiosi, qui jure merito suspecti erant de majore devotione in S. Sedem, jurare debebant quod praedicarent « castum et sanctum matrimonium Annae et Henrici » esse justum et legitimum, et Henricum esse caput supremum Ecclesiae Angliae. Oratio pro papa suppressa est in missa, ejusque loro inserta est nova oratio qua Deus rogabatur ut Angliam liberaret a tyrannide papali; praeterea nomina Henrici et Annae publice referenda erant in orationibus. Cfr. J. TRÉSAL, *Les origines du schisme anglican,* op. cit., p. 115.

(2) Anno 1929, Pius XI in albo beatorum inscribebat 135 martyres anglicos. Cfr. H. LECLERQ, *Les Martyrs,* t. VII-VIII. P., 1907-1908; J. M. STONE, *The Church in English history,* p. 153 sq. Edinburgh et Lo., 1907; B. CAMM, *Forgotten Shrines,* 2 ed., Lo., 1936; Idem. *The English Martyrs.* Cambridge, 1929; St. G. K. HYLAND, *A Century of Persecution under Tudors and Stuarts.* Lo., 1926; C. A. NEWDIGATE, *Our Martyrs in England and Wales in the* 16th *and* 17th *Centuries.* Lo., 1928; H. DE VOCHT, *Acta Thomae Mori. History of the Reports of the Trial and Death with an unedited contemporary Narrative.* L., 1947; RHE, XLIII, 1948, p. 256 sq.

vantiae, deinde 376 domus minoris momenti, ubi, secundum falsas relationes emissariorum cancellarii Cromwell, vita religiosa relaxata erat, denique magnae abbatiae. Ab anno 1536 ad annum 1540, 616 monasteria declarata sunt proprietas regia, et eorum reditus rex retinuit sibi vel distribuit inter nobiles qui favebant schismati. Populus anglicus, pro majore parte, non fuit particeps, initio saltem, nec schismatis nec suppressionis monasteriorum: praetulisset servare unionem cum S. Sede et vivere sub regimine benefico abbatum potiusquam sub manu ferrea baronum. Sed omnis resistentia tyrannidi Henrici VIII et dominorum ejus factionis, suffocabatur in sanguine, uti rebellio catholicorum Angliae septentrionalis (York) anno 1536 (1).

Praeter scissionem violentam a S. Sede, ac suppressionem cultus reliquiarum et imaginum, Henricus VIII nihil innovavit in doctrina catholica; imo maximo rigore persecutus est haereticos lutheranos in suo regno. Anno 1539 edidit legem sex articulorum, qua sub poena mortis omnes subditi anglici debebant admittere transsubstantiationem, communionem sub una specie, confessionem auricularem, missam pro defunctis (adversus eos qui purgatorium negabant), vota religionis et coelibatum ecclesiasticum.

Nulli haeretico pepercit rex: Thomas Cromwell, magnus cancellarius qui tantas victimas innocentes ad patibulum et ad rogum damnaverat, accusatus de haeresi, extremum supplicium subiit anno 1540; et vilis archiepiscopus Cantuariensis Thomas Cranmer, qui adhaerebat lutheranismo, uxorem et filios festinanter in Germaniam misit, ne et ipse tanquam violator coelibatus poena capitali puniretur. Nomine Henrici VIII, Cranmer anno 1543 publici juris fecit *Doctrinam et instructionem necessariam omni christiano*, in qua expresse definiebatur doctrina catholica de Eucharistia adversus errores protestantismi. Usque in finem vitae suae, rex summam re-

---

(1) F. A. GASQUET, *Henry VIII and the English Monasteries*, 2 vol. 2 ed. Lo., 1920; S. LILJEGREN, *The fall of the Monasteries and the social Changes in England, leading up to the great Revolution*. Lund et Lz., 1924. Praecipuae consequentiae suppressionis monasteriorum in Anglia fuerunt: pauperismus plebis et declinatio institutionis juventutis ob clausuram scholarum quae adnexae erant monasteriis et abolitionem subsidiorum quae monasteria concedebant universitatibus Oxoniensi et Cantabrigensi; G. O' BRIEN, *An Essay on the Economic Effects of the Reformation*. Lo., 1923. De spoliatione bibliothecarum in monasteriis confiscatis, refert M. THOMPSON, *The Carthusian Order in England*. Lo., 1930.

verentiam exhibebat sacrificio missae, celebrato secundum ritum catholicum.

Sed ipso facto quod Anglia separabatur a centro unitatis Fidei, Ecclesia ibi erat quasi aedificium sine fundamento, quod sola voluntate autocratica Henrici VIII sustinebatur. Mortuo Henrico VIII (1547), Ecclesia anglica, debilitata schismate et tyrannide regia, non valuit resistere fortiter introductioni reformationis protestanticae quae sub successore Henrici VIII, Eduardo VI, filio Henrici VIII et Joannae Seymour, modo officiali de mandato ipsius gubernii incepta est (1).

3. - **Introductio officialis reformationis protestanticae in Angliam post annum 1547.** — Introductio et propagatio reformationis in Angliam, occupant totum secundum dimidium saeculi XVI, scilicet regna Eduardi VI (1547-1553) et Elisabethae (1558-1603), cum brevi interruptione sub regno Mariae, reginae catholicae (1553-1558). Post regnum Elisabethae, persecutio violenta catholicorum, cum poena mortis, continuavit usque ad annum 1681, quo anno extremo supplicio Londinii necatus est ultimus martyr, Oliverius Plunkett archiepiscopus Armachanus (2). Sed post hunc annum adhuc numerosi sacerdotes et laici catholici in carcere mortui sunt, vel multis et confiscatione bonorum puniti. Repressio *legalis* catholicismi duravit usque ad alterum dimidium saeculi XVIII.

Durante introductione officiali reformationis protestanticae in Angliam, (1547-1603), tria facta notanda sunt: *a*) constitutio liturgico-doctrinalis novi cultus; *b*) actio politico-religiosa adversus cultum catholicum; *c*) apostolatus catholicus in medio persecutionis.

a) *Constitutio liturgico-doctrinalis novi cultus*. Ex parte promotorum reformationis, facta est sine mora definitio liturgico-doctrinalis novi cultus, compositione *Libri Orationis communis* (*Book of common Prayer*) et *Confessionis fidei*. *Liber Orationis communis* compilatus est sub directione Thomae Cranmer anno 1549 (3).

---

(1) W. TURNBULL, *Calendar of State papers, foreign series, of the Reign of Edward VI* (1547-1553). Lo., 1861.

(2) Beatificatus a Benedicto XV anno 1920: P. MORAN, *Life of O. Plunkett*. Dublinii, 1895; TH. CONCANNON, *B. O. Plunkett*. Dublinii, 1935.

(3) F. A. GASQUET et BISHOP, *Edward VI and the Book of Common Prayer*, ed. 2. Lo., 1928; J. COUTURIER, *Le « Book of Common Prayer » et l'Eglise Anglicane*. P., 1928; A. FOLLARD, in *Cambridge modern history*, t. II, *The Reformation under Edward VI*; G. CONSTANT, *Le changement*

E breviario, missali, rituali et pontificali Ecclesiae catholicae, compilatores excerpserunt textus liturgicos suo scopo utiles, eosque transtulerunt in linguam anglicam et mutarunt secundum doctrinam reformatam. Ibi habentur preces mane et vespere dicendae, litaniae, epistolae et evangelia pro dominicis et festis totius anni, ritus coenae, baptismi, confirmationis et matrimonii, modus assistendi infirmis, psalmi, preces recitandae in navigatione, necnon et Ordinale pro ordinatione diaconorum et presbyterorum, ac pro consecratione episcoporum. Istud Ordinale adjunctum est anno 1550.

In *Libro Orationis communis,* duo tantum sacramenta dicuntur necessaria: baptismus et Eucharistia. Missa reducitur ad ritum communionis, sine mentione transsubstantiationis et praesentiae realis. Alia sacramenta sunt facultativa, excepta confessione, quae inde ab anno 1600 non amplius refertur in *Book of Common Prayer*. Communio fit sub utraque specie. Sacerdotes non obligantur ad coelibatum, nec ad recitationem Breviarii; quatuor ordines minores et subdiaconatus supprimuntur.

Liber Orationis communis, prima vice divulgatus a Cranmer anno 1549, plurimas editiones habuit in quibus vicissim praevalet calvinismus, ut in editione anni 1552, et lutheranismus, ut in editione anni 1662. Etenim, reformatio anglicana, sub respectu doctrinali, essentialiter pendet a lutheranismo et a calvinismo. Anno 1550, mandatum est ut omnes libri liturgici Ecclesiae catholicae, uti missalia et breviaria, tollerentur; simul eversa sunt altaria, quibus substituta est mensa posita ante presbyterium. Ecclesiae catholicae in Anglia successit Ecclesia anglicana, modo officiali stabilita sub Eduardo VI, quae in posterum esset unica Ecclesia admissa in statu anglico: *Established Church of England.*

Praeter *Book of Common Prayer,* anno 1552 promulgata est *Confessio fidei* in 42 articulis qui inspirantur praecipue a doctrina calvinistica: S. Scriptura declaratur unicus fons fidei (art. VI); justificatio obtinetur sola fide (XI); praedestinatio absoluta asseritur in sensu Calvini (XVII); negantur purgatorium (XXII) et transsubstantiatio (XXVIII) et admittitur sola praesentia spiritualis Christi in coena (XXVII) (1).

---

doctrinal dans l'Eglise anglicane sous Edouard VI (1547-1553), RHE, t. XXXI, 1935, t. XXXII, 1936.

(1) XXVIII. *Of the Lord's Supper*: « The Body of Christ is given, taken and eaten, in the Supper, only after an heavenly and spiritual manner.

Anno 1563, sub regina Elisabetha, *Confessio fidei* expressa est in 39 articulis religionis: *Articles of Religion,* quos parlamentum approbavit anno 1571. Ecclesia visibilis Christi, scilicet congregatio fidelium in qua nihil aliud praedicatur nisi verbum Dei et sacramenta rite administrantur secundum mandatum Christi, opponitur Ecclesiis Hierosolymorum, Alexandriae, Antiochiae et Romae, quae omnes errarunt tam in liturgia quam in Fide (XIX): proinde episcopus Romae nullam habet jurisdictionem in Regno anglico, et rex declaratur caput supremum Ecclesiae anglicae (XXXVII) (1).

b) *Actio politico-religiosa adversus catholicismum.* Sub regno Elisabethae (1558-1603), gubernium anglicum tentavit destruere religionem catholicam, sub *praetextu* inimicitiae catholicorum in patriam anglicam, sed cum *motivo politico* corroborandi Angliam ope unius ecclesiae nationalis anglicanae. Soror Elisabethae, Maria Tudor, quae anno 1553 successerat Eduardo VI, instauraverat religionem catholicam et prohibuerat professionem lutheranismi vel calvinismi. Ducenti circiter haeretici, inter quos Thomas Cranmer, poenam mortis subierunt in repressione quae sub ejus regno facta est. Sane, brevi spatio quinque annorum (1553-1558), regina Maria non potuit restituere religioni catholicae locum primarium quem perdiderat. Nihilominus, regnum ejus utile fuit causae catholicae, quia multis catholicis reddidit conscientiam propriae religionis, eosque praeparavit ad sustinendam persecutionem quam systematice perducere conata est regina Elisabetha (2).

Ambitiosa et astuta, Elisabetha volebat esse, sicut Henricus VIII, caput supremum Ecclesiae anglicae. Ex indole sua, non inclinabat magis in protestantismum quam in catholicismum: vicissim secuta erat patrem suum in schismate, fratrem suum in reformatione protestantica, et sororem suam in restauratione religionis ca-

---

And the mean whereby the Body of Christ is received and eaten in the Supper, is Faith ».

(1) E. BICKWELL, *A theological Introduction of the 39 Articles of the Church of England.* Lo., 1919.

(2) PASTOR, *Geschichte der Päpste,* op. cit., t. VI; H. BELLOC, *A history of England,* t. IV, p. 208 sq. Lo., 1931. Sub respectu politico, regina Maria sibi abalienavit animos multorum, tam catholicorum quam protestantium, contrahendo matrimonium cum rege Hispaniae Philippo II (1554); Ph. HUGHES, *Rome and the Counter-Reformation in England.* Lo., 1942.

tholicae. Ita etiam, secundum opportunitatem politicam, initio regni
sui, simulabat reverentiam catholicismo vel favorem protestantismo.
Sequendo exemplum patris sui Henrici VIII, Elisabetha inspirabatur normis machiavelicis, et reformatione antiromana utebatur tanquam facili instrumento ut stabiliret gubernium absolutum in re tam
ecclesiastica quam civili (1).

Quando thronum ascendit, multitudo habitantium Angliae pro
magna parte adhuc catholica erat, saltem intentione. Sed variationes
de mandato regio impositae: schisma Henrici VIII, primum tentamen protestanticum Eduardi VI et instauratio catholica reginae Maria, apud plurimos, praesertim in clero et in classe nobili, sensum
accommodationis creaverant. Sufficiens jam erat, secundum eos,
adhaerere religioni catholicae in *corde suo;* de cetero, licebat adsistere modo mere externo cerimoniis anglicanis. Initio, regina Elisabetha ejusque ministri Gulielmus Cecil et Nicolaus Bacon, cum summa cautela processerunt erga multitudinem catholicorum: obligationem adhibendi *Librum Orationis communis,* vel confitendi 39 Articulos Fidei, non urserunt. Sed continuo ab episcopis et presbyteris
catholicis requisierunt juramentum suprematiae quo Elisabetha declarabatur gubernatrix suprema Ecclesiae Angliae. Quindecim episcopi ex sexdecim renuerunt praestare istud juramentum: solus Kitchin, episcopus de Llandaff, obsecutus est reginae. Quindecim episcopi refractarii depositi sunt et in carcerem detrusi (2). Inter presbyteros, duo millia circiter, ex septem millibus quingentis, recusarunt
juramentum. E 2200 presbyteris tunc addictis ministerio paroeciali
quatuor dioecesium Londinii, Norwich, Ely et Coventry-Lichfield,
1453 praestiterunt juramentum suprematiae.

---

(1) Altera die post proclamationem suam in reginam Angliae (25 nov.
1558), declaravit se nihil mutare velle instaurationi catholicae introductae a sua sorore Maria. Cfr. L. Pastor, *Geschichte der Päpste,* t. VI-X;
W. H. Frere, *The English Church in the reigns of Elizabeth and James,*
Lo., 1904; H. N. Birt, *The Elizabethan religious Settlement.* Lo., 1907;
A. O. Meyer, *England und die katholische Kirche unter Elisabeth.* R.,
1911; J. Pollen, *The English Catholics in the reign of Elizabeth.* Lo., 1920;
A. H. Atteridge, *The Elizabethan Persecution.* Lo., 1928; F. Chamberlain,
The private character of Elizabeth. Lo., 1921.

(2) Inter eos plurimi plus minusve adhaeserant schismati Henrici VIII:
Tunstall, episcopus Durhamiensis, Bonner episcopus Londinensis, Heath, archiepiscopus Eboracensis. Ph. Hughes, op. cit., p. 144.

Interea, per vias Londinii, papa et institutiones catholicae afficiebantur ludibriis. Loco episcoporum catholicorum, qui dejecti fuerant, ordinabatur hierarchia anglicana. Die 1 augusti anni 1559, Matthaeus Parker eligebatur archiepiscopus Cantuariensis. Die 17 decembris ejusdem anni, Parker consecratus est episcopus a Barlow, ex-priore Ordinis S. Augustini in Bisham, qui initio schismatis Henrici VIII promotus fuerat episcopus de Bath et Wells. Consecratio Matthaei Parker facta est secundum formulam incompletam Ordinalis quod anno 1550 adjunctum fuerat *Libro Orationis communis* (1). In ista formula, nulla mentio fiebat de officio proprio sacerdotis, sive presbyteri sive episcopi, in ordine ad oblationem sacrificii missae. Ipse episcopus consecrator, Barlow, tenebat ordinationem non esse necessariam pro ministerio ecclesiastico.

Tam ob formulam incompletam, quam ob dispositionem haereticam episcopi consecratoris, cui proculdubio deerat intentio conferendi facultatem pro oblatione sacrificii missae, consecratio episcopalis Matthaei Parker invalida fuit. Et cum Parker sit pater totius hierarchiae anglicanae sub Elisabetha, et omnes ordinationes sacerdotales et consecrationes episcopales ab anno 1559 ad annum 1662 factae sint in Ecclesia anglicana secundum praedictam formulam incompletam, sequitur omnes istas ordinationes et consecrationes invalidas esse (2).

---

(1) Pro ordinatione sacerdotali: « Receive the Holy Ghost. Whose sins thou dost forgive, they are forgiven; and whose sins thou dost retain, they are retained. And be thou a faithful Dispenser of the Word of God, and of his holy Sacraments ». Pro consecratione episcopali: « Receive the Holy Ghost. In the name of the Father etc. And remember that thou stir up the grace of God which is given thee by this Imposition of our hands: for God hath not given us the spirit of fear, but of power, and love and soberness ». Praeter episcopum consecratorem Barlow, etiam Coverdale, episcopus consecrans, negabat existentiam episcopatus in Ecclesia Christi. J. TRÉSAL, *Les origines du schisme anglican*, p. 381 sq.

(2) Bulla Leonis XIII *Apostolicae curae*, de Ordinationibus anglicanis (1896). In ista bulla, ordinationes anglicanae declarantur invalidae ob formulam incompletam et defectum intentionis. Anno 1662, formulae consecrationis et ordinationis in Ecclesia anglicana auctae sunt mentione expressa: « for the Office and Work of a Bishop (Priest) in the Church of God, now committed unto thee by the Imposition of our hands ». P. GASPARRI, *De la validité des ordinations anglicanes*. P., 1895; CARD. VAUGHAN, *A vindication of the Bull « Apostolicae curae »*. Lo., 1898.

Spatio trium mensium, Parker sexdecim episcopos anglicos consecraverat. Sed simul ac ordinabant novam hierarchiam sibi plane devotam, Elisabetha ejusque ministri professionem religionis catholicae asserebant repugnare amori patrio et sincerae obedientiae reginae ejusque gubernio. Tali modo Elisabetha augebat confusionem inter catholicos, ponendo eos ante dilemma fidelitatis, vel religioni catholicae vel patriae. Certe regina Elisabetha non placebat majori numero catholicorum: filia adulterina Henrici VIII et Annae Boleyn, multi ei praetulissent Mariam Stuart, reginam Scotiae, quae per aviam suam Margaritam, sororem Henrici VIII, pertinebat ad dynastiam anglicam de Tudor.

Nihilominus, catholici nullam oppositionem fecissent Elisabethae, si ipsa fidelis remansisset juramento quod praestiterat, die coronationis suae, servandi intactam religionem catholicam. Postquam Elisabetha violaverat istud juramentum opprimendo catholicos, tunc inventi sunt catholici qui aestimarunt se non amplius teneri ad obedientiam erga reginam foedifragam. Sed hi catholici fuerunt minima pars, dum numerus longe major subditus remansit et vexationes passus est in silentio. Et eodem tempore quo Elisabetha persequebatur catholicos tanquam inimicos Angliae, cum summa perfidia excitabat Gallos hugenotos adversus proprium regem Galliae, et Hollandos calvinistas adversus Philippum II regem Hispaniae, qui erat tunc eorum legitimus princeps.

Sic agendo, Elisabetha ante omnia ducebatur *ratione status*: volebat debilitare regna vicina fovendo ibi contentiones religiosas inter catholicos et protestantes; sed statum proprium quaerebat roborare unitate religionis. Tanquam religionem status elegit protestantismum e consideratione mere politica, quia protestantismus facile aptabatur absolutismo regio. Cultum reformatum subdidit beneplacito regio: quoad liturgiam et doctrinam, *Libro Orationis communis* (*Book of common Prayer*) et 39 Articulis Confesionis fidei; quoad constitutionem, ope hierarchiae episcopalis quae tota pendebat a gubernio.

Ut caput Ecclesiae anglicae, Elisabetha (ejusque successores, Jacobus I et Carolus I) persecuta est, non tantum catholicos, sed etiam protestantes dissidentes, qui nolebant admittere ritus aliasque praescriptiones Ecclesiae reformatae a gubernio anglico stabilitas. Alii, appellati « *dissenters, non-conformists* », quorum praecursor est Joannes Hooper episcopus anglicanus Glocestriae, repudiabant hierarchiam episcopalem et non admittebant nisi cerimonias religiosas relatas in Evangelio. Alii, uti *puritani*, Ecclesiam anglicanam ordinare volebant secundum methodum Calvini, non sub directione status, sed sub regimine consistorii electi a communitate fidelium. Habebantur adhuc, ab anno 1580, *congregationalistae* fundati a Roberto Brown: promovebant institutionem communitatum independentium ab omni auctoritate, quae unice constarent fidelibus sanctis et solum Christum haberent caput. Omnes isti novatores ab Elisabetha repressi sunt tanquam turbatores unitatis politico-religiosae Angliae (1).

Anno 1563, juramentum suprematiae impositum est deputatis, judicibus, advocatis, notariis et secretariis, sub poena depositionis ab officio; si altera vice negabant juramentum, rei erant perduellionis. Catholici qui assistebant celebrationi missae secundum ritum romanum, vel nolebant adesse servitio anglicano, gravissime mulctati sunt. Anno 1568, cum Maria Stuart, regina catholica Scotiae, refugium quaesierat in Angliam, numerosi catholici Angliae septentrionalis, ducti a comitibus de Northumberland et Westmoreland, rebellarunt adversus Elisabetham, cum desiderio substituendi ei Mariam Stuart. Sed cito devicti sunt et crudeliter repressi: comes Sussex, dux exercitus Elisabethae, circiter nongentos rebelles ad patibulum duci jussit.

Initio anni 1570, die 25 februarii, intervenit S. Sedes: papa Pius V excommunicabat Elisabetham eamque a throno dejectam declarabat; subditi ejus non amplius poterant ei praestare obedientiam, sub poena excommunicationis. Bulla excommunicationis, propositi incursus in Angliam a parte papae, regum Hispaniae et Franciae, atque conjurationes pro liberatione reginae Mariae Stuart quam Elisabetha ab anno 1568 in captivitate tenebat, gubernio anglico novam occasionem praebuerunt ut catholicos diceret periculum publicum pro securitate Angliae eosque, praesertim sacerdotes, tanquam criminis perduellionis reos, morte puniret. Die 2 aprilis anni 1571, decreta est poena proditorum, scilicet mortis, in eos qui procurarent bullam papalem eaque uterentur, vel ex observantia talis bullae darent vel acciperent absolutionem; eadem poena decernebatur in eos qui Elisa-

---

(1) H. W. CLARK, *History of English Nonconformity*, 2 vol. Lo., 1911; S. HOPKINS, *The Puritans and Queen Elizabeth*, 2 vol. NY., 1875.

betham dicerent haereticam, vel schismaticam, vel usurpatricem (1).

Postquam exercitus anglicus profligaverat expeditionem armatam profectam ex Hibernia, anno 1580, persecutio adhuc violentior facta est in sacerdotes et in laicos qui eos hospitio excipiebant: sub poena mortis, prohibita sunt celebratio missae, confessio et quodcumque ministerium sacerdotale. Item, postquam formidanda classis a Philippo II rege Hispaniae parata repulsa fuerat, anno 1588, novo furore regina ejusque ministri saevierunt in catholicos: a die 28 augusti ad diem 29 novembris hujus anni, viginti sacerdotes et undecim laici martyres occubuerunt. Ab anno 1570 ad 1603, ultimum annum regni Elisabethae, 126 sacerdotes et 63 laici catholici, inter quos tres feminae, pro Fide necati sunt (2). Hi qui mortui sunt in carcere, vel bona sua terrena confiscatione perdiderunt, vix numerari possunt. Fuit persecutio crudelis et abjecta, directa cum maxima astutia a ministro Gulielmo Cecil ejusque cooperatoribus: Walsingham, Topcliffe et aliis. In suo servitio habebant exploratores et proditores, apostatas a Fide, qui sese asserebant sacerdotes catholicos, fideles ad assistentiam missae hortabantur, et eos, in ipso actu exercitii religionis catholicae, officialibus regiis denuntiabant et tradebant.

Elisabetha ejusque ministri sperabant se tali persecutione totaliter exstirpare posse catholicismum ex Anglia, praesertim *defectu sacerdotum*. Eumdem scopum prosecuti sunt in Hibernia, quae tunc pro magna parte pendebat ab Anglia, et cujus habitantes heroice pugnarunt et persecutionem diuturnam sustinuerunt pro defensione Fidei catholicae et libertatis: nunquam visa est tanta crudelitas a parte oppressorum, nec resistentia tam invicta a parte catholicorum (3). Etiam in Scotia, sub impulsu fanatici Joannis Knox, inde a fuga Mariae Stuart (1567), calvinismus triumphabat et exercitium religionis catholicae prohibitum erat sub poena mortis. Sed quando exstinctio catholicismi in regnis unitis Angliae, Scotiae et Hiberniae jam proxima videbatur, Deus suscitavit strenuos sacerdotes qui

---

(1) A. F. POLLARD, *The History of England from the Accession of Edward VI to the Death of Elizabeth* (1547-1603), ed. 3. Lo., 1915; P. BREZZI, *La Diplomazia pontificia*. p. 58 sq. M., 1942.

(2) B. CAMM, *Martyrs under Queen Elizabeth*. Lo., 1905.

(3) M. V. RONAN, *The Reformation of Ireland under Queen Elizabeth*, (1558-1580). Lo., 1930.

flammam Fidei catholicae vivam servarunt apud pusillum gregem fidelium, usquedum dies meliores venirent.

c) *Apostolatus catholicus in medio persecutionis.* Eodem tempore enim quo persecutio saeviebat, formatus est *novus clerus catholicus* in seminariis continentalibus. Ab ultimo quarto saeculi XVI, juvenes sacerdotes anglici, scotici et hibernici, sine intermissione mare transierunt et cum periculo vitae, non obstante persecutione, ministerium suum exercuerunt in patria sua. Hoc fieri potuit ope collegiorum, quorum primus promotor fuit Gulielmus Allen, theologus Oxoniensis, postea cardinalis (1587). Anno 1568 fundavit collegium in civitate Duaco (Douai), quae tunc cum Belgio unita erat, in ditione Philippi II, regis Hispaniae (1). Gregorius XIII, benemeritus fundator universitatis Gregorianae et instaurator collegii germanici, collegio anglico Duacensi etiam insignis benefactor fuit. Allen praeterea partem habuit in erectione collegii anglici in Urbe (1579) et collegii ejusdem nationis Vallisoleti (1589). Operâ suâ, anno 1580, primi patres ex Societate Jesu, Persons et Campion, magnanimus graduatus Oxoniensis cujus ipsa regina Elisabetha admirata erat exquisitum cultum classicum, petierunt Angliam una cum tredecim sacerdotibus ex collegio anglico Romae.

Etiam Scoti et Hiberni erexerunt collegia: Parisiis anno 1578; Mussiponti (Pont-à-Mousson) habetur collegium scoticum ab anno 1576, translatum Duaci anno 1612; Romae collegium scoticum erigitur anno 1600; collegium hibernicum anno 1628. Alia collegia scotica vel hibernica fundata sunt Vallisoleti, Lovanii, Insulis, etc. Romae, Dominicani hibernici aedificarunt collegium prope basilicam S. Clementis et Fr. Minores de Observantia, simul hibernici, directi a Luca Wadding, occuparunt conventum S. Isidori, initio saeculi XVII. Fr. Minores Capuccini hibernici duos habuerunt conventus pro formatione sacerdotum: Carolopoli (Charleville) et Baralbulae (Bar-sur-Aube) (2).

---

(1) Ab anno 1578 ad annum 1593, Allen collegium Duacense transtulit Rhemis. Cfr. B. CAMM, *William card. Allen, founder of the Seminaries.* Lo., 1908, DHE, t. II, col. 599. Cardinalis creatus anno 1587, Allen obiit Romae die 16 oct. anno 1594 et sepultus est in ecclesia collegii anglici.

(2) R. LECHAT, *Les réfugiés anglais dans les Pays-Bas espagnols durant le règne d'Elisabeth.* Lo., 1914; P. GUILDAY, *The English catholic refugees on the continent* 1558-1795. Lo., 1914.

Filii e praeclarioribus familiis Angliae, Scotiae et Hiberniae, Howard, Walpole, Crichton, Hay, Fitch, Forbes, Abercromby, Nugent, nomen dederunt hisce collegiis. In patriam regressi, in medio aerumnarum et periculorum vires omnes et vitam ipsam in flore juventutis impenderunt pro animis concivium. E collegio Duacensi decem annis post fundationem (1579), jam centum sacerdotes profecti erant in Angliam; ex eodem collegio, ab anno 1568 usque ad annum 1610, 100 circiter alumni martyres obierunt in patibulo vel in carcere. In collegio anglico Romae, ab anno 1579 usque ad Revolutionem gallicam, formati sunt 1341 sacerdotes, e quibus 42 pro Fide martyrium subierunt. Quasi omnes sacerdotes qui ab anno 1568 in Anglia et in Scotia pro Fide vitam dederunt, in collegiis continentalibus tyrocinium fecerant (1). Praeter Edmundum Campion, inter primos recordemur Cuthbertum Maine, Jacobum Fenn, Thomam Hemerford, Joannem Nutter et Thomam Alfield, a Leone XIII in albo beatorum adscriptos.

Die 29 martii anni 1585, Elisabetha testimonium reddidit animo apostolico sacerdotum e collegiis et patrum e Societate Jesu, approbando legem qua omnes Jesuitae et sacerdotes seminaristae, qui post quadraginta dies non relinquerent Angliam, punirentur tanquam rei perduellionis. Sub poena mortis, nullus poterat eos hospitio excipere. Qui subsidia mittebat ad collegia « papistarum » puniretur confiscatione bonorum. Parentibus prohibebatur permittere filiis iter ad continentem, sine licentia regia. Denique, virtute ejusdem legis, nullus sacerdos admittebatur in Angliam, nisi praestaret juramentum suprematiae.

Etiam post mortem Elisabethae (1603), continuavit persecutio cruenta catholicorum, praesertim sacerdotum: sub regno ejus successoris Jacobi I, filii Mariae Stuart (1603-1625), 16 sacerdotes necati sunt; anno 1622, 400 in carceres detrusi erant (2). Sed sine intermissione adveniebant novi operarii: e sola Societate Jesu, anno 1625, 152 patres ministerio animarum incumbebant in Anglia. Anno 1623,

---

(1) C. TESTORE, *Il primato spirituale di Pietro difeso dal sangue dei martiri inglesi*. Isola del Liri, 1929.

(2) J. FORBES, *L'Eglise catholique en Ecosse, Jean Ogilvie, Ecossais, Jésuite*. P., 1901; F. CALLAEY, *Essai critique sur la Vie du P. Archange Leslie*, in *Etudes Franciscaines*, 1914; G. ALBION, *Charles I and the Court of Rome*. Lo., 1935.

Gregorius XV Angliam constituit vicariatum apostolicum. Primus electus fuit Gulielmus Bishop, promotus episcopus titularis Chalcedonensis. Cum jam anno sequenti obierit, ei suffectus est, cum eotem titulo, Richardus Smith, qui ob persecutionem anno 1628 reliquit Angliam. Anno 1688, Innocentius XI creavit quatuor vicariatus apostolicos Londinii, Angliae centralis, septentrionalis et occidentalis.

Disceptationes inter clerum saecularem et regularem, necnon vita mundana aliquorum sacerdotum, hinc inde impedimento fuerunt efficaci apostolatui inter catholicos. Non desunt relationes missae ad S. Congregationem de Propaganda Fide in quibus denuntiantur abusus commissi a missionariis. Idem notatur pro sacerdotibus qui eodem tempore ministerium exercebant in Hollandia. Sed lux sanctitatis longe superat umbram humanae fragilitatis, tam saeculo XVII quam saeculo sequenti. Pauca sufficiant eloquentia nomina: martyres ut Edmundus Arrowsmith, Joannes Roberts, Gulielmus Ward et Henricus Heath, scriptores spirituales ut Benedictus Fitch a Canfield et Augustinus Baker; Maria Ward, fundatrix instituti « Dominarum Anglicarum » pro institutione puellarum. Saeculo XVIII, series mirabilis vicariorum apostolicorum, inter quos eminent Walmesley, vir tam expertus in disciplina mathematica et astronomica quam in exegesi apocalyptica; Hornyold, visitator assiduus sui gregis et praedicator indefessus; et praesertim devotus Challoner, qui scripto imperituro memoriam celebravit sacerdotum et laicorum utriusques sexus qui in Anglia martyres obierunt pro fide, quaque hebdomada diem agebat in collatione spirituali cum suo clero, ac tractatibus suis de instructione christiana, de meditatione et de ultimo fine, necnon et exemplo vitae piissimae, catholicos anglicos virtute et doctrina roboravit. Eodem tempore Albanus Butler conscribebat *Vitas* patrum, martyrum et aliorum sanctorum: opus princeps, quod facile primatum tenet in litteratura hagiographica anglica, et a duobus circiter saeculis sanctam aedificationem praestat generationibus lectorum (1). Attamen, usque ad finem saeculi XVIII,

---

(1) Ph. HUGHES, op. cit., p. 408 sq.; F. CALLAEY, d'Anvers, *La vie religieuse et familiale en Belgique au XVII siècle, Etude sur le P. Charles d'Arenberg*, p. 293 sq. L., 1919; J. CORNELISSEN, *Romeinsche Bronnen voor den kerkelijken toestand der Nederlanden onder de Apostolische Vicarisssen*, 1592-1721, Deel I: 1592-1651. S. Gravenhage, 1932; CHALLONER, *Me-*

numerus catholicorum ivit decrescendo in Anglia: medio saeculo XVII, erant circiter 150.000 super multitudinem generalem 3.000.000 habitantium; anno 1780, catholici erant tantum 69.830 in Anglia et 30.000 in Scotia (1).

4. - **Renascentia catholica in regnis unitis Magnae Britanniae, ab initio saeculi XIX.** — Inde ab initio saeculi XIX, active intervenientibus vicariis apostolicis Angliae (Milner-Poynter) et episcopis Hiberniae (Murray) incepit renascentia catholica in Anglia, Scotia et Hibernia, in ambitu politico, in vita intellectuali et in actione publica. Anno 1791, catholicis Angliae concessa est libertas cultus et instructionis; sed nullum habebant accessum, nec in cameram deputatorum, nec in universitates, nec in officia publica, ubi nemo admittebatur nisi praestitisset juramentum suprematiae. Liberatio *politica* catholicorum praesertim provecta est a magno oratore hibernico Daniele O' Connell (1775-1847), qui omnia media *oppositionis legalis* adhibuit contra leges persecutrices: petitiones collectivas, associationes, congressus. Licet tanquam catholicus prohiberetur, anno 1828 electus est deputatus pro comitatu Clare in Hibernia. Anno sequenti, cum adjutorio Roberti Peel et ducis de Wellington, obtinuit legem emancipationis (*Emancipation bill*), qua catholicis aperiebatur via ad cameram deputatorum et ad officia publica, quae quasi a quatuor saeculis eis clausa erat ob juramentum anticatholicum (2). A gente timida et lucifugaci, catholici anglici

---

moirs *of Missionary Priests as well Secular as Regular and of other Catholics of both sexes that have suffered death in England on religious accounts* 1577-1681, Lo., 1741, ed. nova Lo., 1924; M. TRAPPES-LOMAX, *Bishop Challoner* (1691-1781) *English Catholicism before the second Spring.* Lo., 1938; A. BUTLER, *Lifes of the Fathers, Martyrs and other Principal Saints,* 12 vol. Lo., 1938. Nova ed. a H. THURSTON, N. LEESON et D. ATTWATER.

(1) E. M. WILMOT-BUXTON, *A catholic history of Great Britain.* Lo., 1921; *Catholic Encyclopedia,* t. V, col. 431 sq.

(2) FLANAGAN, *A History of the Church in England,* t. II, p. 387 sq. Lo., 1857; P. THUREAU-DANGIN, *La renaissance catholique en Angleterre au XIX*e *siècle,* 3 vol., P. 1899-1906; Idem, *Le catholicisme en Angleterre au XIX*e *siècle,* ed. 4. P., 1909; B. WARD, *The dawn of catholic Emancipation,* 2 vol. Lo., 1906-1908; Idem, *The eve of catholic Emancipation,* 3 vol. Lo., 1911-1912; Idem, *The sequel to catholic Emancipation,* 2 vol. Lo., 1915; D. GWYNN, *A hundred years of catholic Emancipation* (1829-1929). Lo., 1929; M. MACDONAGH, *D. O'Connell and the story of catholic Emancipation.* Lo.,

pedetentim facti sunt cives liberi patriae liberae, qui capite erecto et aequo jure ac Angli non-catholici locum suum occuparunt in tota vita publica Britanniae.

Decursu saeculi XIX, paulatim aliae restrictiones catholicis impositae abolitae sunt: e. g. anno 1871, studentes universitatum eximebantur ab obligatione subscribendi 39 Articulis Confessionis fidei protestanticae, antequam promoverentur ad gradus academicos. Ipsum juramentum quo, die coronationis suae, rex Angliae reprobabat dogmata Fidei catholicae, S. Missae sacrificium, cultum Mariae et sanctorum, anno 1931 ita modificatum est ut non amplius offenderet catholicos: novâ formulâ, rex protestanticus declarat se servaturum religionem protestanticam stabilitam a lege in Anglia.

Renascentiae catholicismi in Anglia profuit *crisis agraria*, qua inde ab anno 1845 Hiberni coacti sunt relinquere patriam suam ut in Anglia et in aliis regionibus providerent propriae subsistentiae (1). Hibernia tunc numerabat circiter 7.000.000 catholicorum, qui pro magna parte emigrarunt in Angliam, in Status Foederatos Americae septentrionalis, in Canadam et in Australiam. Ibi formarunt solidas communitates fidelium, qui religionem suam aperte professi sunt et libertatem sui cultus strenue vindicarunt. Quod ad catholicos in Anglia attinet, cardinalis Manning, archiepiscopus Westmonasteriensis, testabatur circa annum 1880 in Anglia pro decem catholicis octo ex Hibernia oriundos esse. Videtur istos saepius identificasse emancipationem catholicam cum emancipatione hibernica et paucam comprehensionem demonstrasse sive erga culturam anglicam, sive erga conditiones speciales in quibus versabantur catholici angli selectioris classis et patriae addicti traditioni. Hiberni in plurimum erant humiles operarii in fabricis et bajuli in portibus, sed dominis suis ditiores thesauro verae Fidei et feliciores hilari incuriâ bonorum terrenorum. Elevationi morali populi hibernici maxime contribuit P. Capucinus Theobaldus Mathew praesertim opere abstinentiae ab omni potu inebrianti.

1929; J. BLÖTZER, *Die Katholikenemanzipation in Grossbritannien und Irland*. Fr. 1905; E. HALÉVY, *A History of the English People in 1815*, vol. III, *Religion and Culture*, in « Pelican Books », transl. anglica, p. 91 sq. Lo., 1938; RHE, t. XLIII, 1948, p. 178.

(1) Crisis agraria provenit a locationis pretio nimis alto quod domini protestantici (*landlords*), qui quasi totam terram hibernicam propriam habebant, exigebant a pauperibus incolis, qui cum illud solvere non possent, e domo sua ejecti sunt.

Sub respectu *intellectuali* (1), promotor praecipuus renascentiae catholicae in Anglia fuit Joannes-Henricus Newman (1801-1890), ecclesiasticus anglicanus, die 9 octobris anni 1845 ad catholicismum conversus, et die 30 maji anni 1847 sacerdos ordinatus in ecclesia collegii de Propaganda Fide in Urbe. Cum adhuc esset addictus ecclesiae anglicanae S. Mariae Oxonii, incepit, unacum aliquibus amicis anglicanis, uti Froude, Keble et Pusey, agere et scribere pro instauratione spiritus religiosi in Ecclesia stabilita medio regressus ad fontes antiquitatis christianae, corroborationis auctoritatis doctrinalis hierarchiae, et remotionis tam interventus potentiae temporalis quam doctrinarum provenientium e lutheranismo et calvinismo. Decursu studiorum quae isto scopo fecit, in dies vicinius accessit ad Ecclesiam romanam, donec compertum habuit ei soli competere titulum catholicitatis.

Ab anno 1833, cum suis amicis initium dedit famosae seriei *Opusculorum pro tempore* (*Tracts for the times*), quibus plurimum valuit in ambitu intellectuali anglicano, licet saepius vehementem contradictionem excitaret, praesertim ultimo fasciculo (*Tract* 90), quo Newman nitebatur monstrare, 39 Articulos Confessionis anglicanae ita posse intelligi ut non discrepent nec a doctrina Ecclesiae in antiquitate, nec a concilio Tridentino, ideoque etiam Ecclesiam anglicanam appellari posse catholicam romanam.

Tanquam sacerdos catholicus, congregationi Oratorii adscriptus et anno 1879 a Leone XIII cardinalis creatus, Newman fuit praecipuus scriptor anglicus saeculi XIX in materia philosophico-theologica. Ejus scripta, composita in classica lingua anglica, summa aestimatione excepta sunt a studiosis modernis, et multis lectoribus tam catholicis quam anglicanis, veram directionem religiosam praestiterunt. Nam scientia Joannis Newman essentialiter spiritualis et

---

(1) Hic recordari juvat operis *A history of the protestant Reformation in England and Ireland*, quo scriptor protestanticus, Gulielmus Gobbett, anno 1824 oculos multorum protestantium aperuit, demonstrando reformationem anglicanam revera devastationem fuisse stabilitam patibulis et tormentis. Nova ed. a F. A. GASQUET. Lo., 1925. Notamus etiam, jam a fine saec. XVIII, scripta apologetica P. Capucini Arthuri O' Leary, praesertim ejus confutationem tractatuum iniquorum Joannis Wesley adversus catholicos, contribuisse aequiori existimationi doctrinae catholicae a parte protestantium. FLANAGAN, op. cit., t. II, p. 380 sq.; ROCCO COCCHIA da Cesinale, *Storia delle Missioni dei Cappuccini*, t. IV, *Analecta O.F.M. Cap.*, t. XXIV, 1908, p. 81 sq.

affectiva est, et simul agit super cor et mentem. Opera ejus praecipue tractant de explicatione doctrinae catholicae, de certitudine in materia religiosa, de promotione scientiae catholicae et de processu interno propriae conversionis. E notis pulchritudinis externae, intimae concordiae, vitae indestructibilis et actionis triumphalis, perite haurit argumenta ad demonstrandam originem divinam Ecclesiae catholicae (1).

Instauratio intellectualis catholicismi in Anglia, ad veram Fidem adduxit anglicanos e primario coetu societatis: Dalgairns, Faber, Ward, Benson, Knox, Orchard, etc. A conversione Joannis H. Newman (1845) usque ad annum 1920, plusquam 800 Angli altioris conditionis socialis religionem catholicam amplexati sunt. E 322 ministris anglicanis qui ab anno 1910 ad 1935 exemplum Joannis H. Newman secuti sunt, 227 pertinent ad ramum altum Ecclesiae stabilitae (*High Church*) et 12 tantum ad sectas non-conformistas quae non admittunt auctoritatem episcopalem. Pro decennio 1920-1930, in tota Anglia conversi sunt 290.000 hominum (2).

Renascentiae intellectuali catholicismi in Anglia efficaciter operam dedit Nicolaus Wiseman (1802-1865). Professor linguarum orientalium in universitate Sapientiae et rector collegii anglici in Urbe, scriptis suis de vita christianorum primis saeculis (*Fabiola*) et de papis, famam acquisierat (3). Neo-conversos, qui interdum suspecti erant nimii liberalismi, amice excepit, eisque partem assignavit in apostolatu catholico. Cardinalis et inde ab instauratione hierarchiae catholicae in Anglia anno 1850, archiepiscopus Westmonaste-

---

(1) Inter opera praecipua J. H. Newman recensetur: *An essay on the development of christian doctrine, The idea of a University, The Arians of the fourth century* et *Apologia pro vita sua*. Editio completa ejus operum constat 37 voluminibus. Lo., 1870-1879. Cfr. W. WARD, *The life of J. H. Newman*, 2 vol. Lo., 1911; C. SAROLEA, *Card. Newman and his influence on religious Life and Thought*. Edimburg, 1908; S. OLLARD, *A short history of the Oxford Movement*. Lz., 1915; A. JANSSENS, *De beweging van Oxford*. Brugis, 1930; W. KNOX, *The catholic movement in the Church of England*, ed. 2. Lo., 1930; Dth. t. IX, col. 327; G. DE LUCA, *Newman al Collegio, in Alma Mater*, p. 36 sq. R., 1947; *Histoire de l'Eglise*, dir. A. FLICHE-V.MARTIN, t. 20, J. LEFLON, *La crise révolutionnaire*, p. 484 sq. P. 1949.

(2) *Rome's Recruits, A List of Protestants who have become Catholics since the Tractarian Movement*, in *The Whitehall Review*, 1878-1879, ed. 2. Sirdhana, 1880.

(3) W. WARD, *The life and times of cardinal Wiseman*, 2 vol. Lo., 1897; D. GWYNN, *Cardinal Wiseman*. Lo., 1929.

riensis, catholicos hortatus est ut partem sumerent in *actione publica pro bono populi anglici*. Haec est tertia expressio renascentiae catholicae in Anglia.

Inceptae sub cardinali Wiseman, actio publica catholicorum in vita sociali et aptatio apostolatus conditionibus societatis modernae, multis modis explicatae sunt sub directione cardinalis Manning, archiepiscopi Westmonasteriensis post Wiseman (1865-1892). Ille simul fuit promotor vitae internae et actionis externae apud clerum et laicatum (1). Sub ejus impulsu, catholici auctoritatem obtinuerunt in vita publica, contribuendo solutioni quaestionis socialis. Cardinalis Manning enixe curavit ministerium apud classem humilem in magnis civitatibus: impugnavit alcoolismum, vindicavit jura Hibernorum, suppressionem servitutis, emendationem sortis operariorum (2). Erexit scholas catholicas, favit introductioni Ordinum religiosorum, uno verbo, operam dedit ut in omni officio Ecclesia catholica praesens esset in Anglia.

In Anglia sicut in Scotia, catholici sunt minor grex si comparantur numero totali acatholicorum: e multitudine totali habitantium 40.000.000 in Anglia et principatu Gallesiae, 2.300.000 tantum sunt catholici; in Scotia, e multitudine totali 5.000.000 habitantium, habentur circiter 700.000 catholici. Sed notandum est ipsam Ecclesiam anglicanam stabilitam non numerare nisi circiter 2.500.000 sequacium in actu. Defensione perseveranti jurium civilium, amore patrio, potentia intellectuali et actione religiosa atque sociali, catholici sibi procurarunt una cum aestimatione publica, locum eminentem in vita nationali britannica. Quod ad Hiberniam attinet, ibi catholicismus praevalet in vita privata et publica, cum ibi catholici numero sint longe majores: 3.580.000 in multitudine totali 4.440.000 habitantium.

Tam in Anglia quam in Hollandia et Statibus Unitis Americae Septentrionalis, si varias communitates christianas sejunctim consideramus, communitas catholica primum locum occupat quoad numerum sodalium.

---

(1) E. PURCELL, *Life of cardinal Manning*, 2 vol. Lo., 1896; K. WANINGER, *Der soziale Katholizismus in England*, 1914; S. LESLIE, *H. E. Manning*. L., 1921. Pro vita interna sacerdotum multum valuit opus card. Manning: *The eternal Priesthood.*

(2) Mediatione cardinalis Manning, anno 1889 amice composita est violenta cessatio collectiva laboris ex parte operariorum portus Londinensis

V.

DISPERSIO DOCTRINAE PROTESTANTICAE ET DESIDERIUM UNIONIS.

Si, post brevem hanc expositionem historicam reformationis protestanticae, inquirimus quid de ea remaneat hodierno tempore, ubique inveniemus, saltem apud protestantes qui curant adhuc religionem christianam, dispersionem doctrinae omni vento individualismi et desiderium unionis. Decursu quatuor saeculorum, reformatio protestantica miram explicavit vim deletricem, accumulavit ruinas, sed super istas nullum aedificium stabile construxit. In ea pullulant sectae et in unaquaque secta viget libertas opinionis circa praecipuas quaestiones dogmaticas et morales: de divinitate et resurrectione Christi, de matrimonio, divortio et onanismo (1).

In Germania, antequam factio socialismi nationalis assumeret gubernationem (1933), habebantur 28 Ecclesiae nationales evangelicae, praeter plures Ecclesias liberas et sectas. In Hollandia inveniuntur 46 congregationes reformatae distinctae. In Anglia, sola secta methodistarum divisa est in quinque partes. Ecclesia stabilita sub Eduardo VI quatuor habet sectiones: *High Church, Low Church Broad Church Party, Moderates*. In America septentrionali, quasi quotidie nascuntur novae sectae protestanticae. Ipsa dispersio doctrinalis et multiplicitas sectarum oriri fecerunt desiderium unionis, ob necessitatem salvandi protestantismum a dissolutione interna et ab anarchia.

Anno 1922, 28 Ecclesiae nationales Germaniae instituerunt Foedus ecclesiasticum evangelicum: *Deutscher Evangelischer Kirchenbund*, pro repraesentatione externa, pro mutua defensione jurium apud gubernium, sed sine immixtione in doctrina et administratione interna cujusque Ecclesiae. Ante ruinam absolutismi socialistae nationalis, inter protestantes Germaniae, quatuor notabantur directiones, quarum duae erant luthcranae traditionales et duae ac-

---

(1) J. Dedieu, *Instabilité du protestantisme*. P., 1927; I. Giordani, *Crisi protestante e unità della Chiesa*. Brixiae 1930; E. Vercesi, *La grande crisi del protestantesimo dal secolo XVI al secolo XX*. M., 1934; S. Dark, *The Lambeth conferences*. Lo., 1930. M. Besson, *Après quatre cents ans*. Genève, 1934.

commodatae regimini socialismi nationalis. Directiones lutheranae traditionales erant: 1) *Ecclesia confessionis* lutheranae (*Bekenntniskirche*), quae non admittebat nisi sodales qui confiterentur Christum esse Deum et hominem. 2) *Consilium lutheranum* (*Lutherischer Rat*), pro lutheranis Bavariae, Hanovriae et Wurttembergiae: consentiebat cum Ecclesia confessionis lutheranae. Regimini socialismi nationalis accommodabantur: 1) *Christiani germanici* (*Deutsche Christen*), directi a Müller, sic dicto episcopo regni germanici, qui propugnabant unificationem omnium Ecclesiarum protestantium sub unico capite centrali, in spiritu socialismi nationalis. 2) *Directio thuringica* (*Thüringer Richtung*), quae christianismum aptabat religioni germanicae terrae patriae et stirpis Germanorum (*Deutschreligion*). Doctores novae religionis germanicae, Rosenberg, Baldur von Schirach, Bergmann, Hauer etc., sequebantur viam apertam a Luthero: sicut iste voluit liberare christianismum germanicum ab universalitate catholica romana, ita illi quaerebant stabilire religionem germanicam super basim mere nationalem, liberam ab omni elemento non-germanico (1).

In medio tantae confusionis doctrinalis et regressus ad paganismum sub specie socialismi nationalis, sola Ecclesia catholica depositum Fidei intactum servabat et defendebat ab errore et violentia, dum lutheranismus, cui desunt compago doctrinalis et unitas hierarchica, vires suas dissipabat in contentione cum insano tentamine reducendi populum germanicum ad statum quo ante christianismum (2).

Ad fovendam mutuam comprehensionem, ab aliquibus annis inita sunt discreta colloquia inter theologos catholicos et protestantes in Germania, **quibus praesunt** pro parte catholica, D. Laurentius Jaeger, archiepiscopus Paderbornensis, pro parte protestantica, D. Gulielmus Stählin, episcopus evangelicus Oldenburgensis. In istis colloquiis unice examinantur quaestiones de fide secundum fontes

---

(1) E. BERGMANN, *Die 25 Thesen der Deutsch-Religion. Ein Katechismus*. Breslaviae, 1934. Thesis prima, p. 6: « Der Deutsche hat seine eigene Religion, die lebendig aus seinem artgebundenen Schauen, Fühlen und Denken quillt. Wir nennen sie die Deutschreligion oder Deutsch-Völkische Religion, und verstehen darunter den arteigenen und artechten deutschen Heimatglauben ». Cfr. *Deutschland wohin? Der National-sozialismus eine religiöse Erscheinung*. Oldenzaal, 1934.

(2) Litterae encyclicae Pii XI « Mit brennender Sorge » diei 14 martii 1937.

authenticos: interlocutores quaerunt veritatem cum caritate. Mutua comprehensio promovetur etiam modo sereno et objectivo quo ab utroque latere studiosi hodierni temporis, uti H. Grisar, J. Lortz, A. Herte et O. Scheel exponunt evolutionem religiosam M. Lutheri et vias actuosas reformationis. Praeterea notandum est multiplices deportationes catholicorum ex Germania orientali ad regiones quae hactenus quasi totae habitabantur a protestantibus, istis occasionem praebuisse cognoscendi melius clerum et laicatum catholicum et exercendi caritatem ergo miseros concives alterius confessionis qui in jactura omnis rei terrenae unicum bonum imperiturum servarunt: bonum verae religionis.

Desiderium unionis sive cum Ecclesia graeca orthodoxa, sive cum Ecclesia catholica romana, sive omnium Ecclesiarum inter se, procul dubio fortius se manifestat apud protestantes Angliae et Statuum Foederatorum Americae septentrionalis. Motus pro unione anglicano-orthodoxa produxit erectionem exarchatus orthodoxi Londinii pro Europa occidentali. Sed impeditur objectionibus indolis doctrinalis: anglicani optant ut orthodoxi admittant validitatem suarum ordinationum, sed orthodoxi ab anglicanis requirunt ut prius Ordinem agnoscant tanquam sacramentum (1).

Ritualistae vel anglo-catholici, scilicet anglicani ex Ecclesia alta (*High Church*), qui in doctrina (praeter primatum pontificium), ritu et disciplina se conformant ad Ecclesiam catholicam, anno 1859 fundarunt Unionem ecclesiasticam anglicanam: *English Church Union*, ad promovendam unionem cum S. Sede. Praecipui ejus fautores sunt Pusey, Liddon, King, Halifax, Gore, episcopus anglicanus Oxoniensis. Apud eos plurimum praevalet theoria triplicis ramificationis: *Branch Theory*, juxta quam Ecclesia anglicana formaret, una cum Ecclesia romana et Ecclesia graeca orthodoxa, *Ecclesiam universalem*, cujus tres rami juribus aequalibus fruerentur.

Annis 1921, 1923 et 1925, praeside cardinali D. Mercier, Mechliniae habitae sunt conversationes inter aliquos sodales Ecclesiae anglicanae, Halifax, Gore, Robinson, Frere et Kidd, atque theologos catholicos Van Roey, Batiffol, Portal et Hemmer. Tertium thema discussum in ultima « Conference of Lambeth » celebrata mense julio 1949 praeside archiepiscopo anglicano Cantuariensi, erat *Unitas Ecclesiae*. Omnia haec sunt signa desiderii unionis quo moventur

---

(1) W. CARNEGIE, *Anglicanism*, Lo., 1926; A. JANSSENS, *Het hedendaagsch Anglicanism*. Antuerpiae, 1930.

numerosi anglicani; sed non videtur eos jam percepisse unionem cum Ecclesia catholica impossibilem esse nisi agnoscant magisterium supremum in rebus de Fide et moribus, ope primatus pontificii (1). In sola Anglia numerantur hodie circiter 220 sectae protestanticae.

In Statibus Foederatis Americae septentrionalis, promotum est Foedus internationale pro amicitia universali ope Ecclesiarum: *World Alliance for promoting International Friendship through the Churches* (1914). Non curat doctrinam nec hierarchiam, sed spiritum fraternitatis et cooperationis. In unione cum Colloquio universali christiano pro vita et labore: *Universal Christian Conference on Life and Work*, operatur pro fraternitate et unitate inter populos, renovatione sociali secundum principia moralia christiana, et formatione conscientiae christianae. Ante omnia intendit instaurare unitatem in caritate evangelica. Anno 1925, fautores istius motus congressum celebrarunt in Stockholm, ubi adfuerunt 600 delegati 31 congregationum christianarum. Non obstante opera archiepiscopi lutherani Upsalae, Nathani Söderblom, sic dicta catholicitas evangelica, scilicet unitas in caritate sine unitate in doctrina, ad effectum perducta non est (2).

Alia associatio orta in Statibus Foederatis Americae septentrionalis, Colloquium universale pro Fide et Ordine: *The World Conference on Faith and Order*, cujus fautores praecipui fuerunt R. Gardiner et Pierpont Morgan, cogitat restituere unitatem in Fide et in hierarchia. Isto scopo, omnes congregationes protestanticae deberent agnoscere S. Scripturam tanquam normam fidei, admittere Symbolum apostolorum et concilium Nicaenum, duo sacramenta baptismi et coenae, atque hierarchiam episcopalem. Anno 1927, 500 delegati hujus associationis, nomine 90 congregationum christianarum e toto

---

(1) J. CALVET, *Rome and Reunion*. Lo., 1928; *The conversations at Malines* (1921-1925). *Original documents edited by Lord Halifax*. Lo., 1930, RHE t. 27, 1931, p. 261; M. PRIBILLA, *Canterbury und Rom*, in *Stimmen der Zeit*, t. 120, 1931, p. 94; J. DE JONG, *Handboek der Kerkgeschiedenis*, ed. 2, t. III, p. 380 sq. Ultrajecti, 1932; J. DE BIVORT DE LA SAUDÉE, *Anglicans et Catholiques. Le Problème de l'Union Anglo-Romaine*. Br., 1948.

(2) *Die Weltkirchenkonferenz in Stockholm. Gesamtbericht von* F. SIEGMUND-SCHULTZE. B., 1925; C. JOURNET, *L'union des Eglises et le christianisme pratique*, ed. 2. P., 1927; A. PAUL, *L'unité chrétienne. Schismes et rapprochements*. P., 1930; M. PRIBILLA, *Söderblom und die ökumenische Bewegung*, in *Stimmen der Zeit*, t. 122, 1932, p. 295.

mundo, adunati sunt Lausanae. Etiam ibi patuit super principium liberi examinis unitatem fidei erigi non posse (1).

Appetitio universalitatis apud sectas protestanticas clare apparet in ipsis titulis operum quae sedem habent in « Oikumene Genève »: *Consilium oecumenicum* Ecclesiarum; *Consilium internationale* Missionum; *Foedus universale* Unionum christianarum Juvenum utriusque sexus; *Foederatio universalis* Associationum christianarum Studentium; *Consilium mundiale* Educationis christianae; *Societas biblica universalis*. Anno 1948, quasi eodem tempore habiti sunt duo Congressus Ecclesiarum quae separatae sunt a centro unitatis fidei: alius Mosquae, pro Ecclesiis orthodoxis quae subduntur dominationi sovieticae; alius Amstelodami, pro Ecclesiis dissidentibus sitis in regionibus ubi viget libertas religiosa. Neutri partem habuit Ecclesia catholica quae est una sancta a Christo fundata, et unitatem fidei cum assistentia S. Spiritus nunquam amisit. Saltem oportet agnoscere rectam intentionem multorum sodalium qui interfuerunt Congressui academico *Consilii mundialis* Ecclesiarum Amstelodami habito 22 augusti - 5 septembris 1948.

Conamina protestantica pro unione in caritate evangelica, in uno symbolo fidei et in obedientia hierarchiae ecclesiasticae, inspirantur necessitate remedium apponendi dispersioni doctrinali et declinationi religiosae quae ex ipsa sua origine inhaerent protestantismo. In desiderium unionis, fratres separati moventur ipso spectaculo indestructibilis unitatis Ecclesiae catholicae. Utinam quam citius videant in *unum ovile* ingredi non posse, nisi agnoscendo *unum Pastorem*.

Pro regressu *ad unum ovile*, ab uno abhinc saeculo plures propositae sunt methodi: 1) serena indago scientifica historiae Ecclesiae catholicae uti jam commendabat P. L. Tosti; 2) colloquia sincera inter catholicos et fratres separatos, sicut factum est inde a Motu Oxoniensi; 3) promovere unionem semper strictiorem in Christo, in quo omnes difficultates solvuntur; 4) demonstrare omne fragmentum veritatis servatum in singulis sectis, eis provenire ab Ecclesia catholica; praeterea in Ecclesia catholica haberi omnes alias veritates religiosas quae desiderantur in singulis sectis, et ideo ei

---

(1) *Die Weltkonferenz für Glauben und Kirchenverfassung. Deutscher Amtlicher Bericht von* H. SASSE. B., 1929; M. PRIBILLA, *Um kirchliche Einheit. Stockholm, Lausanne, Rom.* Fr., 1929; *Lausanne Conference. Report of the Committee on Faith and Order with memoranda.* Lo., 1930.

inesse summam doctrinalem perfectam et longe majorem omnibus fragmentis quae traduntur ab universis sectis simul junctis (1); 5) uniri in concordi admissione auctoritatis Bibliae.

Omnes istae methodi contribuere possunt ad regressum fratrum separatorum ad unam sanctam Ecclesiam. Sed perfici debent adjutorio spirituali orationis et sacrificii. Ita senserunt ab initio currentis saeculi plures ferventes christiani a parte catholica et a parte protestantica. Inter istos ultimos, F. O. Wattson adhuc episcopalianus in loco Graymoor (Stat. Un. Americae sept.) fundamenta jecit duplicis Societatis Expiationis, *Society of Atonement,* secundum exemplar Tertii Ordinis S. Francisci Assisiensis, ad obtinendam unionem omnium christianorum in una fide, ope orationis et poenitentiae. F. P. Wattson ad religionem catholicam converso anno 1909, Pius X eodem anno probavit ejus sanctum propositum et Benedictus XV anno 1917 *Octavam Precum pro Unitate Ecclesiae* (18 jan-25 feb.) ad universam extendit Ecclesiam.

Eodem tempore, spatio 25 annorum (1910-1935), 1000 circiter ministri anglicani pertinentes ad Ecclesiam altam declararunt se admittere omnes definitiones dogmaticas Concilii Tridentini et fundere preces pro unione omnium christianorum in unica Ecclesia visibili, opere Octavae pro Ecclesiae Unitate (*Church Unity Octave*) (2). Si omnes christiani, tam catholici quam acatholici, non quaerunt nisi Jesum Christum et extensionem ejus Regni, per majorem Dei caritatem secure viam parabunt ad pleniorem Ecclesiae unitatem (3).

---

(1) W. E. ORCHARD, *The Way of Simplicity*. Lo., 1935.

(2) Secundum collationem habitam a P. F. Woodlock, Romae in Universitate Gregoriana, mense novembri 1936.

(3) *Instructio S.C.S. Officii ad Locorum Ordinarios de* « *Motione Oecumenica* », die 20 decembris 1949.

CAPUT SEXTUM

REFORMATIO CATHOLICA ECCLESIAE

Summarium. — I. Renovatio vitae religiosae, a fine saeculi XV: 1) Associationes piae, oratoria et opera caritatis. 2) Instauratio observantiae in Ordinibus religiosis antiquis et origo Ordinum novorum. 3) Curia Romana et Reformatio catholica ab Alexandro VI ad Paulum III (1492-1549). - II. Definitio doctrinae et instauratio disciplinae a concilio Tridentino (1545-1563): 1) Prima phasis concilii (1545-1549). 2) Altera phasis concilii (1551-1552). 3) Tertia phasis concilii (1562-1563). 4) Applicatio decretorum concilii Tridentini, operâ summorum pontificum et congregationum romanarum, a Pio IV ad Urbanum VIII (1559-1644). - III. Instauratio actionis apostolicae: 1) Inventio novarum terrarum a saeculo XIV ad saeculum XVII. 2) Sollicitudo S. Sedis pro praedicatione Evangelii in terris recens detectis et pro indigenarum protectione. 3) S. Congregatio de Propaganda Fide et opera adnexa. 4) Brevis conspectus operis evangelizationis peracti a missionariis in terris recens repertis, saeculis XVI-XVII.

I.

RENOVATIO VITAE RELIGIOSAE A FINE SAECULI XV

Reformatio catholica Ecclesiae non determinata est a reformatione protestantica, quasi Ecclesia catholica, saeculo XVI, tam relaxata et debilis esset ut non amplius vim internam haberet sese reformandi, nisi propulsa fuisset extrinsecus, a rebellione protestantica. Revera, confutatio catholica errorum protestantismi, quae appellatur *contrareformatio,* est tantum pars reformationis catholicae. Causa prima istius non est necessitas impugnandi protestantismum, sed principium vitae supernaturalis, vis spiritualis interna, quae semper agit in Ecclesia, quia in ea semper vivit et agit ejus Fundator et Caput invisibile: Christus.

Proculdubio, invasio protestantica fortiter stimulavit Ecclesiam ad reformationem internam, ad definitionem rectae doctrinae, et ad actionem apostolicam; sed renovatio Ecclesiae catholicae jam inceperat ante reformationem protestanticam, et pro magna parte sese manifestavit independenter ab ea, quia longe superat ejus limites. In prima periodo epochae modernae, a medio saeculo XV ad initium saeculi XVIII, reformatio catholica opponitur tam renascentiae paganae quam reformationi protestanticae et nationalismo politico-ecclesiastico (gallicanismo), uno verbo, omni errori, omni excessui, omni violentiae quae inficiebant sive Fidem, sive mores, sive hierarchiam. Jam a concilio Viennensi (1311) invocabatur reformatio Ecclesiae in capite et in membris; exinde omnes papae et omnia concilia, usque ad concilium Tridentinum, in hoc conveniebant. Actione officiali pontificum et conciliorum, *idea,* seu principium reformationis, semper vivum remanebat, et cum insistentia progressiva affirmabatur. Sed simul habebatur *factum* reformationis, et hoc non parum refert, quia bona exempla magis promovent vitam et actionem Ecclesiae quam disputationes et decreta (1).

Initio sunt facta humilia, tentamina privata, nullo splendore externo circumdata. Sed etiam ipsa primordia Ecclesiae humilia fuere, sicuti initia instaurationis Ecclesiae in medio aevo, operâ monachorum Cluniacensium et Cisterciensium saeculis X-XII, deinde actione fratrum Mendicantium saeculo XIII.

1. - **Associationes piae, Oratoria et opera caritatis.** — Sub fine saeculi XV et principio saeculi XVI, quando nulla habebatur suspicio de proxima rebellione lutherana, in Italia et in ipsa Urbe, ubi tunc ambitio terrena et sensualitas saepe saepius locum praevalentem occupabant, inveniuntur homines, laici et ecclesiastici, congregati in pias associationes ut facilius sanctificarentur, qui *exemplo* magis quam verbo, praedicant duo principia quae paulatim fiunt potentissimae *ideae motrices* renovationis spiritualis Eccelsiae: 1) unusquisque debet incipere reformationem a semetipso; 2) non institutiones Ecclesiae debent emendari, sed earum ministri. Ita theologus Aegidius a Viterbo declaraverat in sermone inaugurali V concilii Lateranensis (1512): « Homines per sacra mutari fas est, non sacra per homines » (2).

Hic jam confestim apparet differentia inter reformatores catholicos et reformatores protestanticos: primi ante omnia se dedica-

---

(1) H. JEDIN, *Storia del Concilio di Trento,* vol. I. La lotta per il Concilio, transl. C. Valente. Brescia, 1949.

(2) G. SIGNORELLI, *Il cardinale Egidio da Viterbo, Agostiniano, umanista e riformatore.* F., 1929; HC, t. VIII, p. 297 sq.; S. BELLANDI, *Gli Agostiniani,* in *Il contributo degli Ordini religiosi al Concilio di Trento,* ed. P. CHERUBELLI, p. 173. F., 1946.

bant sanctificationi personali, dum alteri magis curabant felicem successum propriae operae quam propriam perfectionem. Reformatores catholici intacta volebant servare « sacra » Ecclesiae: ejus doctrinam, institutiones et hierarchiam, quas reformatores protestantici vel mutilarunt vel everterunt. Exinde opera reformatorum catholicorum, fundata super sanctitatem personalem et super ipsas institutiones Ecclesiae a Fundatore Christo datas: sacramenta, primatum Petri, dogmata, disciplinam et cultum, necessario fuit constructiva et fecunda, dum e contrario opera reformatorum protestantium, fundata super liberum examen individuale, mutilationem doctrinae et eversionem institutionum Ecclesiae, necessario fuit opera negativa dissolutionis et destructionis in societate christiana.

In epocha moderna reformatio catholica incipit ab humilibus sodalibus associationum piarum (1). Hae associationes oriuntur a fine saeculi XV, cum unico scopo promovendi fervorem interiorem et dandi bonum exemplum vitae christianae: « per radicare e piantare nei cuori nostri il divino amore », uti legitur in antiquis earum regulis. Plerumque appellantur *Oratoria*, quia in eis datur magna pars orationi. Antiquius videtur esse oratorium S. Hieronymi Vicetiae, fundatum a B. Bernardino a Feltre (+ 1494). Alia oratoria, jam ante saeculum XVI, erigebantur Mediolani, Venetiae, Brixiae, Veronae, Genuae (1497). Oratorium Romae stabilitum est initio saeculi XVI, frivolo tempore Leonis X, et primam sedem habuit in ecclesia S. Dorotheae trans Tiberim.

Haec oratoria orta sunt, non e necessitate impugnandi reformationem protestanticam, quae tunc, vel nondum existebat, vel nondum penetraverat in Italiam, sed ex impulsu interiore quo homines pii ex omni coetu movebantur ad vitam vere christianam. Statuta confraternitatis Divini Amoris Genuae, monstrant quaenam erat norma vitae ejus sodalium, qui pro parte longe maiore erant

---

(1) Confraternitates florentes habebantur in medio aevo, semireligiosae et semioeconomicae, pro scopo mutuae assistentiae in labore, in infirmitate, pro pauperibus vel infirmis sublevandis. Ad eas pertinebant Humiliati, Beghardi tessitores, Tertiarii saeculares. Decursu temporis, vel mutatae erant in congregationes plene religiosas, vel a primo fervore declinaverant, vel suppressae fuerant. Cfr. L. ZANONI, *Gli Umiliati nei loro rapporti con l'eresia, l'industria della lana ed i communi nei secoli XII e XIII sulla scorta di documenti inediti*. M., 1911; F. CALLAEY, *Il Terz'Ordine secolare di S. Francesco. Saggio storico*. R., 1921; Idem, *The Third Order of St. Francis. A historical Essay*. Pittsburgh, 1926.

laici (1). Etenim, e 40 sodalibus quibus constabat oratorium Genuense, 4 tantum admittebantur sacerdotes.

Scopus associationis erat: caritas erga Deum et proximum, mutua assistentia spiritualis et corporalis. Praescribebantur orationes, mane, cum oblatione suimetipsius Deo, durante die, ante et post mensam; suffragia pro defunctis, vigiliae, et modus celebrandi congregationem. Post congregationem, sodales faciebant disciplinam. Debebant praebere bonum exemplum summae honestatis. Confessio fiebat saltem semel in mense; communio saltem quatuor vicibus in anno, praeter communionem Paschae et Nativitatis Domini. Novitii non admittebantur nisi saltem 18 annos nati. Quoque anno fiebat scrutinium, quo removebantur sodales indigni. Omnes debebant secretum servare de statutis et operibus oratorii. Ad id pertinebant, praeter Hectorem Vernaccia fundatorem (+ 1524), cives e primario coetu societatis Genuensis: Joannes Baptista Salvago, Grimaldi, Lomellino. Ex eis, aliqui electi sunt duces reipublicae. Oratorium Divini Amoris Genuae occulte complebat opera caritatis: providebat necessitatibus hospitii Incurabilium, monialium indigentium et puellarum poenitentium.

Romae, in oratorio Divini Amoris apud S. Dorotheam, non imponebatur secretum, nec restrictio numeri sacerdotum: confraternitas constabat 60 sodalibus. Inter eos notantur S. Cajetanus Thiene, Joannes Matthaeus Giberti episcopus Veronensis, et cardinalis Jacobus Sadoletus. Ibi praeterea habebatur oratorium S. Hieronymi « della Carità ». Ex his oratoriis, ordines Clericorum Regularium, orti initio saeculi XVI, habuerunt sua primitia: S. Cajetanus Thiene, fuit unus e fundatoribus Theatinorum; S. Philippus Nerius neosacerdos, apud sodales oratorii S. Hieronymi « della Carità » invenit primos socios pro sua congregatione sacerdotali, propterea dicta de Oratorio. Ut Romae, quae saepe saepius profanata fuerat festis renascentiae paganae, restitueretur gravitas christiana, Philippus Nerius instauravit consuetudinem antiquam visitationis septem ec-

---

(1) P. TACCHI VENTURI, *Storia della Compagnia di Gesù in Italia*, t. I, *Stato della religione in Italia alla metà del secolo XVI*, ed. 2. R., 1931; A. CISTELLINI, *Figure della Riforma pretridentina*, Brescia, 1948; L. CRISTIANI, *L'Eglise à l'époque du concile de Trente*, in *Histoire de l'Eglise* dir. A. FLICHE - V. MARTIN, t. 17, p. 247 sq. P., 1948; CASSIANO DA LANGASCO, *Gli Ospedali degli Incurabili*. Genova, 1938.

clesiarum basilicalium Urbis, cum canticis de vanitate rerum humanarum, de morte et judicio (1).

Cum oratoriis et confraternitatibus tunc ortis, connectuntur plurima opera pro assistentia corporali horum qui majore premebantur periculo, sive physico sive morali. Pro solis operibus misericordiae corporalis, notantur 14 institutiones Romae erectae spatio 40 annorum (1513-1555) (2): hospitium Incurabilium S. Jacobi, pro infirmis morbi syphilitici; societas caritatis pro cura monasterii « delle Convertite », fundata a cardinali Julio de Medici, consobrino Leonis X et futuro papa Clemente VII; pro peregrinis organizantur ospitia, e. g. ad antiquum monasterium S. Stephani Abyssinorum, et ope associationis suscitatae a S. Philippo Nerio: *Compagnia della Trinità dei Pellegrini;* eriguntur hospitium pro orphanis utriusque sexus in S. Maria in Aquiro et refugium pro virginibus indigentibus ad S. Catharinam *de' Funari;* mons pietatis stabilitur eleemosynis collectis a Fr. Minore Joanne de Calvi et donis cardinalis Francisci Quiñones. Virgines et viduae romanae, quae volebant ducere vitam communem, domum propriam habebant prope ecclesiam S. Mariae-Felicis. Duo erant opera pro dotibus procurandis puellis pauperibus: unum in honorem SS.mi Crucifixi in ecclesia S. Marcelli, alterum in ecclesia dicta « della Madonna del Pianto » (3).

Oratoria, et opera pia eis adnexa, quorum elenchus facile protrahi posset, monstrant quomodo fervor et caritas reviviscebant initio saeculi XVI. Referri etiam posset numerosas academias quae praesertim in Italia et in Gallia floruerunt saec. XIV-XVI, pro cultu

---

(1) G. V. JOURDAN, *The Movement towards catholic Reform in the early 16th Century.* NY., 1914; J. SCHEUBER et alii, *Kirche und Reformation, aufblühendes katholisches Leben im 16. und 17. Jahrhundert.* Einsiedeln, 1917; P. PISANI, *Les compagnies de prêtres du XVIe au XVIIIe siècle.* P. 1928; C. GASBARRI, *La spettacolarità del « Gaudium » di A. Lazzarini e la visita filippina delle Sette Chiese.* R., 1947.

(2) Servatur adhuc in Archivo Vaticano (*Politica varia*, n. 78) elenchus istorum operum: *Origine et Sommario delle Opere pie di Roma instituite dal pontificato di Leone X in qua sino al pontificato di Paolo IV.* Cf. PASTOR, *Geschichte der Päpste*, t. IV, parte II; F. CALLAEY, *Roma da Preside del l'Agape a Promotrice del Concilio di Trento*, in *Euntes docete, Commentaria Urbaniana*, t. I, 1948, p. 28 sq.

(3) C. B. PIAZZA, *Eusevologio romano, ovvero delle opere pie di Roma,* ed. 2. R., 1609.

et sensu religioso saepius valuisse (1). Aliud documentum renovationis vitae catholicae, habetur ex *Ordinibus religiosis*, quorum alii reformantur, alii tunc temporis nascuntur plene aptati necessitatibus temporis.

2. - Instauratio observantiae in Ordinibus religiosis antiquis et origo Ordinum novorum.

— Decursu saeculi XV, plurimi Ordines religiosi antiqui, qui a primo fervore declinaverant, in *reformationem regularem* omni zelo incubuerunt. Ludovicus Barbo, abbas S. Justinae Paduae (+ 1443), fuit reformator *Ordinis S. Benedicti* in Italia. Item in Austria (Melk) et in Germania (Bursfeld), primo dimidio saeculi XV monachi S. Benedicti ad strictiorem observantiam reducti sunt (2).

In *Ordine S. Dominici*, promotor severioris praxis vitae fuit B. Raymundus Capuanus (+ 1399), cujus praecipui sequaces fuerunt, in Germania Conradus de Prussia, in Italia Joannes Dominici. Sub fine saeculi XV, impellente Hieronymo Savonarola, conventus S. Marci Florentiae, ubi tunc morabantur circiter 230 Dominicani, erat centrum actionis fervidae, tam pro observantia regulae quam pro reformatione morum in civitate (3).

Apud *Fratres Minores* in Italia, saeculo XV notantur quatuor Franciscani qui jure merito celebrantur tanquam « quatuor Observantiae columnae »: S. Bernardinus Senensis, S. Joannes a Capistrano, Albertus a Sarteano et S. Jacobus de Marchia. Etiam in Hispania, Lusitania et Gallia, florebat studium reformationis. Anno 1517, Fratres Minores Observantes, cismontani et ultramontani, a Leone X in Ordinem distinctum canonice constituti sunt (4).

Reformatio *Eremitarum S. Augustini* jam inceperat ante protestantismum, sed majore zelo continuata est post rebellionem Lutheri, quando visum est quod ejus haeresis hinc illinc, apud ejus confratres, e. g. in conventu Venetiarum, sequaces invenerat. Su-

---

(1) F. A. Yates, *The French Academies of the sixteenth century*. Lo., 1947.

(2) M. Heimbucher, *Die Orden und Kongregationen der katholischen Kirche*, t. I, ed. 3. Pdb., 1933; E. Lucchesi, *I Benedettini*, in *Il Contributo*, op. cit., p. 300 sq.

(3) A. M. Walz, *Compendium historiae Ordinis Praedicatorum*, p. 58 sq. R., 1930; I. Taurisano, *I Domenicani*, in *Il Contributo*, op. cit. p. 23 eq.

(4) H. Holzapfel, *Manuale historiae Ordinis Fratrum Minorum*, p. 81 sq. Fr., 1909.

perior generalis Hieronymus Seripando (+ 1563), visitavit monasteria Ordinis in Italia, Gallia, Hispania et Lusitania, et ubique abusus et errores summo rigore repressit. Sicut beati Joannes Soreth et Baptista Spagnoli Mantuanus disciplinam regularem instaurarunt in *Ordine Carmelitarum,* ita Laurerius, a Paulo III 1539 cardinalis creatus, in quantum potuit opus dedit instaurationi spirituali suae familiae religiosae *Servorum Mariae* (1).

Quod ad *Ordines novos* attinet, ante omnia referendus est Ordo *Fr. Minimorum,* quem circa annum 1460 suscitavit S. Franciscus de Paula, pauper et ignarus eremita e Calabria, qui nequidem scribere sciebat, sed possidebat thesaurum abnegationis evangelicae. Cum sequacibus suis, coepit vivere in maxima humilitate et austeritate, observando jeiunium perpetuum, cum abstinentia a carne, a pisce, et a lacticiniis. Pro solo cibo admittebant farinam, oryzam, herbas et fructus. Tanquam minimi inter christianos, debebant unice intendere orationi et poenitentiae, et contemnere omnes res terrenas. Ordo Minimorum confestim diffusus est in Italia, unde transiit in Galliam, Hispaniam et Germaniam: initio saeculi XVI jam existebant 450 conventus hujus Ordinis. Opera imperiti eremitae, Francisci de Paula, Ecclesiae offerebantur innumera exempla humilitatis et mortificationis ipso tempore quo saepe nimis sacerdotes et laici trahebantur ambitione et luxuria (2).

Anno 1528, ex antiquo Ordine Fr. Minorum nata est nova familia franciscana, *Fr. Minorum Capuccinorum.* Meliores inter primos ejus fautores, Bernardinus ab Asti, Franciscus a Jesi et Joannes a Fano, volebant imitari pressius fundatorem S. Franciscum (+ 1226), non tantum in rudi vestitu, sed in tota ejus vita, observare ejus regulam ad litteram, et sicut ipse, ducere vitam apostolicam praedicando fidelibus et infidelibus, et adimplendo opera caritatis, inter infirmos tempore contagionis, inter milites in praelio. In primis constitutionibus Albacinae anno 1529 confectis, praescribebatur Capuccinis ut ante omnia praedicarent bono exemplo, et corde puro ac recta intentione nuntiarent Evangelium sine vano or-

---

(1) M. HEIMBUCHER, *Die Orden und Kongregationen,* op. cit., t. I; H. JEDIN, *Girolamo Seripando.* Würzburg, 1937; S. BELLANDI, *Gli Agostiniani,* in *Il Contributo,* op. cit., p. 182 sq.; A. GRAMMATICO, ibid., p. 137 sq.; A. M. ROSSI, ibid., p. 66 sq.

(2) PASTOR, *Geschichte der Päpste,* op. cit., t. II, III, IV; G. M. ROBERTI, *Disegno storico dell'Ordine dei Minimi,* 3 vol. R., 1902-1922.

namento litterario nec subtili speculatione (1). Exponebant doctrinam christianam, reconciliabant inimicos, confutabant errores, promovebant devotionem novam Orationis quadraginta horarum, uno verbo omni utebantur forma apostolatus ut instaurarent vitam christianam. Populus tam libenter audiebat sinceros praedicatores Evangelii, ut non tantum sacerdotes Capuccinos, sed et simplices Fratres laicos invitaret ad loquendum sibi de vitiis et virtutibus, de poena et gloria (2).

Pro sanctificatione in caritate erga proximum ope assistentiae infirmorum et pro educatione christiana juventutis, S. Angela Merici anno 1535 fundavit congregationem *Sororum* sub patrocinio *S. Ursulae*. Primo tempore, sodales hujus congregationis, ut liberius possent adimplere officium suum, non vivebant in communitate, nec pronuntiabant vota religiosa, nec portabant specialem habitum religiosum. Sed unaquaeque habitabat in domo paterna, ubi servabat normas communes quoad orationem et laborem; vestiebatur habitu modesto, ut videretur virgo Deo dicata, et sub inspectione sociae majoris curabat infirmos vicinos, colligebat pueros, praesertim pauperes, in domum suam vel in ecclesiam, eosque docebat doctrinam christianam. Ita coepit facere ipsa Angela Merici, primum in loco natali, Decentiani ad lacum Benacum (*Lago di Garda*), deinde Brixiae. Ejus sociae conveniebant tantum pro oratione matutina et assistentia missae quotidianae. Conceptu vere moderno, primae Ursulinae in domo viventes constituerunt parva centra educationis religiosae in singulis vicis Brixiae.

---

(1) Rufinus Senensis, chronista Capuccinus saeculi XVI, refert: « In quel tempo non era solito predicarsi se non questioni di Scoto e S. Tommaso, e nel principio della predica sempre recitar un sogno, dicendo *stanotte mi pareva*, etc. Si predicavano la filosofia, le favole d'Isopo, e sempre all'ultimo si cantavano alcuni versi del Petrarca e dell'Ariosto, e quasi mai si nominava l'evangelio e la sacra scrittura ». Ed. a Sisto da Pisa, in *Italia francescana*, t. II, 1927, p. 110.

(2) F. Callaey, *Quatre siècles d'apostolat dans l'Ordre des Fr. Mineurs Capucins;* Idem, *La vita dei primi Frati Minori Cappuccini secondo la Cronaca di Bernardino da Colpetrazzo*, in *Liber memorialis Ordinis Fr. Minorum S. Francisci Capuccinorum*. R., 1928; *In margine al IV Centenario dei Fr. Min. Cappuccini*, Vita e Pensiero, t. XIX, 1928; Cuthbert, *The Capuchins*, 2 vol. Lo., 1928; *Monumenta historica O.F.M. Cap.*, ed. Melchior a Pobladura, t. I-V. Assisi-Roma, 1937-1946; Melchior a Pobladura, *Historia generalis O.F.M. Cap.*, 1525-1949, t. I-III. R., 1947-1949; Bonaventura a Mehr, op. cit., p. 17 sq.

Deinde, operâ praesertim S. Caroli Borromaei archiepiscopi Mediolanensis, Ursulinae, pro parte saltem, vitam communem sub habitu distincto coeperunt ducere in monasteriis (1572). Anno 1612. Paulus V eas univit in Ordinem religiosum canonice erectum. Sed praeter moniales Ursulinas, existere continuarunt Ursulinae viventes in domo paterna, sub auctoritate episcopi dioecesani, dedicatae bonis operibus paroecialibus, praesertim institutioni puerorum (1).

In servitio infirmorum, praesertim amentium, saeculo XVI primum locum occupant *Fratres* anno 1540 Granatae instituti a *S. Joanne de Deo*. Natus anno 1495 in Lusitania, vicissim fuerat pastor ovium, miles, domesticus et denique librarius in civitate Granatensi. A vita mundana ad Deum conversus, cum tanto fervore planxit peccata sua, percurrendo vias civitatis Granatae, ut diceretur mente captus. Quare clausus est in hospitio, ubi expertus est quam inhumane tractabantur amentes et infirmi nervis affecti. Hi tunc plerumque credebantur possessi diabolici, et conjecti in vincula, minimo praetextu dire flagellabantur, quasi in eorum corpore castigaretur ipse diabolus.

Vix liberatus, Joannes de Deo decrevit totam vitam suam dedicare infirmis: Granatae anno 1540 fundavit hospitium destinatum amentibus, quos nova methodo curavit, scilicet non vinculis et tormentis, sed bonitate et vigilantia. Joannes de Deo (+ 1550) remansit laicus, ejusque Ordo constat Fratribus laicis, qui unice dedicantur curae infirmorum. Sacerdotes admittuntur tantum, unus vel duo in unoquoque hospitio, pro celebratione missae et administratione sacramentorum. In Italia, ab initio appellati sunt *Fatebenefratelli*, quia tali hortatione Joannes de Deo ejusque Fratres petebant eleemosynam pro infirmis (2).

In eadem terra hispanica, S. Teresa de Avila incipiebat anno 1562 reformationem *Ordinis Carmelitarum*, tam Fratrum quam Sororum, et componebat, una cum S. Joanne a Cruce, mirabilia scrip-

---

(1) V. Postel, *Histoire de S. Angèle Mérici et de tout l'ordre des Ursulines.* P., 1878; M. Heimbucher, *Die Orden und Kongregationen,* op. cit. ed. 3, t. I.; M. Monica, *Angela Merici and her teaching idea.* Lo., 1927

(2) L. Saglier, *Leben des hl. Johannes von Gott mit einer Geschichte der Gründung und der Entwicklung seines Ordens.* Rat., 1881; P. A. Naudet, *S. Jean de Dieu.* P., 1924.

ta mystica quae a fine saeculi XVI ad majorem vitam spiritualem impulerunt numerosos catholicos (1).

Sed revertendum est ad initium saeculi XVI, ut considerentur *Ordines Clericorum Regularium*, qui sunt institutio characteristica hujus temporis. Cum Ordines antiqui vel insufficientes essent magnae necessitati animarum, vel hinc illinc existimationem publicam ob vitam relaxatam perdidissent, initio saeculi XVI plures viri magnae virtutis cogitare coeperunt de fundatione associationum Clericorum sub regula viventium, sed qui nullo habitu religioso distinguerentur, portarent modestum vestitum clericalem et ab officio chorali exempti essent, ut magis possent incumbere in ministerium animarum.

Clerici regulares antiquiores sunt *Theatini* fundati Romae anno 1524 a S. Cajetano Thiene et Joanne Petro Carafa, qui anno 1555 electus est papa (Paulus IV) (2). Linea recta proveniunt ab oratorio Divini Amoris, ad quod pertinebant fundatores et primi sodales. In communitate sacerdotali constituti, sibi proponebant reformationem cleri, studium sacrum, praedicationem et directionem animarum. Vestiebantur sicut sacerdotes saeculares, cum tibialibus albis. Ut clerum diverterent a spiritu lucri, Theatini profitebantur summam paupertatem; nequidem petebant eleemosynam, sicut faciebant Ordines Mendicantes, sed vivebant e donis sibi sponte datis pro mercede ministerii. Tenebant paupertatem tunc temporis esse medium efficacius quo libertas apostolica cleri et dignitas Ecclesiae melius servarentur.

In ecclesiis sibi commissis, summe curabant splendorem cultus secundum exemplum S. Cajetani Thiene: maximum ibi servabatur silentium et viri divisi erant a feminis. Instaurarunt antiquam devotionem erga Jesum infantem in praesepe, et introduxerunt usum recitandi vespere, ad sonum campanae, *De profundis* pro defunctis. In pluribus civitatibus Italiae, uti Romae, Neapoli et Venetiis, veram renovationem religiosam produxerunt apud clerum et fideles,

---

(1) AS octobris, t. VII, p. 109-790 ed. anni 1846; L. VAN DEN BOSSCHE, *Les Carmes*. P., 1930; R. HOORNAERT, *S. Thérèse écrivain*, 2 ed. P., 1925; Idem, *L'âme ardente de S. Jean de la Croix*. P., 1928.

(2) Nomen Theatinorum provenit a Theate (Chieti), ubi J. P. Carafa erat episcopus. M. HEIMBUCHER. *Die Orden und Kongregationen*, op. cit., t. II, p. 97 sq. Pdb., 1934; R. DE MAULDE LA CLAVIÈRE, *S. Gaétan*, in collectione *Les Saints*. P., 1902.

praesertim selectae societatis. Magna existimatione floruerunt saeculo XVI, ita ut eorum nomen *Theatini*, synonimus factus est hominis devoti; adversarii reformationis catholicae id etiam ironice adhibuerunt in eos quos nimis zelantes dicebant. Theatini se dedicarunt quoque educationi juventutis: Neapoli, e. g., ubi inserviebant ecclesiae S. Pauli, habebant duo collegia pro pueris e classe nobili (1). Saeculo XVII, Theatini domos erexerunt in Gallia, Germania, Hispania, et Lusitania. Studio et apostolatu, Theatini, initio saeculi XVI, viam pararunt Societati Jesu. S. Andreas Avellinus (1521-1608), praedicator eloquens et fervidus director animarum in Italia meridionali, illustravit parvam sed distinctam familiam Theatinorum.

Instructione populi et institutione puerorum, tunc temporis magna merita acquisierunt Clerici Regulares S. Pauli, vulgo dicti *Barnabitae*, qui Mediolani sedem habebant apud ecclesiam S. Barnabae (2). Fundati sunt anno 1533 a S. Antonio Maria Zaccaria, qui cum aliquibus amicis Mediolani, secundum exemplum S. Pauli incumbere volebat saluti animarum in plena abnegatione suimetipsius. Duae praecipuae formae eorum apostolatus erant, saeculo XVI, missiones publicae praedicatae in plateis et educatio juventutis. Pro instructione puellarum, in auxilium habuerunt congregationem piarum mulierum, erectam a comitissa Ludovica Torelli, quae appellabantur *Angelicae*. Barnabitae et Angelicae praesertim operati sunt in Italia septentrionali, ubi, una cum Capuccinis, fuerunt principales promotores Orationis Quadraginta Horarum.

In Italia septentrionali orti sunt etiam Clerici Regulares *Congregationis Somaschae*, a nomine loci *Somasca* inter Mediolanum et Bergomum, in quo domus principalis a fundatore S. Hieronymo Miani (Aemiliani) erecta est (1532) (3). Scopus principalis istius in-

---

(1) Initio, eis commissa est rectio Collegii Urbani de Propaganda Fide: anno 1641, Urbanus VIII ibi nominabat rectorem P. Marcum Romano.

(2) O. P. PREMOLI, *Storia dei Barnabiti nel cinquecento*. R., 1913; L. GENTILE, *Vita di S. A. M. Zaccaria*. T., 1913; G. CHASTEL, *S. Antoine Marie Zaccaria*. P., 1930.

(3) C. DE ROSSI-BORGOGNO, *Vita di S. Girolamo Miani*. Prato, 1894; M. HEIMBUCHER, *Die Orden und Kongregationen*, op. cit. ed. 3, t. II, p. 110 sq. Primo dimidio saec. XVI, Mediolanum jam fervidum centrum activitatis catholicae erat, sive devotione eucharistica, sive instructione christiana: cui praeter sanctos supradictos, praesertim participes erant sacerdotes saeculares Bellotti et Castellino a Castello, necnon capucinus Josephus a Ferno. A.

stitutionis erat: educatio christiana orphanorum et assistentia puellarum conversarum. Parvuli, qui in bellis continuis parentibus suis orbati fuerant, errabant numerosi, expositi omni periculo animae et corporis; in invasionibus militum et in fugis desperatis, virtus puellarum periclitabatur. Postea, operâ S. Caroli Borromaei et papae Clementis VIII, altero dimidio saeculi XVI, Clerici Somaschi assumpserunt etiam institutionem clericorum et juvenum nobilium.

Plures aliae congregationes Clericorum Regularium possent referri: *Clerici Regulares Matris Dei,* fundati a S. Joanne Leonardi pro institutione puerorum pauperum (1583); *Clerici Regulares ministrantes infirmis,* a S. Camillo de Lellis (1584); *Clerici Regulares Minores,* a S. Francisco Caracciolo, pro vita activa et contemplativa (1588); *Clerici Regulares Scholarum piarum,* pro institutione gratuita puerorum, a S. Josepho Calasanctio (1597). Sed illae fundationes pertinent ad alterum dimidium saeculi XVI (1).

Magis juvat immorari aliquantum in descriptione potioris Ordinis Clericorum Regularium, scilicet *Societatis Jesu,* quae saeculis XVI et XVII multiplici efficientia contribuit reformationi catholicae. Fundator ejus, S. Ignatius, natus anno 1491 Loyolae, in provincia vasconica Guipuzcoa Hispaniae septentrionalis, ad vitam christianam converti coepit, mense maio anno 1521, cum in defensione civitatis Pampelonensis adversus milites gallicos, graviter in cruribus vulneratus fuisset (2). In solitudine Manresae unum annum transegit in asperrima poenitentia et in fervida meditatione, ibique, ante annum 1525, composuit *Exercitia spiritualia,* quorum efficaciam spiritualem pro semetipso expertus est, antequam ea proponeret sequacibus suis tanquam normam stabilem pro formatione interiore.

RATTI (Pius XI), *Scritti storici,* p. 97 sq. 257 sq. F., 1932; [F. CALLAEY] in *Analecta O.F.M. Cap.,* t. XXXIX, 1923, p. 48 sq.

(1) M. HEIMBUCHER, *Die Orden und Kongregationen,* op. cit. ed. 3, t. II, p. 113 sq.

(2) *Monumenta Ignatiana,* 15 vol. Matriti, 1903-1919; *Monumenta P. Polanco,* 6 vol. Matriti, 1894-1898. Ambo eduntur in magna collectione *Monumenta historica Societatis Jesu,* 61 vol. Matriti, 1894-1932; H. JOLY, *S. Ignace de Loyola,* in collectione *Les Saints.* P., 1899; A. ASTRAIN, *S. Ignacio de Loyola.* Matriti, 1912; S. ROSE, *St. Ignatius Loyola and the early Jesuits* Lo., 1891; V. KOLB, *Das Leben des hl. Ignatius von Loyola,* ed. a F. HATHEYER. Fr. 1931; A. HUONDER - B. WILHELM. *Ignatius von Loyola, Beiträge zu seinen Charakterbilde.* Coloniae Agrippinae, 1932; M. HEIMBUCHER, op.

Ignatius, qui ante conversionem miles erat spiritu mundano imbutus, post conversionem animo miles remansit, caritate Christi ardens. In eo crevit in dies desiderium magna peragendi pro Christo. Quare, vix plene conversus, ejus primum propositum fuit: operam dare conversioni Saracenorum in Terra Sancta. Profectus est in Palestinam anno 1523. Sed superior Fr. Minorum Hierosolymis eum quam citius regredi jussit in Europam, cum non esset paratus ad controversiam ducendam cum discipulis Mahumeti. Tunc Ignatius percepit scientiam necessariam esse ut cum fructu posset exercere apostolatum. Jam triginta annos natus, incepit studium linguae latinae et graecae, deinde philosophiae et theologiae, Barcinone, Alcalae et Salmanticae in Hispania, postea in universitate Parisiensi, ubi gradum magistri artium consecutus est (1524-1535).

Parisiis lucratus est primos discipulos: Petrum Faber, sacerdotem e Sabaudia, Franciscum de Javier (Xaverius) magnum missionarium, Lainez, qui anno 1558 Ignatio successit in gubernio Ordinis, Salmeronem, qui fuit unus e praecipuis theologis concilii Tridentini, vehementem Bobadilla et timidum Rodriguez. Hi formarunt nucleum e quo orta est Societas Jesu. Die 15 augusti 1534, in sacello S. Dionysii ad Montem Martyrum Parisiis, emiserunt vota paupertatis et castitatis et se dicarunt assistentiae christianorum et conversioni Turcarum, vel cuilibet servitio sibi a papa commisso, si iter in Terram Sanctam praecluderetur. Cum hoc iter impossibile esset, petierunt Romam, ubi a papa Paulo III anno 1540 approbationem suae institutionis obtinuerunt, per bullam *Regimini militantis Ecclesiae* (1).

S. Ignatius fundare volebat veram militiam religiosam (*Compañia*), quae, instructa ope *Exercitiorum spiritualium*, tamquam

---

cit., t. II, p. 130 sq.; J. LORTZ, *Geschichte der Kirche in ideengeschichtlicher Betrachtung*, ed. 6, III, 80 sq. Mr., 1937; G. SCHNÜRER, *Katholische Kirche und Kultur in der Barockzeit*. p. 29 sq. Pdb. 1937; [D. FERNANDEZ - P. LETURIA] *Acta Patris Ignatii*, e vol. *Monumenta Ignatiana*, Fontes narrativi, I, R , 1943.

(1) P. TACCHI VENTURI, *Storia della Compagnia di Gesù in Italia*, t. II, R., 1922; P. ROSA, *I Gesuiti dalle origini ai nostri giorni, Cenni storici*. R., 1914; J. BRUCKER, *La Compagnie de Jésus, esquisse de son institut et de son histoire*, 1521-1773. P., 1919; *Institutum Societatis Jesu*, 3 vol. F., 1892-1893; C. MIRBT, *Quellen zur Geschichte des Papsttums*, op. cit. n. 430 sq. Ab anno 1932 Romae editur *Archivum Historicum Societatis Jesu*; cfr. in t. I, p. 41 sq.: A. CODINA, *Regulae antiquorum Ordinum et praeparatio Constitutionum Societatis Jesu*.

acies ordinata militaret sub vexillo crucis, cum Jesu duce, « ad majorem Dei gloriam », uti ipse plus quam 250 vicibus repetit in *Constitutionibus* Societatis. Inde a principio, novus Ordo eminuit forti disciplina, stricta obedientia summo pontifici et strenua defensione doctrinae definitae Ecclesiae catholicae. Recte Marcellus II ei potuit dicere: « Tu milites collige et bellatores instrue, nos utemur » (1). Praeter tria vota obedientiae, paupertatis et castitatis, religiosi professi Societatis Jesu emittunt quartum votum accipiendi sine contradictione et sine subsidio materiali quamcumque missionem, sive apud fideles, sive apud infideles, quam papa eis committere velit. In *Regulis ad sentiendum sicut debemus in Ecclesia militante*, S. Ignatius clare suam mentem aperuit de modo quo oportet servare doctrinam et institutiones Ecclesiae: « Deposito omni judicio proprio, debemus tenere animum paratum et promptum ad obediendum in omnibus verae sponsae Christi Domini nostri, quae est nostra sancta mater Ecclesia hierarchica » (2).

Renovationi vitae catholicae, Jesuitae praesertim contribuerunt: *a*) formatione spirituali fidelium; *b*) apostolatu; *c*) educatione.

a) *Formationem spiritualem* promoverunt *Exercitiis*, ministerio confessionis et directione conscientiae. Sane, S. Ignatius non omnium primus opus conscripsit pro formatione spirituali. Quin recurramus ad S. Augustinum, Pseudo-Dionysium, vel ad scriptores mysticos medii aevi, sufficit recordari abbatis benedictini B. Mariae de Monte Serrato, Garciae Ximenes de Cisneros (+ 1510), qui initio saeculi XVI, in lingua latina et hispanica, *Exercitatorium vitae spiritualis* edidit quod Ignatius legit in solitudine Manresae, et a quo titulum pro suo opere desumpsit (3). Sed meritum Ignatii ejusque sequacium in eo consistit quod modo collectivo et methodico *Exer-*

---

(1) N. ORLANDINI, *Historiae Societatis Jesu*, prima pars, p. 495. R., 1614.

(2) *Exercitia spiritualia S. P. Ignatii de Loyola, textus hispanus et versio litteralis*, ed. J. ROOTHAAN, p. 323 sq. T.-R., 1928. Obedientia « perinde ac cadaver », quam praescribebat S. Ignatius, jam ante eum eadem comparatione propriis discipulis inculcata fuerat a S. Basilio, S. Benedicto et S. Francisco Assisiensi.

(3) De *Exercitatorio* Garciae de Cisneros tanquam fonte *Exercitiorum* S. Ignatii, disseritur in *Monumenta Ignatiana, series secunda, Exercitia spiritualia S. Ignatii de Loyola*, p. 94 sq. Matriti, 1919; H. WATRIGANT, *Quelques promoteurs de la méditation méthodique au quinzième siècle*. Enghien, 1919.

citia spititualia, et media cum eis connexa, confessionem et directionem conscientiae, adhibuerunt pro formatione spirituali tam laicorum quam clericorum. Exinde innumeros fideles ad vitam vere christianam instruxerunt et multas suscitarunt vocationes ad sacerdotium et ad vitam religiosam.

Medio *Exercitiorum spiritualium, Meditationis* methodicae *quotidianae* et duplicis *Examinis* conscientiae, particularis et generalis, Societas Jesu vitam spiritualem fidelium notabiliter auxit, eamque modo systematico direxit, non tantum versus contemplationem mysticam, quantum versus scopum practicum exercitii virtutis et actionis catholicae. Ut homo vincat se ipsum, et ordinet vitam suam, quin se determinet ad ullam affectionem quae inordinata sit: hic est scopus *Exercitiorum.* In his, omnes facultates hominis moventur: intelligentia, voluntas, imaginatio, unusquisque sensus hominis ordinatur, omnia media naturalia adhibentur ut totus homo sese plene servitio Dei dedicet (1). Ipse S. Ignatius eminenter vir activus erat, scrutator acutus animae humanae, ingenio positivo dotatus, non passivus, nec speculationi deditus. A viro in re diplomatica experto, monita S. Ignatii ad PP. Salmeron et Paschasium Brouet, legatos in Hibernia et Scotia, citantur tanquam exemplar perspicacitatis psychologicae (2).

Salutares effectus *Exercitiorum* super clericos et laicos comprobantur jam ante approbationem Ordinis (1540) (3). Cito Jesuitae assumpti sunt in directores spirituales principum de Habsburgo in Austria, de Wittelsbach in Bavaria, de Valois et Bourbon in Gallia. Anno 1541, nuntius in Germania scribebat Paulo III *Exercitia* societatis Jesu multum valere ad reddendum Ecclesiae libertatem et puritatem. Plurima monasteria et capitula canonicorum reformata sunt ope *Exercitiorum.* Cardinalis Otto Truchsess, episcopus Augustanus, fortis columna Ecclesiae catholicae in Germania medio saecu-

---

(1) Thema *Exercitiorum* est: 1) Finis hominis: salvare animam in servitio Dei. Obstaculum: peccatum. Effectus peccati: damnatio. Remedium: confessio generalis. - 2) Electio et reformatio proprii status, meditatione vitae apostolicae Christi (est pars praecipua). - 3) Contemplatio Passionis et mortis. - 4) Contemplatio vitae gloriosae Christi. F. SUAREZ, *De Spiritualibus Exercitiis S. Ignatii,* ed. P. DEBUCHY. P., 1910.

(2) J. CAMBON, *Le Diplomate,* in coll. « Caractères de ce temps ». P., 1926.

(3) A. BROU, *Les exercices spirituels de S. Ignace de Loyola, histoire et psychologie,* p. 82 sq. P., 1922.

lo XVI, et Julius Echter von Mespelbrunn, episcopus Herbipolensis, qui durante episcopatu 44 annorum, construxit vel instauravit trecentas ecclesias et fundavit universitatem Herbipolensem, in *Exercitiis* S. Ignatii fervorem suum pro causa catholica renovarunt.

In dioecesi Mediolanensi, S. Carolus Borromaeus adhibuit *Exercitia* pro reformatione cleri (1). Eis in sua praedicatione et directione spirituali usi sunt S. Franciscus Salesius, S. Vincentius a Paulo et S. Leonardus a Portu Mauritio. Papae: Paulus III, Gregorius XIII, Alexander VII, ut tantum de pontificibus saeculorum XVI-XVII loquamur, laudibus prosecuti sunt *Exercitia*, quibus sequaces S. Ignatii, a medio saeculo XVI ad nostra tempora, fideles ex omni classe societatis: religiosos, sacerdotes, heros et opifices, in sacris recessibus ducunt ad perfectae vitae christianae palaestram (2).

b) *Apostolatus* Societatis Jesu magnifice exprimitur tribus nominibus: S. Francisci Xaverii, S. Petri Canisii et S. Roberti Bellarmini (3). Etenim ab initio, Jesuitae simul incubuerunt in conversionem infidelium, in praedicationem doctrinae christianae fidelibus, et in confutationem haereticorum. Pro defensione Fidei catholicae in Germania, multiplicem actionem explicavit S. Petrus Canisius (1521-1597), tanquam praedicator, professor, scriptor, director spiritualis et fundator collegiorum. Opus suum princeps est *Summa doctrinae christianae* (1555) scilicet *Catechismus* in triplici forma: in forma majore pro litteratis, cum 222 quaestionibus; in forma minore pro alumnis scholarum mediarum, cum 122 quaestionibus; in forma minima, pro pueris et populo, cum 59 quaestionibus. Vivente adhuc Canisio, *Summa doctrinae christianae* saltem ducenties edita est et translata duodecies (4).

---

(1) A. RATTI, *S. Charles Borromée et les Exercices de S. Ignace*. P., 1922.

(2) Constitutio apostolica « Summorum Pontificum », Pii XI, 25 julii anni 1922. Allocutio Pii XII, anno 1941, occasione quarti elapsi saeculi a canonica probatione Soc. Jesu.

(3) De S. Francisco Xaverio, vid. sub fine praesentis capitis, ubi de opere evangelizationis peracto a missionariis.

(4) O. BRAUNSBERGER, *B. Petri Canisii epistulae et acta*, op. cit.; biographiae a J. METZLER, München-Gladbach, 1925; L. CRISTIANI, in collectione *Les Saints*. P., 1925; J. VAN GINNEKEN, *Peter Kanis van Nijmegen*, Amstelodami, 1928; P. POLMAN, *L'Elément historique dans la controverse religieuse du XVIe siècle*. Gembloux, 1932; S. PETRI CANISII, *Catechismi latini et germanici*, ed. F. STREICHER. Mn., 1933.

S. Robertus Bellarminus (1542-1621) primum locum occupat, una cum theologo anglico Thoma Stapleton, inter apologetas Ecclesiae catholicae saeculo XVI. Undecim annis quibus occupavit « cathedram controversiarum » in Collegio romano (1576-1588), compilavit *Disputationes de controversiis christianae fidei adversus hujus temporis haereticos* (1), quae tantum perturbarunt protestantes, ut hinc illinc, e. g. in universitate Heidelbergensi, erigerent Collegia *Bellarminiana* ad confutandum *Disputationes* (2). In suo opere Bellarminus, magna serenitate et profunda scientia S. Scripturae, Patrum et historiae ecclesiasticae, refellit argumenta protestantium in inspirationem, fundationem et essentiam Ecclesiae, atque auctoritatem conciliorum et traditionis. Ejus *Catechismi,* major et minor, in lingua italica, ultra quadringenties editi sunt, translati sexagies (3).

c) Denique notandum est magnum *opus educationis,* quod perfecit Societas Jesu. Haec non est fundata ex professo pro educatione juventutis; sed necessitate coacta, cito assumpsit opus meritorium institutionis puerorum. Ipse S. Ignatius exemplum dedit, colligendo Romae, in ecclesiam S. Mariae *della Strada,* cui primi Jesuitae inserviebant (1541), pueros viciniae eosque docendo rudimenta doctrinae christianae. Jam cito Jesuitis commissa est institutio religiosa ab infimo ad altiorem gradum, una cum traditione litrarum et scientiarum. Vivente S. Ignatio, acceperunt directionem spiritualem et scientificam collegii romani et collegii germanici.

Ubi, saeculis XVI-XVII, Jesuitae sedem habebant, ibi confestim rogabantur a clero et fidelibus ut studium aperirent. Ita factum est in Italia, in decennio 1545-1554: Messanae, Neapoli, Tibure, Laureti, Bononiae, Paduae, Venetiis, Genuae, Ferrariae; extra Italiam: Coloniae Agrippinae, Vindobonae, Ingolstadt, Pragae, Monachii, Augustae Vindelicorum, Dillingen, Lovanii, Lucernae, etc.

---

(1) Prima vice editae in Ingolstadt, 1586-1593, in tribus vol. Spatio unius saeculi cum dimidio, *Disputationes de controversiis* centies iterum in lucem datae sunt.

(2) J. BRODRICK, *The life and the work of Blessed Robert Bellarmin*, t. I, p. 65, 120 sq. Lo., 1928.

(3) P. TACCHI VENTURI, *Il beato R. Bellarmino. Esame delle nuove accuse contro la sua santità.* R., 1923; X. M. LE BACHELET, *Bellarmin avant son cardinalat.* P., 1911; G. HOFMANN, *Il b. Bellarmino e gli Orientali.* R., 1927; J. DE LA SERVIÈRE, *La théologie de Bellarmin,* ed. 2. P., 1928; P. POLMAN, op. cit., p. 512 sq.

Recordari juvat aureas *Regulas ad proficiendum in spiritu et litteris,* quas J. Laynez, primus Praepositus Societati Jesu post S. Ignatium, futuris magistris in collegiis proponebat: « Qui dant operam litteris, id idcirco facere debent, non ut scientiam solum, aut opes et honorem adipiscantur, sed ut veritatis cognitione sibi et aliis ad honorem et gloriam Dei opitulentur... Cum libertate simul et ardore disputabunt, ita tamen ut humanitatem quandam et modestiam praeseferant, absque ulla ira aut indignatione, atque submisse et amice *veritati* cedant, *quae finis est omnium disputationum*: quicumque ab ea victus fuerit, errorem suum vicerit » (1).

Eodem tempore, in regionibus catholicis, major pars instructionis mediae et magna pars instructionis superioris in universitatibus, impertiebatur a Societate Jesu; ita ut numerus longe major catholicorum qui tunc partem habuerunt in negotiis politico-religiosis, a Jesuitis instituti fuerant. Quando S. Ignatius mortuus est, anno 1556, Societatis Jesu numerabat 10 provincias cum circiter 1000 religiosis distribuitis in 101 residentiis. Praeter collegia interna tunc jam 35 scholae habebantur pro alumnis externis. Anno 1616, provinciae Ordinis erant 37, domus 559 et religiosi 13.112 (2).

Ex brevi expositione de associationibus et Ordinibus religiosis inde a fine saeculi XV ortis, clare elucet vis spiritualis interna quae tempore turbato inerat Ecclesiae catholicae. Omnes hae institutiones *inceperunt*, non de mandato officiali S. Sedis, sed a renovatione spirituali sanctorum virorum, et independenter a reformatione protestantica. Deinde S. Sedes conamina privata fundatorum sua fecit, eisque dedit approbationem canonicam.

3. Curia romana et Reformatio catholica ab Alexandro VI ad Paulum III.

— Sub influxu Renascentiae paganae, sensualitas, praeoccupationes politicae et saeculares atque nepotismus praevaluerunt in Curia romana a Sixto IV (1471) ad Leonem X (1521). Ini-

---

(1) J. B. HERMAN, *La Pédagogie des Jésuites au XVI*e *siècle.* L., 1914; *Monumenta Paedagogica Societatis Jesu,* p. 457 sq. Madrid, 1901; P. LETURIA, *Perchè la Compagnia di Gesù divenne un Ordine insegnante,* Gregorianum XXI, 1940, p. 350 sq.

(2) R. FÜLÖP-MILLER, *Macht und Geheimniss der Jesuiten. Kulturhistorische Monographie.* Lz. - Zurich, 1929; cfr. recensio a R. LEIBER, in *Archivum Hist. Soc. Jesu,* t. I, 1932, p. 138 sq. A parte protestantica habetur etiam: H. BOEHMER, *Die Jesuiten,* ed. 4; Lz., 1921. — B. DUHR, *Jesuiten - Fabeln,* ed. 4. Fr., 1904; L. KOCH, *Jesuiten-Lexikon.* Pdb., 1934.

tio saeculi XVI, cathedram S. Petri occupabat Alexander VI (1492-1503) (1). Hic plurima habebat dona naturalia: experientiam in re administrativa, eloquentiam, affabilitatem, figuram nobilem. Sed non habebat animum sacerdotalem. Quando electus est papa, jam a triginta septem annis vivebat in Curia, prosequendo lucrum, honores et voluptates. In negotiis temporalibus excellebat, sed ducebatur nepotismo effrenato, scilicet amore in filios suos, praesertim in Lucretiam et Caesarem Borgia. Nihilominus, sub ejus pontificatu, idea reformationis praesens erat in Curia romana, per operam e. g. cardinalis Oliverii Carafa, episcopi suburbicarii Sabinae, qui plurima edidit statuta pro bona formatione cleri (1491) (2). Anno sancto 1500, Alexander VI prima vice ritum apertionis Portae Sanctae in basilica S. Petri devote complevit.

Pius III, revera pius et honestis moribus, post pontificatum 26 dierum obiit (1503). Ei successit Julianus della Rovere (1503) qui nomen sumpsit Julii II. Studuit instaurationi Status pontificii, qui sub Alexandro VI quasi totus traditus fuerat ambitioni politicae Caesaris Borgia et aliorum principum ejus factionis politicae. Anno 1512, Julius II inauguravit V concilium Lateranense, XVIII oecumenicum, quod conclusum est sub Leone X (1517) (3). In eo plurimae ordinationes editae sunt pro vita ecclesiastica promovenda apud cardinales et praelatos Curiae, pro institutione christiana fidelium ope praedicationis et pro concordia inter episcopos et Ordines religiosos. Sed concilium Lateranense paucum vel nihil valuit pro reformatione catholica, quia major pars praelatorum nolebat incipere reformationem a semetipsis. Apud eos, saepe praevalebat omnis vanitas mundana; cumulabant beneficia, sed negligebant officia adnexa beneficiis. In ipso S. Collegio, habebantur pejora exempla: Innocentius Cibo anno 1513 tenebat decem beneficia episcopalia; Ananias d'Albret, gallicus, quinque; Joannes de Lotharingia vicissim collegit tres archiepiscopatus, undecim episcopatus et quinque abbatias.

Sicut jam circa annum 1450 austerus cardinalis Dominicus Capranica papae Nicolao V submiserat *Avvisamenta de reformatione Papae et Curiae romanae*, in quibus denuntiabat Curiam « om-

---

(1) Pastor, *Geschichte der Päpste*, t. III.
(2) HC, t. VIII, p. 212.
(3) HC, t. VIII, p. 239-288; Pastor, op. cit. t. III; E. Rodocanachi, *Le pontificat de Jules II*. P., 1928.

nis vitii et corruptionis plenam », ita Leoni X vix electo (1513-1521) duo fervidi Eremitae Camaldulenses, B. Paulus Giustiniani et Petrus Quirini, dicabant *Libellum* in quo eum ad instaurandum miserum statum Ecclesiae enixe hortabantur. Affirmabant reformationem incipiendam esse ab ipso summo pontifice: « Quoniam autem novit Beatitudo Tua, nullum decretum, nullam legem tantum valere ad subditorum emendationem, quantum optimi Principis sanctissimos mores... ideo a Temetipso incipies, relictaque malarum consuetudinum ab aliquibus praeteritis Pontificibus nimium attrita via, ad rectam semitam pontificalis dignitatis ordinem reduces ». Sed papa debet etiam exemplo suo et admonitionibus suis omnia membra Ecclesiae, a cardinalibus ad simplices fideles, ad vitam vere christianam adducere. Sub fine Leonem X neo-electum monebant: « Non de iis quae feceris gloriam quaeras, sed de iis, quae omiseris, rationem reddere pertimescas » (1). Vero, paucum vel nihil valuerunt eorum monita.

Etenim Leo X, e familia florentina de Medici, in tota vita sua inspirabatur elegantissimo cultu renascentiae profanae (2). Habilis et affabilis, moderatus et generosus, in vita privata abstinuit ab omni intemperantia; sed magis sollicitus erat de artibus, de auctoribus classicis paganis, de theatro, de choreis, et de venatione, quam de quaestionibus Fidei et morum. Praeterea, nimis intricabatur in negotiis politicis, pro incremento propriae familiae de Medici. Anno 1517, una vice creavit 31 cardinales, inter quos plurimi habebantur viri magni meriti: Adrianus Ultrajectensis, qui praeceptor fuerat imperatoris Caroli V; Laurentius Campeggi; Thomas de Vio Cajetanus, magister generalis Ordinis Praedicatorum, celeber theologus; Aegidius a Viterbo, prior generalis Eremitarum S. Augustini. Sed simul Leo X indulsit spiritui saeculi, promovendo ad sacram purpuram viros turbulentos et mundanos, ut Pompaeum Colonna et Ricciotti Orsini, et etiam puerum septem annorum, Alphonsum principem Lusitaniae.

---

(1) F. CALLAEY, *Roma da preside dell'agape a promotrice del concilio di Trento*, art. cit., p. 25 sq.; E. LUCCHESI, in *Il Contributo*, op. cit., p. 314 sq.

(2) PASTOR, *Geschichte der Päpste*, op., t. IV; T. DANDOLO, *Il secolo di Leone X*, 3 vol. M., 1861; F. NITTI, *Leone X e la sua politica*. F., 1892; G. B. PICOTTI, *La giovinezza di Leone X*. M., 1924; E. RODOCANACHI, *Le pontificat de Léon X.*, P., 1931.

In ambitu vanitate pleno, difficile erat Leoni X servare conscientiam proprii officii pastoralis: proinde non percepit, praesertim quoad rebellionem Lutheri, gravitatem horae in qua tenebat gubernaculum Ecclesiae. De cetero, in re religiosa, demonstravit bonam voluntatem: magna benevolentia prosecutus est Ordines religiosos, quorum plures antesignanos canonizavit, uti S. Franciscum a Paula, fundatorem Minimorum, S. Philippum Benitium ex Ordine Servorum Mariae, S. Antoninum Florentinum O. P. et S. Joannem a Capistrano O. F. M.

In successorem Leonis X electus est Hadrianus VI, Ultrajectensis (1522-1523): sacerdos devotus et doctus, simplex et austerus, qui nihil curabat nisi salutem Ecclesiae. Fuerat professor theologiae in Universitate Lovaniensi (1491), praeceptor Caroli V (1507), episcopus Tortosae et rerum publicarum moderator in Hispania (1516). Cum eo, reformatio *de facto* incepit in Curia romana. Ipse papa, licet modo nimis aspero, exemplum dedit vitae vere ecclesiasticae et voluit ut omnes officiales Curiae similiter facerent, mandando e. g. auditoribus S. Romanae Rotae ut non venderent sed redderent justitiam. Sed opus improbum, acerbo animo arreptum, jam mense septembri anni 1523 interruptum est ob mortem Hadriani VI (1).

Ei successit Julius de Medici, consobrinus Leonis X, qui sibi nomen sumpsit Clementis VII (1523-1534). Erat vir vitae sobriae et castae, protector artium et scientiae, magnae habilitatis diplomaticae, sed nimis haesitans: cunctator et computator. Cum omni devotione celebravit Annum Sanctum 1525. Initio sui pontificatus (1524-1525), plurima dedit decreta pro instauratione vitae, apud clerum saecularem et regularem. Deinde, sive ob indolem suspiciosam et timidam, sive ob nimiam sollicitudinem de negotiis politicis et de fortuna propriae familiae, sive ob vicissitudines adversas, non amplius actione directa et personali operam dedit reformationi Ecclesiae. Sed ei indirecte favit, demonstrando benevolentiam ejus fautoribus (2), et protegendo associationes pias et Ordines religiosos novos: Theatinorum, Barnabitarum, Capuccinorum. Ope istorum,

---

(1) PASTOR, *Geschichte der Päpste*, t. IV, parte secunda; G. PASOLINI, *Adriano VI*, R., 1913; Dth, t. I; DHE, t. I; E. HOCKS-W. JURGENS, *Paus Adriaan VI, De Paus uit de Nederlanden*. Brugge - Amsterdam, 1944.

(2) PASTOR, op cit., t. IV, parte 2; Dth, t. III. S. Cajetanus Thiene, J. P. Carafa et J. M. Giberti familiariter utebantur cum Clemente VII.

reformatio catholica revera incepta est in Urbe et in Italia, durante pontificatu Clementis VII, in quo reformatio protestantica magnos progressus fecit in Germania, Helvetia, Scandinavia et Gallia, penetravit in Italiam et in ipsam Urbem, dum in Anglia consummabatur schisma.

Devastatio Romae mense majo anni 1527 (*Sacco di Roma*), evenit ob causam politicam, sed habuit effectum religiosum, et profuit reformationi catholicae. Ob cognitionem insufficientem veri status politico-religiosi extra Italiam, Clemens VII foedus inierat cum rege Franciae, Francisco I, cum republica Veneta et duce Sforza mediolanensi, adversus Carolum V, imperatorem S. R. Imperii et regem Hispaniae. Procul dubio, pro bono Ecclesiae, praesertim in Germania, melius fecisset si abstinuisset ab omni actione hostili adversus Carolum V, qui sincere catholicus erat, et insuper, princeps potentior sui temporis.

Primum in Urbe bellum civile ortum est inter fautores Caroli V qui ducebantur a principibus Colonna, et fautores regis Galliae, quibus praeerant principes Orsini. Deinde, exercitus Caroli V, qui constabat mercenariis lutheranis et militibus hispanicis et italicis, die 6 maji anni 1527 invasit civitatem leoninam, deinde regionem transtiberinam, ripam sinistram Tiberis, pontem S. Angeli, Circum Agonalem et alias partes civitatis. Clemens VII cum aliquibus cardinalibus et paucis defensoribus refugium quaesivit in castrum S. Angeli. Jam eadem die 6 maji incepit devastatio Romae, quae duravit quinque dies, et in qua milites imperiales, sive Itali, sive Hispani, sive Germani, inter se aemulati sunt ut alii alios superarent crudelitate et rapacitate: ecclesiae profanatae sunt, vasa sacra, statuae, picturae aliaque opera omni arte confecta, vel destructa vel asportata, moniales ignominiis affectae, presbyteri et episcopi occisi vel tormentis afflicti. Mercenarii germanici, inebriati vino et sanguine, circuibant civitatem leoninam, clamando: « Vivat papa Lutherus », tanto vigore ut Clemens VII ejusque socii in castro S. Angeli insanam acclamationem poterant audire. In solo *Borgo* et regione transtiberina, duo millia cadaverum in Tiberim projecta sunt et novem millia sepulta.

Immanis devastatio mutavit faciem Urbis. Nimia calamitate probata fuerat, quam ut iterum fieri posset sedes classica gaudii mundani. Deinde, non amplius comitatus mythologici percurrebant vias Romae, sed processiones sacrae; non amplius audiebantur poetae licentiosi et musici profani, sed praedicatores poenitentiae. Magna direptio revera signat finem regni renascentiae paganae in Urbe et praeparat ambitum publicum renovationi catholicae. Et pontificatus Clementis VII, in quo, serie non interrupta, succedunt apostasiae, ruinae et calamitates omnis generis, jam annuntiat tempora meliora.

Pro reformatione, actionem decisivam explicavit successor Clementis VII, Paulus III, electus die 13 octobris anni 1534, post brevissimum conclave duarum dierum. Neo-electus, antea cardinalis Alexander Farnese, jam quadraginta annos in S. Collegio transegerat, et eminebat educatione, forti animo, rerum gerendarum peritia et habilitate diplomatica (1).

Erat senex 67 annorum quando electus est papa, sed ad magna perficienda adhuc bene instructus. In juventute sua, amicus fuerat Alexandri VI qui eum, juvenem 26 annorum, cardinalem creaverat, anno secundo sui pontificatus. Usque ad annum 45 circiter, vixit tanquam praelatus mundanus, imitando protectorem suum Alexandrum VI, etiam in licentia vitae. Tempore concilii Lateranensis (1512-17), ad vitam graviorem conversus est; a die ordinationis sacerdotalis et consecrationis episcopalis (1519), aperte locum sumpsit inter cardinales reformationi catholicae addictos.

Sed numquam potuit omnino liberari ab influxu renascentiae profanae: propensus remansit ad magnificentiam et ad festa, et praecipue, nimia usque in finem irretitus est affectione in filios et nepotes. Primi cardinales quos creavit, mense decembri anni 1534, fuerunt duo nepotes: Alexander Farnese, filius Petri Ludovici Farnese (qui erat filius Pauli III), juvenis 14 annorum; et Guidus Ascanius Sforza, 16 annorum, filius Constantiae Farnese (quae erat filia Pauli III). Praeterea, Paulus III suos juvenes nepotes abundanter instruxit beneficiis: e. g. Alexandrum Farnese, vix 15 annos natum, nominavit vice-cancellarium S. R. Ecclesiae, abbatem Trium Fontium et archiepiscopum Avenionensem, et paulo postea, eum praeposuit negotiis Status pontificii (2).

Nepotismus ergo est defectus capitalis Pauli III, quem ipse confessus est in fine vitae suae. Attamen non praetermisit sincere et for-

---

(1) L. Cristiani, *L'Eglise à l'epoque du concile de Trente*, op. cit., p. 30 sq.

(2) Pastor, op. cit. t. V; L. Dorez, *La cour du pape Paul III*, 2 vol. P., 1932.

titer incumbere in renovationem Ecclesiae, sub impulsu et directione cooperatorum quos sibi elegit. Tali modo immediate praeparavit tempus quo S. Sedes centrum fit reformationis catholicae, non tantum decretis, sed etiam exemplo et actione. Instaurationi catholicae tam in Urbe quam in tota Ecclesia, Paulus III efficaciter contribuit triplici modo: *a*) transformatione S. Collegii cardinalium a corpore potius mundano in corpus vere ecclesiasticum; b) instauratione S. Inquisitionis romanae, contra errores in materia Fidei et morum; c) inauguratione concilii Tridentini.

a) *Transformatio S. Collegii cardinalium*. Opus princeps Pauli III, in quo majus meritum personale habet quia pendebat a sua voluntate, est renovatio S. Collegii cardinalium, in quod, inde a secunda promotione cardinalitia usque ad ultimam (1535-1549), systematice introduxit viros tam religione quam eruditione praeclaros. Ita in secunda promotione creavit: Joannem Fisher, episcopum Roffensem, et Gasparem Contarini, adhuc laicum, sed egregie scientia sacra excultum (1). Ex 71 cardinalibus quos in undecim promotionibus creavit, pars longe major eminebat virtute et doctrina.

Inter eos notare juvat Joannem Petrum Carafa, qui una cum Contarini factus est caput partis quae in Roma dirigebat opus reformationis. Carafa, neapolitanus, facile irascebatur et severissime tractabat adversarios reformationis catholicae, praesertim haereticos vel suspectos de haeresi (2). Contarini e contrario, propendebat ad moderationem. Alii cardinales insignes, creati a Paulo III, sunt: Reginaldus Pole, anglicus, consanguineus Henrici VIII, adhuc laicus; Sadoletus, sodalis Oratorii divini Amoris, humanista christianus; Petrus Bembo, qui tunc laudabatur in Italia tanquam princeps eruditionis et eloquentiae; Joannes Morone, episcopus Mutinensis, futurus praeses concilii Tridentini; Christophorus Madrutius (Madruzzo), episcopus Tridentinus. Raris vicibus S. Collegium constitit viris tam praeclaris sicut tempore Pauli III. Eorum auctoritas pontificatum Pauli III longe transgressa est. Etenim, quatuor pontifices sequentes electi sunt inter cardinales ab eo creatos: Julius III (1550-1555), Marcellus II (1555), Paulus IV (1555-59) et Pius IV 1559-1565).

---

(1) F. Hünermann, *Gasparo Contarini, Gegenreformatorische Schriften* (1530-1542). Mr., 1923; H. Rückert, *Die theologische Entwicklung G. Contarinis*. Bonnae, 1926.

(2) Edoardo d'Alençon, *Gian Pietro Carafa, vescovo di Chieti (Paolo IV) e la riforma nell'Ordine dei Minori dell'Osservanza*. Foligno, 1912.

Tali modo, Paulus III sibi procuravit validos cooperatores, qui confestim manum ad opus posuerunt pro instauratione disciplinae. Anno 1537, Paulo III exhibuerunt scriptum famosum: *Consilium delectorum Cardinalium et aliorum praelatorum de emendanda Ecclesia*, quod est, pro parte disciplinari, verum *praeludium* concilii Tridentini (1). Auctores hujus *Consilii*, quorum notiores erant cardinales Contarini, Carafa, Sadoletus, Polus; Hieronymus Aleander archiepiscopus Brundusinus et Giberti episcopus Veronensis, libertate apostolica Paulo III deferebant fontem e quo « irrupere in Ecclesiam Dei tot abusus et tam graves morbi »: adulatorias sententias eorum qui docent « pontificem esse dominum beneficiorum omnium: ac ideo cum dominus jure vendat id quod suum est necessario sequi, in pontificem non posse cadere simoniam. Ita quod voluntas pontificis, qualiscumque ea fuerit, sit regula qua ejus operationes et actiones dirigantur ».

Alii abusus erant: promotio juvenum ineptorum ad sacros ordines; collatio beneficiorum solo intuitu personae, non autem gregis Christi; cumulus beneficiorum incompatibilium in manibus unius personae; negligentia officii residentiae ab episcopis et parochis; exemptio abusiva vel recursus indebitus clericorum a jurisdictione sui ordinarii ad Poenitentiariam vel ad Datariam; malum exemplum regularium et monialium; traditio doctrinae perniciosae in gymnasiis publicis, praesertim in Italia; dispensationes omnis generis: pro religiosis apostatis; pro clericis jam promotis ad ordines majores quoad coelibatum; pro nuptiis inter consanguineos seu affines; pro absolutione simoniaci.

Denique auctores *Consilii* agebant de vita christiana instauranda in ipsa Urbe: « Haec Romana civitas et Ecclesia, mater est et magistra aliarum ecclesiarum. Ideo maxime in ea vigere debet divinus cultus et morum honestas: ideo, Beatissime Pater, scandalizantur omnes exteri, qui ingrediuntur templum Beatissimi Petri, ubi sacerdotes quidam sordidi, ignari, induti paramentis et vestibus quibus nec in sordidis aedibus honeste uti possent, missas celebrant; hoc magnum est omnibus scandalum. In hac etiam Urbe meretrices ut matronae incedunt per Urbem seu mula vehuntur, quas af-

---

(1) MANSI, supplem. t. V, p. 539 sq.; LE PLAT, *Monumentorum ad historiam concilii Tridentini amplissima collectio*, t. II, 596-605. L., 1782; PASTOR, op. cit., t. V, p. 117 sq.; C. MIRBT, *Quellen zur Geschichte des Papsttums*, op. cit., n. 427.

fectantur de media die nobiles familiares cardinalium clericique. Nulla in urbe vidimus hanc corruptionem, praeterquam in hac omnium exemplari, habitant etiam insignes aedes... » Proinde constitutae sunt commissiones cardinalitiae pro reformatione officiorum Curiae romanae: Datariae, S. R. Rotae, Cancellariae et Poenitentiariae (1).

Anno 1541, cardinales Contarini et Aleander ediderunt Normas quibus in praedicatione doctrinae christianae prohibebantur discussiones, subtilitates, citationes profanae, et commendabatur confutatio novatorum, ut jam coeperant facere plures praedicatores, Theatini, Jesuitae et Capuccini. Obligatio residentiae, quae jamdiu a decretis imposita erat episcopis aliisque ecclesiasticis qui habebant beneficium cum cura animarum, fortiter inculcata est a Paulo III. Die 13 decembris anni 1540, convocavit episcopos Romae morantes (circiter 80), eisque denuntiavit officium petendi propriam sedem. Plurimi obedierunt; alii praetextum quaesierunt: curam de negotiis sui principis, cujus protectionem invocarunt. Sed Paulus III, in re tanti momenti, assidue institit, ut plene servaretur obligatio residentiae a parte episcoporum. Quoad cardinales, idem papa decrevit, initio anni 1547, ut dimitterent propria beneficia episcopalia, excepto uno. Omnes obedierunt, exceptis cardinalibus gallicis, qui allegarunt sibi necessaria esse plura beneficia episcopalia, ut possent vivere cum decore.

b) *Instauratio S. Inquisitionis romanae.* Pro reformatione morum et defensione doctrinae catholicae adversus haeresim, Paulus III jam inde a principio sui pontificatus indixerat concilium oecumenicum, Mantuae celebrandum anno 1536. Sed eo anno celebratio concilii impedita est a bello inter imperatorem Carolum V et regem Galliae, Franciscum I. Quare Paulus III, ut sine mora provideret necessitatibus Ecclesiae, inspirantibus cardinalibus Carafa et Joanne a Toleto, Dominicano, Romae creavit Officium centrale, quod in Urbe et in Orbe vigilantiam exerceret pro Fide et moribus servandis, et errores atque abusus ubique deprehensos damnaret et repri-

---

(1) Dataria apostolica instituta erat pro collatione beneficiorum et perceptione taxarum; Cancellaria apostolica pro confectione et expeditione Bullarum et litterarum apostolicarum; Poenitentiaria apostolica pro absolutione a censuris et a casibus reservatis, pro concessione indulgentiarum, et dispensatione ab impedimentis matrimonialibus; tribunal S. Romanae Rotae, pro litibus dirimendis.

meret. Tali scopo per bullam *Licet ab initio* (21 jul. 1542), novam formam dedit Inquisitioni jam antea existenti (1).

Virtute bullae *Licet ab initio,* tota actio pro observantia Fidei et morum in orbe catholico, cogebatur speciali Officio romano directo a sex cardinalibus. Hi fiebant Inquisitores universales pro tota Ecclesia, etiam in ipsa Curia romana. Personaliter vel ope delegatorum, debebant examinare omnes qui suspecti erant, pronuntiare sententiam adversus apostatas a Fide, haereticos vel suspectos de haeresi. Inter poenas infligendas, referuntur in bulla *Licet ab initio*: incarceratio, confiscatio bonorum, exsecutio capitalis. Ubique Inquisitores poterant nominare officiales ecclesiasticos vel civiles pro inquisitione haereticorum, et omnia disponere ut damnati traderentur auctoritati saeculari, quae debebat sententiam ad exsecutionem mandare.

c) *Inauguratio concilii Tridentini.* Omnia haec demonstrant quanta cura et decisione, Paulus III, consilio et auxilio cardinalium aliorumque piorum virorum, promovit reformationem catholicam. Praeterea, decursu undecim annorum (1534-1545), perseveranter operatus est, usque ad bonum exitum, ut concilium oecumenicum celebraretur. Prima vice, concilium oecumenicum convocaverat Mantuae, pro mense junio anni 1536; secunda vice Vicetiae, pro initio anni sequentis; tertia vice Tridenti pro mense maio 1541; quarta vice ibidem pro mense novembri ejusdem anni. Sed toties quoties bonum propositum papae ad nihilum redactum fuerat, sive machinatione ducis Mantuae et reipublicae Venetae, sive mala fide protestantium, sive contentione imperatoris Caroli V cum Francisco I rege Galliae.

Licet obstacula tanta essent, ut humane loquendo, non videretur quomodo concilium celebrari posset, Paulus III semper institit, donec denique tandem, conclusa pace inter Carolum V et Franciscum I (Crépy, 1544), concilium inaugurari potuit sub fine anni 1545 in ecclesia cathedrali Tridenti. Electa est civitas Tridentina quia, cum pertineret ad Imperium germanicum, sperabatur luthera-

---

(1) Gregorius IX eam erexerat circa annum 1231 in unaquaque dioecesi, committendo eam inquisitori pontificio, in cooperatione cum episcopo et auctoritate saeculari. Cfr. J. GUIRAUD, *L'inquisition médiévale,* ed. 3. P., 1928; L. PASTOR, *Geschichte der Päpste,* t. V; G. BUSCHBELL, *Reformation und Inquisition in Italien Mitte des 16. Jahrhunderts.* Pdb., 1910; C. MIRBT, op. cit. n. 429.

nos aliosque dissidentes ibi libentius adventuros quam in aliqua civitate italica. Praeterea, non nimis distabat a Roma: spatio 46 horarum, nuntius, validis equis utens, poterat transmittere in Urbem acta concilii.

II.

DEFINITIO DOCTRINAE ET INSTAURATIO DISCIPLINAE A CONCILIO TRIDENTINO (1).

Concilium Tridentinum die 13 decembris anno 1545 inauguratum est a tribus legatis pontificiis, cardinalibus Del Monte (futuro Julio III), Cervino (futuro Marcello II), et Reginaldo Pole praesentibus cardinali Madrutio, viginti quinque archiepiscopis et episcopis, quinque superioribus Ordinum religiosorum et quadraginta theologis; concilium, protractum spatio 18 annorum (1545-1563); duabus vicibus interruptum est, ita ut dividitur in tres phases: 1) a mense decembri anni 1545 ad mensem septembrem anni 1549; 2) a mense maio anni 1551 ad mensem aprilem anni 1552; 3) a mense januario anni 1562 ad mensem decembrem anni 1563.

1. **Prima phasis concilii** (1545-1549). — Durante ista phasi, concilium, inauguratum Tridenti mense decembri anni 1545, a martio anni 1547 translatum est Bononiam, ob febrim purpuream quae

---

(1) H. JEDIN, *Das Konzil von Trient, ein Ueberblick ueber die Erforschung seiner Geschichte.*, R., 1948; MANSI. t. XXXIII-XXXIV; A. THEINER, *Acta genuina s. concilii Tridentini ab A. Massarello conscripta*, 2 vol. Zagreb, 1874; *Decreta septem priorum sessionum concilii Tridentini sub Paulo III*, ex autographo A. MASSARELLI, ed. S. KUTTNER. Washington, 1945; *Concilium Tridentinum. Diariorum, actorum, epistolarum, tractatuum nova collectio*. Ed. Societatis Goerresianae (S. MERKLE, S. EHSES, G. BUSCHBELL, V. SCHWEITZER). Ab anno 1901, Fr.; J. LE PLAT, op. cit. in 7 vol. L., 1781; HC, t. IX: *Concilo de Trente* a P. RICHARD. P., 1930-1931; PASTOR, *Geschichte der Päpste*, t. V-VII; C. MIRBT, op. cit. n. 442-480; ES, n. 782-994; SFORZA PALLAVICINI, *Storia del S. Concilio di Trento*, ed. in 2 vol. R., 1656; ed. in 4 vol. R., 1833; *Il Concilio di Trento*. Rivista commemorativa del IV Centenario, 1942-1947; *Studia Tridentina*, in *Gregorianum*, t. XXIV, 1945; *Il Contributo*, op. cit.; *Contributi alla storia del Concilio di Trento e della Controriforma*, Quaderni di « Belfagor » dir. L. Russo. F., 1948; RHE, t. XLI, 1949, p. 250 sq.

De cardinali legato R. Pole, cfr. R. BIRON et J. BARENNES, *Un prince anglais, cardinal-légat au XVIe siècle. R. Pole.* P., 1921; F. A. GASQUET, *Cardinal Pole and his early friends*. Lo., 1927.

affligebat Tridentum, et etiam ob desiderium plurimorum patrum effugiendi nimiam pressionem politicam quam exercebat imperator Carolus V. In tribus primis sessionibus, ordinatus est *modus procedendi concilii*. Quoad *materiam* tractandam in concilio, decisum est quod in omni sessione emitterentur decreta tam de *doctrina* quam de *reformatione*, et sic conciliabantur duae theses, thesis imperialis et thesis papalis: imperator, ut placeret protestantibus, proponebat ut primum ageretur de reformatione et deinde tantum de doctrina; papa e contrario, volebat ut primum definiretur doctrina et deinde decerneretur de reformatione.

Praeterea, decisum est ut ipsi legati pontificii, qui praesidebant concilio, proponerent quaestiones tractandas. Ante omnia, quaestiones propositae discuti debebant in congregationibus *particularibus*, a theologis et canonistis, appellatis *theologi minores*, qui non habebant jus suffragii. Post hanc discussionem praeparatoriam, eaedem quaestiones examinabantur a patribus concilii, qui habebant jus suffragii, in congregationibus generalibus: jus suffragii habebant singuli cardinales, episcopi et superiores generales Ordinum religiosorum; quoad abbates, isti habebant votum collectivum, scil. tres abbates habebant unum votum. Paulus III concessit etiam votum procuratoribus episcoporum (5 dec. 1545), sed Pius IV revocavit talem concessionem (26 aug. 1562).

In congregatione generali, decisiones indolis sive doctrinalis, sive disciplinaris, modo definitivo redigebantur. Hae decisiones componebantur in forma decreti, vel doctrinae, quae subdividebantur in capita; errores rejiciebantur in canonibus. Deinde decreta, doctrinae et canones, modo solemni promulgabantur in *sessionibus*, quae celebrabantur in ecclesia cathedrali Tridentina. In toto concilio 25 *sessiones* celebratae sunt: a prima ad decimam in prima phasi; ab undecima ad decimam sextam in secunda phasi; a decima septima ad vigesimam quintam in tertia phasi. Aliqui patres, qui tenebant theoriam superioritatis concilii super papam, voluissent appellare concilium: *Sacrosancta Tridentina synodus universalem Ecclesiam repraesentans*. Sed haec propositio admissa non est, et concilio Tridentino datus est titulus: « *Sacrosancta oecumenica et generalis Tridentina synodus*,... praesidentibus in ea tribus Apostolicae Sedis legatis ».

Ordinato modo procedendi, concilium opus suum incepit pro doctrina et reformatione, a sessione IV ad sessionem VII. Sessiones

VIII-X, celebratae sub fine istius primae phasis, non emiserunt decreta de doctrina vel reformatione, sed egerunt de translatione concilii a Tridento Bononiam et de praeparatione materiae. Quoad *doctrinam,* in sessionibus IV-VII actum est de *fontibus Fidei,* de *peccato originali,* de *justificatione,* et inceptae sunt definitiones de *sacramentis.*

De *fontibus Fidei:* in decreto de *canonicis Scripturis* (sessione IV, apr. 1546), concilium declaravit S. Scripturam et traditiones Apostolorum, continua successione in Ecclesia catholica conservatas, continere veritatem et disciplinam ad salutem necessarias. Praeterea decrevit ut nemo S. Scripturam posset interpretari contra sensum quem tenet Ecclesia catholica, quae sola potest judicare de vero sensu et interpretatione S. Scripturae (1).

Quoad *peccatum originale,* definitum est in V sessione (jun. 1546) quod peccatum originale, scilicet praevaricatio Adae, propagatione transfusum omnibus hominibus, per baptismum tollitur, licet remaneat concupiscentia, quae non est peccatum sed ex peccato est et ad peccatum inclinat. Sub fine declaratur concilium in doctrina de universalitate peccati originalis, non comprehendere B. et Immaculatam Mariam Virginem, sed observandas esse constitutiones Sixti IV de exemptione Mariae a peccato originali. Circa Immaculatam Conceptionem, quae impugnabatur a theologis dominicanis, nihil definitum est.

De *justificatione,* in sessione VI (jan. 1547), editum est decretum magni momenti quod constat 16 capitibus et 33 canonibus. In eo exponitur doctrina catholica de justificatione, tam adversus pelagianos qui negabant necessitatem gratiae, quam adversus protestantes qui aut absolute negabant aut saltem minuebant necessitatem cooperationis cum gratia a parte hominis. Justificatio incipit in adultis, ope gratiae praevenientis, sine ullo merito a parte hominis. Hic

---

(1) ES, n. 783 sq. Editio Vulgata Bibliae a concilio Tridentino pro authentica recipitur. R. DRAGUET, *Le maître louvaniste Driedo inspirateur du décret de Trente sur la Vulgate,* in *Miscellanea* A. De Meyer, op. cit., t. II, p. 836 sq. Concilio Tridentino plures professores Lovanienses uti Tapperus, Sonnius, Hesselius, valide cooperati sunt expositione rectae doctrinae et confutatione errorum, praesertim lutheranorum. Jam in bulla *Exsurge* Leonis X (1520), laudatur « non minus docta quam vera ac sancta confutatio, reprobatio et damnatio » haereseos lutheranae, in Universitate Lovaniensi prolata. J. BITTREMIEUX, *Cinq siècles de théologie à Louvain, Annuaire de l'Université,* 1934-1936, p. 629 sq.

debet cooperari cum ea, sed cum liberum arbitrium habeat, gratiam potest etiam rejicere. Nemo certo statuat, se omnino esse in numero praedestinatorum, quod sciri non potest, nisi ex speciali revelatione divina.

Homo sine gratia nihil potest pro justificatione; sed pro parte sua, homo nullo modo iners remanere potest aut debet. Justificatio non consistit tantum in remissione peccatorum, sed etiam in sanctificatione et renovatione interna. Homo justificatur, cum, meritis Christi, caritas Dei a Spiritu Sancto diffunditur in ejus corde et in eo habitat. Tali modo, si permanet in statu gratiae, fit amicus Dei, progreditur in virtute et quotidie renovatur spiritu, observatione mandatorum, perseveranti concursu fidei et bonorum operum. Hoc decreto, in cujus redactione magnam partem habuit Hieronymus Seripando, modo claro et definitivo declarabatur doctrina traditionalis catholica circa quaestionem de justificatione, quae, una cum doctrina de S. Scriptura et traditione, magis impugnata et deformata fuerat a protestantismo [1].

De sacramentis *in genere* (sess. VII, mart. 1547), affirmatur institutio a Christo; ex semetipsis, *ex opere operato,* conferunt gratiam. Quoad baptismum et confirmationem, confirmatur doctrina traditionalis Ecclesiae catholicae.

Simul ac doctrinam definiebat, concilium promovebat *reformationem*. In sessione V (jun. 1546), ordinatum est ut in ecclesiis cathedralibus et in collegiatis explicaretur S. Scriptura sub vigilantia episcopi; ita fieri debebat in monasteriis sub directione superioris regularis et in gymnasiis publicis. Officium commentandi S. Scripturam pertinebat ad praesules, qui, si legitime impediebantur, debebant assumere viros idoneos qui in ecclesiis suae dioecesis munus praedicationis adimplerent.

In sessione VI (jan. 1547), in qua « Sacrosancta Synodus... ab iis qui majoribus Ecclesiis praesunt, initium censuit esse sumendum », ante omnia inculcata est episcopis obligatio residentiae, sub poena privationis, post absentiam sex mensium, quartae partis fructuum unius anni, et si persistebant in absentia, sub poena interdicti ab ingressu in ecclesiam. Episcopis imponebatur etiam obligatio visitandi ecclesias propriae dioecesis et reprimendi excessus commis-

---

[1] DTh, art. *Trente, Réforme, Tradition, Justification* etc. J. HEFNER, *Die Entstehungsgeschichte des Trienter Rechtfertigungsdekretes*. Pdb., 1909; ES, n. 792 a sq.

sos a clericis saecularibus vel regularibus. In sessione VII (mart. 1547), jubebantur episcopi qui tenebant plures cathedrales ecclesias, ut eas omnes dimitterent, excepta una; prohibebatur cumulus beneficiorum curatorum et ordinabatur cura hospitaliorum.

Approbante Paulo III, sed contradicente Carolo V, mense martio anni 1547 concilium a Tridento Bononiam translatum est. Quatuordecim patres, qui tenebant partem Caroli V, Tridenti remanserunt. Cum dissensus inde ortus inter papam et imperatorem protraheretur, Paulus III, die 17 septembris anni 1549, mandavit cardinali legato Del Monte ut solveret concilium. Duobus mensibus postea e vivis excedebat papa, et in ejus successorem eligebatur ipse cardinalis Del Monte, qui sibi nomen sumpsit Julii III (1). Sicuti decisum fuerat in conclave, novus papa confestim convocavit concilium in civitate Tridentina. Magnum obstaculum novae convocationi concilii attulit rex Franciae, Henricus II, qui ex inimicitia cum Carolo V, episcopis Galliae prohibuit ne assisterent concilio, et secreto tractavit cum protestantibus Germaniae et cum Turcis ad parandum impetum in imperatorem.

2. **Altera phasis concilii** (1551-1552). — In secunda phasi, concilium inauguratum est die 29 aprilis anni 1551 a cardinali Crescentio, legato pontificio (1). Pro doctrina et reformatione, notandae sunt sessiones XIII-XIV. Quoad *doctrinam*, in sessione XIII (11 oct. 1551), continuata est expositio dogmatica de *sacramentis* in specie incepta in sessione VII. Decreto de sacramento Eucharistiae, concilium confirmavit doctrinam traditionalem de praesentia reali et substantiali Christi in Eucharistia necnon de *transsubstantiatione*: per consecrationem tota substantia panis convertitur in substantiam corporis Christi, et tota substantia vini convertitur in substantiam sanguinis ejus. In sessione XIV (25 nov. 1551), definita est doctrina de sacramentis poenitentiae et extremae unctionis. Sacramentum

---

(1) L. Cristiani, *L'Eglise à l'époque du Concile de Trente*, op. cit., p. 108 sq.

(2) A mense octobri anni 1551 ad mensem martium anni sequentis, concilio interfuerunt delegati protestantium Germaniae, scilicet principis electoris Joachim II de Brandenburgo, ducis Christophori de Wurttemberg, sex civitatum imperialium Germaniae superioris et principis electoris Mauritii de Saxonia, qui causam Caroli V prodidit. Nullum e suis erroribus revocarunt, sed obstinate repetierunt ut declararetur superioritas concilii super papam et omnia acta concilii novo examini subjicerentur.

poenitentiae, declarabatur necessarium his omnibus qui post baptismum se in peccati servitutem et daemonis potestatem tradiderunt. Exponebantur etiam forma, materia et fructus hujus sacramenti. Inter theologos, eminuerunt Laynez, Ruardus, Tapperus et Melchior Cano.

Quoad *reformationem,* in sessione XIII mandatum est episcopis ut prudenter invigilarent moribus clericorum subditorum caste informandis; in causis visitationis et correctionis, ante definitivam sententiam, nullo modo ab episcopo ad altiorem auctoritatem appellari posset. In sessione XIV, patres concilii declararunt munus episcoporum in clericos, pro recta collatione sacrorum ordinum et debita punitione delictorum: e. g., cap. VI Decreti de Reformatione, renovando constitutionem *Quoniam* a Clemente V in concilio Viennensi (1311) promulgatam, patres reprobabant clericos qui publice deferebant vestes laicales, et jubebant episcopos ut suspensione et privatione ab officio et beneficio clericos sibi subditos obligarent ad utendum decenti sui ordinis veste. Sed dum patres deliberabant, inimici Caroli V acerrimum faciebant impetum in principes catholicos Germaniae et Hungariae; Henricus II rex Franciae, invadebat Lotharingiam, ad occidentem Germaniae; Solimanus II, sultanus Turcarum, irrumpebat in Hungariam, et penetrabat usque Vindobonam; princeps Mauritius de Saxonia, proditor, a servitio Caroli V transibat ad lutheranos, et dolo inopinate occupabat Oenipontem et jam tendebat versus Tridentum. E patribus concilii, plures fugam ceperunt. Alii, numero 68, de consensu Julii III, concilium suspenderunt per biennium, in sessione XVI (22 apr. 1552).

Suspensio concilii revera duravit per decennium, primum ob debilitatem Julii III, deinde ob animum contrarium Joannis Petri Carafa, qui anno 1555 electus est papa et assumpsit nomen Pauli IV (1). Jam senex erat 79 annorum, qui 60 annorum spatio indefesse operam dederat reformationi catholicae, fervore in dies crescente. Adversabatur interventui Caroli V in concilio eique exprobrabat conclusionem pacis Augustanae (1555); simul repugnabat filio Caroli V, Philippo II regi Hispaniae, cujus potentiam in Italia ad nihilum redigere voluisset. Paulus IV nullum concilium, nisi Romae sub sua auctoritate immediata celebratum, admittere paratus erat. Cum plures principes et episcopi extranei obsisterent tali proposito, quia timebant nimiam immixtionem Curiae romanae, Pau-

---

(1) G. MONTI, *Ricerche su papa Paolo IV Carafa.* Beneventi, 1925.

lus IV non curavit continuationem concilii Tridentini, sed opere personali incubuit in defensionem Fidei et morum, praesertim S. Inquisitione romana. Vero reformationi religiosae in Urbe impedimento fuerunt mala exempla ejus consanguineorum, praesertim cardinalis Caroli Carafa, quos ipse ad altiores dignitates promoverat (1).

3. - **Tertia phasis concilii** (1562-1563). — Paulo IV, die 25 decembris anno 1559 successit cardinalis Joannes Angelus de Medici, qui nomen elegit Pii IV (1559-1565). Indole flexibilior erat Paulo IV, et, inspirante nepote S. Carolo Borromaeo. quem 21 annos natum cardinalem creaverat, sub fine anni 1560 convocavit concilium pro die Paschae, 6 aprilis anni 1561, in civitate Tridenti, invitatis etiam protestantibus. Ob defectum patrum, prima sessio tertiae phasis, quae est sessio XVII totius concilii, haberi non potuit nisi die 18 januarii anni 1562, sub praesidentia cardinalium legatorum Herculis Gonzagae et Jacobi du Puy, praesentibus circiter 70 patribus et 34 theologis. Ob dissidium inter principes, in primis quatuor sessionibus (XVII-XX), paucum actum est: Ferdinandus I imperator Germaniae, et principes Galliae, ut obtinerent adhaesionem protestantium, rogabant ut concilium, denuo convocatum, esset concilium plane novum, quod nullam haberet rationem cum decisionibus a concilio Tridentino promulgatis; dum a parte hispanica, postulabatur ut concilium iterum adunatum, revera esset continuatio concilii Tridentini, et ut proinde doctrinae, decreta et canones ab initio istius concilii edita, essent valida et irrevocabilia. Praecipuum decretum tunc promulgatum, est decretum quo, in sessione XVIII (26 feb. 1562), Romae instituebatur consilium delectorum patrum pro censura librorum prohibitorum (2).

---

(1) L. PASTOR, *Geschichte der Päpste*, t. VI; R. ANCEL, *La disgrâce et le procès des Carafa, d'après des documents inédits*. Maredsous 1909; P. DE LETURÌA, *Los « Recuerdos » presentados por el jesuita Bodadilla al recién elegido Paulo IV*, in *Miscellanea* A. De Meyer, t. II, p. 866 « V. Stad miri mucho en esto de complir que tanto ha predicado, de non dar el patrimonio de Christo y de la iglesia a parentes, porque dicen que non bastaria el Tibre para enchir caraffas y carraffellas ».

(2) Ex consilio tunc instituto deinde orta est S. Congregatio Indicis. Cfr. H. REUSCH, *Der Index der verbotenen Bücher*, 2 vol. Bonn, 1883-1885; J. HILGERS, *Der Index der verbotenen Bücher* Fr., 1904 Notatur facultatem theologicam Universitatis Lovaniensis jam anno 1540 primum catalogum librorum prohibitorum confecisse, qui jussu Caroli V auctus fuit anno 1546, et anno 1550, Indicem librorum reprobatorum et praelegendorum ex judi-

A mense junio anni 1562, quaestiones magni momenti tractatae sunt. Quoad *doctrinam*, continuata est expositio dogmatica de sacramentis in specie, et sub fine, modo generali, promulgatae sunt decisiones doctrinales de purgatorio, de cultu sanctorum et de indulgentiis. In sessione XXI (16 julii 1562), editum est decretum de S. Communione, quo declaratur communione « sub altera tantum specie totum atque integrum Christum verumque sacramentum sumi, ac propterea, quod ad fructum attinet, nulla gratia necessaria ad salutem eos defraudari, qui unam speciem solam accipiunt ». Proinde laici et clerici non sacerdotes, jure divino non sunt adstricti ad communionem sub utraque specie.

Hoc affirmabatur adversus hussitas et lutheranos, qui asserebant solam communionem sub utraque specie validam esse (1). In sessione XXII (17 sept. 1562), concilium definivit missam esse verum sacrificium *propitiatorium* pro vivis et defunctis. Missa vulgari lingua passim non est celebranda, sed retento ubique cujusque Ecclesiae antiquo probato ritu, inter missarum celebrationem populo explicari debet mysterium.

Ultimo anno concilii, 1563, majora exorta sunt impedimenta pro regulari ejus celebratione. Imperator Ferdinandus I insistebat ut concilium transferretur Oenipontem, scilicet in ambitum magis germanicum. Praelati germanici et gallici petebant ut non amplius ageretur de re dogmatica, sed unice de disciplina. Praesules gallici et hispanici inter se disceptabant quoad praecedentiam. Patres et theologi italici dissentiebant a collegis extraneis, praesertim hispanicis, ob quaestionem de origine potestatis episcopalis et de relatione episcopatus ad primatum romanum. Primi quaerebant augere auctoritatem papae et curiae romanae super episcopos. Inter theologos Curiae, aliqui asserebant solum Petrum episcopum institutum esse a Christo; proinde solus papa, successor Petri, verus erat episcopus, dum alii episcopi erant tantum vicarii papae. E contra, fautores auctoritatis episcopalis, praesertim hispanici, tenebant potestatem episcopalem immediate provenire a Deo. Cum mense martio anni 1563, defuncti essent duo legati pontificii Hercules Gonzaga et Hieronymus

---

cio Academiae Lovaniensis. J. BITTREMIEUX, op. cit. p. 33 sq.; F. REMY, *La censure des livres*, Aperçu historico-bibliographique, in *Archives, Bibliothèques et Musées de Belgique*, t. XX, 1949, p. 19 sq.

(1) P. POLMAN, *L'élément historique dans la controverse religieuse du XVIe siècle*, op. cit. p. 435 sq.

Seripando, discussiones carebant directione et facile degenerabant in confusas disputationes.

Ob perturbationem quae exinde regnabat in concilio, decem mensium spatio, a mense septembri anni 1562 ad mensem julium anni 1563, nulla sessio haberi potuit. Tanquam angelus pacis se interposuit S. Carolus Borromaeus, ut obstacula concordiae tollerentur (1). Magna prudentia et habilitate etiam operatus est novus legatus pontificius, Joannes Morone, qui una cum aliis legatis, cardinalibus Hosio, polono, et Simonetta, mediolanensi, concilium ad conclusionem duxit. S. Carolus Borromaeus et theologus Laynez, praepositus generalis Societatis Jesu, spinosae quaestioni de potestate episcopali solutionem intermediam dederunt, docendo quod in potestate episcopali oportet distinguere potestatem ordinis (potestatem consecrandi) a potestate jurisdictionis (potestate gubernandi). Potestatem ordinis episcopi accipiunt immediate a Deo, sed potestas jurisdictionis eis confertur immediate a papa, mediate a Deo. Tali modo simul asserebatur primatus summi pontificis et institutio divina episcoporum. Attamen concilium nihil definivit de origine jurisdictionis episcopalis; etiam de primatu pontificio definitio data non est, cum jam proclamatus fuerat in II concilio Lugdunensi ed in concilio Florentino.

Die 15 julii anni 1563, in sessione XXIII, definita est doctrina catholica de sacramento Ordinis: sacerdotii institutio ab ipso Christo; tres ordines majores, quatuor ordines minores; hierarchia, divina ordinatione instituta, quae constat episcopis, presbyteris et ministris; character indelebilis sacerdotis, et superioritas episcoporum qui in Apostolorum locum successerunt.

Quatuor mensibus postea, die 11 novembris anni 1563, in sessione XXIV, edita est doctrina de sacramento matrimonii. Ante omnia decernebatur, decreto *Tametsi* (qui usque ad annum 1907 in vigore remansit), nullum matrimonium esse validum nisi celebretur in praesentia parochi et duorum vel trium testium; matrimonia *clandestina* irrita declarabantur. Matrimonia contracta sine consensu parentum, concilium detestanda dixit, sed non invalida. Praeterea, in 12 canonibus, concilium damnavit errores contrarios indissolubilitati matrimonii, affirmando ne ob adulterium quidem alterius conjugum dissolvi posse; et adversus protestantes, qui nullum hominem

---

(1) C. ORSENIGO, *Vita di S. Carlo Borromeo*, ed. 3. M., 1929; L. CELLIER, *S. Charles Borromée*, in collectione *Les Saints*, P., 1923.

vinculo castitatis obligari asserebant, declaravit clericos in sacris ordinibus constitutos et religiosos castitatem solemniter professos, ad coelibatum teneri.

Denique in ultima sessione XXV, habita diebus 3-4 decembris anni 1563, plurima promulgata sunt decreta indolis doctrinalis, quibus exponebatur doctrina catholica de purgatorio, de cultu sanctorum eorumque reliquiarum et imaginum, necnon de indulgentiis, quae omnia negabantur a protestantibus.

Haec quoad doctrinam. Quoad reformationem, inde a sessione XXI (16 jul. 1562), decreta magni momenti promulgata sunt pro renovatione interna Ecclesiae: de collatione gratuita ordinum sacrorum, de subsistentia materiali clericorum, de recta administratione paroeciarum, et depositione parochorum indignorum. Abolebantur quaestores, scilicet collectores indulgentiarum, quorum jamdiu abusus denuntiati fuerant, quia plures eorum, nomine S. Sedis, et occasione publicationis indulgentiarum, verum mercimonium faciebant, requirendo mercedem personalem et exigendo nimias eleemosynas. In sessione XXII (17 sept. 1562), decretum de reformatione egit de vita et honestate clericorum, de administratione bonorum Ecclesiae et institutorum piorum.

Sed inter omnia decreta pro reformatione lata in tertia phasi concilii, notandum est illud emanatum in sessione XXIII, capite XVIII (15 jul. 1563), quo praecipiebatur singulis episcopis ut in suis dioecesibus erigerent unum saltem *seminarium* pro formatione spirituali et intellectuali juvenum clericorum, inde a tonsura usque ad sacerdotium. Sane, per saeculorum decursum, summi pontifices, concilia, zelantes praesules et pii magistri saepius opus dederant ut clerici recte instituerentur, uti abunde demonstrant documenta pontificia, ordinationes episcopales, e. g. S. Augustini, S. Hilarii Arelatensis, S. Chrodegangi Metensis et instructio clericalis impertita in scholis capitularibus et monasticis (1). Recentius, anno 1457, cardinalis Dominicus Capranica Romae erexerat primum collegium ecclesiasticum, destinatum triginta duobus alumnis pauperibus qui incumberent in studium artium liberalium, theologiae et juris canonici; uno saeculo postea, anno 1552, Collegium germanicum inauguratum fuerat a cardinali Joanne Morone et a S. Ignatio de Loyola, et anno 1556, Seminarium anglicum a cardinali Reginaldo Pole.

---

(1) *Enchiridion Clericorum*. Documenta Ecclesiae sacrorum alumnis instituendis. R., 1938.

Sed nunc, capite XVIII *Cum adolescentium aetas* decreti de reformatione sessionis XXIII, edebatur mandatum positivum applicationis universalis, quo particulatim tota ordinatio seminarii, quoad studium, formationem spiritualem, directionem, nominationem professorum et administrationem oeconomicam, determinabatur. Concilium hortabatur episcopos « ut quam primum hoc sanctum et pium opus, ubicumque fieri poterit, promoveatur ». Si concilium nihil aliud fecisset, nisi promovere erectionem seminariorum, jam opus maximi pretii pro renovatione Ecclesiae peregisset. Etenim, una e primis causis declinationis Ecclesiae erat incapacitas vel indignitas partis cleri, quae proveniebat ex institutione insufficienti, et aliquando mala, clericorum. Cum experientia saecularis docuisset filios ditiorum saepius sanctuario adscriptos fuisse non vocatione sed ambitione, in citato capite XVIII decernebatur « pauperum autem filios praecipue eligi » debere.

Quasi totum decretum de reformatione sessionis XXIII, scilicet a capite IV ad caput XVIII, dedicatur formationi clericorum. Aliunde, ut supprimeretur abusus pluries relatus, quo aliquis praeficiebatur ecclesiae cathedrali quin acciperet consecrationem episcopalem, sed tantum ut perciperet fructus beneficii, in capite II ejusdem decreti ordinabatur ut si quis nominatur episcopus, etiamsi esset cardinalis, consecrationem episcopalem deberet suscipere intra tres menses: alioquin tenebatur ad restituendum fructum sui beneficii.

Etiam sessio XXIV (11 nov. 1563), edidit decretum utile et necessarium de informationibus sumendis pro creatione dignorum episcoporum et cardinalium. Quoad creationem cardinalium, cap. I decreti de reformatione sessionis XXIV statuitur: « Quos Sanctissimus Romanus Pontifex ex omnibus Christianitatis nationibus, quantum commode fieri poterit, prout idoneos repererit, assumet ». Sequebantur ordinationes pro celebratione synodi provincialis quolibet triennio, synodi dioecesanae quotannis, pro visitatione pastorali ab episcopo in propria dioecesi facienda, pro praedicatione et instructione catechetica in paroeciis, pro recta promotione canonicorum et beneficiorum collatione, et de competentia fori ecclesiastici.

Denique, ultima sessio concilii, XXV ((3-4 dec. 1563), dedicata est reformationi Ordinum religiosorum; concilium prohibuit regularibus proprietatem individualem, monialibus imposuit clausuram, confessionem et communionem, saltem semel in mense; decrevit quod in quacunque religione, tam virorum quam mulierum, professio religiosa non fieret ante decimum sextum annum expletum; et jurisdictionem superiorum in proprios subditos determinavit (1).

In eadem sessione XXV, jussi sunt cardinales et episcopi ut modestam haberent supellectilem et mensam, et ut consanguineos familiaresque ex bonis Ecclesiae non augerent divitiis. Episcopis inculcabatur gravitas vitae et nobilis dignitas erga dominos temporales: ne « cum regum ministris, regulis aut baronibus indigna demissione se gerant » (cap. XVII). Restringebatur usus censurarum, ne fulminaretur excommunicatio scopo mere politico: prohibebatur duellum sub poenis excommunicationis, bonorum proscriptionis, perpetuae infamiae et privationis sepulturae ecclesiasticae pro his qui in conflictu decessissent. Ultima die concilii, 4 decembris anni 1563, celerrime decreta est observantia jejuniorum et dierum festorum, necnon editio Indicis librorum prohibitorum, Catechismi, Missalis et Breviarii romani.

De reformatione nihil amplius definitum est: circumscribitur ergo ad S. Collegium, ad episcopos, ad clerum saecularem et regularem et ad laicos minoris gradus. Debuisset extendi etiam ad principes, quorum interventus profanus in negotiis ecclesiasticis saepe saepius clerum a via recta et a sacro ministerio depulerat. Jam anno 1547, episcopus Aloisius Lipomanus in concilio denuntiaverat actionem nefastam principum saecularium in clerum. Mense julii anni 1563, decretum propositum fuerat pro reformatione principum, quo damnabatur eorum immixtio indebita in re ecclesiastica. Sed ob resistentiam principum, hoc decretum non est promulgatum (2).

In sessione XXV (cap. XX), concilium ea quae sunt juris ecclesiastici principibus saecularibus commendavit, eosque hortatum est ut debitam exhiberent reverentiam Ecclesiae ejusque ministris, eamque exhibere facerent ab omnibus officialibus sibi subditis. Sed principes servarunt omnia jura et praerogativas, quae habebant ante concilium, quoad collationem beneficiorum, perceptionem fructuum bonorum Ecclesiae et interventum in foro ecclesiastico.

Ideo proposito deliberato pro semetipsis principes saeculares rejecerunt beneficium reformationis quod instantissime invocabant pro aliis, praesertim pro papa, curia romana et praelatis, pertinaciter per-

---

(1) *Enchiridion de Statibus perfectionis.* I, documenta Ecclesia sodalibus instituendis, n. 92 sq. R., 1949.

(2) L. PROSDOCIMO, *Il progetto di « Riforma dei Principi » al Concilio di Trento* (1563), in *Aevum*, t. XIII, 1939, p. 3 sq.

severando in via absolutismi politico-ecclesiastici qui, si nocuit Ecclesiae, majus tamen damnum attulit ipsis principibus, usque ad violentas eversiones quae inceperunt sub fine saeculi XVIII.

Attamen, die 4 decembris anni 1563, quando cardinalis Joannes Morone clausit concilium, dicendo: « Post gratias Deo actas, Reverendissimi Patres, ite in pace », patres concilii revera potuerunt revertere ad proprias sedes, cum laeta et forti persuasione se definitione doctrinae et instauratione disciplinae pro bono Ecclesiae magnum opus complevisse. Sane, concilium Tridentinum non reduxit protestantes ad unam Ecclesiam catholicam; sed descripsit necessariam lineam separationis inter doctrinam catholicam et haeresim protestanticam.

Ubicumque protestantismus doctrinam catholicam deformaverat, circa S. Scripturam et traditionem, peccatum originale et justificationem, constitutionem Ecclesiae, Eucharistiam et sacrificium missae, matrimonium et coelibatum, concilium Tridentinum clare definivit quid credendum erat; dogmata fundamentalia, sacramenta Ecclesiae a Christo instituta, et incorruptam traditionem in Ecclesia catholica servatam, lucida demonstratione theologica exposuit et ex cathedra affirmavit. Praeterea, e medio tulit abusus qui erant causa declinationis in Ecclesia, et clericos atque laicos efficaciter impulit ad vitam vere christianam, in absolutione fideli proprii officii.

4. - Applicatio decretorum concilii Tridentini, a Pio IV ad Clementem VIII (1559-1605).

— Primatus pontificius, licet *explicite* non definitus sit in concilio Tridentino, tamen *implicite* pluries affirmatus est. Etenim, in tribus suis phasibus, papae concilium convocarunt, legati pontificii inaugurarunt, in omnibus sessionibus ei praesederunt, et sub fine, unanima petitione 255 patrum, ejus acta confirmata sunt a Pio IV per bullam « Benedictus Deus », die 26 januarii anni 1564.

Virtute hujus bullae, a die 1 maji ejusdem anni decreta de reformatione vigorem legis habebant. Mirandum sane est, hac vice, leges non tantum latas esse, decreta promulgata, sed sub directione S. Sedis et cooperatione sanctorum virorum ad exsecutionem deducta. Tempora revera mutata erant ab initio saeculi, merito piarum associationum, Ordinum religiosorum, et praesulum qui erant forma gregis. Pro exsecutione decretorum de reformatione, Pius IV instituit congregationem cardinalium *concilii Tridentini interpretum* (2 aug. 1564). Eodem anno die 13 novembris, edita est Professio Fidei Tridentina, quae cum paucis addendis de primatu et infallibilitate pontificia (post concilium Vaticanum), hodie adhuc viget.

Applicatio decretorum concilii pro reformatione Ecclesiae majore adhuc vigore perducta est a successoribus Pii IV (+ dec. 1565), praesertim a S. Pio V, Gregorio XIII et Sixto V.

S. Pius V (1566-1572), antea cardinalis Michael Ghislieri, ex Ordine S. Dominici, erat vir vitae austerae, ardentis caritatis et pietatis angelicae (1). Fortitudine invincibili Ecclesiam defendit a dominatione principum saecularium, ab aggressione haereticorum et ab invasione Turcarum. Quod ad reformationem catholicam attinet, proprio exemplo movit praelatos ad vitam vere sacerdotalem: in spiritu paupertatis, vestimenta pontificalia praedecessoris sui Pii IV portavit usque ad consummationem, antequam nova, ex simplici lana, pro semetipso fieri curaret. Quasi de continuo jejunabat, licet aegrotus esset; visitabat septem basilicas capite detecto et nudis pedibus.

Die ac nocte occupabatur applicatione decretorum concilii Tridentini. Ante omnia operam dedit nominationi bonorum episcoporum. In pontificatu 6 annorum, nominavit trecentos quatuordecim episcopos (quasi tertiam partem totius episcopatus, qui tunc constabat 960 sedibus). Episcopis neo-electis imposuit juramentum Professionis Fidei Tridentinae. Ipse episcopos personaliter dirigebat, vigilabat erectionem seminariorum, observantiam residentiae, celebrationem synodorum, visitationem ecclesiarum. Eos sine interruptione hortabatur ut bonos formarent sacerdotes, quia, uti dicebat, sacerdotes mali perdunt populos (2).

Sub ejus pontificatu, erecta est S. Congregatio Indicis pro censura librorum. Haereticos dissimulatos in Italia, et in ipsa Urbe, sine misericordia repressit, et obstinatos in suo errore ad rogum damnavit. A republica Florentina sibi tradere fecit Petrum Carnesecchi et a republica Venetiarum Guidonem Zanetti, haereticae per-

---

(1) Pastor, op. cit., t. VIII; G. Grente, *S. Pie V*, in collectione *Les Saints*, ed. 3. P., 1914; F. Callaey, *S. Pie V et les Zingaris, Un épisode de l'expédition contre les Turcs*, in *Hommage* à D. U. Berlière, p. 67 sq. Br., 1931.

(2) Cum canonici civitatis Halberstadt in Germania in episcopum proposuissent puerum sex annorum, Pius V eos privavit jure eligendi episcopum. Fredericum a Wied, archiepiscopum Coloniensem, deposuit a sede quia negligebat officium residentiae.

tinaciae reos. Pro instructione christiana populi conscribere jussit Catechismum romanum ad parochos, (1566), qui praebebat commentarium Symboli, sacramentorum, Decalogi et orationis; praeterea edidit Breviarium romanum emendatum (1568), et novum Missale romanum, secundum textus liturgicos antiquiores (1570), ad fovendum pietatem sacerdotum et splendorem cultus. Adversus principes qui modo indebito sibi attribuebant auctoritatem in re ecclesiastica, renovavit bullam *In Coena Domini* (1568) (1). In omnibus, Pius V unice intendit bonum spirituale Ecclesiae, sine nepotismo, sine ambitione terrena vel adspiratione politica: exemplum ejus multum potuit super pontifices sequentes.

Ei successit Gregorius XIII (Hugo Boncompagni), qui eminebat scientiâ juridicâ, ampla mente, et ingenio organizationis (1572-1585) (2). Pro *recuperatione catholica* in ipsis partibus in quibus reformatio protestantica et schisma unitatem Ecclesiae abruperant, assumpsit magnum opus fundationis seminariorum pontificalium, tam in Urbe, quam in regionibus ubi Fides catholica magis impugnabatur. In Urbe collegium romanum, a Pio IV fundatum, munifice instauravit et dotavit (1572), ita ut in posterum ab eo appellatum sit (Universitas Gregoriana) (3). Simul restituit collegium germanicum, quocum junxit collegium hungaricum. Alia collegia in Urbe auxit vel erexit pro Anglis, Graecis, Maronitis et Armenis (4). Insuper, ejus impulsu et expensis, in Germania et in pluribus partibus Europae orientalis viginti circiter seminaria ordinata sunt prope collegia jam existentia Jesuitarum (5), ubi juvenes pauperes, sed apti, praepararentur ad sacerdotium: Vindobonae in Austria, Graecii (Graz) in Styria; Dillingen in Bavaria; Fuldae in Hassia; Braunsberg in Borussia orientali; Kolocsvar (Clausenburg) in Transyl-

---

(1) Bulla *In Coena Domini*, enumerabat delicta quae puniebantur poena excommunicationis. A tempore papae Urbani V (1364) quotannis promulgabatur, saepius cum additionibus, feria V hebdomadis sacrae; inde incipit: *In Coena Domini*. Cfr. apud C. Mirbt, n. 513.

(2) Pastor, op. cit., t. IX; L. Ponnelle et L. Bordet, *S. Philippe Néri et la société romaine de son temps*. P., 1928.

(3) E. Rinaldi, *La fondazione del Collegio Romano*. Arezzo, 1914.

(4) A. Steinhuber, *Geschichte des Kollegium Germanicum-Hungaricum in Rom*, 2 vol., ed. 2. Fr., 1906; F. A. Gasquet, *A history of the English College at Rome*. Lo., 1920.

(5) Gregorius XIII speciali benevolentia prosequebatur Societatem Jesu, eaque usus est pro directione seminariorum quae instituit.

vania; Olomucii in Bohemia; Vilnae in Lithuania pro Ruthensis; Laureti, pro Dalmatis. Haec collegia Ecclesiae procurarunt copiam sacerdotum qui in regionibus remotis et errore turbatis, doctrinam catholicam renovato fervore propagarunt.

Pro apostolatu populari Gregorius XIII praesertim adhibuit Ordinem Capucinorum, cujus inde ab anno 1574 promovit propagationem extra Italiam: praeter numerosas provincias religiosas italicas, hic Ordo sub fine saeculi XVI jam numerabat sex provincias in Gallia, unam in Hispania, unam in Belgio et tres in partibus meridionalibus Germaniae (1).

Ut catholici in Europa centrali magis devincirentur S. Sedi, ibi erexit tres nuntiaturas: Lucernae pro Helvetia (1579), Graecii pro Austria interiore (1580) et Coloniae pro Germania inferiore (1584). **Nuntiaturae simul erant** officia informationis quibus papa certior fiebat de vero statu religioso Europae, et centra actionis a quibus promovebatur observantia mandatorum S. Sedis (2). Ope informationum quas ei mittebant nuntii aliique missi confidentiales, praesertim **Jesuitae**, Gregorius XIII compilare potuit elenchum universalem virorum qui episcopatu digni erant, ita ut pro omni parte Ecclesiae candidatos aptos in promptu haberet.

Gregorius XIII quasi totum thesaurum pontificium impendit in subsidiis datis collegiis et principibus catholicis. Ut aerarium instauraret, papa iterum gestionem assumpsit plurimorum bonorum feudalium quae pertinebant ad Statum pontificium, sed injuste detinebantur a baronibus. Hi restiterunt administrationi pontificiae et facti sunt praedones. Gregorius XIII, jam senex octogenarius, non valuit reprimere depraedationes baronum. Hoc fecit ejus successor, Sixtus V, qui in brevi pontificatu quinque annorum (1585-1590), prompte et expedite egit triplici scopo: pro recta gubernatione Status pontificii, pro reformatione catholica interna, et pro felici successu negotiorum politico-ecclesiasticorum (3).

---

(1) *Brevis Conspectus evolutionis Ord. Fr. Min. Capucinorum quatuor saeculorum spatio*, in *Liber Memorialis Ord. Fr. Minorum S. Francisci Capucinorum*, p. 329 sq. R., 1928; F. CALLAEY, [P. Frédégand d'Anvers], *L'apostolat des Fr. Mineurs Capucins*, ibid. p. 1 sq.

(2) H. BIAUDET, *Les Nonciatures apostoliques permanentes jusqu'en 1648.* Helsinski, 1910.

(3) PASTOR, op. cit., t. X; A. DE HÜBNER, *Sixte-Quint d'après des correspondances diplomatiques inédites*, 3 vol. P., 1890; *Il IV Centenario dalla nascita di Sisto V* (1521-1921) Bollettino mensile. Montalto, 1921-1923; G.

Vix electus pontifex, Sixtus V summo vigore incepit triplex suum opus. Ante omnia pacem restituit Statui pontificio. In praedones, poenam mortis edixit: decollationis si erant nobiles, suspendii si erant plebeji. Vigilando reipublicae gestionem, amplissimas summas pecuniae reservavit et insuper, quotannis lucratus est 1.000.000 nummorum. Partem renovati thesauri pontificii impendit in monumentis quibus decoravit Urbem. Novas vias aperuit circa colles Quirinalem et Esquilinum: e. g. viam Sixtinam a Pincio ad basilicam S. Mariae Majoris. Operâ architecti Dominici Fontana, terminavit tholum S. Petri, qui est vera imago renatae potentiae Ecclesiae catholicae; erexit obeliscos in plateis: Lateranensi, S. Mariae Majoris, S. Mariae de populo et S. Petri; construxit palatium Lateranense; ampliavit bibliothecam Vaticanam; paludibus Pontinis exsiccandis studium navavit; medio aquaeductus 22 millium Romam conduxit aquam ab eo appellatam Felicem. Romae revera dedit figuram novam, ut digna esset sedes redintegratae Ecclesiae catholicae (1).

Quoad Curiam romanam, Sixtus V eam ita ordinavit ut esset valida cooperatrix summi pontificis. Concilium Tridentinum statuerat in sessione XXIV, cap. I decreti de reformatione, ut papa nonnisi post accuratam indaginem procederet ad creationem cardinalium « ex omnibus Christianitatis nationibus ». Per bullam *Postquam verus* (3 dec. 1586), Sixtus V decrevit ut in posterum cardinales essent 70: 6 episcopi, 50 presbyteri, 14 diaconi. Ut in Curia romana apta et sufficientia officia haberentur pro negotiis gerendis tam Status pontificii quam totius Ecclesiae, per bullam *Immensa aeterni Dei* (22 jan. 1587), creavit vel definitive constituit quindecim congregationes, quarum septem praeficiebantur negotiis Status pontificii et octo negotiis totius Ecclesiae (2).

Poli, *Sisto V.* R., 1922; F. Pistolesi, *La prima biografia autentica di Papa Sisto V.* Montalto, 1925; L. M. Persone, *Sisto V. Il genio della potenza.* F. 1935. Natus Montalti prope Firmum, Felix Perretti, futurus Sixtus V, in pueritia pecus custodierat. Ordinem Fr. Minorum Conventualium ingressus, magnam acquisivit famam tamquam praedicator et theologus strictissimae orthodoxiae. Anno 1570, S. Pius V eum inter purpuratos patres assumpsit.

(1) L. Pastor, *Sisto V, il creatore della nuova Roma.* R., 1922; Idem, *Die Stadt Rom zu Ende der Renaissance.* Fr., 1925; J. Orbaan, *Sixtine Rome.* Lo., 1911.

(2) Hactenus negotia S. Sedis plurimum tractabantur a papa et cardinalibus in consistorio, quod frequenter habebatur.

Inter istas octo, primum locum occupabant congregationes S. Officii et Indicis, praepositae defensioni Fidei et morum. Ipse papa sibi reservabat praefecturam S. Officii. Exsecutio decretorum concilii Tridentini de reformatione, committebatur congregationibus Concilii atque Episcoporum et Regularium. Nominationi episcoporum aliisque negotiis administrationem dioecesium spectantibus, praeficiebatur congregatio Concistorialis. Pro directione seminariorum et universitatum, instituebatur S. Congregatio Studiorum. Quaestiones quae referuntur ad liturgiam et beatificationem ac canonizationem servorum Dei, reservabantur S. Congregationi Rituum. Denique S. Congregatio Coeremonialis instituta est pro principum receptionibus eorumque oratorum apud Curiam praecedentiis ordinandis, atque litibus de juribus, pertinentiis et similibus inter praelatos aliasque dignitates Curiae exortis, dirimendis. Cuique congregationi praeponebantur una cum cardinali praefecto, saltem tres alii cardinales, qui sibi adjungere poterant consultores (1).

Tali modo Sixtus V sibi et successoribus suis procuravit dicasteria stabilia, in quibus negotia S. Sedis tractarentur a viris idoneis. Item fecit pro secretariatu Status, ubi nominaverat a secretis nepotem praedilectum Alexandrum Peretti: cum adhuc juvenis inexpertus esset, ei adjunxit cardinalem Graziani, praelatum magnae peritiae diplomaticae, deinde cardinalem Calegari, ut cardinalem-nepotem Peretti dirigerent in suo officio. Ordinatio congregationum a Sixto V confecta, in vigore remansit per totam epocham modernam, usque ad annum 1908, quo Pius X per constitutionem *Sapienti consilio* recognovit ordinationem et competentiam congregationum, tribunalium et officiorum Curiae romanae (2).

Quod ad visitationem *ad limina attinet,* Sixtus V mandavit per bullam *Romanus Pontifex* (20 dec. 1585), ut episcopi Itali et insularum adjacentium, tertio anno, Germani, Galli, Hispani, Belgae, Angli, Bohemi, Hungari, quarto anno, aliique ex Africa, ex Asia et ex Terris novis, quinto vel decimo anno, secundum distantiam, venirent Romam et *Relatione* scripta de statu dioecesis atque informatione orali, pontificem certiorem redderent de executione mandatorum S. Sedis et de conditione religionis catholicae (3).

---

(1) P. Graziani, *Sixte-Quint et la réorganisation moderne du S. Siège.* P., 1900; V. Martin, *Les congrégations romaines.* P., 1930.

(2) CIC, can. 242 sq. F. M. Cappello, *De Curia Romana,* 2 vol. R. 1911-1912; A. Monin, *De Curia Romana.* L., 1912.

(3) *Codicis Juris canonici Fontes,* ed. P. Gasparri, t. I, n. 156. R., 1923.

In sessione IV, decreto de editione et usu Sacrorum Librorum, concilium Tridentinum decreverat ut vulgata editio Bibliae « quam emendatissime » imprimeretur. Pro nova hac editione paranda, Sixtus V instituit commissionem cardinalium et theologorum. Imo ipse operam dedit revisioni textus et correctioni exemplorum impressionis. Sed ei deerant vel patientia vel competentia tali incepto necessariae: editio Vulgatae ab eo per bullam *Aeternus ille* (2 mart. 1590) tanquam sola authentica publici juris facta, scatebat mendis. Quare successor Sixti V, Clemens VIII, editionem Sixtinam Vulgatae prohibere coactus est, et cooperante S. Roberto Bellarmino, anno 1592 novam editionem emendatam curavit (Vulgatam Sixto-Clementinam) quae hodie adhuc in usu est. Notamus saltem indefessam in agendo vim qua Sixtus V arripiebat omnem, etiam improbum laborem correctoris typographici, ut omni modo serviret Ecclesiae (1).

Intervenit etiam, cum recta intentione procurandi bonum Ecclesiae, in negotiis politico-ecclesiasticis. Opinatus est actionem bellicam liberare posse catholicos Angliae et Hollandiae a persecutione, et ad sensus aequiores adducere Elisabetham reginam Angliae, cujus mandato Maria Stuart, regina catholica Scotiae, die 8 februarii anno 1587 decollata fuerat. Quare Sixtus V verbo et subsidio pecuniario adjuvit Philippum II, in magna expeditione navali quam anno 1588 praeparavit adversus reginam Elisabetham et calvinistas Hollandiae. Sed fortuna undique adversata est proposito regis Hispaniae. Ponderosa classis Philippi II, « *la invincible Armada* », quae numerabat 153 naves cum 28 millibus militum, quasi tota destructa est, sive a tempestate, sive a valida et veloci actione offensiva quam ei opposuit classis anglica ducta a praefecto navali Howard of Effingham (2). In ista expeditione, Sixtus V unice movebatur praeoccupatione religiosa; eodem motivo auxilium praestitit principibus catholicis in Germania.

Cum magna prudentia et vera peritia diplomatica, Sixtus V egit erga Galliam, quae sub fine pontificatus sui in discrimine ver-

---

(1) F. Amann, *Die Vulgata Sixtina von 1590*. Fr., 1912; X. Le Bachelet, *Bellarmin et la Bible Sixto-Clémentine*. P., 1911; C. Kneller, *Die Bibelbulle Sixtus V*, in *Zeitschrift für katholische Theologie*, t. 52, 1928, p. 202.

(2) I. B. Code, *Queen Elizabeth and the English catholic historians*. L., 1935; J. Lingard - H. Belloc, *The History of England*, vol. VI, p. 502 sq. New York, 1912.

sabatur. Anno 1589, Henricus III, rex Galliae, occisus fuerat; nullum habens haeredem, ante mortem in successorem throni designaverat Henricum, regem Navarrae (1). Sed hic calvinista erat: exinde magnum periculum instare poterat religioni catholicae in Gallia, si Henricus ascenderet thronum in calvinismo perseverans. Henrico calvinistae, catholici Galliae in foedere constituti (*la Ligue*), opponebant principem catholicum, ducem Carolum de Mayenne, e familia principum de Lotharingia. Pro parte sua, Philippus II, rex Hispaniae, proponebat candidaturam filiae suae Isabellae, natae ex suo matrimonio cum Elisabetha principissa Galliae.

Tam Liga catholica Gallorum quam Philippus II, insistebant apud Sixtum V, ut proprium candidatum promoveret. Sapientia Sixti V in eo constitit, quod simul quaesivit corroborare Fidem catholicam et servare autonomiam nationis gallicae, ut aequipondium faceret potentiae Hispaniae. Etenim, si Philippus II, rex Hispaniae, obtineret thronum Galliae pro filia sua, tunc fuisset princeps catholicus potentior in Europa occidentali, et cum princeps absolutus esset, nimiam pressionem exercuisset super S. Sedem. De cetero, cum esset princeps stricte hispanicus, qui omnia reducere volebat ad mentem hispanicam, candidatura ejus filiae displicebat multis catholicis in Gallia. Quare Sixtus V, cum magna aegritudine Philippi II, minime commendavit candidaturam Isabellae. Nec studuit candidaturae ducis Caroli de Mayenne promotae a fautoribus Ligae catholicae, quia haec plurimum constabat elementis violentis et impugnabatur a catholicis moderatis: quamobrem accessus ad thronum candidati Ligae potuisset augere divisionem inter ipsos catholicos.

Remanebat candidatura Henrici regis Navarrae; calvinista erat, sed demonstrabat aliquam inclinationem in religionem catholicam et aliunde erat princeps magni ingenii. Pro bono religionis catholicae in Gallia, Sixtus V sequenti modo egit: probavit Ligam catholicam ubi affirmabat nonnisi principem catholicum in regem admitti posse; sed non favit actioni violentae quam plurimi fautores Ligae explicabant cum periculo unionis nationalis; quod ad Henricum de Navarra attinet, eum nec repulit, nec probavit, sed bonam ejus inclinationem fovit, viam reliquit apertam ad conversionem, quae probabilius via esset ad thronum.

P. DE VAISSIÈRE, *Henri IV*. P., 1928.

Modum agendi Sixti V, qui ei acriter exprobratus est a Philippo II et a Liga catholica Galliae, ipse felix successus finalis demonstravit optimum, mortuo jam Sixto V. Etenim, die 25 julii anni 1593, Henricus de Navarra, antequam ingressum faceret in Parisios et rex acclamaretur, calvinismum abjuravit. Tamquam Henricus IV, populo Gallico 17 annos prosperitatis et pacis procuravit, qui fuerunt etiam periodus in qua floruerunt scientia ecclesiastica, vita devota et opera caritatis, uti probant nomina cardinalis Du Perron, S. Francisci Salesii, S. Joannes-Franciscae de Chantal et S. Vincentii a Paulo.

Cum pontificatu Sixti V (+ 27 aug. 1590), clauditur periodus in qua reformatio catholica Ecclesiae *modo definitivo* organizata et ad exsecutionem deducta est sub directione S. Sedis: incepta a Paulo III et a concilio Tridentino, prosequitur fervidâ operâ personali Pauli IV et S. Pii V pro tutela Fidei et morum, pro instructione fidelium et defensione Ecclesiae ab immixtione indebita principum, completur erectione seminariorum sub Gregorio XIII et coronatur creatione novae Romae et ordinatione congregationum in Curia romana a Sixto V. A fine saeculi XVI, vita religiosa, doctrina catholica et actio apostolica motu irresistibili affirmantur et extenduntur, licet non desint obstacula.

Tres successores immediati Sixti V: Urbanus VII, Gregorius XIV et Innocentius IX, simul vix unum annum regnarunt (1590-1591). Clemens VIII (1592-1605), exemplum dedit vitae piae et austerae atque zeli indefessi pro Ecclesia. Prosequendo opus instaurarius XIV et Innocentius IX, simul vix unum annum regnarunt (1590)- vicissim publici juris fecit *Pontificale romanum* (1596), *Martyrologium romanum* (1598) et *Caeremoniale Episcoporum* (1600); *Breviarium romanum,* revisum atque correctum, divulgavit. Tali modo ritus traditionales Ecclesiae romanae servavit illaesos a deformationibus localibus quae hinc illinc proponebantur sub influxu nationalismi ecclesiastici. Promovit scientiam ecclesiasticam, cui cardinales quo creavit, uti Toletus, Bellarminus et Baronius, novum fulgorem attulerunt (1). Anno 1593, Henricum IV regem Galliae absolvit et in sinum Ecclesae recepit. Ut pax concluderetur inter Hispaniam et Galliam, enixe operam dedit (Vervins, 1598). Christianos Orientis paterna sollicitudine ad unitatem Fidei reduce-

---

(1) G. CALENZIO, *La vita e gli scritti di Cesare Baronio*. R., 1907; *Per C. Baronio. Scritti vari nel III centenario* (+ 1607). R., 1911.

re conatus est: die 23 decembris anni 1595, duo episcopi Rutheni dioecesium Lutsk et Vladimir Volynsk, nomine totius episcopatus rutheni, in aula Constantiniana in aedibus vaticanis ei obedientiam praestiterunt; et duobus mensibus postea, Clemens VIII confirmavit metropolitae Kioviae antiquum jus conferendi, nomine papae, consecrationem episcopalem propriis suffraganeis, sine obligatione recurrendi ad S. Sedem.

Sub ejus pontificatu, anno 1600, rogo periit religiosus et sacerdos apostata Jordanus Bruno, reus haeresis, blasphemiae et atheismi (1). Eodem anno, summa frequentia et pietate fidelium, praeeunte ipso papa, celebratum est jubilaeum: ex omni parte mundi christiani, Romam venerunt plusquam 500.000 peregrinorum. Durante anno sancto, Clemens VIII sexagies visitavit basilicas, licet romanis praescriptae essent tantum triginta visitationes, et extraneis quindecim: exemplum ejus, cardinales uti Andreas ab Austria, Baronius, Antonianus, Fredericus Borromaeus et Bellarminus, atque praelati romani magno fervore imitati sunt (2).

Pontifices saeculi XVII presserunt semitas magnorum praedecessorum alteri dimidii saeculi XVI. Paulus V (1605-1621) tanto rigore inculcabat officium residentiae, ut episcopum non residentem argueret de peccato mortali. Forti animo etiam defendit Ecclesiam in republica Venetiarum ab indebita immixtione ducis et senatus. Gregorius XV, in brevi suo pontificatu (1621-1623), promovit concordiam inter principes catholicos, erexit S. Congregationem de Propaganda Fide, et sanctos proclamavit fortes artifices renovationis catholicae saeculo XVI: Ignatium de Loyola, Franciscum Xaverium, Teresam de Avila et Philippum Nerium. Urbanus VIII (1623-1644), prosecutus est decorationem basilicae S. Petri et totius Urbis opera praesertim famosi sculptoris et architecti, Joannis Laurentii Bernini. Verum est eum propriae familiae nimis favisse, sed etiam liberalitate utebatur effusissima in omnes qui nomine religionis, caritatis vel artis, subsidium ab eo invocabant (3). Durante anno sancto 1625, ipse voluit servire peregrinis numerosis in hospitio SS.mae Trinitatis exceptis, et in albo sanctorum inscripsit Elisabetham reginam Lusitaniae, Andream Avellinum et Felicem a Cantalice.

---

(1) A. MERCATI, *Il Sommario del Processo di G. Bruno*, in *Studi e Testi*, 101. Città del Vaticano, 1942.

(2) V. PRINZIVALLI, *Gli anni santi*, op. cit., p. 89 sq.; P. BREZZI, *Storia degli anni santi*, op. cit., p. 143 sq.

(3) O. POLLAK, *Die Kunsttätigkeit unter Urban VIII*. Vi., 1927.

Decursu saeculi XVII, papae saepe saepius in suo ministerio impediti sunt sive ob *Bellum triginta annorum*, sive ob nationalismum politico-ecclesiasticum principum catholicorum, qui auctoritate absoluta quaerebant regere Ecclesiam in proprio statu (Gallicanismus).

Eo magis admiranda est vis spiritualis Ecclesiae catholicae, quae, etiam sine concursu potestatis saecularis, vel non obstante ejus oppositione, vel in medio contentionis inter ipsos principes catholicos, vitam suam renovat, doctrinam confirmat, actionem apostolicam auget, et si impeditur in uno loco, ad alium se confert ut animas lucretur Christo.

III.

INSTAURATIO ACTIONIS APOSTOLICAE.

Brevem sequentem dissertationem historicam circumscribimus ad praedicationem Fidei infidelibus, a fine saeculi XV ad medium saeculum XVII. Est epocha in qua propagatio Fidei modo stabili ordinatur sub directione S. Sedis, et motu crescenti extenditur ad partes terrae quae tunc repertae sunt.

1. - Inventio novarum terrarum a saeculo XIV ad saeculum XVII (1). — A tempore Aristotelis usque ad finem medii aevi, mundus qui credebatur habitatus vel habitabilis, determinabatur, secundum opinionem communem, ab Europa, ab Asia usque ad Sinense imperium et Mongoliam, et a partibus septentrionali et orientali Africae, quae respiciunt Europam et Arabiam. Proinde, ab origine christianismi usque ad initium saeculi XIV, evangelizatio non extensa fuerat ultra istas partes, a Mauretania ad regionem Sinarum, ab Islandia ad Ethiopiam.

Licet a poetis aliquando repeteretur antiqua praedictio secundum quam, tempore tarde venturo, Oceanus viam liberam daret terris novis hactenus nunquam visis (2), generatim credebatur nul-

---

(1) F. Callaey, *De propagatione Fidei tempore explorationum saec. XV et XVI*, in *Collectanea Franciscana*, t. V, 1935.

(2) Seneca Philosophus in choro finali actus II *Medaeae*:
« Venient annis saecula seris,
Quibus Oceanus vincula rerum
Laxet, et ingens pateat tellus
Typhisque novos detegat orbes,
Nec sit terris ultima Thule ».

Iam intermitti regionem habitatam vel habitabilem inter extremum occidentem Europae ad columnas Herculis, scilicet ad fretum Gaditanum (*Cadice*) et extremitatem orientalem Asiae. Ad septentrionem Europae, ultima terra accessibilis ab antiquis appellabatur Thule, quae est forsitan praecipua ex insulis Orcadis, ad septentrionem Scotiae.

Inter auctores christianos, primus qui alludit mundis trans Oceanum exsistentibus, est S. Clemens Romanus in *Epistola ad Corinthios*, ubi scribit: « Oceanus impermeabilis hominibus, et qui trans ipsum sunt mundi, eisdem Domini dispositionibus gubernantur » (XX, 8). Sed sicut inter ethnicos, ita inter scriptores christianos nullus dabatur consensus circa exsistentiam mundi transatlantici: Origenes et S. Hieronymus eam affirmabant; S. Irenaeus et Tertullianus eam negabant (1). Alii admittebant configurationem homericam mundi, qua orbis terrarum repraesentabatur tanquam immensa tabula plana maribus circumdata; alii sequebantur conceptum Aristotelis, qui docebat terram sphaericam esse, indeque inter habitatores terrae alios, scilicet Indos, maxime ad Orientem, alios vero, scilicet Hispanos, maxime ad Occidentem inclinari. Unde concludebat homines qui habitant ad Orientem, antipodas esse in relatione ad homines qui habitant ad Occidentem.

Sed a sphaericitate terrae, nec Aristoteles, nec ejus sequaces in medio aevo, S. Albertus Magnus, S. Thomas Aquinas, Rogerus Baco, Raymundus Lullus, nec ipse Christophorus Columbus initio epochae modernae, deducebant exsistentiam terrae intermediae inter Europam et Asiam (2). Admittebant ultra Oceanum illam inveniri partem « sub pedibus nostris sitam ». Audaces navigatores omnes, Lusitani, Hispani et Itali qui a saeculo XIV ad saeculum XVI Oceanum Atlanticum in directione occidentali assidue explorarunt, non ducebantur desiderio inveniendi terras novas, sed aperiendi viam breviorem versus Asiam, versus Indiam uti dicebant, cum iter orientale versus Asiam christianis praeclusum esset ob expugnationem Imperii byzantini a Turcis.

Quaerendo hanc viam breviorem et propriam, qua libere possent accedere ad Indiam quin exponerentur aggressionibus Mauro-

---

(1) L. CAPÉRAN, *Le problème du salut des infidèles*, p. 218. P., 1912.
(2) P. MANDONNET, in *Revue Thomiste*, t. I, 1893, p. 46 sq. R. Baco in *Opus Majus* et R. Lullus in *Quaestiones per artem demonstrativam solubiles*, (quaestio 154).

rum et Turcarum, exploratores ex Lusitania, Hispania et Italia gradatim invenerunt novas insulas et regiones continentales pertinentes ad Africam et Asiam, et praeterea invenerunt, modo inexspectato, immensam continentem terram Americae.

Expeditiones ad insulas Canarias (1) et Azores, factae decursu saeculi XIV, sunt praeludium magnarum expeditionum subsequentium in directione Africae et Americae. Primus navigator qui ad insulas Canarias appulit, videtur esse Genuensis Lanzaroto Malocello (1312); post eum venerunt exploratores lusitanici et hispanici (1334). Decursu saeculi XV, impulsu principis Henrici Navigatoris, Lusitani pedetentim circumnavigant litus occidentale Africae, et vicissim inveniunt insulam Portus Sancti (1413), insulam Maderam (1420), *Capo blanco* (1441), et *Capo verde* (1447). Insulae Azores jam inventae fuerant anno 1431. Ductus desiderio illustrandi regnum mysteriosum Presbyteri Joannis (2), Lusitanus Bartholomaeus Diego Cão anno 1484 pervenit in Guineam et Congum.

Anno 1487, Bartholomaeus Diaz attigit caput Bonae Spei, ad extremitatem meridionalem Africae. Decem annis postea, alius intrepidus explorator lusitanicus, Vasco de Gama, superavit promontorium Bonae Spei, deinde ascendit litus orientale Africae usque ad territorium Kenya, ibi vela vertit versus Oceanum Indicum et anno 1498 portum tenuit Calicut in India orientali. His explorationibus, Lusitania fundamenta jecit magni Imperii colonialis in India orientali, cum sede capitali in Goa, expugnata anno 1510. Primi praefecti nomine regis ibi fuerunt Franciscus Almeida et Alphonsus Albuquerque (3).

Anno 1500, Lusitanus Cabral, quaerendo Indiam orientalem, occupavit latus occidentale Brasiliae; et paulo post alii exploratores lusitanici, inter quos illustrior est Ferdinandus Magellanus, Lusita-

---

(1) Appellatae *Canariae* ob canes qui ibi circuibant numerosi, et *Fortunatae* ob dulce coelum.

(2) A medio saeculo XII, in Europa diffusa est legenda secundum quam princeps christianus nestorianus, appellatus Presbyter Joannes, creaverat magnum regnum christianum in Asia centrali, et quaerebat inire foedus cum principibus christianis Europae, a quibus separabatur a regno Turcarum. Alii dicebant regnum Presbyteri Joannis quaerendum esse in Aethiopia. Usque ad initium epochae modernae, missionarii et exploratores saepe cogitabant de regno fabuloso Presbyteri Joannis.

(3) M. Baratta, P. Fraccaro et L. Visintin, *Atlante storico*, parte III, tabula 19-20. Novara.

nus in servitio Hispaniae, invenerunt peninsulam Malaccam et insulas Celebes, Moluccas et Philippinas in archipelago asiatico. Tali modo, spatio unius saeculi, Lusitani explorationes suas direxerant ad totum litus occidentale et magnam partem litoris orientalis Africae, exinde ad partem occidentalem Indiae, ad insulas archipelagi asiatici et ad Brasiliam.

Eodem tempore, Hispani vel Itali in servitio regis Hispaniae, investigabant oceanum Atlanticum in directione occidentali, cum spe aperiendi viam breviorem versus Indiam orientalem. Loco Indiae, invenerunt terram Americae. Christophorus Columbus, oriundus e Genua, pro regibus Hispaniae Ferdinando et Isabella, die 3 augusti anni 1492 cum tribus navibus profectus est e portu Palos, ad extremitatem meridionalem Hispaniae, versus oceanum Atlanticum. Post septuaginta dies aegerrimae navigationis, anxietate plenae, Columbus anchoram jecit ad insulam quae pertinet ad insulas Bahama vel Lucayas et quam dedicavit Christo Salvatori: *S. Salvador*. In eodem itinere invenit insulas Cubam et Haiti.

Postea, Columbus complevit tres alias expeditiones maritimas, semper ductus invincibili spe perveniendi ad Indiam, ad Asiam, per viam oceani Atlantici; inde nomen *Indiarum Occidentalium* primo datum terris ab eo inventis. Vicissim invenit Antillas parvas (1493), insulam Trinidad et ostium fluminis Orinoci ad litus Venezuelae (1498), et denique ipsas oras Americae centralis, inter isthmum de Panama et Honduras (1502-1504). Christophorum Columbum secutus est mercator florentinus Amerigo Vespucci, cujus nomen datum est novo mundo, prima vice anno 1507, in opere *Cosmographiae Introductio* (1).

Alii navigatores et duces militum prosecuti sunt explorationes initio saeculi XVI. Ferdinandus Cortes anno 1519, nomine regis Hispaniae, occupavit regionem Mexicanam, quae appellata est Nova Hispania; Franciscus Pizarro expugnavit Peruviam (1531), Diego Almagro sedem fixit in partibus Chili et Argentinae. Alii occuparunt Panamam, Columbiam et territorium Aequatoris, ita ut primo dimidio saeculi XVI, omnes terrae Americae centralis et meridionalis, nominatim saltem, essent sub ditione regis Hispaniae.

Occupationes terrarum novarum ab Hispanis et Lusitanis cito excitarunt aemulationem Anglorum. De mandato regis Angliae, Hen-

---

(1) H. VIGNAUD, *Histoire critique de la grande entreprise de C. Colomb*, 2 vol. P., 1911; Idem, *Le vrai C. Colomb et la légende*. P. 1922.

rici VII, navigator venetus, Joannes Caboto cum filio Sebastiano, inde ab anno 1497, plura itinera maritima fecit, in directione occidentali, versus Americam. Difficile est indicare modo praeciso terras quae a patre et filio Caboto inventae sunt. Probabilius appulerunt ad oras Americae septentrionalis, ad Labrador, forsitan ad insulam Terrae Novae (*Newfoundland*) et ad fretum vel etiam usque ad sinum de Hudson (*Hudson-Bay*). Nihilominus principes Angliae invocarunt inventiones facta a Joanne et Sebastiano Caboto, ut titulum haberent pro imperio suo in America septentrionali. Post Joannem et Sebastianum Caboto (1497-1517), navigator gallicus Jacobus Cartier, nomine Francisci I regis Galliae, quasi idem iter occidentale perfecit, et pervenit ad regionem Canadensem, quam occupavit pro rege Galliae (1534); eum secutus est Samuel Champlain, qui fundavit Québec (1608).

Quoad Australiam, videtur jam saeculo XVI aliquos navigatores gallicos ad eam accessisse. Sed primae explorationes systematicae factae sunt initio saeculi XVII, ab Hollandis, qui ab insulis Sumatra, Java et Moluccis, vela dederunt ad Oceaniam. Navigator hollandicus Abel Tasman, anno 1642 invenit insulam ad latus meridionale Australiae, ab eo appellatam Tasmaniam, necnon et insulam ad orientem Australiae, cui datum est nomen Nova Zelandia. Anno 1644, exploravit litus occidentale Australiae (1).

Omnes terrae inventae ab initio saeculi XIV, habitatae erant; ibi vivebant homines innumeri qui hactenus doctrinam salutis nondum audierant. Campus actionis Ecclesiae catholicae, qui in medio aevo restringebatur ad Europam, ad aliquam partem Asiae et ad Africam septentrionalem, modo inexspectato et stupenda velocitate augebatur Africa occidentali et orientali, America centrali et meridionali, necnon et Asia meridionali et orientali (2). Proinde pro Ecclesia magnum ponebatur problema evangelizationis habitantium harum terrarum.

2. - **Sollicitudo S. Sedis pro praedicatione Evangelii in terris recens inventis et pro indigenarum protectione.** — Inde a principio, summi pontifices magnum factum inventionis novarum terra-

---

(1) Nonnisi anno 1805, gubernium anglicum catholicis infestum, primum sacerdotem catholicum ad tempus in Australiam admisit.

(2) In America septentrionali, sacerdotes catholici generatim ministerium libere exercere non potuerunt, saeculis XVI-XVIII, nisi in partibus

rum unice considerarunt sub respectu religioso. Inter jurisperitos et theologos, cito ortae sunt controversiae de potestate quam principes, quorum mandato factae fuerant explorationes et occupationes terrarum, habebant in has regiones in earumque incolas (1). Papae auctoritatem principum in terras novas agnoverunt eo scopo ut procuraretur evangelizatio earum habitantium. Jam anno 1344, Clemens VI admisit principatum comitis de la Cerda in insulas Canarias, ea conditione ut ibi mitteret sacerdotes et erigeret ecclesias (2).

Conditio expressa procurandi evangelizationem incolarum, repetitur a pontificibus sequentibus, quando principibus Lusitaniae et Hispaniae concedunt jus occupandi terras novas. Ita fecit, anno 1418, Martinus V, quando Henrico Navigatori tribuit proprietatem omnium terrarum quas inveniret ad litus occidentale Africae. Eugenius IV (1431), Nicolaus V (1455) et Sixtus IV (1481), renovando et extendendo jurisdictionem Lusitanorum usque ad litora Indiae orientalis, quo tendebant Lusitani circumnavigando Africam, semper institerunt, ut pro monopolio occupationis quod eis concedebatur, curarent propagationem Fidei, erectionem ecclesiarum et substinentiam oeconomicam cleri.

Quando Lusitania, invocando privilegia pontificia quibus sibi concessa fuerat possessio Indiae orientalis, Hispaniae contendit occupationem Indiae occidentalis, post primam explorationem Christophori Columbi (1492), Alexander VI, per tres bullas, mense maio anni 1493 editas, inventiones factas et in posterum faciendas distribuit modo definitivo inter reges Hispaniae et Lusitaniae, secundum lineam divisionis, appellatam lineam Vaticanam, quam descripsit a polo glaciali ad polum australem, quae distabat 370 leucis ab insulis Azores versus oceanum Atlanticum. Omnes terrae a la-

---

quae erant in dominatione gallica, uti Canada et Louisiana, vel hispanica, uti Florida. Post consecutam independentiam (1776), libertas concessa est religioni catholicae in Statibus foederatis Americae septentrionalis.

(1) F. DE VITORIA, *Relectiones theologicae*, relectio V: De Indis. Lugduni, 1557; L. GETINO, *El maestro Fr. Francisco de Vitoria. Su vida, doctrina y influencia*. Madrid, 1930; V. CARRO, *El Indio y sus derechos y deberes segun Francisco de Vitoria*, in *El Oriente Domenicano*, t. XX, 1947, p. 108 sq.; F. ROUSSEAU, *L'idée missionnaire aux XVIe et XVIIe siècles. Les doctrines, les méthodes, les conceptions d'organisation*, p. 47 sq. P., 1930.

(2) Secundum conceptum medii aevi, principes recursum habebant ad papam tamquam ad altiorem auctoritatem in spiritualibus et arbitrum in temporalibus. Ab eo volebant investituram accipere novarum terrarum, ut secundum jus feudale veri essent earum domini.

tere occidentali hujus lineae sitae: America centralis et meridionalis, excepta Brasilia, ab Alexandro VI tributae sunt Hispaniae; dum omnes terrae sitae a latere orientali istius lineae divisionis: Africa occidentalis et meridionalis, India orientalis et Brasilia, adscriptae sunt Lusitaniae. Sed papa simul declaravit hujusmodi assignationem regionum inventarum ante omnia a S. Sede concedi ut populi in his insulis et terris degentes, ad christianam religionem suscipiendam inducerentur (Bulla *Inter caetera* Alexandri VI, 4 maii 1493). Secundum mentem pontificum, evangelizatio incolarum considerabatur tanquam primus et praecipuus titulus juridicus pro occupatione terrarum novarum (1).

Eadem intentione, Julius II et Leo X regibus Hispaniae (1508) et Lusitaniae (1514) extensissima privilegia juris patronatus in propriis coloniis concesserunt: hac amplissima concessione, totum opus evangelizationis, erectio ecclesiarum, scholarum, hospitalium, nominatio episcoporum et expeditio missionariorum, exclusive committebantur supremae auctoritati regiae. Primo tempore, quando modo improviso vastitas immanis, ubi nihil hactenus factum erat pro Fide dilatanda, concredebatur zelo apostolico Ecclesiae, concessio juris patronatus videbatur opportuna, immo necessaria, quia tali modo cura repentina et expensae gravissimae apostolatus assumebantur a duabus nationibus catholicis, quae tunc melius ad istud immane opus praeparatae erant, et quae, de cetero, nullum interventum extraneum in negotiis religiosis propriarum coloniarum tolerassent: Hispania et Lusitania, fortes animo, fortiores Fide, nulla haeresi contaminatae, et praeterea, divites et magnificae (2).

Ut quam citius initium daretur evangelizationi indigenarum, summi pontifices non tantum tribuerunt Lusitaniae et Hispaniae pacificam possessionem regionum inventarum et jus patronatus super eas, sed etiam, praesertim a tempore Pauli III, intervenerunt actione personali in ipso opere propagationis Fidei, sive assumendo pro-

---

(1) *Bullarum, diplomatum et privilegiorum Romanorum Pontificum Taurinensis editio*, t. V, p. 361 sq. T., 1860; R. STREIT, *Bibliotheca Missionum*, t. II, *Amerikanische Missionsliteratur*, 1493-1699, p. 1 sq. Aquisgranae, 1924; P. GOTTSCHALK, *The earliest diplomatic documents on America. The papal bulls* of 1493. B., 1927; T. GRENTRUP, *Jus Missionarium*, t. I, p. 194 sq. Steyl, 1925.

(2) *Bibliotheca Missionum*, op. cit., t. II, n. 54, n. 391; P. LETURIA, *Der hl. Stuhl und das Spanische Patronat in Amerika*, in *Historisches Jahrbuch* t. XLVI, 1926, p. sq.; J. TOUSSAINT-BERTRAND, *Histoire de l'Amérique espa-*

tectionem indigenarum apud principes, sive instituendo relationes directas inter S. Sedem et missionarios.

S. Sedes protectionem assumpsit indigenarum christianorum et infidelium quos secundum usum illius temporis, Lusitani et Hispani in servitutem redegerunt (1). Saepe saepius gubernatores novarum terrarum indigenas dure tractarunt, eisque imposuerunt labores coactos in agrorum cultu, fodinis aeris, argenti et auri, in plantationibus sacchari et in deportatione eburis, ebeni, petrarum et margaritarum. Interventu Isabellae, reginae Hispaniae, et ministri cardinalis Ximenes, mandatum est gubernatoribus Antillarum ut, sine vi et metu, sed humane, indigenas inducerent ad conversionem. Unica admittebatur exceptio pro Caraibis: cum essent anthropophagi, licitum erat eos sub jugum mittere, si nolebant converti.

Sed mandata regia in defensionem incolarum milites et coloni, vel ignorabant, vel secundum proprium arbitrium interpretabantur. Ut tantum de Antillis referamus, omnes incolae harum insularum, distributi sunt inter colonos ut sub eorum absoluto dominio occuparentur in fodinis et in agrorum cultu; privati libertate, transportabantur ab una regione ad aliam, separabantur ab uxore et filiis, et pessimis exponebantur saevitiis (2). Postea, quando coloni hispanici experti sunt Indos nimis debiles ferre non posse durum laborem camporum et fodinarum, oculos verterunt versus Africam, ubi habitabat robusta gens Nigritarum.

Inde ab initio saeculi XVI, de mandato regio ordinatum est commercium Nigritarum; incolae Africae, e litore et ex regione interna, sub ditione Lusitanorum, vi erepti sunt e propriis terris, et transportati in Americam ut ibi tanquam mancipia servirent colonis. Commercium Nigritarum decursu temporis modo crescenti extensum est et duravit modo plus minusve aperto, usque ad saeculum proxime elapsum. Secundum computationem generalem, spatio

---

gnole, 2 vol. P., 1929; E. HULL, *Bombay Mission History with a special study of the Padroado Question*. Bombay, 1927; A. JANN, *Die katholischen Missionen in Indien, China und Japan. Ihre Organisation und das Portugiesische Patronat vom 15. bis im 18. Jahrhundert*. Pdb., 1915.

(1) F. BARTHOLOMÉ DE LAS CASAS, *La destrucción de las Indias, seguido de la Refutación de las Casas*, a VARGAS MACHUCA, ed. L. MICHAUD. P., 1925.

(2) Anno 1436, Eugenius IV reprobavit Hispanos qui in servitutem redegerant incolas christianos et infideles ex insulis Canariis: RAYNALDI, *Annales ecclasiastici*, t. IX, ad an 1436, n. 26. Pro interventu Sixti IV in defensionem servorum, vid. ibidem, t. X, an. 1476, n. 21.

trium saeculorum, circiter 40.000.000 Nigritarum ex Africa deportati sunt in Americam (1).

A tempore Pauli III, papae pluries assumpserunt defensionem indigenarum qui opprimebantur ab Europaeis. Anno 1537, Paulus III eo scopo edidit duas litteras apostolicas: *Pastorale officium* (29 maii), et *Veritas ipsa* (3 junii). In primis, ad cardinalem Toletanum Tavera directis, prohibuit ne ullus indigena, sive Indus, sive alterius generis, fidelis vel infidelis, in servitutem redigeretur vel bonis suis privaretur. « ... Licet extra gremium Ecclesiae exsistant, non tamen sua libertate aut rerum suarum privatos vel privandos esse, cum *homines,* ideoque fidei et salutis capaces sint, non servitute delendos, sed praedicationibus et exemplis ad vitam invitandos » (2).

In alteris, *Veritas ipsa,* praeclare vindicavit dignitatem humanam et libertatem christianam. Omnes homines ad salutem in Christo vocantur, omnes aequales sunt in Christo; nihilominus alii ab aliis indigne opprimuntur. Quare papa declarabat: « ... praedictos Indos et omnes alias gentes ad notitiam christianorum in posterum deventuras, licet extra fidem in Christo exsistant, sua libertate et dominio hujusmodi uti et potiri et gaudere libere et licite posse, nec in servitutem redigi debere ». S. Pius V institit apud gubernatores coloniarum Hispaniae et Lusitaniae et apud episcopos istarum partium, ut Indi, neophyti benigne et honorifice tractarentur, et ad munera civilia atque officia publica assumerentur (1567-1569). Saeculis sequentibus, usque ad nostra tempora, papae non cessarunt reprobare servitutem: Urbanus VIII (1639); Benedictus XIV (1741); Gregorius XVI (1839); Leo XIII (1890); Pius X, pro Indis Americae (1912).

Papae, qui primo dimidio saeculi XVI diligenter promoverunt reformationem catholicam, Hadrianus VI et Paulus III, etiam affectu personali curarunt initia organizationis missionariae in coloniis Hispaniae et Lusitaniae. Hadrianus VI, jam professor universitatis Lovaniensis, devotus regi Hispaniae Carolo V, cujus fuerat praeceptor in Belgio et vices gerens in Hispania, speciali sollicitudine prose-

---

(1) E solo Congo isto spatio temporis plus quam 13.000.000 Nigrorum in Americam deportati sunt. D. RINCHON. *La traite et l'esclavage des Congolais par les Européens.* Wetteren, 1929.

(2) *Appendix ad Bullarium Pontificium S. C. de Propaganda Fide.* t. I, p. 25 sq. R.; art. *Esclavage* in DTh.

cutus est missionem Fratrum Minorum in Mexico, ad quam omnium primi profecti sunt Franciscani Belgae cari Carolo V. Anno 1522, papa eis concessit amplissimam copiam facultatum spiritualium (1). Aequali benevolentia Paulus III fovit S. Franciscum Xaverium Indiam petentem, uti probant brevia ad eum directa, anno 1541: papa eum nominavit suum legatum in India, eique contulit omnes facultates et gratias quibus egebat pro sua missione (1541) (2). Ab initio saeculi XVI, multiplicantur in dies negotia indolis missionariae quae tractantur a S. Sede: ad eam missionarii recursum habent pro facultatibus spiritualibus; ad eam mittunt primas relationes de suo apostolatu. Incipit ordinatio systematica evangelizationis indigenarum in terris recens repertis, promulgantur normae practicae pro administratione sacramentorum et observantia praeceptorum Ecclesiae in India occidentali et meridionali.

Quaestio missionaria instantia crescenti, opere scriptorum ex omni parte, simul imponitur attentioni fidelium et interventui positivo S. Sedis. Ipse humanista Erasmus Roterodamensis, rogatus ab amico suo S. Joanne Fisher, in tractatu suo *Ecclesiastes sive de ratione concionandi* (1535), fervida hortatione invocabat operarios pro messe derelicta: « Quid, quod quotidie regiones hactenus incognitae reperiuntur ferunturque superesse, quo nullus adhuc nostratium pervenit... Quantus in his esset proventus Christo, si gnavi ac fideles mitterentur operarii?... Monarchae alunt, qui doceant elephantos ad saltandum, qui doment leones ad lusum, qui doment lynces ac leopardos ad venandum, et Monarcha Ecclesiae non invenit qui homines alliciat ad amabile Christi servitium?... loquor de Gentibus, quae velut oves errant, non habentes pastorem, quia nullus ad eos mittitur, qui doceat philosophiam christianam... Utinam Dominus mihi dedisset talem spiritum, ut in tam pio negotio mortem oppetere mererer, potius quam in his cruciatibus lenta morte consumi »! (3).

In *Libello* ad Leonem X (1513), Paulus Giustiniani et Petrus Quirini urgebant necessitatem instituendi apud studia generalia cathedras linguarum, non solum hebraicae, graecae, latinae et arabicae, sed omnium populorum qui recens reperti fuerant. Praeterea

---

(1) *Bibliotheca Missionum*, t. II, n. 172.
(2) *Ibidem*, t. IV, n. 427-433.
(3) R. Streit, *Bibliotheca Missionum*, t. I, n. 35; C. Mirbt,* op. cit. n. 425.

e partibus infidelium juvenes indigenae mitti deberent ad partes christianas Europae » ut per monasteria, quae sanctiora sunt, distributi et linguam pariter nostram, et fidei christianae veritatem addiscant, et linguam quoque propriam aliquos doceant ». Quoad sequaces Mahumeti, distinguebant inter Turcas, Mauros, Arabes et Persas: eorum evangelizatio incipienda esset a via minoris resistentiae, scilicet a Persia. Agebant etiam de regressu dissidentium orientalium ad unitatem Fidei, et praesertim commendabant apostolatum apud Abyssinos et Jacobitas (1).

Paulatim editi sunt tractatus de methodo missionaria. Anno 1516, Dominicanus Isidorus de Isolanis, in *De imperio militantis Ecclesiae,* asserebat unum tantum imperium imponi posse populis totius orbis terrarum: imperium Evangelii. Paulo post, Franciscanus Nicolaus Herborn, in suo tractatu *Epitome convertendi gentes Indiarum,* rejiciebat omne motivum humanum in evangelizatione et indicabat prima elementa doctrinae christianae impertienda indigenis: Orationem dominicalem et Decalogum; praeterea colonos hispanicos in Mexico deterrebat a crudelitate et amore lucri (1532).

Anno 1567, Joannes Vendeville, primum professor juris civilis in universitate Lovaniensi et deinde episcopus Tornacensis in Belgio, S. Pio V remittebat memoriale pro formatione missionariorum. Usque in finem vitae suae (15 oct. 1592), verbo et scripto institit apud successores Pii V, Gregorium XIII, Sixtum V et Clementem VIII, ut a S. Sede erigerentur, Romae vel alibi, seminaria pro missionibus, quae committerentur Franciscanis, Dominicanis et Societati Jesu.

Jesuita hispanicus, Josephus de Acosta (+ 1600), qui 15 annis missionarius fuerat in Peruvia (1571-1586), anno 1588 publici juris faciebat verum tractatum methodicum evangelizationis cum speciali respectu ad Indos, cui titulus: *De procuranda Indorum salute* (2). Ibi monstrabat methodo diversa agendum esse: erga populos in societate constitutos et ad omnem formam institutionis humanae erectos, uti Sinae et Japonenses; erga populos qui licet non habebant legem scriptam nec litteraturam, ordinantur forti traditione sociali et religiosa, uti Mexicani et Peruviani, et erga populos primitivos, qui in moribus sequuntur instinctus inferiores, quorum plurimi sunt adhuc anthropophagi, uti Caraibi. Evangelizatio aptari

---

(1) E. LUCCHESI, in *Il Contributo,* op. cit., p. 317 sq.
(2) Divisus in 6 libros; ed. Salmanticae, anno 1588; F. ROUSSEAU, *L'idée missionnaire aux XVIe et XVIIe siècles,* op. cit., p. 60.

debet gradui humanitatis cujusque populi. Josephus de Acosta deridebat Europaeos qui credebant ipsos solos esse posse veros christianos. Sub fine commendabat ut baptismus non administraretur nisi post diuturnam et accuratam instructionem christianam. In libro II, asserebat Fidem nunquam imponendam esse vi et metu. In libro IV, exponebat qualitates et cognitiones quibus ornari debent missionarii, et demonstrabat necessitatem addiscendi linguas indigenarum (1).

Majoris adhuc momenti est opus quod Carmelita hispanicus, Thomas a Jesu, edidit Antuerpiae anno 1613: *De procuranda salute omnium gentium.* Est verum manuale pro apostolatu apud schismaticos, haereticos et infideles (2). P. Thomas a Jesu propugnabat formationem peculiarem missionariorum, secundum ministerium cui destinabantur. Quare rogabat ut instituerentur collegia distincta pro unione Graecorum et Ruthenorum promovenda, pro ministerio apud orientales cujuscumque nationis, pro conversione Judaeorum et haereticorum, necnon collegia destinata futuris missionariis apud infideles et distincta secundum gradus civilizationis indigenarum. A libro VI ad librum XII, auctor vicissim agebat de schismate graeco (VI), de aliis Orientalibus in schismate viventibus (VII), de haereticis (VIII), de Judaeis (IX), de Mahumetanis (X) et de paganis (XI-XII) (3).

3. - S. Congregatio, Collegium et Typographia de Propaganda Fide.

— Haec omnia: multiplicatio negotiorum indolis missionariae apud S. Sedem, scripta de methodo evangelizationis, actio et praedicatio pro missionibus in ipsa Urbe, a S. Ignatio de Loyola ad Hieronymum Narniensem Praedicatorem apostolicum (4), decursu sae-

---

(1) Ipse Josephus de Acosta confecit catechismum in linguis Qurchua et Aymaras pro Indis Peruviae; L. LOPETEGUI, *P. José de Acosta, Datos cronologicos,* in *Archivum hist. Soc. Jesu,* t. IX, 1940; Idem in *Gregorianum,* t. XXI, 1940, p. 527 sq.

(2) Opus divisum in 12 libros, quorum primi quinque libri tractant de quaestionibus generalibus: de utilitate missionum, de formatione missionariorum, de modo agendi missionariorum apud infideles.

(3) S. SALAVILLE, *La Somma del Missionario del Carmelitano Tommaso di Gesù* (1613), in *Il Pensiero missionario,* t. V, 1933, p. 225 sq.; TOMMASO DI GESÙ (PAMMOLLI), *Il P. Tommaso di Gesù e la sua attività missionaria all'inizio del secolo XVII.* R., 1936.

(4) MAURO DA LEONESSA, *P. Girolamo da Narni,* in *L'Italia Francescana,* t. I, 1926, p. 119 sq.; Idem, *Il Predicatore apostolico,* p. 72 sq. Isola del Liri, 1929.

culi XVI et initio saeculi sequentis suaserunt pluribus papis ut instituerent in Curia romana officium speciale pro Fide propaganda.

Anno 1568, S. Pius V, rogatus a S. Francisco Borgia, praeposito generali Societatis Jesu, et ab Alvaro de Castro, legato Lusitaniae apud S. Sedem, instituit congregationem quatuor cardinalium pro negotiis quae referuntur ad conversionem infidelium. Ejus successor, Gregorius XIII (1572-1585), item creavit congregationem trium cardinalium pro negotiis missionum, praesertim pro populis orientalibus: Maronitis, Slavis, Graecis, Aethiopibus et Aegyptiis. Conveniebant una vice in hebdomada; post quindecim dies, tres cardinales in audientia pontificia papam certiorem reddebant de cursu negotiorum, et decisiones propositas ejus approbationi submittebant.

Clemens VIII (1592-1605), explicavit opus inceptum a praedecessoribus S. Pio V et Gregorio XIII, erigendo congregationem *permanentem* cardinalium, quae absolveret *omnia negotia* missionum. Constabat octo cardinalibus, quibus praesidebat cardinalis Julius Antonius Santorio. Inaugurarunt modum procedendi qui deinde servatus est in congregatione de Propaganda Fide: congregatis cardinalibus, unus ex eis referebat negotium tractandum; postea habebatur discussio de opportuna solutione negotii: admissa solutione, cardinalis praeses Santorio eam communicabat cum papa pro suprema sanctione. Haec congregatio duravit per totum pontificatum Clementis VIII, et magna sollicitudine curavit missiones, in Europa septentrionali et in Oriente, in India Orientali, in Insulis Philippinis et in Mexico (1).

Sub Paulo V (1605-1621) nulla instituta est peculiaris congregatio pro negotiis missionum (2). Sed motus pro actione missionaria S. Sedis nullo modo interrumpitur: inter cardinales, plurimi erant fervidi fautores missionum, uti Sauli, Gallio, Alexander Ludovisi; praeter scriptores et praedicatores de re missionaria, uti Thomas a Jesu, Hieronymus Gratiani, Ambrosius a Soncino, Hieronymus a Narni, habebantur viri divites et generosi, uti praelatus hispanicus

---

(1) In *Libro Audientiarum* cardinalis S. Severinae (Jul. Ant. Santorio) saepius agitur de missionibus. Servatur ms. in Archivo Vaticano, Armadio LII, 21, 22, 22-a; F. CALLAEY, *La S. C. di Propaganda Fide per l'incivilimento dei popoli*, in *VI Congresso antischiavista nazionale*. R.

(2) Anno 1607, P. Thomas a Jesu obtulit Paulo V propositum *De erigenda Congregatione pro Fide propaganda*, quod exponit lib. II, cap. I citati sui operis *De procuranda salute omnium gentium*.

Joannes Baptista Vives, legatus principissae Isabellae Belgii apud S. Sedem, qui opibus suis parati erant contribuere erectioni officii centralis pro Fide propaganda; Carmelita Dominicus a Jesu et Maria, jam ingentem summam pecuniae collegerat pro futura institutione missionaria in Urbe.

Mortuo Paolo V, initio anni 1621, in pontificem eligebatur cardinalis Alexander Ludovisi, qui sibi nomen sumpsit Gregorii XV. Fervidus promotor missionum, die festo Epiphaniae, anno 1622, erigebat « congregationem tredecim cardinalium et duorum praelatorum cum suo secretario, quibus negotium propagationis Fidei commisit et commendavit » (1). Die 14 januarii, nova congregatio prima vice adunabatur et sequentia quam primum facienda esse statuebat: requirere a nuntiis et a superioribus generalibus Ordinum religiosorum relationes de statu missionum; praeparare bullam erectionis canonicae novae congregationis; quaerere subsidia ut nova institutio haberet firmam basim oeconomicam; acquirere palatium quod esset simul sedes congregationis et hospitium pro neophytis et alumnis.

Iam sequenti die, 15 januarii, congregatio rogabat nuntios apostolicos, ut ad se mitterent notitias de missionibus quae pendebant ab eorum nuntiatura, et certiores redderent episcopos, praelatos et superiores religiosos de erectione congregationis, eorumque cooperationem obtinerent. Die 4 februarii anni 1622, in secunda sessione, decernebatur compositio *Libelli divisionis provinciarum*, quo studio cujusque cardinalis sodalis congregationis, tribueretur propria regio missionaria. Die 8 martii anni 1622, in tertia sessione, *Libellus divisionis provinciarum*, compilatus a secretario congregationis Francisco Ingoli et a secretario Status Agucci, approbabatur a cardinalibus.

In isto *Libello*, campus evangelizationis distribuebatur in 13 provinciis, quae dividebantur inter 13 cardinales congregationis, inter nuntios et vicarios patriarchales Constantinopolis, Hierosolymorum et Alexandriae. In sessionibus sequentibus, creata est congregatio particularis, quae provideret collegiis in Urbe creatis pro con-

---

(1) *Acta S. Congr. de Prop. Fide*, in Archivo Prop. Fidei, 1622-1625, t. III, fol. 1; J. Schmidlin, *Die Gründung der Propaganda*, in *Zeitschrift für Missionswissenschaft*, t. XII, 1922; L. Kilger, *Die ersten 50 Jahre Propaganda*, ibid.; G. Goyau, *L'Eglise en marche, Etudes d'histoire missionnaire*, 2 vol. P., 1928-1930.

versione haereticorum et schismaticorum. Superioribus Ordinum religiosorum praescriptum est ut in proprio Ordine erigerent cathedras linguarum orientalium.

Denique, die 22 junii anni 1622, Gregorius XV canonice erigebat S. Congregationem de Propaganda Fide, per bullam *Inscrutabili divinae Providentiae arcano* (1). Initio bullae, papa referebat numerum crescentem errantium qui Ecclesiam catholicam vel numquam cognoverunt, vel, cognitam, Satanae dolis deseruerunt. Arduum negotium conversionis errantium, Gregorius XV committebat nonnullis cardinalibus, ut in unum congregati, in commune consulerent: « Quod ut commodius praestari possit, semel coram nobis, ac bis saltem in domo antiquioris eorum (cardinalium) quolibet mense congregentur, *omniaque et singula negotia ad fidem* in universo mundo propagandum pertinentia, cognoscant et tractent».

Eadem die, Gregorius XV promulgabat constitutionem *Romanum decet Pontificem*, qua providebat sustentationi oeconomicae congregationis, assignando ei *jus anuli*, scilicet taxam quam quisque cardinalis neo-creatus solvere debebat pro anulo cardinalitio, et quae usque ad papam Pium VII ascendebat ad 500 nummos aureos; Pius VII istam taxam diminuit ad summam 600 scutorum argenti (3,225 lib. ante bellum mundiale 1914). Novum dicasterium constabat tredecim cardinalibus, quorum praeses erat cardinalis Sauli; duobus praelatis, Vives et Agucci; P. Carmelita Dominico a Jesu et Maria, collectore eleemosynarum; secretario Francisco Ingoli et computista; iis deinde adjuncti sunt consultores et minutantes.

Jam in prima sua sessione (14 jan. 1622), congregatio votum emiserat ut prope suam sedem erigeretur hospitium pro neophytis et alumnis: volebat incumbere simul in gubernationem missionum et in educationem missionariorum. Hanc alteram partem, creationem collegii pro missionibus, explevit successor Gregorii XV, Urbanus VIII (1623-1644) die 1 augusti anni 1627, per bullam *Immortalis Dei* (2). Virtute hujus, papa fundabat seminarium in quo

---

(1) Pastor, *Geschichte der Päpste*, t. XII; K. Pieper, *Die Propaganda, Ihre Entstehung und religiöse Bedeutung*. Aquisgranae, 1922; G. B. Tragella, *Le origini della S. C. di Propaganda Fide*, in Rivista di Studi missionari, t. V, 1923, p. 147 sq.; Florencio del Niño Jesùs, *La Orden de S. Teresa, la fundación de la Propaganda Fide y las Misiones Carmelitanas*. Matriti, 1923.

(2) Praelatus hispanicus Joannes Baptista Vives pro sede collegii Urbano VIII dono dedit palatium Ferratini situm in platea Ss.mae Trinitatis Montis

instituerentur sacerdotes seu clerici dumtaxat saeculares ex omni gente et natione, pro Fidei incremento et dilatatione in partibus infidelium, etiam cum vitae periculo. In administratores collegii deputabat tres canonicos basilicarum patriarchalium. Praelatus Vives, cardinales Antonius Barberini, Capuccinus, frater Urbani VIII, Ubaldini et Cornaro, initio insignes benefactores fuerunt novi collegii, quod Urbanus VIII virtute bullae *Romanus Pontifex* (13 jun. 1641), in perpetuum junxit cum sacra congregatione de Propaganda Fide (1).

Denique, item sub Urbano VIII, in complementum tam congregationis quam collegii de Propaganda Fide, erecta est typographia peculiaris ad usum missionum. In congregatione habita die 14 julii anni 1626, cardinales, « animadvertentes rem... fore utilissimam quia frequentissime Doctrinas christianas, Bibliam, et alios libros ad religionem catholicam pertinentes in linguas varias translatos imprimere necessarium erit: censuerunt... *Typographiam esse instituendam* » (2). Primum collocata in domo privata (3), anno 1643 transferebatur in ipsum palatium de Propaganda Fide.

E bibliotheca Vaticana et ex collectionibus privatis, typographia polyglotta accepit praela plurima: latina, graeca, arabica, chaldaica, etc., ita ut, post breve tempus potuit componere libros in 23 linguis. Primus secretarius congregationis de Propaganda Fide, Franciscus Ingoli, et cardinales Bandini et Bentivoglio, personali sollicitudine prosecuti sunt labores typographiae, quae decursu temporis, innumera edidit opera missionariis utilia: Biblia, Breviaria, Missalia, Catechismos, Tractatus theologiae, Controversias de Religione, opera scientifica, uti dissertationes de Ecclesia in Oriente a quatuor eruditis Maronitis e familia Assemani, Alphabetum Tibeta-

---

Pincii (*Piazza di Spagna*). Cfr. *Bullarium pontificium S. Cong. de Propaganda Fide*, t. I, p. 26 sq., 65 sq. R., 1839; *III Centenario della S. Cong. de Propaganda Fide*, p. 12 sq. R., 1922.

(1) *Bullarium pontificium S. Cong. de Propaganda Fide*, op. cit., p. 113 sq.; *Testamento e codicillo della pia mem. dell'Em.mo e Rev.mo F. Antonio Barberino, prete cardinale della S. R. Chiesa*. R. 1646; FELICE DA PORRETTA, *Collegio Urbaniano di « Propaganda Fide »*, in *L'Italia Francescana*, t. II, 1927, p. 254 sq.; *Alma Mater*, Collegium Urbanum de Propaganda Fide. Terzo Centenario della fondazione, 1627-1927.

(2) M. GALEOTTI, *Della Tipografia Poliglotta di Propaganda*, p. 66, sq. T., 1866.

(3) In via *Torre del Grillo*.

num ab Antonio Giorgio, Grammaticam sanscritam compositam a Carmelita Paulino a S. Bartholomaeo (1).

En brevis conspectus historicus trinae mirabilis institutionis, qua S. Sedes primo quarto saeculi XVII, assumpsit directionem centralem totius operis propagationis Fidei: Congregatio pro gubernatione missionum; Collegium Urbanum pro formatione missionariorum; Typographia polyglotta pro diffusione doctrinae christianae in toto mundo. Tali modo, in centro Ecclesiae catholicae renovatae in capite et in membris, instaurabatur forma excelsior actionis apostolicae: ministerium pro regressu errantium ad veram Fidem et evangelizatio gentilium.

4. - Brevis conspectus operis evangelizationis peracti a missionariis in terris recens inventis saeculis XVI et XVII.

— Initio inventionum novarum terrarum, sub fine saeculi XV et decursu saeculi XVI, actio missionaria quasi exclusive pependit ex potestate regia. Reges Lusitaniae et Hispaniae, eorumque cooperatores, ministri, exploratores et duces militum, sincere desiderabant conversionem indigenarum, sed *secundum conceptum istius temporis,* scilicet adhibita etiam violentia in eos qui nolebant converti. Ad mentem regum et ministrorum, conversio indigenarum erat officium principum. Reges Hispaniae, Ferdinandus et Isabella, jam anno 1493 mandabant Christophoro Columbo ut, omni meliori modo, procuraret conversionem indigenarum. In libro IV Collectionis Legum pro India occidentali, *Recopilación de Leyes de Indias,* propagatio Fidei indicabatur tamquam scopus primarius occupationis Indiae occidentalis (Americae) ex parte Hispanorum (2).

In suis expeditionibus, exploratores secum habebant sacerdotes; in secundo itinere, cum Columbo erat Benedictinus Boil; in sequentibus itineribus, eum comitati sunt Franciscani et Dominicani; Vasco de Gama secum ducebat duos Trinitarios; Cabral, quando invenit Brasiliam, circumdabatur vicario apostolico, octo sacerdo-

---

(1) J. CORNELISSEN, *Thomas Erpenius en de « Propaganda »,* in *Mededeelingen van het Nederlandsch historisch Instituut te Rome,* t. VII, 1927, p. 121 sq. Cum introductione de opere S. Sedis pro linguis orientalibus addiscendis et libris eo fine edendis, a Concilio Viennensi ad erectionem S. C. de Propaganda Fide, (1309-1622).

(2) *Instrucción de los Reyes católicos,* ed. a F. FITA, in *Boletin de la Real Academia de la Historia,* t. XIX, 1891, p. 184; B. DESCAMPS, *Histoire générale comparée des Missions,* p. 306. P. ,1932.

tibus saecularibus et octo Franciscanis; Diego Câo, qui primus pervenit ad Congum (1484), socios habebat Franciscanos.

Primo tempore, conversio indigenarum complenda videbatur pari passu cum impositione dominationis Hispaniae et Lusitaniae, sub directione exploratorum, ducum militarium et gubernatorum. Quare, initio, actio missionaria nimis coaluit cum occupatione militari et administrativa novarum regionum, et prae se tulit characterem nationalem et politicum: oculis indigenarum, sacerdos apparebat tanquam cooperator dominatoris. Tam gubernatoribus quam sacerdotibus, deerant methodus missionaria, cognitio linguae indigenae, comprehensio usuum localium et vitae socialis indigenarum.

Plerumque tota organizatio ecclesiastica, sicuti exsistebat in Hispania et in Lusitania, translata est, talis qualis, canonicis inclusis, in colonias, quin accommodaretur ad circumstantias locales. In pluribus partibus: in Patronatu Goanensi, in Antillis, in Venezuela et Brasilia, opus missionariorum usque ad secundum quartum saeculi XVI, circumscriptum est ad collationem baptismi cum apparatu solemnissimo, ad erectionem aedificiorum cultus, ad destructionem idolorum, quin haberetur apostolatus methodicus fundatus super vim internam Evangelii et operam personalem missionarii (1).

Pauci sacerdotes catholici, iidemque sine preparatione sufficienti, aliquando modo inexspectato, requirebantur pro evangelizatione gentis innumerae. Anno 1527, quasi omnes indigenae in Honduras petierunt baptismum, licet paucum vel nihil instructi essent. Ad extremitatem meridionalem Indiae orientalis, piscatores margaritarum e tribu Paravers, et piscatores e tribu Macua in regno Travancore, anno 1534 se baptismum suscepturos declararunt, si defenderentur ab aggressionibus piratarum musulmanorum e Calicut et equitum e Madura. Vicarius generalis Goanensis (2), ad Paravers misit duodecim Fratres Minores, qui baptismum administrarunt 20.000 circiter indigenarum. Sed cum non haberent unde viverent, ignorarent linguam et calorem ferre non valerent, hi missionarii cito regressum fecerunt in civitatem Cochin. Spatio octo annorum, Paravers re, manserunt sine assistentia religiosa, donec S. Franciscus Xaverius

---

(1) G. Schmidlin, *Manuale di storia delle Missioni cattoliche*, transl. ital. a J. B. Tragella, t. II, p. 49. M., 1928; P. Dahmen, *Un Jésuite Brahme Robert de Nobili, missionnaire au Maduré* (1577-1656), p. 12 sq. L., 1930.

(2) Dioecesis Goanensis erecta est anno 1533.

eos anno 1542 visitavit cum duobus interpretibus, et ab eis optime exceptus est.

Multiplicitas linguarum indigenarum: viginti in sola India; divisio indigenarum in tribus inter se oppositas, uti in India; malum exemplum Europaeorum, in pluribus partibus obstabant apostolatui missionariorum. In Antillis, morum depravatio et crudelitas Hispanorum evangelizationem impedierunt decursu saeculi XVI. Indi Quichuas, in Peruvia, perfectiores omnium Indorum Americae, licet pagani, dabant Europaeis exemplum vitae domesticae bene ordinatae, cum matrimonio monogamico et severa prohibitione adulterii (1). In Cumana ad septentrionem ostii fluvii Orinoci (*Venezuela*), Dominicani et Franciscani bene excepti fuerant ab Indis et jam cum optimo successu praedicaverant Fidem; sed venerunt Hispani, navigatores vel mercatores, finxerunt amicitiam cum indigenis et duabus vicibus plurimos eorum dolo in servitutem redegerunt. Indigenae crediderunt missionarios istos infames raptores invitasse, sacerdotes cum neophytis occiderunt, et totam missionem everterunt (1513-1520) (2).

Non deerant ergo, primo tempore, gravia impedimenta actioni apostolicae in pluribus terris recens repertis: concordantia praedicationis Fidei cum occupatione militari et dominatione politica; defectus methodi et experientiae; ignorantia linguae indigenae; incomprehensio usuum localium et vitae socialis indigenarum; pauca vel nulla aptatio, ex parte missionariorum, ambitui proprio singularum regionum ubi oportebat praedicare Fidem; nimia praecipitatio in administratione baptismi, vel etiam in admissione indigenarum ad Ordines sacros, uti in Congo et Patronatu Goanensi; denique, mores dissoluti et crudelitas Europaeorum.

Si ob has causas, evangelizatio primo tempore, in pluribus partibus, uti in Patronatu Goanensi, in Congo, in Antillis, in Venezuela et Brasilia, fuit potius superficialis, tamen agnoscere oportet reges Hispaniae et Lusitaniae eorumque ministros, sub respectu externo, in regionibus novis opera magna peregisse: ecclesiae, monasteria aliaque aedificia quae adhuc exstant in antiquo Patronatu Goanensi et in pluribus civitatibus Americae centralis et meridionalis, e. g. ecclesiae cathedrales Goanensis et Mexicana, eloquenter

---

(1) RADA Y GAMIO, *Il Perú antico*. R., 1917.
(2) J. HUMBERT, *Histoire de la Colombie et du Venezuela*. P., 1921;
J. TOUSSAINT-BERTRAND, *Histoire de l'Amérique espagnole*. P., 1929.

demonstrant cum quanta magnificentia, Hispani et Lusitani omnes thesauros suos impenderint in splendorem domus Dei et in exaltationem Ecclesiae catholicae.

Sed in hisce regionibus, ubi missionarii inde a principio, coeperunt operari methodice, instructione religiosa in lingua indigena, educatione puerorum, protectione indigenarum adversus abusus colonorum, aliisque beneficiis, ibi evangelizatio penetravit in animum indigenarum, eosque plene convertit ad religionem catholicam. In exemplum citari potest Nova Hispania, scilicet Mexicum. Initio, tenax explorator, Ferdinandus Cortes, licet repugnaret primus missionarius, Mercedarius Bartholomaeus ab Olmedo, Mexicanos dure tractavit et capite damnavit Montezumam, ultimum regem e stirpe *azteque,* quia nolebat converti (1520). Inde ab anno 1522, ad Mexicanas partes profecti sunt primum tres Franciscani belgae (Joannes de Tecto, scil. Couvreur, Joannes de Ayora, scil. van der Auweraa et Petrus a Gandavo), deinde duodecim Franciscani hispani, duce Martino a Valentia.

Ante omnia linguam mexicanam addidicerunt et apud proprios conventus, in quatuor centris principalioribus regionis (1), scholas erexerunt: scholam superiorem pro filiis capitum, scholam inferiorem pro pueris minoris conditionis, in qua impertiebatur instructio gratuita.

In Archivo secreto Vaticano servatur adhuc testis eloquens et et authenticus primae evangelizationis Mexicanorum, scilicet fragmentum *Colloquiorum* in lingua mexicana et hispanica, quibus missionarii franciscani doctrinam christianam exponebant indigenis: *Colloquios y doctrina christiana con que los doze frayles de S. Francisco enbiados por el Papa Adriano y por el Emperador Carlos quinto convertieron a los indios de la nueva Espanya en lengua Mexicana y Española.* Ibi clare videtur quanta prudentia et humanitate missionarii usi sint erga indigenas: iteratim declarant suam missionem mere spiritualem esse; patienter audiunt obiectiones capitum et sacerdotum idolorum, eisque urbane respondent; nunquam usque ad satietatem auditores apud se retinent, sed post congruens colloquium eos dimittunt, optando eis felicem requiem. Iam anno 1528, Antverpiae publici iuris fiebat prima editio *Doctrinae*

---

(1) Mexico, Texcuco, Tlaxcala et Guaxozingo.

christianae, quam Frater laicus Petrus a Gandavo compilaverat (1).

Primum missionarii franciscani in Mexico curarunt formationem christianam filiorum capitum, inter quos sibi selegerunt catechistas (2). Doctrinam christianam aliasque disciplinas, missionarii tradiderunt in lingua mexicana, sine auxilio interpretum. Instructionem aptarunt indoli Mexicanorum. Hi delectabantur cantu, libenter studebant delineationi, sculpturae et picturae: quare missionarii, in expositione doctrinae christianae, adhibebant cantum et figuras. Ubique Mexicanos beneficiis prosecuti sunt; procurarunt ut matrimonia inter christianos celebrarentur; pro aegrotis erexerunt hospitalia; pro orphanis, orphanotrophia; assumpserunt defensionem Indorum adversus colonos et proprietarios fodinarum. Franciscanis cito adjuncti sunt Dominicani (1526) et Eremitae S. Augustini (1533).

Jam anno 1527 primae sedes episcopales erigebantur, in Mexico et Tlaxcala. Ipse Bartholomaeus de Las Casas, defensor vehemens Indorum, iam senex terram Mexicanam petiit, et quando ibi hierarchia ecclesiastica erecta est, apostolice sibi partem meliorem elegit: dioecesim pauperiorem et magis derelictam in provincia longinqua de Chiapas (1544) (3). Secundum Relationes contemporaneas, sane non hodierna methodo statistica sed approximative confectas, anno 1531, jam mille millia Mexicanorum baptizati erant, et decem annis postea, numerus baptizatorum ascendebat ad novies mille millia. Inter Franciscanos, 40 missionarii unice dedicabantur instructioni et baptismo indigenarum. Medio saeculo XVI, habebantur 800 missionarii in Mexico. Triginta annis post inceptam evangelizationem (1551), erigebatur universitas catholica studiorum in ipsa urbe principe Mexico (4).

---

(1) J. M. POU Y MARTI, *El Libro perdido de las Platicas o Coloquios de los doce primeros Misioneros de Mexico,* in *Miscellanea Fr. Ehrle,* t. III, p. 281 sq. R., 1924; *Bibliotheca Missionum* t. II, n. 229.

(2) J. DE MENDIETA, *Historia ecclesiastica indiana,* obra escrita a fines del siglo XVI, ed. J. G. ICAZBALCETA. Mexico, 1870; L. VAN DER ESSEN, *Les missions à l'époque des découvertes,* apud B. DESCAMPS, *Histoire générale comparée des missions,* op. cit., p. 335 sq.

(3) M. BRION, *Bartholomé de Las Casas, père des Indiens.* P., 1927; R. RICARD, *Etudes et documents pour l'histoire missionnaire de l'Espagne et du Portugal.* L., 1931. Cfr. p. 13 sq. circa assertiones exaggeratas B. de Las Casas de suppressione Indorum a parte Hispanorum.

(4) Dolendum est missionarios terrae Mexicanae non a principio incubuisse in formationem cleri indigenae. Anno 1572, ibi advenerunt Jesuitae.

Eadem methodo processerunt missionarii in insulis Philippinis. Ibi ipse explorator, Ferdinandus Magellanus, primus praedicavit Fidem (1). Sed cum anno 1521 a Philippinis occisus fuit, opus evangelizationis abruptum est donec anno 1564, P. Andreas de Urdaneta, Eremita S. Augustini, cum quinque sociis ejusdem Ordinis, de mandato Philippi II regis Hispaniae, insulas Philippinas petiit. A primo suo adventu, P. Andreas de Urdaneta declaravit indigenis se unice advenisse ut eis nuntiaret veram Fidem, et Hispanos armatos, quos secum ducebat, eos defensuros esse. Confestim missionarii addidicerunt linguam indigenam. Anno 1577, in auxilium venerunt Franciscani, paulo post Dominicani et Jesuitae. Franciscani et Dominicani bini et bini visitarunt insulas Archipelagi, praedicando Fidem. Post novem annos apostolatus, 250.000 indigenarum conversi sunt; pro eis Franciscani ediderunt Bibliam in lingua indigena, Catechismum, cantus religiosos aliosque libros utiles et amoenos. Spatio viginti annorum, soli Franciscani erexerunt 230 sacella in insulis Philippinis.

Praeterea, missionarii curarunt progressum materialem Philippinorum: aperuerunt vias, etiam subterraneas, confecerunt pontes, ordinarunt flumina pro irrigatione agrorum; promoverunt plantationes herbae Nicotianae et fabae arabicae (caphaei); indigenas docuerunt modum extrahendi metalla, texendi telam et pannum, ita ut una cum veritate religiosa, eis obtulerunt simul donum prosperitatis temporalis. Ut tuerentur Fidem et libertatem indigenarum, missionarii eos constituerunt in *Reductiones,* scilicet in vicos proprios, in quibus vivebant separati ab Europaeis. Insuper missionarii, in insulis Philippinis, a principio providerunt formationi cleri indigenae, cui cito magna pars ministerii paroecialis commissa est. Dominicani qui in Philippinis insulis advenerunt ipso anno quo prima sedes episcopalis creata est Manilae (1579), jam anno 1614 ibi fundarunt universitatem studiorum, dicatam S. Thomae. Uno saeculo elapso post inventionem insularum Philippinarum, jam 2.000.000 christianorum ibi erant, distributi in quatuor dioecesibus (2).

---

(1) E. DELBEKE, *Religion and Morals of the early Filipinos at the coming of the Spaniards.* Manilae, 1928.

(2) L. PEREZ, *Labor patriotica de los Franciscanos españoles, en el Extremo Oriente, particularmente en Filippinas,* in *Archivo Ibero Americano,* t. XXXII, 1929, p. 5 sq.; COLIN-PASTELLS, *Labor evangelica de los obreros de la Compañia de Jesús en las islas Filipinas.* Barcinone, 1904; MARIN Y MO-

Variae fuerunt vicissitudines evangelizationis, hinc illinc, uti in Japonia, abruptae violenta persecutione. Sed ubique, decursu saeculi XVI, in dies magis fundatur super vim internam Evangelii, operam personalem et exemplum missionarii. Pro opera sua personali et pro exemplo quod dedit, S. Franciscus Xaverius eminet inter missionarios epochae modernae. Sine peculiari praeparatione missionaria, sed cum animo fortissimo veri apostoli, unice flagrabat desiderio lucrandi animas pro Christo. Quare nulli ligabatur loco vel operi, sed ubi major affulgebat spes convertendi infideles vel firmandi baptizatos in Fide, eo toto animo tendebat (1).

Anno 1541, petiit Indiam, tanquam missionarius et nuntius apostolicus, cum duplici mandato: a Joanne III rege Lusitaniae, et a papa Paulo III. Pro rege Lusitaniae, debebat conficere relationem de statu Ecclesiarum quae fundatae fuerant in partibus Indiae; nomine papae, debebat visitare insulas sitas in Mari Rubro, in sinu Persico, circa flumen Gangetem, ad occidentem et ad orientem Promontorii Bonae Spei (2). Ut mandatum pontificium et regium expleret, spatio decem annorum fervore indefesso itineratus est. In Goa, ubi anno 1542 advenerat, paucos menses transegit, praedicando Lusitanis et medio interpretum, etiam indigenis, praesertim juvenibus. Vix audit piscatores margaritarum Paravers ad litus meridionales Indiae derelictos esse, Franciscus Xaverius illico eo contendit, cum duobus juvenibus e seminario Goanensi pro clero indigena. Deinde gressus vertit versus regnum Travancore, ad extremitatem occidentalem Indiae: ibi de licentia regis, Fidem praedicavit in ambitu pagano, tanta persuasione ut ipsi indigenae destruerent propria idola.

Semper quaesivit ire ubi major erat necessitas animarum. Insula Ceylan adhuc clausa erat Evangelio: tentavit ibi penetrare, sed frustra. Hinc petiit peninsulam de Malacca, deinde insulas Moluccas, ubi Lusitani stabilierant bases commerciales. In civitate Ma-

---

RALES, *Ensayo de una Sintesis de los trabajos realizados por las corporaciones religiosas de Filipinas*. Manilae, 1901; F. J. MONTALBAN, *El patronato español y la conquista de Filipinas*. Burgos, 1930.

(1) *Monumenta Xaveriana* (in *Mon. hist. Soc. Jesu*), t. I. Matriti, 1900, t. II, 1912; A. BROU, *S. François Xavier. Conditions et méthodes de son apostolat*. Brugis, 1925; Idem, *S. Fr. Xavier*, 2. vol. P. 1925; G. SCHURHAMMER, *Der hl. Franz Xaver*. Fr., 1925; R. STREIT, *Bibliotheca Missionum*, t. IV, *Asiatische Missionsliteratur*, 1245-1599. Aquisgranae, 1928.

(2) Ita ei praescribebatur in brevi diei 27 julii anni 1540.

lacca, dives Japonensis quidam, nomine Angeroo, ei loquitur de sua gente. Franciscus Xaverius Japonenses continuo magnifacere coepit, et, minime haesitans, anno 1549, una cum Angeroo ad eos se contulit. In loco Kagoschima, magno zelo in studium linguae japonicae incubuit (est unica lingua indigena quam conatus est addiscere); cum imperator eum excipere noluisset, ab urbe capite Miako transit in civitatem Yamagutschi, ubi circiter 3.000 christianorum lucratus est. Eodem felici successu Fidem praedicavit in statu Bungo, in civitate Funai, ubi habuit disputationes cum sacerdotibus idolorum. Quando, anno 1551, S. Franciscus Xaverius regressus est in Indiam, religio catholica jam penetraverat, praeterquam in loco Firando, in tres status Japoniae: Satsuma, Naugato et Bungo, ibique erant 6.000 christianorum (1).

Franciscus Xaverius conceperat etiam propositum introducendi religionem christianam in imperium Sinarum. Jam petierat insulam Sanzian (San-chow), quae distat 30 leucis a terra continentali sinensi, prope Macao; ibique laboribus exhaustus, mortuus est die 3 decembris anni 1552, magnum exemplum relinquendo missionarii abnegatione pleni, cujus zelus nullos admittebat fines, et qui omnia adibat pericula et omnia patiebatur sacrificia ut animas Christo lucri faceret.

Post eum, plures missionarii ex variis Ordinibus religiosis, Jesuitae, Dominicani, Franciscani et Augustiniani, tentarunt penetrare in terram Sinensem; sed semper expulsi sunt, donec anno 1582 tres Jesuitae italici, inter quos erat P. Matthaeus Ricci, potuerunt stabilire sedem in Tchao-King prope Canton et Macao ad latus orientale imperii. Ut facilius exciperetur a litteratis et mandarinis, Matthaeus Ricci nomen sinense assumpsit, vestem induit ut minister Confucii, in quantum potuit se accomodavit usibus et traditionibus Sinarum, admittendo cultum majorum quoad partem civilem, studendo philosophiae Confucii et agendo cum doctis Sinis de scientiis quae

---

(1) Post S. Franciscum Xaverium, alii missionarii, primum Jesuitae, et inde ab anno 1583 Franciscani deinde Dominicani et Eremitae S. Augustini, in Japonia prosecuti sunt opus ab eo inceptum, ita ut, initio saeculi XVII (1614), in Japonia habebantur circiter 1.000.000 christianorum, e quibus 750.000 erant sub directione Jesuitarum. Saeculo XVII (1612-1651), diuturna et violenta persecutio probavit christianos Japoniae. Sed plurimi eorum, licet omni ministerio sacerdotali orbati, occulte Fidem servarunt et transmiserunt in parvis communitatibus christianis circa portum Nagasaki, quae anno 1865 sese manifestarunt missionario P. Petitjean.

eis magis placebant: mathematica, geographia, mechanica et astronomia (1).

Tali modo sibi comparavit gratiam doctorum et ministrorum, et libere potuit praedicare religionem christianam. Sine ulla pressione et nonnisi post diuturnam instructionem, neophytos ad baptismum admisit. Fama ejus scientiae pervenit usque ad imperatorem, qui anno 1601 eum invitavit ut resideret in ipsa civitate capitali Pekino. Ab hoc tempore, christianismus velocius progressus est apud Sinas, sive ob favorem imperialem sive ob methodum accommodationis quam plures confratres P. Ricci secuti sunt. Decursu saeculi XVII, ab anno 1630, advenerunt Dominicani et Franciscani, deinde Patres pro Missionibus Exteris (2). Anno 1664, in imperio Sinensi habebantur 257.000 christianorum.

Methodum accommodationis cum bono exitu applicavit in India alius Jesuita italicus P. Robertus de Nobili, qui anno 1607 advenerat in Maduram, ad extremitatem meridionalem Indiae (3). Cum approbatione superiorum, etiam episcopi de Cranganore, decrevit se totum dedicare conversioni Brahmanorum, apud quos hactenus missionarii paucum vel nullum obtinuerant accessum. In modo ferendi capillos, in vestitu, in abstinentia a carne, pisce et ovis, ac in usibus socialibus, factus est similis Brahmano. Linguas regionis, tamulicam et badagensem, et linguam sacram sanscritam, optime addidicit. Primum quaesivit demonstrare veritates naturales: exsistentiam et unitatem Dei, creationem mundi universi et immortalitatem animae; postea devenit ad veritates revelatas christianismi. Usus mere sociales propriae castae et celebrationem festorum indolis civilis, ut solstitii hiemalis, christianis permisit. In partibus Trichinopoly, operam dedit formationi missionariorum,

---

(1) Asserebat licitum esse christianis honorare Confucium et patres suos, candelis, incenso et prostrationibus, non autem orationibus et sacrificiis. P. TACCHI VENTURI, *L'apostolato del P. M. Ricci*. R., 1910; Idem, *Il così detto confucianismo del P. M. Ricci*. Macerata, 1911; Idem, *Opere storiche del Padre M. Ricci*, 2 vol. Macerata, 1911-1913; *Fonti Ricciane*, ed. P. M. D'ELIA, 2 vol. R., 1949; L. PFISTER, *Notices biographiques*. Shanghai, 1932; H. BERNARD, *Aux portes de la Chine*. Tientsin, 1933.

(2) L. BANDIMONT, *François Pallu, principal fondateur de la Société des Missions étrangères* (1626-1684) P., 1934; C. COSTANTINI, *F. Pallu, un grande precursore*, in *I grandi Missionari*, II serie, p. 171 sq. R., 1940; Idem, *L'arte cristiana nelle Missioni*. R. 1940.

(3) P. DAHMEN, *Un Jésuite brahme. Robert de Nobili*, op. cit.

quorum alii destinarentur ad minutam plebem dejectam, alii ad ordines superiores. Quando mortuus est (1656), 30.000 Indorum conversi erant in Madura. Decem annis postea (1667), ibi erant 40.000 christianorum pro quibus 64 ecclesiae vel sacella erecta fuerant.

Circa accommodationem, ex parte missionariorum et neo-conversorum, officiis devotionis erga patriam et majores defunctos, modo nominandi Deum, vel aliis ritibus qui videbantur ex ethnicis religionibus orti vel cum istis connexi, S. C. de Propaganda Fide jam anno 1659 mentem aperuit in *Instructionibus* Vicariis apostolicis Seminarii Parisiensis pro Missionibus exteris datis: « Nullum studium ponite, nullaque ratione suadete illis populis ut ritus suos, consuetudines et mores mutent, modo non sint apertissime religioni et bonis moribus contraria... Fides nullius gentis ritus et consuetudines, modo prava non sint, aut respuit aut laedit, imo vero sarta tecta esse vult. Et quoniam ea paene est hominum natura, ut sua, et maxime ipsas nationes, caeteris et existimatione et amore praeferant, nulla odii et alienationis causa potentior existit, quam patriarum consuetudinum immutatio, earum maxime quibus homines ab omni patrum memoria assuevere... Quae vero prava exstiterint, nutibus magis et silentio quam verbis proscindenda, opportunitate nimirum captata, qua dispositis animis ad veritatem capessendam, sensim sine sensu evellantur » (1).

Nihilominus circa methodum accommodationis, quam missionarii, praesertim ex Societate Jesu, applicaverant in India, Sinis et Japonia, exorta est diuturna disceptatio, dicta de Ritibus Malabarensibus et Sinensibus. Observantia istorum rituum, sane non semper accurate relata apud Curiam romanam, cum videretur ansam praebere superstitioni vel confusioni doctrinali, a S. Sede pluries prohibita est (1645-1742) (2).

Nostris autem diebus (1936-1940), perspecta temporum ac morum evolutione, cum ex declaratione ipsius auctoritatis civilis competentis pateret ritus ad templa vel monumenta nationalia peractos habere meram significationem patrii amoris, et caerimonias in funeribus, matrimoniis aliisque actibus familiaribus, quamvis forte a superstitione originem duxerint, hodie non retinuisse nisi sensum

---

(1) *Collectanea S. C. de Propaganda Fide*, 2 ed., t. I, p. 42, n. 135. R., 1907.

(2) A. JANN, *Die katholischen Missionen*, op. cit., p. 394 sq.; A. HUONDER, *Der chinesische Ritenstreit*. Aachen, 1921.

venerationis erga defunctos et mutuae benevolentiae erga vivos, S. C. de Propaganda Fide decrevit licere catholicis interesse eis, et more ceterorum civium agere, declarata sua intentione, si necessarium apparuerit, ad falsas interpretationes sui actus removendas (1).

In America meridionali, Fr. Minores de Observantia in Mexico, Capuccini in Venezuela et Guyana, Dominicani in Cumana et praesertim Jesuitae in Paraguay, Indos conversos constituerunt in societatem separatam ab Europaeis. Apud Indos Guarana, qui occupabant territorium inter flumina Paraná et Uruguay, Jesuitae, cum licentia Philippi III regis Hispaniae, fundarunt rempublicam christianam quae unice constabat indigenis. Regebatur a missionariis cum assistentia consilii indigenarum. Alimenta, vestitus et habitatio eadem erant pro omnibus incolis. Tota vita religiosa, socialis et oeconomica particulatim ordinabatur a Jesuitis, qui nomine regis Hispaniae judicia exercebant, et curabant exportationem fructuum laboris ac defensionem reipublicae ab invasoribus. *Reductiones* tali modo directae a Jesuitis usque ad alterum dimidium saeculi XVIII, constabant 150.000 Indis, qui vitam vere socialem et christianam ducebant sub paterno regimine missionariorum (2).

* * *

Nostris diebus, actio apostolica Ecclesiae, instaurata saeculo XVI, in dies extenditur extra Europam e. g. in Africa centrali. Utpote catholica, Ecclesia universalis est, ejusque sors nulli ligatur nationi. Sicut Christus ei praecepit, omnes docet gentes doctrinam universalem salutis. Tam in antiquo mundo europaeo quam in aliis partibus orbis universi, omni egoismo et omni odio thriumphale opponit remedium caritatis Christi.

---

(1) *Sylloge praecipuorum documentorum recentium Summorum Pontificum et S. C. de Propaganda Fide*, p. 537, n. 201, p. 576, n. 206 quinquies. R., 1939.

(2) P. Pastells, *Historia de la Compañia de Jesús en la Provincia de Paraguay*. Matriti, 1912; P. Fernandez, *Organisación social de las Doctrinas Guaranias*. 2 vol. Barcinone, 1912; Rocco da Cesinale, *Storia delle Missioni dei Cappuccini*, t. III, p. 709 sq. R., 1873; Clemens a Terzorio, *Manuale historicum Missionum Ord. Minorum Capucinorum*, p. 356 sq. Isola del Liri, 1926; A. Walz, *Compendium Historiae Ord. Praedicatorum*, p. 365 sq. R., 1930.

SERIES CHRONOLOGICA PONTIFICUM ROMANORUM
AB INITIO SAECULI VIII AD MEDIUM SAECULUM XVII

85. Joannes VI	. . .	701—705
86. Joannes VII	. . .	705—707
87. Sisinnius	. . .	708
88. Constantinus I	. .	708—715
89. S. Gregorius II	. .	715—731
90. S. Gregorius III	. .	731—741
91. S. Zacharias	. . .	741—752
(1) *Stephanus*	. . .	752
92. Stephanus II	. . .	752—757
93. S. Paulus I	. . .	757—767
Constantinus II	. .	767—768
Philippus	. . . .	768
94. Stephanus III	. . .	768—772
95. Hadrianus I	. . .	772—795
96. S. Leo III	. . . .	795—816
97. Stephanus IV	. . .	816—817
98. S. Paschalis I	. .	817—824
99. Eugenius II	. . .	824—827
100. Valentinus	. . . .	827
Joannes	. . .	844
101. Gregorius IV	. . .	827—844
102. Sergius II	. . . .	844—847
103. S. Leo IV	. . .	847—855
104. Benedictus III	. .	855—858
Anastasius	. . . .	855
105. S. Nicolaus I	. . .	858—867
106. Hadrianus II	. . .	867—872
107. Joannes VIII	. . .	872—882
108. Marinus I	. . .	882—884
109. S. Hadrianus III	. .	884—885
110. Stephanus V	. . .	885—891
111. Formosus	. . .	891—896
112. Bonifatius VI	. . .	896
113. Stephanus VI	. . .	896—897
114. Romanus	. . .	897
115. Theodorus II	. . .	897
116. Joannes IX	. . .	898—900
117. Benedictus IV	. .	900—903
118. Leo V	. . . . .	903
119. Christophorus	. . .	903—904
120. Sergius III	. . .	904—911
121. Anastasius III	. .	911—913
122. Lando	. . . . .	913—914
123. Joannes X	. . . .	914—928
124. Leo VI	. . . .	928—929
125. Stephanus VII	. .	929—931
126. Joannes XI	. . . .	931—935
127. Leo VII	. . . .	936—939
128. Stephanus VIII	. .	939—942
129. Marinus II	. . .	942—946
130. Agapetus II	. . .	946—955
131. Joannes XII	. . .	955—963
132. Leo VIII	. . . .	963—965
133. *Benedictus V*	. . .	965
134. Joannes XIII	. . .	965—972
135. Benedictus VI	. .	973—974
Bonifatius VII	. . .	974
136. Benedictus VII	. .	974—983
137. Joannes XIV	. . .	983—984
138. Bonifatius VII	. .	984—985
139. Joannes XV	. . .	985—996
140. Gregorius V	. . .	996—999
Joannes XVI	. . .	997—998
141. Silvester II	. . .	999—1003
142. Joannes XVII	. . .	1003
143. Joannes XVIII	. .	1003—1009
144. Sergius IV	. . .	1009—1012
145. Benedictus VIII	.	1012—1024
Gregorius	. . . .	1012
146. Joannes XIX	. . .	1024—1032

---

(1) Zachariae successit Stephanus, qui die tertio post electionem, anno 752, mortuus est ante consecrationem, quae hisce diebus considerabatur verum initium pontificatus. In *Annuario Pontificio* 1950 indicatur ut Stephanus II.

147. Benedictus IX . . 1032—1044
148. Silvester III . . . 1045
149. Gregorius VI . . 1045—1046
150. Clemens II . . . 1046—1047
151. Damasus II . . . 1048
152. S. Leo IX . . . 1049—1054
153. Victor II . . . . 1055—1057
154. Stephanus IX . . 1057—1058
    Benedictus X . . 1058—1059
155. Nicolaus II . . . 1058—1061
156. Alexander II . . 1061—1073
    Honorius II . . . 1061—1069
157. S. Gregorius VII . 1073—1085
    Clemens III . . . 1084—1100
    Sedisvacatio per annum.
158. B. Victor III . . 1086—1087
159. B. Urbanus II . . 1088—1099
160. Paschalis II . . . 1099—1118
    Theodoricus . . . 1100—1102
    Albertus 1102
    Silvester IV . . . 1105—1111
161. Gelasius II . . . 1118—1119
    Gregorius VIII . . 1118—1121
162. Calixtus II . . . 1119—1124
163. Honorius II . . . 1124—1130
    Coelestinus II . . . 1124
164. Innocentius II . . 1130—1143
    Anacletus II . . . 1130—1138
    Victor IV 1138
165. Coelestinus II . . 1143—1144
166. Lucius II . . . . 1144—1145
167. B. Eugenius III . . 1145—1153
168. Anastasius IV . . 1153—1154
169. Hadrianus IV . . 1154—1159
170. Alexander III . . 1159—1181
    Victor IV . . . . 1159—1164
    Paschalis III . . . 1164—1168
    Calixtus III . . . 1168—1179
    Innocentius III . . 1179—1180
171. Lucius III . . . 1181—1185
172. Urbanus III . . . 1185—1187
173. Gregorius VIII . . 1187
174. Clemens III . . . 1187—1191

175. Coelestinus III . . 1191—1198
176. Innocentius III . 1198—1216
177. Honorius III . . 1216—1227
178. Gregorius IX . . 1227—1241
179. Coelestinus IV . . 1241
180. Innocentius IV . . 1243—1254
181. Alexander IV . . 1254—1261
182. Urbanus IV . . . 1261—1264
183. Clemens IV . . . 1265—1268
    Sedisvacatio per duos annos et novem menses.
184. B. Gregorius X . 1271—1276
185. B. Innocentius V . 1276
186. Hadrianus V . . . 1276
187. Joannes XXI . . . 1276—1277
188. Nicolaus III . . . 1277—1280
189. Martinus IV . . . 1281—1285
190. Honorius IV . . . 1285—1287
    Sedisvacatio per tredecim menses.
191. Nicolaus IV . . . 1288—1292
    Sedisvacatio per duos annos et tres menses.
192. S. Coelestinus V . . 1294
193. Bonifatius VIII . 1294—1303
194. B. Benedictus XI . 1303—1304
195. Clemens V . . . 1305—1314
    Sedisvacatio per duos annos.
196. Joannes XXII . . 1316—1334
    Nicolaus V . . . 1328—1330
197. Benedictus XII . . 1334—1342
198. Clemens VI . . . 1342—1352
199. Innocentius VI . . 1352—1362
200. B. Urbanus V . . 1362—1370
201. Gregorius XI . . 1370—1378
202. Urbanus VI . . . 1378—1389
    (1) *Clemens VII* . . 1378—1394
203. Bonifatius IX . . 1389—1404
    Benedictus XIII . . 1394—1417
204. Innocentius VII . . 1404—1406
205. Gregorius XII . . 1406—1415
    Alexander V . . . 1409—1410
    Joannes XXIII . . 1410—1415

---

(1) Cfr. p. 244 praesentis voluminis.

206. Martinus V	. . .	1417—1431
Clemens VIII	. .	1424—1429
Benedictus XIV	.	1424
207. Eugenius IV	. .	1431—1447
Felix V	. . .	1439—1449
208. Nicolaus V	. . .	1447—1455
209. Calixtus III	. .	1455—1458
210. Pius II	. . .	1458—1464
211. Paulus II	. . .	1464—1471
212. Sixtus IV	. . .	1471—1484
213. Innocentius VIII	.	1484—1492
214. Alexander VI	. .	1492—1503
215. Pius III		1503
216. Julius II	. . .	1503—1513
217. Leo X	. . .	1513—1521
218. Hadrianus VI	. .	1522—1523
219. Clemens VII	. .	1523—1534
220. Paulus III	. . .	1534—1549
221. Julius III	. . .	1550—1555
222. Marcellus II	. .	1555
223. Paulus IV	. . .	1555—1559
224. Pius IV	. . .	1559—1565
225. S. Pius V	. . .	1566—1572
226. Gregorius XIII	.	1572—1585
227. Sixtus V	. . .	1585—1590
228. Urbanus VII	. .	1590
229. Gregorius XIV	.	1590—1591
230. Innocentius IX	.	1591
231. Clemens VIII	. .	1592—1605
232. Leo XI	. . .	1605
233. Paulus V	. .	1605—1621
234. Gregorius XV	. .	1621—1623
235. Urbanus VIII	. .	1623—1644
236. Innocentius X	. .	1644—1655
237. Alexander VII	.	1655—1667

Imperatores Romani - Byzantini

Tiberius III	. . .	698— 705
Justinianus II (iterum)		705— 711
Philippicus Bardanes	.	711— 713
Anastasius II	. . .	713— 716
Theodosius III	. . .	716— 717
Leo III Isauricus	. .	717— 741
Constantinus Coprony-mus	. . . .	741— 775
Leo IV	. . . .	775— 780
Constantinus VI	. .	780— 797
Irene	. . . .	797— 802
Nicephorus I	. . .	802— 811
Stauracius	. . . .	811
Michael I (Rhangabé)	.	811— 813
Leo V Armenus	. .	813— 820
Michael II	. . .	820— 829
Theophilus	. . .	829— 842
Theodora	. . . .	842— 856
Michael III	. . .	842— 867
Basilius I Macedo	. .	867— 886
Leo VI Sapiens	. .	886— 911
Alexander	. . . .	886— 912
Constantinus VII	. .	912— 959
Romanus I	. . .	920— 944
Romanus II	. . .	959— 963
Nicephorus II	. . .	963— 969
Joannes I	. . . .	969— 976
Basilius II	. . .	976—1025
Constantinus VIII	. .	1025—1028
Romanus III	. . .	1028—1034
Michael IV	. . .	1034—1041
Michael V	. . .	1041—1042
Constantinus IX	. .	1042—1054
Theodora	. . . .	1054—1056
Michael VI	. . .	1056—1057
Isaac I Comnenus	. .	1057—1059
Constantinus X	. . .	1059—1067
Romanus IV	. . .	1067—1071
Michael VII	. . .	1071—1078
Nicephorus III	. . .	1078—1081
Alexius I Comnenus	.	1081—1118
Joannes II Comnenus	.	1118—1143
Emmanuel I Comnenus		1143—1180
Alexius II Comnenus	.	1180—1183
Andronicus I Comnenus	. . . .	1183—1185
Isaac Angelus	. .	1185—1195
Alexius III	. . .	1195—1203

Alexius IV	1204
Alexius V	1203—1204
Balduinus I (1)	1204—1206
Henricus	1206—1216
Petrus Cortenacensis	1216—1217
Jolanda	1217—1219
Robertus Cortenacensis	1219—1228
Balduinus II	1228—1261
Joannes Brienensis	1230—1237
Theodorus I Laskaris	1204—1222
Joannes III Vatatses	1222—1254
Theodorus II Laskaris	1254—1258
Joannes IV Laskaris	1258—1261
Michael VIII Palaeologus	1259—1282
Andronicus II	1282—1328
Andronicus III	1328—1341
Joannes V	1341—1391
Emmanuel II	1391—1425
Joannes VIII	1425—1448
Constantinus XI	1448—1453

Imperatores S. Romani Imperii in Occidente et Reges Romanorum

Carolus Magnus	800— 814
Ludovicus Pius	814— 840
Lotharius I	840— 855
Ludovicus II	855— 875
Carolus Calvus	875— 877
Carolus III Crassus	881— 887
Guido Spoletanus	891— 893
Lambertus Spoletanus	892— 896
Arnolfus Carinthiacus	896— 899
+ Ludovicus III Infans (2)	899— 911
Ludovicus III Provincialis	901— 902
+ Conradus I	911— 918
Berengarius Foro-Juliensis	915— 924
+ Henricus I Auceps	919— 936
Otto I Magnus	936 (962)— 973
Otto II	973— 983
Otto III	983 (996)—1002
S. Henricus II	1002 (1014)—1024
Conradus II	1024 (1027)—1039
Henricus III	1039 (1046)—1056
+ Henricus IV	1056—1106
Lotharius II (III)	1125 (1133)—1137
+ Conradus III	1137—1152
Fredericus I	1152 (1155)—1190
Henricus VI	1190 (1191)—1197
Otto IV	1198 (1209)—1215
Fredericus II	1215 (1220)—1250
+ Conradus IV	1250—1254
Interregnum	1254—1273
+ Rudolphus de Habsburg	1273—1291
+ Albertus I	1298—1308
Henricus VII	1308 (1312)—1313
+ Fredericus Austriacus	1314—1330
+ Ludovicus Bavarus	1314—1347
Carolus IV	1347 (1355)—1378
+ Wenceslaus	1378—1400
+ Rupertus Palatinus	1400—1410
Sigismundus	1410 (1433)—1437
+ Albertus II	1438—1439
Fredericus III	1440 (1452)—1493
Maximilianus I	1493—1519
Carolus V	1519—1556
Ferdinandus I	1556—1564
Maximilianus II	1564—1576
Rudolphus II	1576—1612
Mathias	1612—1619
Rudolphus II	1575—1612
Ferdinandus III	1637—1657
Leopoldus I	1657—1705

---

(1) Inter uncos referuntur septem imperatores latini, 1204-1261.

(2) Imperatores qui cruce signantur coronati non sunt. Annorum numeri inter parentheses positi indicant annum coronationis imperialis.

Reges Galliae

Carolus Calvus	840— 877	Philippus III	1270—1285
Ludovicus II Balbus	877— 879	Philippus IV	1285—1314
Ludovicus III	879— 882	Ludovicus X	1314—1316
Carolomannus	879— 884	Joannes I	1316
Carolus III Crassus	885— 887	Philippus V	1316—1322
Odo	888— 898	Carolus IV	1322—1328
Carolus III Simplex	893— 923	Philippus VI	1328—1350
Robertus I	922— 923	Joannes II	1350—1364
Rudolphus	923— 936	Carolus V	1364—1380
Ludovicus IV Transmarinus	936— 954	Carolus VI	1380—1422
		Carolus VII	1422—1461
Lotharius	954— 986	Ludovicus XI	1461—1483
Ludovicus V	986— 987	Carolus VIII	1483—1498
Hugo Capetus	987— 996	Ludovicus XII	1498—1515
Robertus II	996—1031	Franciscus I	1515—1547
Henricus I	1031—1060	Henricus II	1547—1559
Philippus I	1060—1108	Franciscus II	1559—1560
Ludovicus VI	1108—1137	Carolus IX	1560—1574
Ludovicus VII	1137—1180	Henricus III	1574—1589
Philippus II	1180—1223	Henricus IV	1589—1610
Ludovicus VIII	1223—1226	Ludovicus XIII	1610—1643
S. Ludovicus IX	1226—1270	Ludovicus XIV	1643—1715

Reges Angliae

Egbertus	800— 837	Canutus II	1040—1042
Ethelwolfus	837— 856	S. Eduardus III Conf.	1042—1066
Ethelbaldus	856— 860	Haraldus II	1066
Ethelbertus	858— 866	Gulielmus I Victor	1066—1087
Ethelredus I	866— 871	Gulielmus II	1087—1100
Alfredus Magnus	871— 901	Henricus I	1100—1135
Eduardus I	901— 929	Stephanus Blesensis	1135—1154
Athelstanus	924—940	Henricus II	1154—1189
Edmundus I	940— 946	Richardus Cor leonis	1189—1199
Edredus	946— 955	Joannes Sine terra	1199—1216
Edwigus	955— 959	Henricus III	1216—1272
Edgarus	959— 975	Eduardus I	1272—1307
Eduardus II Martyr	975— 978	Eduardus II	1307—1327
Ethelredus II	978—1016	Eduardus III	1327—1377
Sveno	1014—1015	Richardus II	1377—1399
Canutus Magnus	1015—1035	Henricus IV	1399—1413
Edmundus II	1016—1017	Henricus V	1413—1422
Haraldus I	1036—1040	Henricus VI	1422—1461

Eduardus IV	1461—1483	Elisabetha	1558—1603
Eduardus V	1483	Jacobus I	1605—1625
Richardus III	1483—1485	Carolus I	1625—1649
Henricus VII	1485—1509	Respublica (Cromwell)	1649—1660
Henricus VIII	1509—1547	Carolus II	1660—1685
Eduardus VI	1547—1553	Jacobus II	1685—1688
Maria	1553—1558		

Reges Hispaniae (1)

Ferdinandus Catholicus (Aragonia)	1479—1516	Carolus I	1516—1556
		Philippus II	1556—1598
Isabella Catholica (Castella)	1474—1504	Philippus III	1598—1621
		Philippus IV	1621—1665
Philippus I (Castella)	1504—1506	Carolus II	1665—1700

---

(1) In Hispania vicissim regnarunt: Reges Visigotici, 412-711; Reges Asturiarum, 718-1037; Reges Castellae-Leonis, 1037-1516; Reges Aragoniae, 1035-1137; Reges Aragoniae et Catalauniae, 1137-1516. Ex unione Regnorum Castellae et Aragoniae, jam parata a Ferdinando Catholico, ortum est regnum Hispaniae 1516. Cfr. B. LLORCA, *Manual de Historia Eclesiástica*, p. 875 sq. Barcelona-Madrid, 1942.

Pro aliis principibus Statuum Europae, cfr. Tabulae chronologicae apud A. CAPPELLI, *Cronologia Cronografia Calendario Perpetuo*, 2 ed. p. 298-560. M., 1930.

INDEX NOMINUM ET RERUM

Aarhus (Remorum domus), sedes episc. 66.
Abaelardus Petrus 8s 181.
Abbassides, dynastia 85.
Abu Bekr, califus 81 83 85.
Acacius, ep. Constantinop. 98 100.
Accommodatio missionar. 413s.
Achrida, patriarchatus Bulgariae 70 142.
Actus successionis 315.
Actus suprematiae 315.
Adalbertus (S.), ep. Pragensis 74 78.
Adalbertus Trevirensis, missionarius in Russia 76.
Adalgag Bremensis 76.
Adescancastrum, monasterium 40.
Adolphus a Nassau, rex Germaniae 209.
Adrianus Ultraiectensis v. Hadrianus VI, papa.
Aegidius de Albornoz card. 229 232.
Aegidius Romanus 213.
Aegidius de Viterbo, card. 341 359.
Aegyptii 17.
Aegyptus 138.
Aeneas, ep. Parisiensis 113.
Aera musulmanica 80.
Aetas Media 5ss.

Aethiopia 18 138 145.
Africa 20 23.
Agapitus II, papa 122.
Agatho, papa 102 117.
Agilulfus, rex Longobardorum 23 29.
Agobardus, archiep. Lugdunensis 63 156.
Agricola, sequax Lutheri 286.
Agucci, secret. Status pontif. 402s.
Aidanus, monachus Ionae 32.
Aidanus, rex Scotiae 36.
Aistulfus, rex Longobardorum 51.
Alani 21.
Alaricus 19.
Albergati Nic., card. 135 255.
Albericus, princ. Romanorum 121ss.
Albericus, frater Benedicti VIII 123.
Albericus, dictator Romae 158s.
Albertus, discipulus S. Bonifatii 45.
Albertus V, princeps Bavariae 293.
Albertus a Behaim, legatus pontif. 197.
Albertus a Brandenburg, archiep. Mogunt. 278 284.
Albertus de Branden-

burgo, magister Ord. Teutonici 288 290.
Albertus de Habsburg, imper. Rom. Germ. 211 220.
Albertus Magnus (S.) 9 132 204 390.
Albertus a Sarteano 345.
Albigenses v. Cathari.
Albinus, monachus Cantuariensis 32.
Albornoz Aeg. de, card. 229 232.
Albuquerque Alphonsus 391.
Alcuinus 9 28 47s 53ss 63.
Aldebertus, haereticus 43.
Aldhelmus, monachus 32.
Aleander Hieron., archiep. 364s.
Aleidis, regina Hungariae 174.
Aleidis, marchionissa 170.
Aleman Ludovicus, card. 257ss.
Alemanni 20 24 29 37s.
Alexander II, papa 163s.
Alexander III, papa 12 67 186ss 200ss.
Alexander IV, papa 199 207 218.
Alexander V (Petrus Philarghi), antipapa 244s 250.
Alexander VI, papa 275 358 362 394s.

Alexander VII, papa 355.
Alexandria (Aegypti) 18 98 100s.
Alexandria (Pedemont.) 188s.
Alexius III, imper. Byzant. 131.
Alexius, patriarcha Constantinop. 124.
Alexius, patriarcha Mosquae 144 148.
Alfield Thomas (B.) 327.
Ali, consobrinus Mahumeti 80 85.
Allen Gulielmus, card. 326.
Almagro Diego 392.
Almeida Franciscus 391.
Alphonsus VI, rex Castiliae 174.
Alphonsus IX, rex Leonis 193.
Alphonsus, princeps Lusitaniae, card. 359.
Alsatia 38.
Altmannus, ep. Passaviensis 174.
Alvarus Pelagius 222.
Amadeus VII, princeps Sabaudiae (Felix V, antipapa) 259 261s.
Amalricus, patriarcha lat. Antiochiae 138.
Amanaburgum (Amöneburg) 41.
Amandus (S.) 29 38 69.
Amator (S.), ep. Antissiodorensis 34.
Ambrosius (S.) 107.
Ambrosius a Soncino 401.
Ameaux Petrus 306.
America Meridionalis 415.
Amici Dei 270.
Amsdorf H., sequax Lutheri 286.
Anabaptistae 290.

Anacletus II, antipapa 180s.
Anagrates, monasterium 28.
Anastasius II, papa 24 60.
Anastasius IV, papa 183.
Anastasius, imper. Orientis 60.
Anastasius, ep. Constantinop. 98.
Anastasius Bibliothecarius 60 63 111 113s.
Anatolius, ep. Constantinopol. 99.
Ancona 20.
Ancrarii 45.
Andreas, abbas S. Antonii (Aeg.) 138.
Andreas de Austria, card. 388.
Andreas Avellinus (S.) 350 388.
Andreas de Escobar 246.
Andreas de Urdaneta, O. E.S.A. 410.
Andronicus II, imp. Byzant. 133s.
Angela Merici (S.) 347.
Angelar, discipulus S. Methodii 72s.
Angelicae 350.
Angeroo, Japonensis 412.
Angli 21.
Anglia 21 30-33 43s 164 167 200ss.
Anglicanismus 309ss.
Anglo-Saxones 30ss 38.
Anna, uxor Vladimiri, principis Russiae 76.
Annatae 221.
Annibaldi, familia nobilis 229.
Anno (S.), archiep. Coloniensis 163s 166.

Annus Sanctus 210s 275, 358 360 388.
Anscharius (S.) 64ss.
Anselmus Cantuariensis (S.) 9 164.
Anselmus Lucensis (Alexander II, papa) 163 173.
Ansfridus, socius S. Anscharii 66.
Anthimus VI, patriarcha Constantinop. 143.
Antiochia, sedes metropol. 98 100s.
Antiochia, patriarchatus latinus 130.
Antonellus Messanensis 14.
Antonianus, card. 388.
Antoninus (S.), archiep. Florentinus 246 263 360.
Antonius (S.), monachus in Russia 76.
Antonius Maria Zaccaria (S.) 350.
Apostolatus, methodus 44.
Apulia 186.
Aquitania 26.
Arabia 79ss.
Arabia felix 18.
Arabes 79ss 151.
Arcadius, imperator 18.
Arianismus 18 97s.
Ariminum 20.
Aristoteles 8 299s 390.
Armachium, sedes metropol. 35.
Armeni 139 145.
Armenia 17s 137.
Armeniaki, monasterium 118.
Armorica 21 30.
Arnaldus a Brescia 182s.
Arno, archiep. Salisbur-

gensis, amicus Alcuini 48 69.
Arrowsmith Edmundus 328.
Arthurus, filius Henrici VII, regis Angliae 312ss.
Asia Minor 138.
Asoka 17.
Assemani 404.
Associationes piae 341ss.
Assyrii 17.
Athanasius (S.) 103.
Athos Mons, monasterium 147.
Attila 19.
Atto, archiep. Mediolanensis 168.
Atto, archiep. Moguntinus 164.
Atto, ep. Vercellensis 157.
Augia dives (Reichenau), monasterium 38.
Augusta Vindelicorum, sedes episcop. 37.
Augusta Vindel., comitia imperialia (1077) 169s.
Augustinus (S.) 8 10 19 28 353 376.
Augustinus (S.), ep. Cantuariae 30ss.
Aurelianus, imper. 18.
Austrasia 26 28 43 49s.
Autbertus, socius S. Anscharii 65.
Autharus, rex Longobardorum 23.
Avari 21.
Avenio 218ss 228.
Avitus Viennensis (S.) 22 24.

Babylonia 17.
Bacon Nicolaus 321.

Baetia 23.
Bajazet, sultanus 91.
Baker Augustinus 328.
Balduinus, comes Flandriae imper. Byzant. 131s.
Bandini, card. 404.
Bangor, monasterium 28.
Baptismus, ritus celticus 41.
Baptista Spagnoli (B.), O. Carm. 346.
Barbari 17-18.
Barberini Antonius sen., card. 404.
Barbo Ludovicus, abbas 13 274s 345.
Bardas, caesar Byzant. 106.
Barlow, ep. anglicanus de Bath 322.
Barnabitae 350 360
Baronius, card. 387s.
Bartholomaeus de Las Casas, O. P. 409.
Bartholomaeus ab Olmedo, Mercedar. 408.
Basilius Magnus (S.) 103 353.
Basilius I Macedo, imp. Byzant. 113s 117s.
Basilius II Bulgarochthonos, imper. Byzant. 70 76 121 123.
Bathildis (S.) 27.
Batifol P. 336.
Bavari 21 25 38.
Bavaria 29.
Bavo (S.) 29.
Beaufort Henricus, ep. Wintoniae 252.
Beda Venerabilis (S.) 28 32 63.
Beghardi tessitores 342.
Bekenntniskirche 335.

Bela, dux Hungarorum 77s.
Bela IV, rex Hungariae 78.
Belgium 20 24s 29 271.
Belisarius 23.
Bellarminus Robertus (S.) 355s 385 387s.
Bellotti 350.
Bellum rusticorum 287s.
Bellum Triginta annorum 294s.
Bembo Petrus, card. 363.
Benedictini 228 345.
Benedictus (S.) 13 28 353.
Benedictus Biscop, monachus 32s.
Benedictus Caetani v. Bonifatius VIII, papa.
Benedictus Fitch a Canfield 328.
Benedictus Witiza Anianensis 64.
Benedictus III, papa 106 117.
Benedictus VI, papa 122 158.
Benedictus VII, papa 123.
Benedictus VIII, papa 103 123 159.
Benedictus IX, papa 123 159.
Benedictus XI, papa 214s 217s.
Benedictus XII, papa 224 227s.
Benedictus XIII (Petrus de Luna), antipapa 238ss.
Benedictus XIV, papa 238 397.
Benedictus XIV, antipapa 251.

Benedictus XV, papa 147 339.
Beneventum 20 160s.
Benignus (S.) 35.
Benson 332.
Bentivoglio, card. 404.
Berardus, archiep. Panormitanus 198.
Berengarius Turonensis 160.
Bergman E. 335.
Bernardinus ab Asti, O. F. M. Cap. 346.
Bernardinus de Feltre (B.) 342.
Bernardinus Senensis (S.) 13 255 263 345.
Bernardus (S.) abbas Claravallensis 9 180ss 185 263.
Bernardus a Gasconia 269.
Bernini Joan. Laur. 388.
Bertaridus, rex Longobardorum 23.
Bertha, regina Cantii 30s.
Bertha Taurinensis, uxor Henrici IV 164 171.
Bertharius, maior domus Neustriae 49.
Berthgith, monialis 45.
Bertholdus, dux Carinthiae 169.
Bertholdus a Neiffen, vicarius imper. 224.
Bertrandus de Deux, legatus pontif. 229.
Bertrandus de Got v. Clemens V, papa.
Bessarion, archiep. Nicaenus, card. 135s.
Beza Theodorus de 307.
Bibliae, editiones 276.
Biel Gabriel 271.
Bishop Gulielmus, ep. 328.

Bobadilla, S. J. 352.
Bobbium, monasterium 29.
Bodenstein Andreas v. Karlstadt.
Bohemia 73s.
Bohemundus, dux Normannorum 130.
Boil, O.S.B. 405.
Boleslaus I Chobry, rex Poloniae 75.
Boleslaus I, princeps Bohemiae 74.
Boleslaus II, rex Bohemiae 74.
Boleyn Anna 313ss.
Boleyn Maria 313s.
Bolsec Hieronymus 307.
Bonaventura (S.) 9 132 204.
Bonifatius (S.), papa 110.
Bonifatius IV, papa 29.
Bonifatius VII (Franco), antipapa 122s 158.
Bonifatius VIII, papa 12s 178 185 207ss 218.
Bonifatius IX, papa 240ss.
Bonifatius (S.), apostolus Germaniae 28 33 38 40-45 50.
Bonifatius, legatus pontificius 99.
Bonner, ep. Londinensis 321.
Bononia, universitas 8.
Book of Common Prayer 318s.
Borgia Caesar 358.
Borgia Lucretia 358.
Boris, princeps Bulgarorum 70 110s 113 115.
Boriwoj, princeps Bohemiae 73.
Borromaeus Fred., card. 388.

Borussia 74s.
Branch Theory 336.
Brandenburgum, sedes episc. 68.
Breakspear Nicolaus v. Hadrianus IV, papa.
Brema, sedes episcopalis 47 66.
Brendanus (S.) 35.
Breslavia, sedes episc. 75.
Bridius, rex Pictorum 36.
Brigantium 29 37.
Brigitta (S.) 230.
Britannia 21 30s.
Britannia Minor 21.
Broad Church Party 334.
Brouet Paschasius, S. J. 354.
Brown Robertus 324.
Brunehilda, regina Austrasiae 26s.
Bruno Jordanus 388.
Buddha 17.
Bugenhagen, sequax Lutheri 286.
Bulgari 18 70 110ss 115.
Bulgaria 73 121 144.
Bulla aurea 227.
Büraburg, sedes episcopalis 42.
Burchardus, ep. Herbipolensis 42 44 50.
Burchardus de Monte Sion, geographus 89.
Bursfeld, monasterium O. S. B. 345.
Burgundi 18 20 25.
Burgundia 26 28.
Busch Joannes 273.
Butler Albanus 328.
Butzer, sequax Lutheri 286 290.
Byron G. 6.
Byzantium 96ss.

Caboto Joannes 393.
Caboto Sebastianus 393.
Cabral 391 405.
Câo Barthol. Diego 391 406.
Cadalus v. Honorius II, antipapa.
Caesarius Arelatensis (S.) 22 27.
Caetani, familia nobilis 208.
Caetani Honoratus, gubernator Campaniae 236s.
Cajetanus (Thomas de Vio), card. 270 285s 359.
Cajetanus Thiene (S.) 343 349 360.
Caledonia 21.
Calegari, card. 384.
Calixtus II, papa 12 177s.
Calixtus III, papa 91.
Calixtus III, antipapa 188s.
Calpornius, diaconus 34.
Calvinismus 301ss.
Calvinistae 294.
Calvinus Joannes 296 301ss.
Camaldulenses 157s.
Camerarius, sequax Lutheri 289.
Camillus de Lellis (S.) 351.
Campeggi Laurentius, card. 314 359.
Campion Edmundus, S. J. (B.) 326s.
Cancelleria apostolica 365.
Cano Melchior 372.
Canonici Regulares S. Augustini de Windesheim 13 271ss.

Canonici Regul. Montis S. Bernardi 194.
Canonizatio sollemnis 158.
Canossa 169s.
Cantabrigensis universitas 310ss.
Cantium, regnum 30s.
Cantuaria 21 31s.
Cantuaria, abbatia S. Petri 32.
Canutus II Magnus 66.
Canutus IV (S.), rex Daniae 67.
Capitulatio electoralis 255.
Capranica Dominicus, card. 255 358 376.
Capreolus Joannes 270.
Capuccini 293 346s 360 365 382 415.
Carafa Carolus, card. 373.
Carafa Joan. Petrus v. Paulus IV, papa.
Carafa Oliverius, card. 358.
Carisiaca Promissio 51.
Carmelitae 346 348s.
Carnesecchi Petrus 380.
Carnotensis schola 9.
Carolingi 49-64.
Carolomannus, princeps Austrasiae 43 51s.
Carolus Borromaeus (S.) 348 351 355 373 375.
Carolus I Magnus, imperator 5 30 45ss 51ss 102s 151 163 188.
Carolus II Calvus, imper. Rom. 58 61s.
Carolus III Crassus, imper. Rom. 58 62 150.
Carolus IV de Luxemburg, imper. 227.
Carolus V, imper. Rom. 55 92 278 285 289 292

359ss 365s 368 371ss 397s.
Carolus I, rex Angliae 323.
Carolus IV, rex Galliae 134.
Carolus V, rex Galliae 237s.
Carolus VI, rex Galliae 241.
Carolus VII, rex Galliae 258.
Carolus I Andegavensis, rex Neapolis 132s 199 203 205.
Carolus II Andegavensis, rex Neapolis 206s 208 219.
Carolus Martellus 50s 87.
Carolus de Mayenne, dux 386.
Carolus de Valois, frater Philippi IV 220.
Carolus, ep. Constantiensis 164.
Carthago 23.
Cartier Jacobus 393.
Carvajal Joannes, card. 261.
Casimirus I, rex Poloniae 75.
Castellinus a Castello 350.
Castellio Sebast. 306s.
Cathari 8 12 190 193 195.
Catharina de Aragonia, uxor Henrici VIII, regis Angliae 313ss.
Catharina Bononiensis (S.) 270.
Catharina a Bora 289.
Catharina Fieschi Genuensis (S.) 270.
Catharina Senensis (S.) 231 236ss.

Catharina de Suecia (S.) 239.
Catharinus Ambrosius 286.
Cecil Gulielmus 321 325.
Cecoslovachia 145.
Cellarius (Keller Ch.) 6.
Celtae 18.
Cervino, card. v. Marcellus II.
Cesarini Julianus, card. 135s 255s 258 260s.
Chaldaei 139.
Challoner, vicarius apost. 328.
Champlain Samuel 393.
Childebertus II, filius Chlodovaei 25.
Childebertus III, rex Austrasiae 27.
Childericus, rex Francorum 27 50.
Chilpericus, rex Neustriae 26.
Chlodomirus, filius Chlodovaei 25.
Chlodovaeus, rex Francorum 24ss.
Chlotildis, regina Franc. 24.
Christiani S. Thomae 145.
Christophorus, papa 158.
Christophorus de Württemberg 371.
Chrodegangus Metensis (S.) 376.
Chunitrudis, monialis 45.
Cibo Innocentius, card. 358.
Clara Assisiensis (S.) 194.
Clarendon, conventus (1164) 200s.

Clemens Romanus (S.) 71 390.
Clemens II, papa 160.
Clemens III, papa 190 203.
Clemens III, antipapa 162 171s 174.
Clemens IV, papa 132 199 203 218.
Clemens V, papa 207 214 215 217ss 223 232 372.
Clemens VI, papa 74 134 204 211 227ss 233 394.
Clemens VII, papa 55 260 314s 344 360ss.
Clemens VII, antipapa 236ss.
Clemens VIII 351 385 387s 399 401.
Clemens VIII, antipapa 251.
Clemens, discipulus S. Methodii 72s.
Clemens, haereticus 43.
Clerici Regulares 343 349ss v. Theatini.
Clerici Regul. Matris Dei 351.
Clerici Reg. ministrantes infirmis 351.
Clerici Reg. Minores 351.
Clerici Reg. Scholarum piarum 351.
Clerici Reg. Societatis Jesu, v. Jesuitae.
Clonard, monasterium 36.
Clotarius I, filius Clodovaei 25ss.
Clotarius II, rex Francorum 27.
Cloveshoe, synodus (747) 43s.
Cluniacensis reformatio 157 159.

Cluny, monasterium 64.
Cobbett Gulielmus 331.
Coelestinus I (S.), papa 33 117.
Coelestinus II, papa 181.
Coelestinus III, papa 190s.
Coelestinus IV, papa 197.
Coelestinus V, papa 204 206ss 214 218.
Coinred, rex Merciae 33.
Cola di Rienzo 229.
Colet Joannes 310.
Coleta (S.) 239.
Collegium de Propaganda Fide 403s.
Colonia Agrippina 37.
Colonna, familia Romana 205s 208s 214s 229 361.
Colonna Jacobus, card. 208 218.
Colonna Petrus, card. 208 218.
Colonna Pompeius, card. 359.
Columbanus Senior (S.) 28 36.
Columbanus Junior (S.) 28s 37.
Columbus Christophorus 390 392 394 405.
Comaclus 51.
Comgall (S.) 35.
Comitia imperialia: Vesontione (1157) 186; Wormatiae (1521) 278.
Commendae 222.
Compagnia della Trinità dei Pellegrini 344.
Conall, rex Pictorum 36.
Conciliabulum: Perpiniani (1408) 242; Pisanum (1409) 242ss.
Conciliarismus 241ss 255 ss.

Concilia: Lateranensia 12; Lugdunensia 12; Quinisextum (Trullanum, 692) 100 102; II oecumen.: Constantinopolitanum I (381) 98; III oecumenicum: Ephesinum (431) 101; IV oecumen.: Chalcedonense (451) 98s 101; V oecumenicum: Constantinopolitanum II (553) 100; VI oecumenicum: Constantinopolitanum III (680/681) 100s; VII oecumenicum: Nicaenum II (787) 102 105; VIII oecumenicum: Constantinopolitanum IV (869) 70 114 132; IX oecumenicum: Lateranense I (1123) 157 178s; X oecumenicum: Lateranense II (1139) 157 181s; XI oecumenicum: Lateranense III (1179) 157 189; XII oecumenicum: Lateranense IV (1215) 132 155 195 209; XIII oecumenicum: Lugdunense I (1245) 197s; XIV oecumenicum: Lugdunense II (1274) 132s 203s 259; XV oecumenicum: Viennense (1311/12) 12 219 372; XVI oecumenicum: Constantiense (1417) 134 246ss; XVII oecumen.: Ferrariense-Florentinum (1438/39) 12 134ss 258; XVIII oecumenicum: Lateranense V (1512-17) 216 341 358; XIX oecumenicum: Tridentinum (1545-63) 264s 292 364ss; XX oecumenicum: Vaticanum (1869-70) 12 264s - Agathense (506) 28; Anse (994) 156; Aquileja (1408) 242; Arelatense (314) 30; Ariminense (359) 30; Aurelianense (538) 28; (541) 25s; (549) 28; Basileense 255ss; Beneventanum (1087) 174; Cabilonense 26; Charroux (989) 156; Claromontanum (1095) 90; Elnense (1027) 157; Etampes 180; Gallica 25s; Lemovicense (997) 156; Leptinense (743) 43; Londinense (1521) 309; Mantuae (1064) 164; Matisconense (584) 28; Melphitanum (1059) 163; Narbonense (990) 156; Papiae (1423) 255; Parisiense (614) 27; Placentinum (1095) 175; Romanum (769) 60; (863) 109; (993) 158; (1060) 154; Salernitanum (1084) 172; Senis (1423) 255; Toletana 24; Tyri (335) 98; Vasense (529) 25 28; Wintoniense (1076) 166. - v. Synodi.

Concordata 253.
Concordata principum 261.
Concordatum Vindobonense (1448) 261.
Concordatum Wormatiense (1122) 12 177s.
Concubinatus clericorum 155 166 181.

Condulmarus Gabriel v. Eugenius IV, papa.
Confessio Augustana 290s
Confraternitates 342.
Confucius 17.
Congregatio Indicis 380.
Congregatio de Propaganda Fide 388 402ss.
Congregationalistae 324.
Conon Prenestinus, card. 177.
Conradinus, filius Conradi IV 199 205.
Conradus, filius Henrici **IV imper.** 176.
Conradus III, rex Germaniae 185.
Conradus IV, rex Romanorum 198s.
Conradus a Gelnhausen 241.
Conradus de Prussia, O. P. 345.
Constantia, uxor Henrici VI imper. 190s.
Constantia, uxor Petri III regis Aragoniae 205.
Constantinopolis 5 87 96ss 140.
Constantinopolis, imperium latinum 131.
Constantinopolis, patriarchatus 104ss 132.
Constantinus Magnus, imper. 5 96s.
Constantinus V, imper. Byzant. 51.
Constantinus IX Monomachus, imper. Byzant. 124ss.
Constantinus XI, imper. Byzant. 139s.
Constantinus Porphyrogenetes, imper. Byzant. 69.

Constantius, imp. Rom. 97 101.
Constitutio Lotharii 58s.
Contarini Gaspar, card. 363ss.
Conti, familia Romana 229.
Contrareformatio 340.
Cop Nicolaus, amicus Calvini 302
Copernicus Nic. 271.
Copti 145.
Coranus 83s.
Corbeia nova, monasterium 47 65.
Corbinianus (S.) 38.
Cornaro, card. 404.
Cornubia 21 30.
Corpus Juris Civilis 8.
Corsini Petrus, card. 233 237.
Cortes Ferdinandus 312 408.
Cossa Baltassar, card. (Joannes XXIII) 243.
Coverdale, ep. anglicanus 322.
Cracovia, sedes episc. 75.
Cranach Lucas, senior 286 292.
Cranmer Thomas 311 314s 317ss.
Crescentii 159.
Crescentius, dux Romanorum 123.
Crescentius, filius Theodorae iunioris 158.
Crescentius, card. 371.
Croati 69 72.
Crocyn, hellenista 310.
Cromwell Thomas 314s 317.
Crotus Rubeanus 279 286.
Crucigeri 90ss 130s 137s 175.

Cultus imaginum 102s 105 151.
Cumani 78.
Curia, sedes episcopalis 37.
Curia romana 383s.
Cuthbertus, archiep. Cantuar. 43.
Cynehildis, monialis 45.
Cyprus 138.
Cyprus, archiepiscopatus 144.
Cyrillus Alexandrinus (S.) 101.
Cyrillus (S.), apost. Slavorum 28 62 71.
Cyrillus Lucar, patriarcha Constantinop. 142.

Dacia 18.
Daire-Calgaich (Derry), monasterium 36.
Dair-Mag (Durrow), monasterium 36.
d'Albret Ananias, card. 358.
Dalgairns 332.
Damasus, papa 117.
Damasus II, papa 160.
Dandolo Henricus, dux venetus 131.
Dania 65.
Daniel, ep. Wintoniae 41 44.
Daniel de Rampi, nuntius pont. 256.
Dante Aligherius 10 89 204 210 214 232.
Dataria apostolica 365.
David de Augsburg 274.
de Acosta Jos., S. J. 399s.
de Berquin Ludovicus 302.
de Castro Alvarus 401.

de Chateaubriand, Fr. R. 6.
Defensor pacis 225s.
de la Baume Petrus, ep. Gebennensis 301.
de la Cerda, comes 394.
Del Monte, card. v. Julius III, papa.
de Luca, card. 264.
Denehardus, socius S. Bonifatii 42 44.
de Nobili, Robertus S.J. 413.
de Nogaret Gulielmus, consil. reg. Gall. 208 214 219.
Desiderius, rex Longobardorum 52.
Desiderius, abbas Montis Cassini (Victor III) 163 174.
Deusdedit, card. 176.
Deutsche Christen 335.
Deutscher Evangelischer Kirchenbund 334.
Deutschreligion 335.
Devotio Moderna 13 270ss.
Diaz Barthol. 391.
Dictatus papae 165s.
Didericus, filius Chlodovaei 25.
Didericus, rex Burgund. 29.
Didericus, filius Childerici III 50.
Didericus a Niem 13.
Dionysius Carthusianus 270.
Dissidentes 147ss.
Dissenters 323s.
Dobrowa, uxor Mieszko I 74.
Dokkum 45.
Dominicani 194 222s 405 407 409s 412s 415.

Dominici Joannes, O.P., card. 13 247 250 345.
Dominicus (S.) 13 194 263.
Dominicus a Jesu et Maria, O. Carm. 402s.
Dominium temporale S. Sedis 51s.
Donatello 14.
Donatus, ep. Ostiensis 111 114.
Dorotheus, patriarcha Antiochenus 139.
Dositheus, patriarcha Byzant. 130.
Drahomira, mater S. Wenceslai 73s.
Drontheim v. Nidrosia.
Druidae 34 36.
Dubois Petrus, consil. reg. Gall. 208.
Du Cange, C. 5.
Ducas, historicus graecus 139.
Dunstanus, ep. Cantuariensis 157.
Du Perron, card. 387.
du Puy Jacobus, card. 373.
Durandus Gulielmus a Mende, canonista 198.
Durandus ab Huesca 194.
Dusseldorp, F. 5.

Eberhardus, archiep. Salisburgensis 187.
Ebo, archiep. Rhemensis 65.
Eboracum, sedes metropol. 31.
Ecclesiae nationales 143ss.
Echter von Mespelbrunn, Julius, ep. Herbipolensis 355.

Eckhartus Joannes, Magister, O. P. 224 272.
Eckius Joannes 285s.
Edessa 137.
Eduardus I, rex Angliae 209s.
Eduardus III, rex Angliae 134.
Eduardus VI, rex Angliae 308 318ss 334.
Egbertus, rex Angliae 21.
Eginhardus, biographus Caroli Magni 57.
Electio imperatoris 227.
Electio papae 58 60 152 180 189 204 206.
Elias, ep. Maronitarum 138s.
Eligius (S.), ep. Noviodunensis 27 38.
Elisabetha, regina Angliae 315 318 320 323ss 385.
Elisabetha, principissa Galliae 386.
Elisabetha de Hungaria (S.) 263.
Elisabetha, regina Lusitaniae (S.) 388.
Elno, monasterium 29.
Emancipation Bill 329.
Emericus (S.) 78.
Emmanuel II, imper. Byzant 134.
Emmeramus (S.) 38
Enda (S.) 35.
English Church Union 336.
Enzio, filius Frederici II, imp. 196 199.
Epistolae obscurorum virorum 279s.
Epternacum, monasterium 39.
Erasmus Roterodamensis 271 279 286 310s 398.
Eremitae S. Augustini 345s 409 412.
Erfordia, sedes episcopalis 42.
Ericus Forojuliensis 77.
Erimbertus, ep. Frisingensis 42.
Ermengarda, uxor Caroli Magni 52.
Eskil, archiep. Lundensis 186.
Essex 21 32.
Esthonia 145.
Ethelbaldus, rex Merciae 43.
Ethelbertus, rex Cantii 30s.
Ethnophyletismus 143.
Eudoxius, ep. Constantinop. 98 101.
Eugenius II, papa 58.
Eugenius III, papa 181s.
Eugenius IV, papa 91 134ss 139 255ss 394 396.
Eugenius, ep. Ostiensis 115.
Eulogius, patriarch. Alexandrinus 31.
Eulogius (S.) ep. Toletan. 63.
Eusebius Nicomediensis, ep. Constantinop. 97s.
Eustasius Luxoviensis 38.
Eustathius, patriarcha Constantinop. 124.
Euthymius, monachus 121.
Eutychius, haeret. 101.
Eutychius, patriarcha Constantinop. 101.
Ewaldus (S.) 46.
Exarchatus Ravennatensis 19s 205.

Exercitia spiritualia 351 353ss.
Exspectativae 222.
Ezzelinus a Romano, tyrannus 198.

Faber Fr. W. 332.
Faber Petrus, S. J. 352.
Faer-Oeer, insulae 67.
Fanum 20.
Farel Gulielmus 301.
Farnese Alexander, card. 362.
Farnese Constantia 362.
Farnese Petrus Ludovicus 362.
Fatebenefratelli 348.
Felix II, papa 100.
Felix V, antipapa 259 261s.
Felix a Cantalice (S.) 388.
Felix a Valois (S.) 193.
Fenn Jacobus (B.) 327.
Feodorus Ivanovitch, princeps Moscoviae 143.
Ferdinandus I, imperator Rom. Germ. 292 373s.
Ferdinandus II, imperator Germ. 294.
Ferdinandus de Aragonia 251.
Ferdinandus (S.), rex Castellae 91.
Ferdinandus, rex Hispaniae 405.
Ferrerius Bonifatius, O. Carth. 239 243.
Festum orthodoxiae 105.
Feudalismus 151ss.
Feudum 152.
Fieschi, familia nobilis 208.

Filioque 103 112 116s 118 120 125 132s 135 151.
Finlandia 145.
Finnianus (S.) 35s.
Fisher Joannes (S.) 286 310s 314 316 363 398.
Flagellantes 228.
Flavianus, patriarcha 101.
Florentia, monast. S. Marci 14.
Flote Petrus, consil. reg. Gall. 208 212.
Foedus Veronense 188.
Fontana Dominicus, architectus 383.
Fontanae, monasterium 28.
Forest Joannes O.F.M. Obs. 316.
Formosus, ep. Portuensis 62 70 110s 115, papa 122.
Foscarini Franc., dux Venetiarum 260.
Franci 20s 24-30 38s 40ss 45s 49-64.
Francisca Romana (S.) 255s.
Franciscani 222s 345 397s 405ss.
Franciscus Assisiensis (S.) 13 193s 263 346 353.
Franciscus Borgia (S.) 401.
Franciscus Caracciolo (S.) 351.
Franciscus de Javier (S.) 352 355 388 398 406s 411s.
Franciscus a Jesi, O. F. M. Cap. 346.
Franciscus de Paula (S.) 346 360.

Franciscus Salesius (S.) 355 387.
Franciscus II, imper. Rom. 55.
Franciscus I, rex Galliae 258 289 361 365s 393.
Franco (Bonifatius VII, antipapa) 122s.
Frangipani, familia Romana 179ss 229.
Frangipani Robertus 180.
Fratres Vitae communis 13 270s.
Fredegonda, regina Neustriae 26
Fredericus I Barbarossa, imp. Rom. Germ. 12 183 185ss 200.
Fredericus II, imp. Rom. Germ. 191ss 196ss.
Fredericus de Habsburg, rex German. 224.
Fredericus III, rex Romanorum 261.
Fredericus III de Aragonia 208s.
Fredericus de Lotharingia, card. cancell. 126; v. Stephanus IX, papa.
Fredericus de Saxonia, princeps elector 285.
Fredericus a Wied, archiep. Coloniensis 380.
Frere 336.
Frisii 20 30 38-4b 45.
Frisinga, monast. 3ˣ, dioec. 42.
Fritzlar, monasterium 41.
Froude, amicus Newman 331.
Fulchardus, missionarius Saxoniae 46.
Fulda, abbatia 42 58.
Fulradus, abbas S. Dionysii 50ss.

Gallaecia 20 24.
Gallia 20 22 24ss 203ss.
Gallicanismus 258 341.
Galliensis Terra 30.
Gallio, card. 401.
Gallus (S.) 28 37s.
Gandavum 29.
Gandelin Petrus 234.
Gardiner R. 337.
Gardiner Steph., ep. Wintoniae 311.
Gaubaldus, ep. Ratisbonensis 42.
Gauzbertus, socius S. Anscharii 66.
Gebhardus (S.), ep. Salisburg. 69.
Geiler Joannes a Kaisersberg 14.
Geisa, dux Hungarorum 77s.
Geismar 41.
Gelasius II, papa 177.
Geneva (Gebennae) 301ss
Gennadius II, patriarcha Constantinop. 141.
Genoveva (S.) 27.
Gensericus 19 23.
Georgia 17 144.
Georgius Brankovitch, princeps Servionum 91.
Georgius Castriota, dux Albanensium 91.
Georgius Hagorita 128.
Georgius Scholarius, monachus 140s.
Gepidi 20.
Geraldus, card. Ostiensis 174.
Geraldus du Puy, card. 235.
Gerardus de Zutphen 274s.
Germania 18 20 36-39 167.
Germanus (S.) 105.
Germanus (S.), ep. Antissiodor. 27 34.

Germanus, patriarcha Constantinop. 185.
Gersen Joannes, abbas Vercellensis 273.
Gersonius, Joannes 13s 231 242 246ss 273.
Gerwaldus, missionarius Saxoniae 46.
Ghibellini 185 198 225.
Giberti Joan. Matth., ep. 343 360 364.
Gildas, monachus 30.
Giorgio Antonio 405.
Gislemarus, socius S. Anscharii 65.
Gnesna, sedes metropol. 75.
Goa, sedes ep. 406s.
Godefridus de Bouillon 175.
Godefridus, archiep. intrusus Mogunt. 164.
Gontranus, rex Burgundiae 26.
Gonzaga Hercules, card. 373s.
Gore, ep. anglicanus 336.
Gorm, princeps Danus 66.
Gotescalcus, monachus 61.
Gothi 18 21.
Gratiani Hieronymus 401.
Gratius, theologus 279.
Gravamina nationis germanicae 278.
Graziani, card. 384.
Gregorianus cantus 56 60.
Gregorius I Magnus (S.), papa 22 23 26ss 30ss 100 117.
Gregorius II, papa 38 40ss.

Gregorius III, papa 41s 50.
Gregorius IV, papa 65.
Gregorius V, papa 123.
Gregorius VI, papa 123 160.
Gregorius VII, papa 12 64 76 90 129 160ss 165ss 175s 187 207 263.
Gregorius VIII, antipapa 177.
Gregorius IX, papa 131 185 196s 207 366.
Gregorius X, papa 132s 203s 218.
Gregorius XI, papa 230ss 243.
Gregorius XII, papa 241.
Gregorius XIII, papa 147 293 326 355 381s 387 399 401.
Gregorius XIV, papa 387.
Gregorius XV, papa 328 388 402s.
Gregorius XVI, papa 397.
Gregorius VI, metropolita Armen. 137.
Gregorius Asbesta, archiep. Syracusan. 106s 111.
Gregorius Bar-Hebraeus 86.
Gregorius Nyssenus (S.) 103.
Gregorius, metrop. Ruthen. 142.
Gregorius Turonensis 27.
Gregorius, comes Tusculi 123.
Gregorius Ultrajectensis 45s.
Grimaldi 343.
Grisar H., S. J. 336.
Groenlandia 67.

Groote Gerardus 14 239 270s 274.
Gruet Jacobus 307.
Gualterus a Châtillon 9.
Guelfi 185 198 225.
Guelfo, dux Bavariae 169.
Guiart Desmoulins 276.
Guibertus, archiep. Ravenn. (Clemens III) 171.
Guido a Biandrate, archiep. Ravennat. 187.
Guido a Crema, card. v. Paschalis III, antipapa.
Guido de Malesset, card. 233 243.
Guido de Montpellier 193.
Guido, archiep. Viennensis v. Calixtus II 177.
Gulielmus I, rex Angliae 157 164 167 201.
Gulielmus V, princeps Bavariae 293.
Gulielmus, comes Burgundiae 129.
Gulielmus, comes Hollandiae, rex Romanor. 198.
Gulielmus, dux Normanniae 157 186 189.
Gulielmus II, rex Siciliae 189s.
Gulielmus Philastrius, card. 247s.
Gulielmus a Plaisians 214.
Gulielmus, ep. Ultrajectinus 168.
Gulielmus de la Voulte, ep. Massiliensis 234.
Guntharius, archiep. Colon. 61.
Gurcum, sedes episc. 69.

Gustavus Adulphus, rex Sueciae 294.
Gyla, princeps Transylvaniae 77.

Haakon Bonus, rex Norvegiae 67.
Hadisha, uxor Mahumeti 80.
Hadrianus I, papa 47 52s 102 111 117.
Hadrianus II, papa 71 113s.
Hadrianus III, papa 117s.
Hadrianus IV, papa 183 186s 202.
Hadrianus V, papa 204.
Hadrianus VI, papa 271 359s 397.
Hadrianus, monachus Cantuar. 32.
Halberstadt, sedes episcopalis 47.
Halifax 336.
Hammaburgum, sedes episc. 65s.
Hamman von Holzhausen 289.
Hammurabi 17.
Hanifitae 80s.
Haraldus Blaatand 66.
Haraldus II, rex Daniae 65s.
Haroun-al-Raschid 53 85.
Hassia 41s.
Hauer) W. 335.
Havelberga, sedes episc. 68.
Heath, archiep. Eboracensis 321.
Heath Henricus (B.) 328.
Hebridae insulae 36, 67.
Hedwigis, regina Poloniae 75.
Heliand 48.
Hellenici 18.

Hemerford Thomas (B.) 327.
Hemmer 336.
Henricus, archiep. Rhemensis 197.
Henricus, archiep. Senonensis 182.
Henricus I, rex Germaniae 66.
Henricus II (S.), imp. Rom.-Germ. 159.
Henricus III, imper. Rom.-Germ. 124 160.
Henricus IV, imp. Rom.-Germ. 129s 162ss 165ss 176.
Henricus V, imp. Rom.-Germ. 12 176ss.
Henricus VI, imp. Rom.-Germ. 190s.
Henricus VII de Luxemburg, imper. Rom.-Germ. 220.
Henricus Raspe a Thuringia, rex Romanor. 198.
Henricus II, rex Angliae 12 170 200.
Henricus III, rex Angliae 202s.
Henricus V, rex Angliae 252.
Henricus VII, rex Angliae 312 392s.
Henricus VIII, rex Angliae 286 310ss 363.
Henricus II, rex Galliae 292 304 371s.
Henricus III, rex Galliae 386.
Henricus, rex Navarrae (Henricus IV, rex Galliae) 386s.
Henricus Leo, dux Saxoniae et Bavariae 185 188s.
Henricus a Langenstein 13 241.

Henricus a Suso, canonista 198.
Henricus Navigator 391 394.
Heraclea (Thracia), sedes metropol. 97.
Heraclius, imper. Byzant. 69.
Heraclius I, imper. Byzant. 86 101.
Herbipolis, sedes episcopalis 42.
Herborn Nicolaus 399.
Hergenröther, card. 264.
Hermannus, ep. Metensis 173.
Hermannus a Salza 196.
Hermenegildus (S.) 23.
Herp Henricus 270.
Herte A. 336.
Heruli 19s.
Hesselius 369.
Hibernia 33-35 202 330.
Hieronymus (S.) 390.
Hieronymus Miani (Aemiliani) (S.) 350.
Hieronymus a Narni, O.F.M. Cap. 400s.
High Church 334 336.
Hilarius Arelatensis (S.) 376.
Hildebertus a Lavardin 9.
Hildebrandus, monachus v. Gregorius VII, papa.
Hildelitha, abbatissa 32.
Hildesheim, sedes episcopalis 47.
Hincmarus, archiepiscopus Rhemen. 60s.
Hispania 20 22ss 164s.
Hohenstaufica dynastia 183ss.
Holbein Joannes junior, pictor 286 311.
Hollandia 270s.
Honorius I, papa 69.
Honorius II, papa 180.

Honorius II, antipapa 163.
Honorius III, papa 196.
Honorius IV, papa 205.
Honorius, imperator 18.
Hoogstraeten Jacobus, O.P. 279.
Hooper Joan., ep. anglicanus 324.
Hornyold, vicarius ap. 328.
Hosius, card. 375.
Hospitalarii 348.
Hospitia 344.
Howard of Effingham 385.
Hubertinus a Casale 208.
Hubertus, dux Bavariae 42.
Hubmaier, apostata 287.
Hugenoti 307.
Hugolinus, card. Ostiensis v. Gregorius IX, papa.
Hugo V. 6.
Hugo, abbas Cluniacensis 169s 174.
Hugo Candidus, card., legat. pont. 164 168 171.
Hugo, ep. Diensis 174.
Hugo de Montalais, card. 235.
Hugo Romarici montis 161.
Hugo a S. Victore 184 296.
Humanismus 279s.
Humbertus a Silva Candida, card. 125ss 161s.
Humiliati 194 342.
Hunericus, rex Vandal. 23.
Hungari 18 57 77s 151.
Hunni 18ss 27.
Hunyadi Joannes, dux Transylvaniae 91.

Hus Joannes 11 240 247 250s 253s 268s 278.
Hussitae 257.
Hutten Ulricus 280 286.

Idelleta de Büren, uxor Calvini 302.
Ignatius, patriarcha Constantinop. 88 105ss.
Ignatius de Loyola (S.) 275 351ss 376 388 400.
Igor, princeps Russicus 75s.
Illyrici 18.
Illyricum 110s.
Imitatio Christi 272ss.
Imperium Rom. 17ss.
Imperium Rom. Occid. 53ss.
Imperium Rom. Orientis 53 96ss.
In Coena Domini 381.
Index librorum prohibitorum 373.
Indi 17.
India 18 137.
Indiae Occidentales 405ss.
Indo-Europaei 18.
Ingoli Franciscus 402ss.
Ini, rex Saxoniae occid. 33.
Innocentius II, papa 180s.
Innocentius III, papa 11s 33 130s 155 184 191ss 202 207.
Innocentius III, antipapa 189.
Innocentius IV, papa 11 131 197ss 218.
Innocentius V, papa 133 204.
Innocentius VI, papa 134 229s 233 255.

Innocentius VII, papa 241.
Innocentius IX, papa 387.
Innocentius XI, papa 93 328.
Innocentius XII, papa 255.
Inquisitio romana 365s.
Investitura ecclesiastica 56s 153ss.
Ipek, sedes archiep. 152.
Irenaeus (S.) 390.
Irene, imperatrix Orientis 54.
Isaac Angelus, imper. Byzant. 131.
Isaac Comnenus, imper. Byzant. 128.
Isaac, deleg. Maronitarum 138s.
Isabella, filia Philippi II 386 402.
Isabella, regina Hispaniae 396 405.
Isidorus Chioviensis, metropolita, card. 135s 139s.
Isidorus Hispalensis 22s 63.
Isidorus de Isolanis, O.P. 399.
Islamismus 79-95.
Islandia 67.
Istria 20.
Italia 18ss 22s.
Ivan III, princeps Moscoviae 143.
Ivo Carnotensis 184.

Jacobitae 137ss.
Jacobus I, rex Angliae 323 327.
Jacobus Baradaeus, ep. Edessae 137.

Jacobus d'Euse v. Joannes XXII, papa.
Jacobus a Marchia (S.) 13 345.
Jacobus Normannus, legat. pontif. 212.
Jacob. Vitriacensis 195s.
Jacobus de Sierck, archiep. Trevirensis 261.
Jacopone de Todi 208.
Jaeger Laurentius, archiep. Paderbornensis 335.
Japonia 411s.
Jaroslaus, princeps Russiae 76.
Jarrow, monasterium 32.
Jeremias II, patriarcha Constantinop. 143.
Jerusalem 86.
Jesuitae 293 351ss 365 381 409s 412s 415.
Joachim, patriarcha Hierosolymitanus 139.
Joachim II de Brandenburg 371.
Joachim a Flore, abbas 195 206.
Joanna, regina Neapolis 228 236.
Joanna-Francisca de Chantal (S.) 387.
Joannes VIII, papa 59 61s 70 72 115ss.
Joannes IX, papa 117.
Joannes X, papa 122.
Joannes XI, papa 121s 158.
Joannes XII, papa 122s 158.
Joannes XIV, papa 123.
Joannes XV, papa 158.
Joannes XVI (Philagathus), antipapa 123.
Joannes XIX, papa 123.
Joannes XXI, papa 133 204 218.

Joannes XXII, papa 134 220ss 232.
Joannes XXIII, antipapa 245ss.
Joannes I, imper. Byzant. 122s.
Joannes VIII Palaeologus, imper. Byzant. 134s 139.
Joannes Sineterra, rex Angliae 202.
Joannes, patr. copt. Alexandr. 139.
Joannes VI, metropol. Armen. 137.
Joannes ab Avranches, ep. 164.
Joannes de Ayora, O.F. M. 408.
Joannes de Bar, camerarius pontif. 235.
Joannes XI Beccos, patriarcha Byzant. 132ss.
Joannes de Calvi, O.F. M. Obs 344.
Joannes Camateros, patriarcha Constantinop. 131.
Joannes a Capistrano (S.) 13 92 263 345 360.
Joannes Climacus (S.) 28.
Joannes de Cros, card. 233.
Joannes de Cruce (S.) 348.
Joannes Damascenus (S.) 28 88 105.
Joannes de Deo (S.) 348.
Joannes Duns Scotus 9.
Joannes de Fano, O.F. M. Cap. 287 346.
Joannes Fesulanus (B.) 14.
Joannes Fisher (S.) 286 310s 314 316 363 398.

INDEX NOMINUM ET RERUM

Joannes de la Grange, card. 237.
Joannes a Janduno 225.
Joannes IV Jejunator, ep. Constantinop. 100.
Joannes van Leeuwen 270.
Joannes Leonardi (S.) 351.
Joannes de Lotharingia, card. 358.
Joannes III, rex Lusitaniae 411.
Joannes a Matha (S.) 193.
Joannes a Monte Corvino, archiep. 219.
Joannes Sobieski, rex Poloniae 93.
Joannes Presbyter 391.
Joannes a Procida 205.
Joannes, archiep. Ravenn. 60.
Joannes de Rély 276.
Joannes, archiep. Rigae 245.
Joannes Sarisburiensis 8s.
Joannes, ep. Salisburgensis 42.
Joannes de Saxonia, princeps elector 289s.
Joannes Scotus Eriugena 9.
Joannes de Tecto, O.F.M. 408.
Joannes a Toleto, O.P. 365.
Joannes Tranensis, ep. 125.
Joannes, O. Min., deleg. Maronit. 138.
Jona (Hy), insula 36.
Jonas Justus 286.
Jonas a Susa 37.
Jordanus, ep. Posnan. 74.

Joseph Dhu Nuwas, rex Sabae 80.
Josephus Calasanct. (S.) 351.
Josephus, patriar. Constantinop. 135s.
Josephus a Ferno, O.F.M. Cap. 350.
Jubilaeum 210; v. Annus Sanctus.
Judaei 80 228.
Jugoslavia 144.
Juliana a Norwich 270.
Julius I, papa 98.
Julius II, papa 313s 358 395.
Julius III, papa 363 367 371s.
Jus spolii 221.
Justinianus I, imperator 19s 97 100ss.
Justus, ep. Roffensis 31.

Kaaba 8oss.
Kara Mustafa, dux Turcarum 93.
Karlstadt (Bodenstein Andreas) 285ss.
Keble, amicus Newman 331.
Keller (Cellarius), Ch. 6.
Kevinus (S.) 35.
Khanbaliq (Peking), sedes metropol. 219.
Khorassan 137.
Kidd 336.
Kilianus (S.) 37 42.
King 336.
Kiovia, sedes metropol. 76 388.
Kitchin, ep. de Llandaff 321.
Kitzingen, monasterium 45.

Knox Joannes 308 325 332.
Kocel, princeps Pannoniae inferioris 72.
Kolberg, sedes episc. 75.
Koppony, dux Hungar. 78.
Krum, dux Bulgarorum 70.

Ladislaus Jagello, rex Poloniae 91.
Lambertus, card. Ostiensis 177 180.
Lambertus Tungrensis 27.
Lanfrancus, abbas, archiep. Cantuariensis 164 166.
Lang, sequax Lutheri 286.
Lanzaroto Malocello 391.
Laurentius a Brundusio (S.) 294.
Laurerius, card. 346.
Laynez Jac., S. J. 352 357 372 375.
Leander Hispalensis 22s.
Lebuinus (S.) 45s.
Leo I Magnus (S.), papa 19 99 117.
Leo III, papa 52ss 103 118.
Leo IV, papa 59s 106 117.
Leo V, papa 158.
Leo VI, papa 158.
Leo IX, papa 11 64 120 124ss 154 160ss 178.
Leo X, papa 258 269 285s 311 344 357ss 369 395 398.
Leo XIII, papa 147 264 327 331 397.
Leo III Isauricus, imper. Byzant. 97 108.

Leo V Armenus, imper. Byzant. 105.
Leo VI, imper. Byzant. 118 120s.
Leo II, rex Armeniae 137.
Leo, cardinalis presbyter 111.
Leo de Achrida, archiep. 125s.
Leonardus Aretinus 246.
Leonardus a Portu Mauritio (S.) 355.
Leovigildus, rex Visigoth. 23.
Lerinum, monasterium 34.
Lethonia 145.
Liber poenitentialis 29.
Liddon 336.
Liemarus, archiep. Bremensis 167 171.
Liga Gallica 386s.
Liga Longobardica 188 196.
Liguria 20.
Lily Gulielmus, hellenista 310.
Linacre, professor Th. Mori 311.
Link, sequax Lutheri 286.
Lioba (S.), abbatissa 40 45.
Lipomanus Aloysius, ep. 378.
Lithuania 75 145.
Liturgia syriaco-chaldaica 137.
Liudhardus, episc. 30.
Liutprandus, rex Longobard. 50.
Lollardi 267 309.
Lomellino 343.
Londinium, sedes metropol. 31.

Longobardi 18 20 22s 50ss.
Longobardia 167.
Lortz J. 336.
Lotharius I, imp. Rom. 58s.
Lotharius III, imper. Rom.-Germ. 180s.
Lotharius II, rex Lotharing. 61.
Lotharius a Signia v. Innocentius III, papa.
Lovanium, universitas 369 373s.
Low Church 334.
Lucas della Robbia 14.
Lucentinus, legatus pontificius 99.
Lucius II, papa 181.
Lucius III, papa 130 190.
Ludgerus (S.) 45 65.
Ludmila (S.), uxor principis Boriwoj 73s.
Ludolphus a Sagan 239.
Ludolphus Saxo 270.
Ludovicus I Pius, imp. Rom.-Germ. 47s 58 65 151.
Ludovicus II (Germanicus), imp. Rom.-Germ. 58ss 72 114.
Ludovicus Bavarus, imp. 221 223ss 232.
Ludovicus Simplex, rex Galliae 68.
Ludovicus VI, rex Galliae 180.
Ludovicus IX (S.), rex Galliae 197 199 203 205 210 263.
Ludovicus, dux Bavariae 247 250.
Ludovisi Alexander, cardin. 401; v. Gregorius XV, papa.

Lullus, socius S. Bonifatii 42 44.
Lundinum Gothorum (Lund), sedes metropol. 67.
Lupus Trecensis 34.
Lusitania 20 24.
Lutherischer Rat 335.
Lutherus Martinus 269 278 280s 282ss 305 310 313 335s 345 360.
Luthomusia, sedes episc. 74.
Luxovium, monasterium 28s 58.

Macedonius, haereticus 98.
Madruzzo Christophorus, card. 363.
Magdeburgum, sedes metropol. 68.
Magellanus Ferdinandus 391s 410.
Magna Charta libertatum 202s.
Magnus Bonus, rex Norvegiae 68.
Mahumetani 79-95.
Mahumetus 81ss.
Mahumetus II 140s.
Maine Cuthbertus (B.) 327.
Maiores domus 49
Malabar 145.
Malabranca Latinus, cardin. 206.
Malatesta Carolus 243 245 247 250s.
Malek-el-Kamel, sultanus Aegypti 196.
Malmesbury, monasterium 32.
Manfredus, filius Frederici II 199 205.
Manning, card. 330 333.

Manzoni Alexander 6.
Mar Ivanios, ep. 145.
Mar Theophilos, ep. 145.
Marbodus 9.
Marcellus II, papa 353 363 367.
Marcianus, imper. Rom. 99.
Marcus ab Aviano, capucinus 93.
Marcus Eugenicus, archiep. Ephesinus 135ss 139.
Marcus Xylocaravus, patriarcha Constantinop. 141.
Margarita, soror Henrici VIII, regis Angliae 323.
Maria, filia Henrici VIII, regina Angliae 313 318 320s.
Maria Stuart, regin' Scotiae 323ss 327 305.
S. Maria in Sassia, hospitium Romae 33.
Marinus, diaconus 114s 117.
S. Maronis monasterium 138.
Maronitae 138s.
Marotia 121s 158.
Marsilius Ficinus 310.
Marsilius de Padua 225 242.
Martinus I (S.), papa 29.
Martinus IV, papa 133 218.
Martinus V, papa 134 205 247 250 252ss 309 394.
Martinus (S.), archiep. Bracharensis 24.
Martinus a Valentia, O. F. M. 408.
Mathew Theobaldus, O. F. M. Cap. 330.

Mathilda, comitissa Thusciae 169s 187.
Matthaeus, ep. Wormatiensis 245.
Matthias, imper. Rom. Germ. 294.
Mauburnus Joan. (Mombaer) 14 274s
Mauritius a Fécamp, ep. 164.
Mauritius de Saxonia 371s.
Maximilianus de Bavaria 294.
Maximus Confessor (S.) 28.
Maximus, metropolita Kioviensis 77.
Mecklemburgum 68.
Medi 17.
Medici, Julius de' v. Clemens VII, papa.
Meditatio methodica 274 354.
Mediterraneus ambitus 17.
Medium Aevum, notio et notae praecipuae 5ss.
Melanchthon Philippus 286 289s 296.
Melchitae 144.
Melk, monasterium O. S. B. 345.
Mellitus, abbas, ep. Londin. 31.
Memling Hans, pictor 14.
Mercia 21.
Mercier D., card. 336.
Merovaeus, dux 26.
Merovingi 26 49.
Mesazon, senator Byzant. 140.
Mesopotamia 137s.
Methodius (S.), apostolus Slavor. 28 62 71ss.

Methodius (S.), patriarcha Constantin. 105ss 124.
Methodus missionaria 47s 399s.
Metrophanes II, patriarcha Constantinop. 139.
Metrophanes, ep. Smyrnen. 107.
Mexico 408s.
Michael I Rhangabé, imper. Byzantin. 105.
Michael III, imper. Byzant. 71 106 108s.
Michael IV, imper. Byzant. 124.
Michael VI, imper. Byzant. 128.
Michael VII, imper. Byzant. 129s.
Michael VIII Palaeologus, imper. Byzant. 132s. 205.
Michael Caerularius, patriarcha Constantinop. 120 124ss.
Michael de Cesena, O. Min. 223.
Michael Psellos 128.
Mieszko I, dux Poloniae 74.
Milner-Poynter, vicarius apost. 329.
Miltiades, papa 96
Minden, sedes episcopalis 47.
Minimi 346.
Missio, methodus 47s 399s.
Missiones ad infideles 23ss 394ss.
Missus imperialis 58.
Moderates 334.
Moguntiacum, sedes metropolitana 42.
Monachismus 28; in Russia 76.

Monasteria Angliae 32.
Monasteria Germaniae 45.
Monasteria Hiberniae 35.
Monasterium, sedes episcopalis 47.
Mongolia 137.
Moniales Angliae 45.
Monophysismus 18 86 101 137s 144s.
Monothelismus 86 101 138.
Montezuma, rex azteque 408.
Moravia 62 70ss.
Morone Joannes, card. 363 375s 379.
Morosini Thomas, patriarcha Constantinop. 131.
Mosca, residentia metropol. 77; patriarchatus 142s.
Mull, insula 36.
Müller, « episcopus » regni Germanici 335.
Münzer Thomas 287.
Murner Thomas 286.
Murray, ep. 329.

Nam, discipulus S. Methodii 72s.
Narnia 51.
Narses, dux 19.
Nazareni (pictores) 6.
Neapolis 20.
Nectarius, patriarcha Constantinop. 107.
Nepotismus 204 357s 360 362.
Nestoriana ecclesia 137.
Nestorius, ep. Constantinop. haereticus 101.
Neustria 49s.
Newman J. H., card. 331s.

Nicea, sedes imper. Byzant. 131.
Nicephorus II Phocas, imper. Byzant. 121.
Nicephorus III, imper. Byzant. 130.
Nicephorus, patriarcha Constantinop. 124.
Nicephorus, cancellarius patriarch. Constantinopol. 125.
Nicetas David, monachus Paphlagon. 113.
Nicetas Pectoratus, monachus 125s.
Nicetius Trevirensis 27.
Nicolaismus 161.
Nicolaitae 155.
Nicolaus I, papa 59ss 66 70s 108ss.
Nicolaus II, papa 12 64 154 161ss 166 180.
Nicolaus III, papa 133 204s 218 223.
Nicolaus IV, papa 205 218.
Nicolaus V, papa 140 211 261s 275 358 394.
Nicolaus V, antipapa 225ss.
Nicolaus a Clémanges 13.
Nicolaus a Cusa, card. 14 242 260s 271.
Nicolaus a Lyra 14.
Nicolaus Mysticus, patriar. Constant. 120s.
Nicolaus de" Tudeschi, archiep. Panormitanus 260.
Nidrosia (Drontheim), sedes metropol. 67.
Nigritarum commercium 396s.
Nilus (S.) 119s.
Ninianus (S.), ep. 35.
Nivella 29.

Nona (Nin), sedes episc. 69.
Non-conformists 323s.
Norbertus (S.), archiep. Magdeburgensis 180.
Nordalbingi 45.
Noricum 20.
Normanni 57 65 68 151 160 162s.
Normannia 164.
Northumbria 21, 32.
Norvegia 67s.
Nuntiaturae apostolicae 293 382.
Nursling, abbatia 40.
Nutter Joannes (B.) 327.

Ochsenfurt, monasterium 45.
Ockham Gulielmus, O. Min. 9 223 225ss 242.
O'Connell Daniel 329.
Octavianus Monticelli v. Victor IV, antipapa.
Odoacer 19.
Oecolampadius 286 310.
Offa, rex Saxoniae orient. 33.
Ohm, fluvius 41.
Ohrdruff, monasterium 42.
Olavus II Haraldson (S.), rex Norvegiae 68.
Olavus Schoszkönig, rex Sueciae 67.
Olavus Trygvason, rex Norvegiae 67.
O'Leary Arthurus, O. F. M. Cap. 331.
Olga, uxor principis Igor 76.
Olivi Petrus Joannis 219.
Olomutium, sedes episc. 73.

INDEX NOMINUM ET RERUM 441

Olympus, monasterium 107.
Omar, califus 85 86 88.
Ommiades, dynastia 85.
Oratio XL Horarum 350.
Oratoria 341ss.
Oratoriani 343.
Orcadae insulae 67.
Orchard 332.
Ordalia 155s.
Ordinationes anglicanae 322.
Ordo Crucigerorum 194.
Ordo Equitum S. Joannis 221.
Ordo Fr. Hospitalium S. Spiritus 193.
Origenes 390.
Orsini, familia Romana 204ss 208 229 361.
Orsini Jac., card. 233ss.
Orsini Matth., card. 217.
Orsini Napoleo, card. 217 223.
Orsini Ricciotti, card. 359.
Ortwin, theologus 279.
Osiander Andreas 315.
Osnabrück, sedes episcopalis 47.
Ostphali 45.
Ostrogothi 18ss.
Oswaldus, rex 32.
Otman, califus 83 85.
Otto I Magnus, imper. Rom.-Germ. 12 63 68 74 77 153 158.
Otto II, imper. Rom.-Germ. 123.
Otto III, imper. Rom.-Germ. 12 75 123 159.
Otto Bambergensis (S.) 68.
Otto a Brunswick, rex Germaniae 192.
Otto Passaviensis 270.
Otto a Wittelsbach 192.

Overbeck, pictor 6.
Oxonium, universitas 8 312 314.

Paderborn, sedes episcopalis 47 53.
Palaestina 138.
Palladius (S.), ep. 33.
Pannonhalma, monasterium S. Martini 78.
Pannonia 20 62.
Papia 20.
Parentucelli Thomas v. Nicolaus V, papa.
Parisiensis universitas 241 302.
Parker Matthaeus, archiep. anglicanus Cantuariensis 322s.
Paschalis I, papa 58 65.
Paschalis II, papa 64 176s.
Paschalis III, antipapa 187s 201.
Paschasinus, legat. pontificius 99.
Patarini 155.
Patras, ep. latinus 131.
Patriarchatus Orientis 104ss.
Patricius (S.) 33-35.
Paulinus, patriarcha Aquileiae 69.
Paulinus, ep. Eboraci 32.
Paulinus a S. Bartholomaeo, O. Carm. 405.
Paulus III, papa 292 315 346 352 354s 362ss 387 395 397s 411.
Paulus IV, papa 349 360 363ss 372s 387.
Paulus V, papa 348 388 401s.
Paulus, ep. Anconitanus 115.

Paulus Warnefridus Diaconus 23 33.
Paulus Giustiniani (B.) 359 398.
Paulus, ep. Populoniae 70 110.
Pauperes Catholici 194.
Paupertas apost. 222s 278.
Pax Augustana 292s.
Pax Monasteriensis 294s.
Peel Robertus 329.
Pelagius, card. legat. pontif. 131.
Pentapolis 20 51.
Pepinus Brevis, rex Francorum 50ss 163 185.
Pepinus ab Heristallo 49.
Pepinus a Landen 49.
Pepinus, filius Caroli Magni 77.
Peretti Alexander, card. 384.
Perpetuitas Eccles. 262ss.
Persae 17.
Persia 17s 137.
Persons, S. J. 326.
Pestis nigra 228.
Petitjean 412.
Petrarcha 230.
Petrus de Aragonia (B.), O. Min. 239.
Petrus II, rex Aragoniae 193.
Petrus III, rex Aragoniae 205.
Petrus IV, rex Aragoniae 230.
Petrus, card., legatus pont. 115s.
Petrus Abaelardus 8s 181.
Petrus, card. Albanensis 174.
Petrus ab Ailly 13 241s 247s 252.

Petrus, diaconus Alexandriae 138s.
Petrus, archiep. Amalphit. 126.
Petrus III, patriarcha Antiochenus 125 127s.
Petrus III, patriarcha melchita 120.
Petrus Canisius (S.), S.J. 293 355.
Petrus Capuanus, legat. pont. 131s.
Petrus Damiani (S.) 9 161 164 263.
Petrus a Gandavo, O. F. M. 408s.
Petrus, metropolita Kioviae 77.
Petrus Lombardus 296 299.
Petrus de Luna, card. 233.
Petrus a Luxemburgo (B.) 239.
Petrus de Murrone v. Coelestinus V, papa.
Petrus Portuensis, card. 177.
Petrus Rainalducci de Corvara v. Nicolaus V, antipapa.
Petrus de Vergne, card. 233 235.
Petrus a Vinea 198.
Pfefferkorn Joannes 279.
Philarghi Petrus (Alexander V), O. Min., card. 243.
Philippinae Insulae 410.
Philippus Suevus, rex Germaniae 192.
Philippus I, rex Galliae 167 175.
Philippus II Augustus, rex Galliae 192s 202.
Philippus IV Pulcher, rex Galliae 12 178 208ss 217ss 232.
Philippus II, rex Hispaniae 92 320 323 325s 372 385ss 410.
Philippus III, rex Hispaniae 415.
Philippus Benitius (S.) 360.
Philippus de Hassia 288 290s.
Philippus Nerius (S.) 343s 388.
Philotheus, patriar. Alexandrinus 139.
Photius 61 75 104ss.
Piccolomini, Aeneas Silvius (Pius II) 260.
Picti 21.
Pierleoni, familia Romana 179ss.
Pierpont Morgan 337.
Pilgrim, ep. Passaviensis 77s.
Pirminus (S.) 37s.
Pisaurum 20.
Pitra, card. 264.
Pius II, papa 260s.
Pius III, papa 358.
Pius IV, papa 363 368 373 379s.
Pius V (S.), papa 92 293 324 380s 387 397 399 401.
Pius VII, papa 403.
Pius IX, papa 147.
Pius X, papa 339 384 397.
Pius XI, papa 147 316.
Pius XII, papa 148.
Pizarro Franc. 392.
Plato 8.
Plunkett Oliverius, archiep. Armachan. (B.) 318.
Poenitentiaria apostolica 365.
Pole Reginaldus, card. 363s 367 376.
Polonia 74s 145.
Polyeuctus, patriarcha Constantinop. 121.
Pomerania 68 75.
Portal 336.
Praeraphaëlitae pictores 6.
Praga, sedes episc. 74, universitas 268.
Presbyteriani 307.
Prierias Silvester 285.
Prignano Bartholomaeus v. Urbanus VI, papa.
Primatus pontificius 97ss 257ss 379.
Prosper Aquitanus 19.
Protestantes 289.
Provincia (Provence) 27.
Pseudo-concilium Constantinop. (867) 113.
Pseudo-Dionysius 353.
Puritani 307 324.
Pusey, amicus Newman 331 336.

Quiñones Franc., card. 344.
Quirini Petrus 359 398.

Rabanus Maurus, abbas 28 63.
Radbodus, dux Frisiorum 39.
Radegundis (S.) 27.
Radewijns Florentinus 274.
Radoaldus, ep. Portuensis 108s.
Rainaldus a Dassel, archiep. Colonien. 186ss 201.
Raphael I, patriarcha Constantinop. 141.

Rastislavus, princ. Moraviae 71s.
Ratherius, ep. Veronensis 157.
Ratisbona, sedes episcopalis 42; monasterium 38.
Ratramnus Corbeiensis 113 160.
Rausin 5.
Ravenna, exarchatus 19s 51.
Raymundus Capuanus (B.) O. P. 345.
Raymundus Lullus 9 219 390.
Recaredus 23.
Reductiones 410 415.
Reformatio protestantica 266ss.
Reichenau, monasterium 38.
Remigius (S.), ep. Rhemensis 24 27.
Renascentia 5s 269 279.
Renatus Andegavensis, rex Neapolis 258.
Reservatum ecclesiasticum 293ss.
Residentia papalis 218.
Reuchlin Joannes 279.
Rhemi, sedes metropol. 43.
Rhenania 24s.
Ricardus de Aversa, dux Normann. 162.
Ricci Matthaeus, S. J. 412s.
Richardis, uxor Caroli Crassi 62.
Richardus Corleonis, rex Angliae 190 202.
Richelieu, card. de 294.
Rimbertus (S.), archiep. Hammaburg. 63s 66.
Ripa, sedes epísc. 66.
Ripon, monasterium 39.

Ritus byzantinus 145s.
Ritus graecus in Italia 119.
Ritus malabarenses et sinenses 414s.
Ritus slavonicus 71s.
Roberts Joannes 328.
Robertus de Bavaria, rex German. 245.
Robertus Bellarminus (S.) 355s 385 387s.
Robertus a Gebennis, card. 233 236; v. Clemens VII, antipapa.
Robertus Guiscardus, dux Normann. 163 171s.
Robertus, rex Neapolis 224.
Robinson 336.
Rodriguez, S. J. 352.
Rodulphus II, imper. Germ. 293.
Rodulphus Glaber, chronista 159.
Roffensis ecclesia (Rochester) 31.
Rogerus Baco 9 390.
Rogerius, rex Siciliae 180s.
Rogerius II, rex Siciliae 186.
Rolandus Bandinelli v. Alexander III, papa.
Rollo, dux Normannorum 68.
Roma 19s 51s passim.
Romani 21s 179ss.
Romania 144.
Romano Marcus, Theat. 350.
Romanticismus 6.
Romanus I, imper. Byz. 121.
Romualdus (S.) 64 157s.
Romulus Augustulus, imperator 19.

Rosenberg A. 335.
Rossetti, Dante Gabriel 6.
Rota Romana 365.
Rothadus, ep. Suession. 60.
Rothomagus, sedes metropol. 43.
Rudolphus de Habsburg, rex Romanorum 203ss.
Rudolphus, dux Sueviae 169ss.
Rufinus Senensis, O. F. M. Cap. 347.
Rupertus (S.), ep. Wormat. 38.
Rurik, dux Normannorum 75.
Russia 73ss.
Rutheni 75s 142 148 388.
Ruysbroeck Joannes 270.

Sacco di Roma 361.
Sadoletus Jac., card. 343 363s.
Saisset Bernardus, ep. Apamiensis 211.
Salimbene, O. Min. 9.
Salisburgum, dioec. 42; monasterium 38.
Salmeron, S. J. 352 354.
Salvago Joannes Bapt. 343.
Samogitia 75.
Samuel Eliberitanus, ep. apostata 89.
Sanctio pragmatica Bituricensis (1438) 258.
Santorio Jul. Ant., card. 401.
Saraceni 50 57 59 62.
Sarolta, uxor Geisae 77.
Sauli, card. 401 403.
Savelli, familia nobilis 229.

Savonarola Hieron., O. P. 310 345.
Saxones 20s 45ss.
Scandinavia 64-68.
Schardius S. 280.
Scheel O. 336.
Schisma Graecum 104ss.
Schisma Magnum in Occidente 233ss.
Schmalcalda, foedus 289.
Sciarra Colonna, Jacobus 208 214 219 225.
Scoti 21.
Scotia 35s.
Scott Walter 6.
Seid, servus Mahumeti 80.
Senogallia 20.
Senones, sedes metropol. 43.
Seneca 8 389.
Serbi 69 72.
Sergius I, papa 39 100 102.
Sergius II, papa 59.
Sergius III, papa 121s.
Sergius, patriarcha Constantinopol. 98 101.
Sergius II, patriarcha Constantinop. 121.
Sergius Mansour, pater S. Joannis Damasceni 88.
Seripando Hieronymus 346 374s.
Servet Michael 307.
Servi Mariae 346.
Seymour Joanna 318.
Sforza Guido Ascanius, card. 362.
Sicilia 20 165.
Sidonius Apollinaris 22.
Sigebertus, rex Australiae 26.
Sigfridus, archiep. Moguntinus 164.

Sigismundus, imp. Germ. 246ss 256 258.
Silvester II, papa 75 78 159.
Simeon, abbas 124. 124.
Simeon Metaphrastes 124.
Simeon Trapezuntinus, patriarcha Constantin. 141.
Simon a Borsano, card. 233 237.
Simon de Brion v. Martinus IV, papa.
Simon a Cramaud, patriarcha Alexandrinus 244.
Simon a Montfort, dux 193.
Simonetta, card 375.
Simonia 154s 161 166 181.
Sinae 17 137 412s.
Sinibaldus Fieschi v. Innocentius IV, papa.
Sirmium, dioecesis 71.
Sisinius, patriarcha Constantinop. 121.
Sixtus IV, papa 269 275 357 394.
Sixtus V, papa 382ss 399.
Skara, sedes episc. 67.
Skepi, monasterium 113.
Slavi 18 68ss.
Slesvicum, sedes episc. 66.
Sloveni 69 71s.
Smith Richardus, ep. 328.
Socialismus nation. 334s.
Societas Jesu v. Jesuitae.
Society of Atonement 339.

Söderblom N., ep. lutheranus 337.
Solimanus II Magnificus, sultanus 92 372.
Somaschi 350s.
Sonnius 369.
Soreth Joannes (B.), O. Carm. 346.
Sorores de Vita communi 270s.
Spagnoli Baptista (B.), O. Carm. 346.
Spirituales franciscani 208.
Spitignief I, princeps Bohemiae 73.
Stählin Gulielmus, ep. prot. Oldenburge is's 335.
Stahremberg, Ernestus de 93.
Stapleton Thomas 356.
Stargard Oldenburgum, sedes episc. 68.
Status pontificius 205 227ss.
Staupitz Joannes 283.
Steinach 38.
Stephanus II, papa 41 44 51ss 185.
Stephanus III, papa 52.
Stephanus V, papa 62 72 118.
Stephanus VI, papa 122 158.
Stephanus VII, papa 158.
Stephanus IX, papa 161s.
Stephanus (S.), rex Hungariae 77s.
Stephanus Langton, archiep. Cantuariensis 202.
Stephanus, ep. Nepesinus 114.

INDEX NOMINUM ET RERUM 445

Strigonia, sedes metropol. 78.
Studios, monast. Constantinop. 107 125.
Sturmius (S.), socius S. Bonifatii 40 42s.
Stylianus, ep. Neocaesariens. 107.
Sueci 65ss.
Suecia 66s.
Sueno (Svend) Gadelbaart 66.
Suevi 18 20 24 37
Sultanieh, sedes metropol. 221.
Suso Henricus 270 272.
Sussex 21 32.
Svatopluchus, princeps Moraviae 62 72.
Syllabus (1864) 12 216.
Synodi: 64; S. Bonifatii 43; Augustana Vindel. (952) 157; Bituricensis (1038) 156; Brixinensis (1080) 171; Constantinopol. (842) 105; (859) 107; (879) 116; Claramontana 9; (1095) 157 175; Erfordensis 166; Francofurtensis 164; (794) 56; Gerundensis (1068) 164; Goslarien. (1115) 177; Lateranen. (1059) 162 166; (1112) 177; (1116) 177; Melphitana (1089) 175; Moguntina (848) 66; (888) 157; (1049) 160; Niciensis (1041) 157; Passaviensis 166; Pictaviensis 166; (1000) 157; Papiae (1018) 159; (1049) 160; «generalis» (1160) 187; Remis (1049) 160; Romana (769) 58; (862) 108; (869)

114; (963) 158; (1049) 154 160; (1074) 166; (1075) 166; (1076) 168; (1078) 167; (1080) 167 171; (1302) 213; Rotomagensis 166; Senonensis 181; Sutrina (1046) 160; Trosleana (909) 157; Viennensis (1112) 177; Wormatiensis (866) 157; (1076) 168. - v. Concilia.
Syri 139.
Syria 137s.
Syro-Chaldaei 145.
Syro-Jacobitae 145.

Talmud 279.
Tancredus, rex Siciliae 190.
Tapperus Ruardus 369 372.
Tarasius, patriarcha Constantinop. 107 123s.
Tasman Abel 393.
Tauberbischofsheim, monasterium 45.
Tauler Joannes, O. P. 270 272.
Tavera, card. 397.
Tebaldeschi Francesco, card. 230 233 235 237.
Tebaldus, card. (Coelestinus II) 179s.
Tedaldus, archiep. Mediol. intrusus 168.
Templarii 214 219.
Terleckyj Meth., ep. Chelmensis 148.
Terra Sancta 88ss.
Tertiarii saeculares 342.
Tertullianus 30 390.
Tetragamia 120.
Tetzel Joannes, O. P. 284s.

Thaddaeus a Suessa, cancellarius imp. 198.
Thanet, insula 31.
Theatini 343 349s 360 365.
Thecla, abbatissa 45.
Theobaldus Visconti, archidiac. Leodiensis v. Gregorius X.
Theodelinda, regina Longobard. 23.
Theodo, dux Bavariae 38.
Theodoricus Magnus 19 24.
Theodoricus de Mörs, archiep. Coloniensis 261.
Theodoricus a Niem 242 246.
Theodora, basilissa Byzant. 106 108.
Theodora senior, coniux Theophylacti 158s.
Theodora iunior 158.
Theodorus II, papa 122.
Theodorus Cantuariensis 33.
Theodorus Lascaris, imp. Byzant. 131.
Theodorus Studita (S.) 28 123 125.
Theodosius Magnus, imperator 18.
Theodosius II, imperator 110.
Theodosius, patriarcha Hierosol. 88.
Theodosius (S.), monachus Kioviae 76.
Theognostus, archimandrita 109.
Theophilus, imper. Byzant. 106.
Theophylactus, archiep. Achridae 128.

Theophylactus, patriarcha Constantin. 121s.
Theophylactus, senator Romanus 63 122s 158s
Theresia de Avila (S.) 348s 388.
Thessalonica, ep. latin. 131.
Theutberga, uxor Lotharii II 61.
Theutbertus 40.
Theutgaudus, ep. Trevir. 61.
Thomas Aquinas (S.) 9 204 296 390.
Thomas Becket (S.), archiep. Cantuar. 170 200ss.
Thomas a Jesu, O. Carmel. 400s.
Thomas Hemerken a Kempen 13 271ss.
Thomas Morus (S.) 310s 314 316.
Thomas Palaeologus 143.
Thomas de Vio (Cajetanus) 270 285s 359.
Thüringer Richtung 335.
Thuringi 25 37s.
Thuringia 41s.
Thuroltum, monasterium 65.
Thuscia 20.
Tiburnia, sedes episc. 69.
Tirechanus, biographus S. Patricii 34.
Tolbiacum 24.
Toletum 24.
Toletus, card. 387.
Tomacelli Petrus v. Bonifatius IX, papa.
Topcliffe 325.
Torelli Ludovica, comitissa 350.
Tosti P. L. 338.

Tours, monasterium S. Martini 57s.
Transsubstantiatio 195.
Trasamundus, rex Vandal. 23.
Traversari Ambrosius 135 258.
Treuga Dei 156s.
Treviri, sedes episcopalis 37.
Tribur, conventus (1076) 62 169.
Trinitarii 193 405.
Truchsess Otto, card. 293 354s.
Tunstall, ep. Durhamiensis 321.
Turanica stirps 18 21.
Turcae 5 18 90ss 129s 140ss.
Turkestan 137.
Tusculi comites 159.
Typographia Polyglotta 404s.

Ubaldini, card. 404.
Ucraina 144.
Ucraini 75s
Udalricus (S.), ep. Augustanus 158.
Udo Tullensis, canceil. et bibl. pontif. 161.
Ulfila 18.
Ulricus, ep. Verdensis 245.
Ultonia 28.
Ultrajectum 39 168.
Umbria 20.
Unam sanctam 12 123ss.
Unni, monachus 66s.
Upsala, sedes metropol. 67.
Urbanus II, papa 9 64 90 157 165 175.

Urbanus III, papa 190.
Urbanus IV, papa 199 203 218.
Urbanus V, papa 134 229s 232 381.
Urbanus VI, papa 211 233ss.
Urbanus VII, papa 387.
Urbanus VIII, papa 147s 350 388 397 403s.
Ursulinae 347s.
Utilitas errorum 264s.

Vajk (Stephanus) 77.
Valentinianus III, imperator 18.
Vallum Antonini 21.
Vallum Hadriani 21.
Vandali 18ss 23.
Van der Weyden, Rog 14.
Van Eyck, Hubertus 14.
Van Eyck, Joannes 14.
Van Roey, card. 336.
Vasco de Gama 391 405.
Vascones 30.
Vassus 152.
Venantius Fortunatus Pictaviensis 27.
Vendeville Joannes, ep. 399.
Venetia 20.
Verden, sedes episcopalis 47.
Verdunum, tractatus (843) 59.
Vernaccia Hector 343.
Vesperae Siculae 205.
Vespucci Amerigo 392.
Vicelinus Bremensis (S.) 68.
Victor II, papa 160s.
Victor III, papa 174 176.
Victor IV, antipapa 187.

INDEX NOMINUM ET RERUM 447

Vigilius, papa 101 117.
Villari Joannes, chronista 210.
Vincentius Ferrerius (S.) 13 239 251 263.
Vincentius de Paulo (S.) 355 387.
Vindobona 93.
Virgilius 8.
Virgilius, archiep. Arelatensis 31.
Virgilius, ep. Salisburg. 69.
Visezlaus, princeps Dalmata 69.
Visigothi 19s 23 25.
Visio beatifica 223.
Vives Joan. Bapt. 402ss.
Vivilo, ep. Passaviensis 42.
Voitech v. Adalbertus (S.).
Vladimirus, sedes episc. 77.
Vladimirus, princ. Russiae 76.
Vojnomir, princeps 69.
von Schirach, Baldur 335.
von Schlegel, Fr. 6.
Vratislaus I, princeps Bohemiae 73.
Vulgata 385.

Wadding Lucas, O.F.M. Obs. 326.
Walafridus Strabo, abbas 63.
Waldenses 8 12 195.
Waldrada 61.

Waldtruda, consanguinea S. Bonifatii 45.
Waleys Thomas, O. P. 223.
Walmesley, vicarius ap. 328.
Walsingham 325.
Ward 332.
Ward Gulielmus 328.
Ward Maria 328.
Waso, ep. Leodiensis 157.
Wattson F. P. 339.
Wearmouth, monast. 32.
Wenceslaus (S.), princeps Bohemiae 73s.
Wendi 68.
Wesley Joannes 331.
Wessel Gansfort 274.
Wessex 21 32.
Westgothi v. Visigothi.
Westphali 45.
Wichingus, ep. Nitriae 72.
Wiclef Joannes 11 240 247 250 253s 266ss 270 276 309.
Wido, archiep. Mediolanensis 164.
Widukind, dux Saxonum 46s.
Wigbertus (S.) socius S. Bonifatii 38s 42 44.
Wilfridus, ep. Eboracensis 32s 38.
Willehadus, ep. Bremensis 45 47.
Willibaldus, socius S. Bonifatii 42 44.
Willibaldus, biographus S. Bonifatii 40.

Willibrordus (S.) 33 38ss 65.
Winbertus, abbas 40.
Windesheim, congregatio 13 271s.
Wiseman Nicolaus, card. 332s.
Witmarus, socius S. Anscharii 65.
Wolsey Thomas, card. 311s 314.
Woodlock P. F. 339.
Wulfadus, ep. Bitur. 60.
Wymburn, monasterium 45.
Wynehaldus 44.
Wynfrith v. Bonifatius (S.).

Ximenes de Cisneros, Franc., card 396.
Ximenes de Cisneros, Garcia 275 353.

Zabarella Franc., card. 242 247 249.
Zacharias 50.
Zacharias, papa 41 43.
Zacharias II, papa 117.
Zacharias, ep. Ananien. 108s.
Zaid-Ibn-Thabit, compilator *Corani* 83.
Zanetti Guido 380.
Zara Jacob, imper. Aethiopiae 138.
Zoë, uxor Ivan III 143.
Zwinglius Ulricus 286s 290 301 305.